KB070107

한끝 진도 교재

4·2

초등 국어

진도 교재

단원 들어가기

- **단원 도입**
  국어과 교과 역량, 단원명, 단원에서 배울 내용을 알아봅니다.
- **교과서 핵심**
  단원에서 배울 학습 내용을 한눈에 들어오는 핵심 정리와 확인 문제로 알아봅니다.

『국어』 학습 준비 ≫ 기본 ≫ 실천

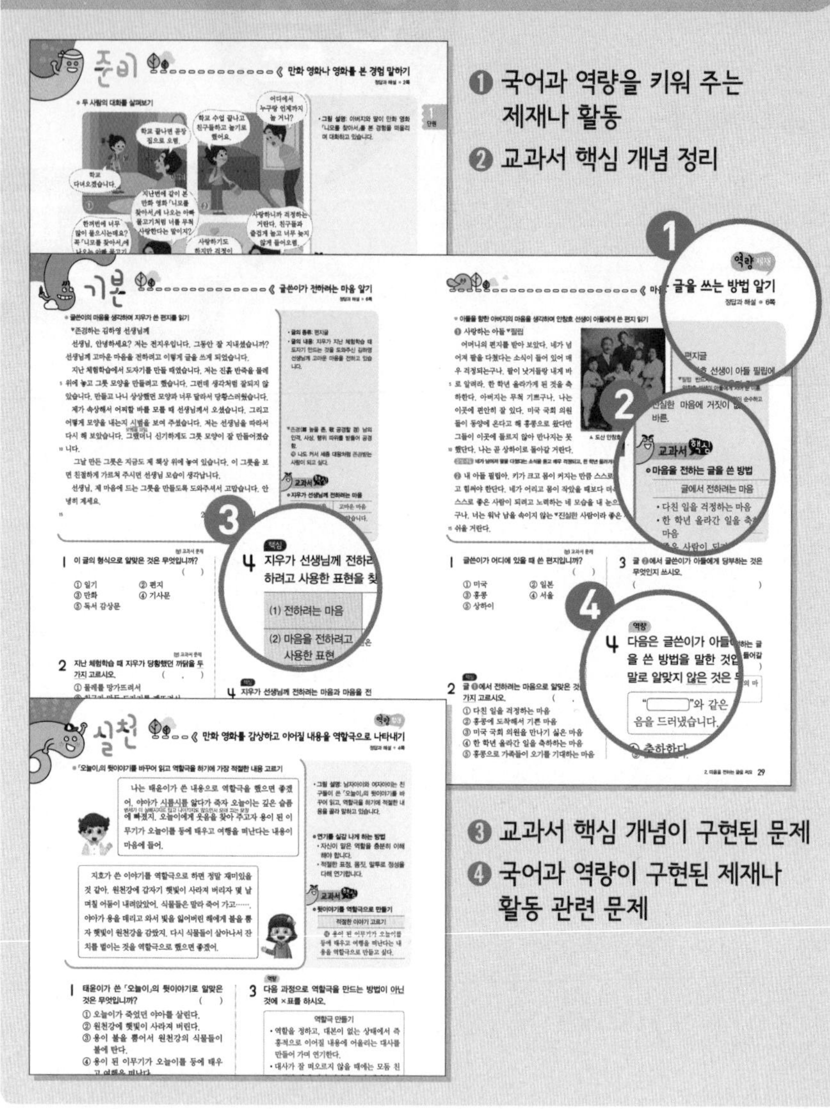

❶ 국어과 역량을 키워 주는 제재나 활동
❷ 교과서 핵심 개념 정리
❸ 교과서 핵심 개념이 구현된 문제
❹ 국어과 역량이 구현된 제재나 활동 관련 문제

- **준비**에서 앞으로 학습할 단원 목표와 내용을 쉽게 이해할 수 있습니다.
- **기본**에서 핵심 개념과 관련된 다양한 형태의 문제를 통해 기본적인 학습 내용을 충분히 익힐 수 있습니다.
- **실천**에서는 **기본**에서 학습한 내용을 실천할 수 있는 다양한 활동 문제를 구성하였습니다.

『국어 활동』 학습 기본 학습 관련 활동 ≫ 기초 다지기

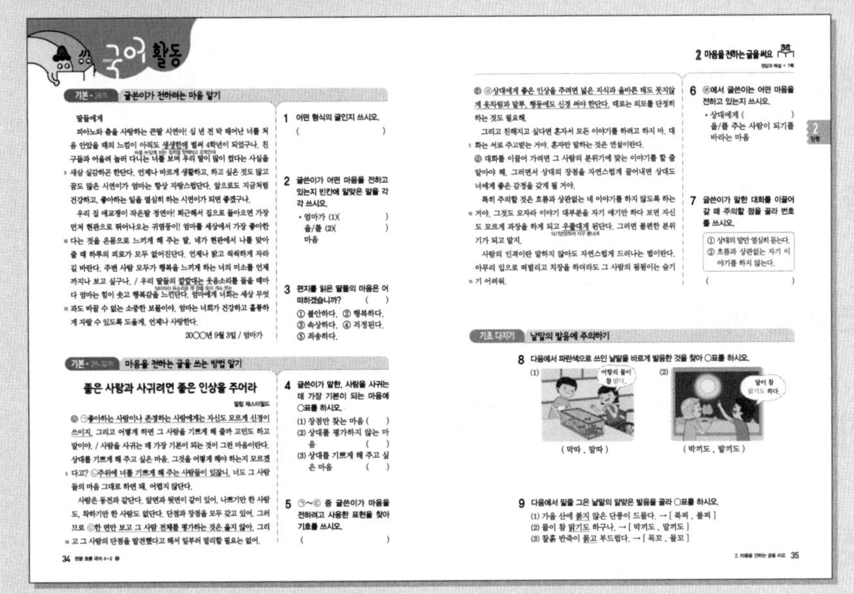

- 국어 활동은 기본에서 학습한 내용을 연습하고 다질 수 있는 문제와 국어 활동의 기초 다지기에 나오는 '쓰기, 발음, 어휘' 활동의 문제로 구성하였습니다.

단원 마무리

- **단원 마무리**
  단원에서 배운 내용을 빈 곳을 채우며 정리합니다.
- **단원 평가**
  꼭 나오는 핵심 문제로 단원에서 배운 내용을 확인합니다.
- **서술형 평가**
  답을 글로 쓰는 서술형 문제로 단원에서 배운 내용을 다시 한번 확인합니다.
- **교과서 낱말 퀴즈**
  교과서에 나오는 낱말을 재미있는 만화와 함께 퀴즈로 풀어 봅니다.

평가 교재

단원 평가 대비

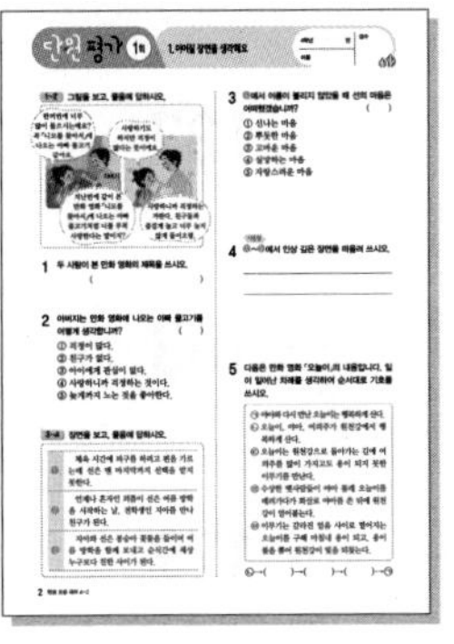

[단원 평가]

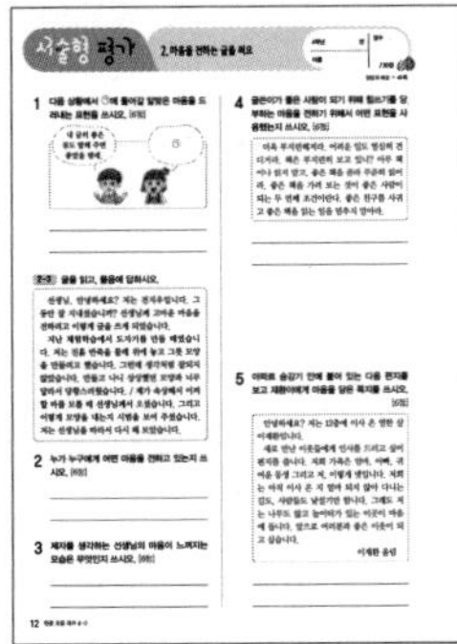

[서술형 평가]

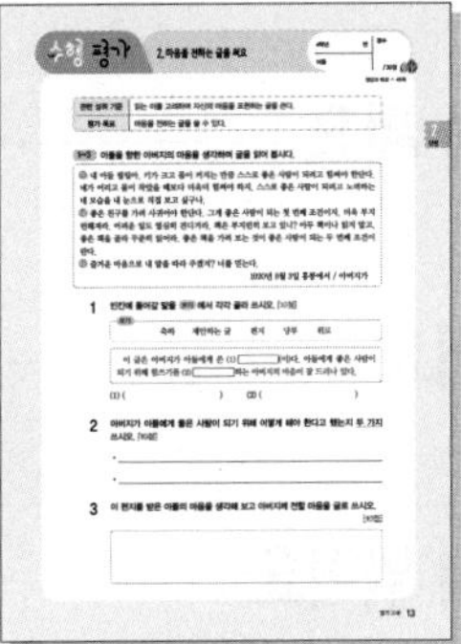

[수행 평가]

중간·기말 평가 대비

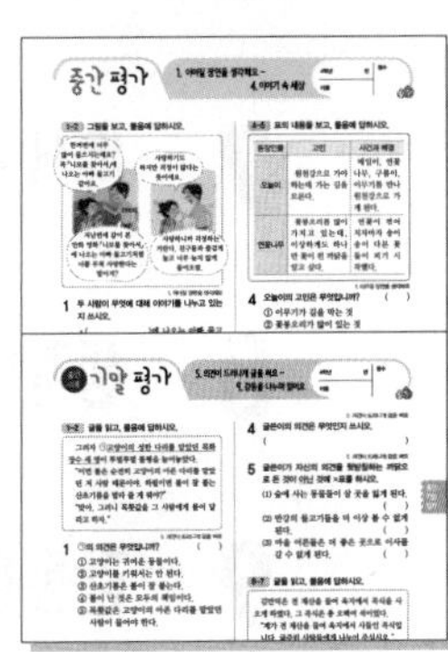

[중간·기말 평가]

차례

4-2 가

4-2 나

독서 단원

책을 읽고 생각을 나누어요

이 단원은 '한 학기 한 권 읽기'를 실천하는 단원입니다.
독서 단원은 한 학기 동안 언제든지 공부할 수 있습니다.
학교 수업에 맞추어 활용하세요.

독서 활동

[독서 준비]
읽을 책을 정하고 내용 예상하기

[독서]
책 읽기 방법을 정하고 궁금한 점을 떠올리며 읽기

[독서 후]
책 내용을 간추리고 생각 나누기

읽을 책을 정하고 내용 예상하기

1 읽을 책 정하기

○ 경험 나누기

① 자신이 읽었던 책을 이야기합니다.

예

나는 문화재를 다룬 정보책을 읽었어.

② 책 내용에 따라 이야기책, 정보책, 동시집 따위로 종류를 나누어 자신이 읽었던 책 목록을 만듭니다.

③ 자신의 독서 습관에 대해 짝과 이야기를 나눕니다.

○ 책 찾아보기

① 책을 고르는 방법을 알아봅니다.

- 평소 즐겨 읽는 책인가요?
- 책 내용에 대해 더 알고 싶은 것이 있나요?
- 책 내용과 그림에 흥미가 있나요?
- 책 속 글자의 크기가 너무 크거나 작지 않나요?

② 책을 고르는 자신의 기준을 만들어 봅니다.

예

나는 역사를 다룬 책을 즐겨 읽어. 그래서 이 책을 골랐어.

○ 누구와 읽을지 정하기

혼자	자신이 읽고 싶은 책을 혼자 골라 읽어요.
모둠	모둠 친구들과 의논해 읽고 싶은 책을 함께 골라 읽어요.
동아리	관심 있는 분야가 같은 친구들이 모여 함께 읽어요.

○ 읽을 책 결정하기

혼자서 읽을 때

- 책을 고르는 기준에 따라 읽고 싶은 책을 고릅니다.

예

이 책은 내가 관심 있어 하는 주제를 다루지는 않았지만, 책 내용과 그림을 훑어보니 재미있을 것 같아.

친구와 함께 읽을 때

- 친구들과 함께 읽고 싶은 책을 고르고 책을 고른 까닭이나 기준을 말합니다.

예

이 책은 전통 놀이를 다룬 책이야. 전통 놀이는 모두에게 흥미를 줄 수 있을 거야. 우리가 함께 읽고 이야기를 나누면 좋을 것 같아.

- 친구들이 고른 책을 살펴보고, 책을 고른 기준을 고려하며 어떤 책을 함께 읽으면 좋을지 생각해서 정해 봅니다.

2 책의 저자와 머리말을 살펴보고 내용 예상하기

① 책의 저자를 살펴보고 내용을 예상해 봅니다.

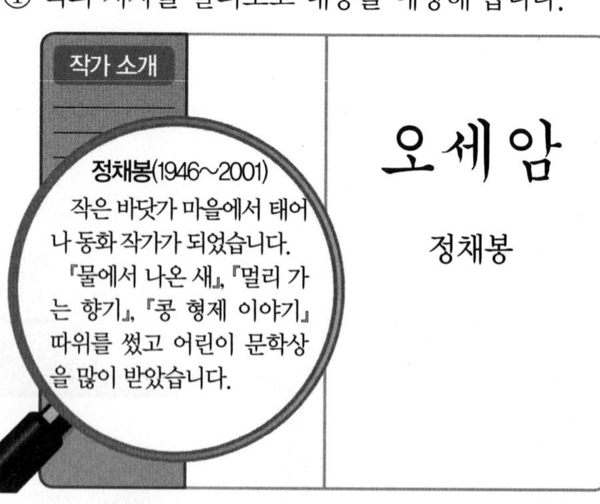

작가 소개
정채봉(1946~2001)
작은 바닷가 마을에서 태어나 동화 작가가 되었습니다. 『물에서 나온 새』, 『멀리 가는 향기』, 『콩 형제 이야기』 따위를 썼고 어린이 문학상을 많이 받았습니다.
오세암
정채봉

예

정채봉 작가는 꽃, 새 따위를 소재로 동화책을 많이 쓰신 분이야.

② 작가가 책을 쓴 까닭이나 책 전체 내용에 대한 정보가 담겨 있는 머리말(작가의 말, 서문)을 살펴보고 내용을 예상해 봅니다.

독서

» 책 읽기 방법을 정하고 궁금한 점을 떠올리며 읽기

1 읽기 방법 정하기

선생님께서 읽어 주시는 내용 듣기

혼자 소리 내지 않고 읽기

모둠 친구들과 돌아가며 읽기

?

2 궁금한 점을 떠올리며 책 읽기

① 궁금한 점을 떠올리며 책을 읽습니다.
② 책을 읽고 질문을 떠올립니다.
③ 책을 읽고 떠오른 질문을 정리합니다.
④ 책을 다 읽고 나서 자신이 만든 질문의 답을 어떻게 알 수 있을지 생각하며 분류해 봅니다.

책에서 답을 찾을 수 있는 질문	책에서 답을 찾을 수 없는 질문
• 진짜 옹고집이 잘못한 일에는 어떤 것이 있을까? • 원님은 왜 가짜 옹고집을 진짜라고 생각했을까?	• 내가 옹고집이라면 어떤 방법으로 진짜 옹고집이라는 것을 증명할까? • 이야기가 끝난 뒤 진짜 옹고집은 어떻게 되었을까?

예

이 질문은 책에서 답을 찾을 수 있어. 원님이 가짜 옹고집을 진짜라고 생각하게 된 까닭은 원님이 두 옹고집에게 물어보는 장면에서 찾을 수 있어.

"내가 옹고집이라면 어떤 방법으로 진짜 옹고집이라는 것을 증명할까?"라는 질문의 답은 책에서 옹고집의 상황을 따지며 내가 생각해 봐야 해.

독서 후

» 책 내용을 간추리고 생각 나누기

1 책 내용 간추리기

① 책 한 권을 끝까지 읽고 책 내용을 간추려 봅니다.
② 이야기 글은 누가, 언제, 어디에서, 무엇을 했는지 생각해 보고 간추립니다. 그리고 설명하는 글은 중요한 낱말을 중심으로 정리한 뒤에 관련 있는 내용을 덧붙이며 간추립니다.
③ 책 제목을 쓰고 간추린 책 내용을 씁니다.

2 생각 나누기

선택 1 개념 지도 그리기

① 책을 읽고 중요한 내용 정리하기

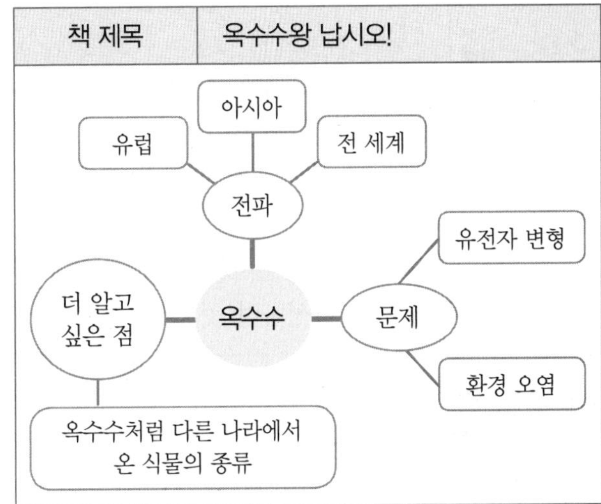

② 정리한 내용 발표하기

선택 2 책 속 좋은 구절 말하기

① 책 속 좋은 구절과 그 구절을 고른 까닭 쓰기
② 책갈피 만들기
③ 발표하기

선택 3 독서 토의 하기

① 이야깃거리 생각하기
- 책을 읽고 친구들과 나누고 싶었던 내용을 보며 이야깃거리를 찾아봅니다.
- '책에서 답을 찾을 수 없는 질문' 가운데에서 친구들과 이야기 나누고 싶은 질문을 떠올려 봅니다.

② 이야깃거리 모으기
③ 모둠별로 이야깃거리 정하기
- 친구들이 추천한 독서 토의 주제와 그 까닭을 듣고, 모둠의 독서 토의 주제를 정해 봅니다.

④ 책 이야기 나누기

정답과 해설 ● 2쪽

1 자신이 읽었던 책 목록을 만들려고 합니다. 빈칸에 알맞은 내용을 쓰시오.

(1) 이야기책	(2) 정보책	(3) 동시집

도움말 자신이 지금까지 읽은 책 가운데 기억에 남는 것들을 이야기책, 정보책, 동시집으로 나누어 정리해 봅니다.

2 다음 이야기에서 궁금한 점을 떠올려 질문을 두 가지 만들어 쓰시오.

옹고집

진짜 옹고집이 동냥으로 밥을 얻어먹으며 떠돌아다닌 지 3년이 지났다. 옹고집은 가족이 매우 그리웠지만, 고향으로 돌아가면 쫓겨날까 두려워 용기를 낼 수 없었다.

한편 고향에서는 가짜 옹고집이 자신의 잘못을 반성하며 곳간에 있는 곡식을 가난한 사람들에게 나누어 주고, 마을 사람들은 가짜 옹고집을 칭찬했다.

이 말을 들은 진짜 옹고집은 화를 내다가 앞일을 걱정했다.

'가짜가 내 재물로 사람들에게 인심을 얻었으니 나는 이제 집에 돌아갈 희망이 없구나. 마지막으로 내 집 한번 보고 싶구나.'

•

•

도움말 책을 읽으며 궁금한 내용을 적고 그 물음에 스스로 답을 찾으며 책을 읽으면 책 내용을 깊이 있게 이해할 수 있고 사고력을 기르는 데 도움이 됩니다.

3 자신이 읽은 책 속에서 좋은 구절을 찾고, 그 구절을 고른 까닭을 쓰시오.

(1) 책 제목	
(2) 구절	
(3) 고른 까닭	

도움말 이야기책이나 동시집을 읽은 경우에는 책에서 좋은 구절을 찾아 정리해 보고, 정보책을 읽은 경우에는 새롭게 알게 된·흥미로운 사실을 정리해서 쓸 수 있습니다.

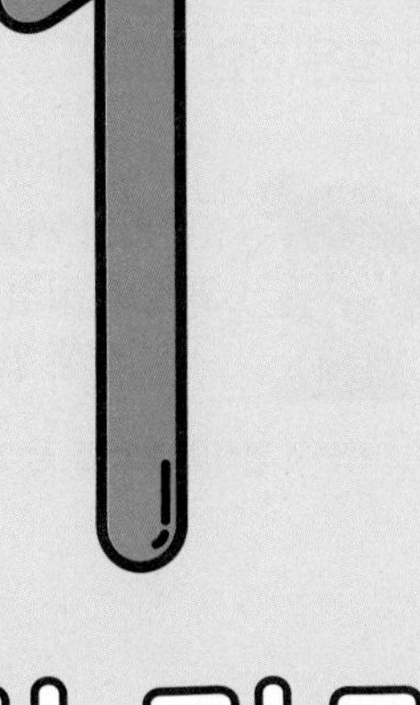

1 이어질 장면을 생각해요

준비
- 만화 영화나 영화를 본 경험 말하기

기본
- 영화를 감상하는 방법 알기
- 만화 영화 감상하기
- 만화 영화를 감상하고 사건을 생각하며 이어질 내용 쓰기

실천
- 만화 영화를 감상하고 이어질 내용을 역할극으로 나타내기

교과서 핵심

1 영화를 감상하는 방법

① 제목, 광고지, 예고편 따위를 보고 내용을 미리 상상합니다.
② 기억에 남는 대사나 인상 깊은 장면을 생각합니다.
③ 영화 내용을 떠올려 보고 느낀 점을 글로 씁니다.

예 「우리들」에서 기억에 남는 대사와 인상 깊은 장면 말하기

선이 자주 말하던 "아니, 그게 아니고……."가 가장 기억에 남아.

첫 장면에서 피구를 하려고 편을 나눌 때 선의 표정이 점점 변해 가는 것이 가장 인상 깊었어.

→ 기억에 남는 대사나 인상 깊은 장면을 친구들과 이야기하면서 영화를 보고 든 생각이나 느낌이 서로 다를 수 있다는 것을 알게 됩니다.

2 만화 영화 감상하기

① 광고지와 등장인물을 보고 어떤 내용이 펼쳐질지 상상합니다.
② 등장인물에게 어떤 일이 일어나는지를 생각하며 감상합니다.
③ 일이 일어난 차례를 생각하며 내용을 간추립니다.
④ 등장인물이 한 말이나 행동을 보고 성격을 짐작해 봅니다.
⑤ 등장인물이 한 행동 가운데에서 본받고 싶은 행동과 인상 깊은 장면을 말해 봅니다.

3 만화 영화를 감상하고 사건을 생각하며 이어질 내용 쓰기

① 등장인물이 지닌 고민을 살펴봅니다.
② 등장인물이 지닌 고민을 해결하는 과정을 알아봅니다.
③ 등장인물의 고민과 관련지어 뒷이야기를 상상해 봅니다.
④ 이어질 이야기에 새로운 인물을 등장시켜 사건을 전개해 봅니다.

예 이어질 이야기를 계획할 때 생각할 내용

- 중심인물을 누구로 하고 싶나요?
- 중심인물에게 어떤 일이 생기나요?
- 중심인물은 그 일을 어떻게 해결하나요?

→ 등장인물들의 고민과 관련지어 이어질 이야기를 써야 내용이 자연스럽게 이어집니다.

4 만화 영화를 감상하고 이어질 내용을 역할극으로 나타내기

① 친구들이 쓴 이어질 내용 가운데 역할극을 하기에 가장 적절한 것을 골라 역할극을 만듭니다.
② 연기를 실감 나게 하려면 자신이 맡은 역할을 충분히 이해하고 적절한 표정, 몸짓, 말투로 정성을 다해 연기합니다.
③ 역할극을 친구들 앞에서 발표한 뒤에 느낀 점을 말해 봅니다.

핵심 확인문제

정답과 해설 ● 2쪽

1 영화 제목이나 광고지, 예고편을 보고 어떤 내용이 펼쳐질지 상상해 보면 영화를 재미있게 감상할 수 있습니다.
(○, ×)

2 영화를 감상할 때에는 기억에 남는 대사나 ☐☐ 깊은 장면을 생각합니다.

3 만화 영화를 감상할 때에는 일이 일어난 ☐☐을/를 생각하며 내용을 간추립니다.

4 만화 영화를 감상하고 사건을 생각하며 이어질 이야기를 쓰는 방법으로 알맞은 것에 ○표를 하시오.

(1) 새로운 인물은 등장하면 안 된다. ( )
(2) 중심인물들의 고민이 해결된 뒤에 일어날 사건을 상상한다. ( )

5 역할극을 발표할 때에는 자신이 맡은 역할에 적절한 표정, ☐☐, 말투로 연기합니다.

준비 《 만화 영화나 영화를 본 경험 말하기

정답과 해설 ● 2쪽

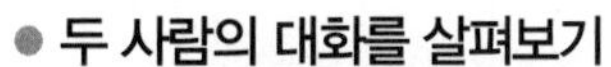

● 두 사람의 대화를 살펴보기

딸
아버지
학교 다녀오겠습니다.
학교 끝나면 곧장 집으로 오렴.
학교 수업 끝나고 친구들하고 놀기로 했어요.
어디에서 누구랑 언제까지 놀 거니?
지난번에 같이 본 만화 영화 「니모를 찾아서」에 나오는 아빠 물고기처럼 너를 무척 사랑한다는 말이지?
한꺼번에 너무 많이 물으시는데요? 꼭 「니모를 찾아서」에 나오는 아빠 물고기 같아요.
그래, 알았다. 즐겁게 놀고 너무 늦지 않게 들어오면 좋겠구나. 아빠도 이제 걱정을 덜 하도록 노력하마.
사랑하기도 하지만 걱정이 많다는 뜻이에요.

• **그림 설명**: 아버지와 딸이 만화 영화 「니모를 찾아서」를 본 경험을 떠올리며 대화하고 있습니다.

교과서 핵심

○ **만화 영화 「니모를 찾아서」에 나오는 아빠 물고기에 대한 생각 말하기**

딸	니모를 많이 걱정한다.
아버지	니모를 무척 사랑한다.

교과서 문제

1 두 사람이 본 만화 영화 제목은 무엇입니까?

( )

핵심

2 다음 두 사람은 1번 문제 답에 나오는 아빠 물고기를 각각 어떻게 생각하는지 찾아 선으로 이으시오.

(1) 딸 • • ① 니모를 무척 사랑한다.

(2) 아버지 • • ② 니모를 많이 걱정한다.

3 기억에 남는 만화 영화나 영화의 제목 알아맞히기 놀이를 하고 있습니다. 다음 만화 영화의 제목 글자들의 '첫 자음자'를 쓰시오.

인상 깊게 본 만화 영화: 「안녕 자두야」

( )

논술형

4 기억에 남는 만화 영화나 영화의 제목과 가장 기억에 남는 장면을 쓰시오.

(1) 제목	
(2) 가장 기억에 남는 장면	

역량 제재

영화를 감상하는 방법 알기

영화 「우리들」의 광고지와 등장인물, 예고편을 보고 어떤 내용이 펼쳐질지 상상하기

우리들

광고지

등장인물

선	지아
보라	윤

예고편

사랑, 미움, 질투

- **광고지 설명**: 영화 「우리들」의 광고지로, 왼쪽 광고지는 두 소녀가 봉숭아 꽃잎을 찧어서 손톱에 물을 들이고 있는 모습이고, 오른쪽 광고지는 두 소녀가 같은 곳을 보고 있는 뒷모습입니다.

영화의 등장인물을 알아보는 방법

인터넷 영화 안내 누리집에 들어가서 등장인물에 대한 설명을 읽습니다.

교과서 핵심

영화를 감상하는 방법

광고지를 보고 내용을 미리 상상하기

예 두 소녀가 둘도 없는 친구가 되는 이야기일 것 같다.

교과서 문제

1 「우리들」의 광고지 ❶과 ❷를 보고 바르게 설명한 친구를 쓰시오.

> 재현: 광고지 ❶에는 두 소녀가 꽃잎으로 손톱에 물을 들이고 있어.
> 정민: 광고지 ❷에는 두 소녀의 앞모습이 보여.
> 유빈: 광고지 ❶과 ❷에서 두 소녀는 모두 등을 돌리고 앉아 있어.

( )

2 「우리들」에 나오는 등장인물이 아닌 사람은 누구입니까? ( )

① 선 ② 다율 ③ 윤 ④ 보라 ⑤ 지아

3 「우리들」의 등장인물을 더 알아보는 방법으로 알맞은 것은 무엇입니까? ( )

① 「우리들」의 촬영 장소를 알아본다.
② 「우리들」과 비슷한 영화를 찾아본다.
③ 「우리들」의 광고지를 상상해서 그려 본다.
④ 「우리들」의 영화 예고편에서 인상 깊은 장면을 반복해서 본다.
⑤ 「우리들」의 영화 안내 누리집을 찾아 등장인물에 대한 설명을 읽어 본다.

핵심

4 다음은 영화를 감상하는 방법입니다. 알맞은 말에 ○표를 하시오.

- 영화 제목, 광고지, (예고편 , 상영 시간)을 보고 어떤 내용이 펼쳐질지 상상해 보면 영화를 재미있게 감상할 수 있다.

정답과 해설 ● 3쪽

● 「우리들」에서 일어난 사건의 차례를 생각하며 내용 간추리기

장면 ❶의 내용	장면 ❷의 내용	장면 ❸의 내용
체육 시간에 피구를 하려고 편을 가르는데 선은 맨 마지막까지 선택을 받지 못한다.	언제나 혼자인 외톨이 선은 여름 방학을 시작하는 날, 전학생인 지아를 만나 친구가 된다.	지아와 선은 봉숭아 꽃물을 들이며 여름 방학을 함께 보내고 순식간에 세상 누구보다 친한 사이가 된다.

장면 ❹의 내용	장면 ❺의 내용	장면 ❻의 내용
개학을 하고 학교에서 선을 만난 지아는 선을 따돌리는 보라 편에 서서 선을 외면한다.	선은 지아와 예전처럼 친해지려고 노력했지만 결국 크게 싸우고 만다.	선은 지아가 금을 밟지 않았다고 용기를 내어 친구들에게 말한다.

• 「우리들」의 내용

앞부분	여름 방학을 하는 날부터 여름 방학 동안에 있었던 일로, 선과 지아가 친하게 지내는 내용임.
뒷부분	개학식을 하고 나서 일어난 일로, 선과 지아의 사이가 나빠져 힘들어하는 내용임.

교과서 핵심

○ 영화를 감상하는 방법

기억에 남는 대사 생각하기
예 선이 자주 말하던 "아니, 그게 아니고……."가 가장 기억에 남아.
인상 깊은 장면 생각하기
예 피구를 하려고 편을 나눌 때 선의 표정이 점점 변해 가는 것이 가장 인상 깊었어.

교과서 문제

5 장면 ❶에서 친구들 이름이 한 명씩 불릴 때 선의 마음은 어떠했을지 빈칸에 알맞은 말을 쓰시오.

• 자기 이름이 언제 불릴까 기대했다가 이름이 불리지 않자 (   ) 마음이 들었을 것이다.

6 「우리들」에서 일어난 일로 알맞지 않은 것은 무엇입니까? (   )

① 선은 언제나 혼자인 외톨이이다.
② 선은 보라와 봉숭아 꽃물을 들이며 친해진다.
③ 여름 방학을 시작하는 날, 지아가 전학을 온다.
④ 개학을 하고 지아는 보라 편에 서서 선을 따돌린다.
⑤ 지아와 선은 여름 방학을 함께 보내며 친한 사이가 된다.

핵심 역량

7 지호가 「우리들」을 감상한 방법으로 알맞은 것은 무엇입니까? (   )

> 지호: 피구를 하려고 편을 나눌 때 선의 표정이 점점 변해 가는 것이 가장 인상 깊었어.

① 느낀 점을 글로 썼다.
② 인상 깊은 장면을 생각하였다.
③ 기억에 남는 대사를 생각하였다.
④ 예고편을 보고 내용을 미리 상상하였다.
⑤ 광고지를 보고 내용을 미리 상상하였다.

8 「우리들」을 보고 느낀 점을 표현할 수 있는 방법을 한 가지 쓰시오.

(   )

일이 일어난 차례를 생각하며 내용 간추리기

오늘이

제주도 민간 신화인 '원천강본풀이'를 바탕으로 만들어진 이야기로, 2003년에 만화 영화로 만들어졌습니다.

▲ 오늘이, 야아, 여의주가 원천강에서 행복하게 산다.

▲ 수상한 뱃사람들이 야아 몰래 오늘이를 데려가다가 화살로 야아를 쏜 뒤에 원천강이 얼어붙는다.

▲ 오늘이는 원천강으로 돌아가는 길에 행복을 찾겠다며 책만 읽는 매일이를 만난다.

▲ 꽃봉오리를 많이 가졌지만 꽃이 한 송이밖에 피지 않는 연꽃나무를 만난다.

▲ 오늘이는 사막에서 비와 구름을 벗어나고 싶어 하는 구름이를 만난다.

▲ 여의주를 많이 가지고도 용이 되지 못한 이무기를 만난다.

▲ 이무기는 갈라진 얼음 사이로 떨어지는 오늘이를 구해 마침내 용이 되고, 용이 불을 뿜어 원천강이 빛을 되찾는다.

▲ 구름이는 연꽃을 꺾어서 매일이에게 주고, 둘은 행복한 시간을 보낸다.

▲ 야아와 다시 만난 오늘이는 행복하게 산다.

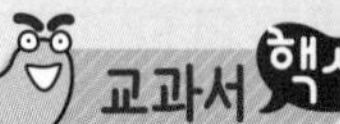
교과서 핵심 ● 만화 영화 감상하기

등장인물의 성격	예 매일이는 열심히 책을 읽는 것으로 보아 성실하다.
등장인물에게 본받고 싶은 행동	예 처음 본 등장인물들에게 스스럼없이 말을 거는 오늘이의 모습이 부러웠다.
인상 깊은 장면	예 이무기가 오늘이를 구해 주는 장면이 인상 깊다. 욕심을 버리고 남을 위해 희생하는 것은 쉬운 일이 아니기 때문이다.

논술형

1 오른쪽 「오늘이」의 광고지를 보고 어떤 내용이 펼쳐질지 상상해 쓰시오.

____

____

교과서 문제

2 매일이의 다음 행동을 통해 알 수 있는 성격은 무엇입니까? ( )

> 매일이는 정말 열심히 책을 읽었다.

① 차갑다. ② 성실하다. ③ 게으르다. ④ 속이 좁다. ⑤ 화를 잘 낸다.

교과서 문제

3 오늘이의 다음 행동을 본받고 싶다면 그 까닭으로 가장 알맞은 것에 ○표를 하시오.

> 처음 본 등장인물들에게 물어보는 모습

(1) 처음 만난 인물들에게 스스럼없이 말을 거는 모습이 부러워서 ( )

(2) 처음 만난 인물들에게 질문을 하고 종이에 쓰는 모습이 신기해서 ( )

핵심

4 「오늘이」에서 다음을 인상 깊은 장면으로 골랐다면 그 까닭은 무엇이겠는지 쓰시오.

> 이무기가 오늘이를 구해 주는 장면

( )

만화 영화를 감상하고 사건을 생각하며 이어질 내용 쓰기

정답과 해설 ● 3쪽

● 「오늘이」에서 등장인물이 지닌 고민과 그 해결 과정을 살펴보고, 뒷이야기 상상하기

등장인물	고민	사건과 해결
오늘이	원천강으로 가야 하는데 가는 길을 모른다.	매일이, 연꽃나무, 구름이, 이무기를 만나 원천강으로 가게 된다.
매일이	행복이 무엇인지 알고 싶다.	책에서 벗어나 구름이와 행복한 시간을 보낸다.
연꽃나무	꽃봉오리를 많이 가지고 있는데, 이상하게도 하나만 꽃이 핀 까닭을 알고 싶다.	연꽃이 꺾어지자마자 송이송이 다른 꽃들이 피기 시작했다.
이무기	여의주를 많이 가졌는데도 용이 되지 못한 까닭을 모른다.	㉠

• 표의 내용: 「오늘이」에 나오는 등장인물이 지닌 고민을 해결하는 과정이 나타나 있습니다.

교과서 핵심

● 이어질 이야기 상상하기 예

중심인물
오늘이
중심인물에게 일어날 일
오늘이의 친구인 매일이의 병을 고치려고 치료법 책을 찾아야 하는 일이 생긴다.
사건의 해결 과정
연꽃나무가 구름이도 다시 구름이 생겨서 고민한다고 말한다. 그래서 오늘이는 용이 된 이무기의 도움을 받아 구름이의 구름을 없애고, 매일이의 병을 고칠 치료법 책을 친구들과 같이 원천강에서 찾아 매일이를 살린다.

교과서 문제

1 오늘이와 연꽃나무의 고민을 찾아 각각 알맞은 번호를 쓰시오.

① 원천강으로 가야 하는데 가는 길을 모르는 것
② 꽃봉오리를 많이 가지고 있는데, 이상하게도 하나만 꽃이 핀 까닭을 알고 싶은 것

(1) 오늘이: (　　　　)
(2) 연꽃나무: (　　　　)

교과서 문제

2 다음과 같은 사건이 일어나 고민이 해결된 인물은 누구인지 쓰시오.

책에서 벗어나 구름이와 행복한 시간을 보낸다.

(　　　　)

3 다음은 ㉠에 들어갈 이무기의 고민이 해결된 사건입니다. 빈칸에 알맞은 말을 쓰시오.

• 위험에 빠진 (1)(　　　　)을/를 구하려고 품고 있던 여의주를 모두 버려 마침내 (2)(　　　　)이/가 되었다.

핵심

4 「오늘이」 뒤에 이어질 이야기를 쓰기 위해 생각할 점을 바르지 않게 말한 친구를 쓰시오.

주원: 이어질 이야기에 새로운 인물이 등장하면 안 돼.
예림: 「오늘이」의 등장인물들의 고민과 관련지어 이야기를 써야 해.
유찬: 「오늘이」의 중심인물들의 고민이 어떻게 해결되는지 살펴보면서 이어질 이야기를 상상해 봐야 해.

(　　　　)

실천 만화 영화를 감상하고 이어질 내용을 역할극으로 나타내기

역량 활동

정답과 해설 ● 4쪽

● 「오늘이」의 뒷이야기를 바꾸어 읽고 역할극을 하기에 가장 적절한 내용 고르기

나는 태윤이가 쓴 내용으로 역할극을 했으면 좋겠어. 야아가 시름시름 앓다가 죽자 오늘이는 깊은 슬픔에 빠졌지. 오늘이에게 웃음을 찾아 주고자 용이 된 이무기가 오늘이를 등에 태우고 여행을 떠난다는 내용이 마음에 들어.

시름시름: 병세가 더 심해지지도 않고 나아지지도 않으면서 오래 끄는 모양

지호가 쓴 이야기를 역할극으로 하면 정말 재미있을 것 같아. 원천강에 갑자기 햇빛이 사라져 버리자 몇 날 며칠 어둠이 내려앉았어. 식물들은 말라 죽어 가고……. 야아가 용을 데리고 와서 빛을 잃어버린 해에게 불을 뿜자 햇빛이 원천강을 감쌌지. 다시 식물들이 살아나서 잔치를 벌이는 것을 역할극으로 했으면 좋겠어.

• **그림 설명:** 남자아이와 여자아이는 친구들이 쓴 「오늘이」의 뒷이야기를 바꾸어 읽고, 역할극을 하기에 적절한 내용을 골라 말하고 있습니다.

◎ 연기를 실감 나게 하는 방법
• 자신이 맡은 역할을 충분히 이해해야 합니다.
• 적절한 표정, 몸짓, 말투로 정성을 다해 연기합니다.

교과서 핵심

◎ 뒷이야기를 역할극으로 만들기

적절한 이야기 고르기
예 용이 된 이무기가 오늘이를 등에 태우고 여행을 떠난다는 내용을 역할극으로 만들고 싶다.

1 태윤이가 쓴 「오늘이」의 뒷이야기로 알맞은 것은 무엇입니까? ( )

① 오늘이가 죽었던 야아를 살린다.
② 원천강에 햇빛이 사라져 버린다.
③ 용이 불을 뿜어서 원천강의 식물들이 불에 탄다.
④ 용이 된 이무기가 오늘이를 등에 태우고 여행을 떠난다.
⑤ 오늘이가 이무기와 함께 원천강을 떠난 야아를 찾아다닌다.

2 지호가 쓴 이야기를 역할극으로 나타낼 때 필요하지 않은 역할은 무엇입니까? ( )

① 해 ② 야아
③ 용 ④ 식물들
⑤ 구름이

핵심 역량

3 다음 과정으로 역할극을 만드는 방법이 아닌 것에 ×표를 하시오.

역할극 만들기
• 역할을 정하고, 대본이 없는 상태에서 즉흥적으로 이어질 내용에 어울리는 대사를 만들어 가며 연기한다.
• 대사가 잘 떠오르지 않을 때에는 모둠 친구들과 함께 직접 연기해 보며 대사를 만든다.
• 대본을 쓰거나 외우지 않으므로 실감 나게 연기하려면 여러 번 연습한다.
• 연기에 필요한 소품을 만든다.

(1) 역할을 정한다. ( )
(2) 대본을 가장 먼저 만든다. ( )
(3) 모둠 친구들과 함께 대사를 만든다. ( )

4 역할극을 만들어 발표할 때 실감 나게 연기하는 방법을 한 가지 쓰시오.

( )

국어 활동

정답과 해설 ● 4쪽

기본 • 14쪽 만화 영화 감상하기

독도 수비대 강치

「독도 수비대 강치」는 강치와 친구들이 '불타는 얼음'을 차지하기 위해 독도를 침략한 아무르 일당을 물리치고 독도를 구하는 이야기입니다.

등장인물: 강치

장소: 독도

일어난 일: 강치가 아무르와 싸워서 불타는 얼음을 되찾음.

1 「독도 수비대 강치」를 보고 난 뒤의 느낌을 쓰시오.

____

____

____

기본 • 15쪽 만화 영화를 감상하고 사건을 생각하며 이어질 내용 쓰기

임금님 귀는 당나귀 귀

① 임금님이 자고 일어났더니 귀가 커져 있었다. 그래서 임금님은 의관을 만드는 노인에게 귀를 감출 수 있는 큰 왕관을 만들게 했다.

→ 의관: 옛날에 남자의 웃옷(겉옷)과 갓을 뜻하는 말. 정식으로 갖추어 입는 옷차림을 이른다.

② 노인은 임금님의 귀가 길어졌다는 것을 말하지 못하고 끙끙 앓다가 병이 들었다.

③ 노인은 죽기 전에 아무도 없는 대나무 숲에 가서 "임금님 귀는 당나귀 귀."라고 말했고, 대나무 숲에서 "임금님 귀는 당나귀 귀."라는 소리가 들리자 임금님은 대나무를 모두 베어 버렸다.

④ 임금님은 큰 귀를 백성의 소리에 귀를 기울이는 어진 임금이 되라는 뜻으로 받아들였다.

2 「임금님 귀는 당나귀 귀」에서 가장 먼저 일어난 일은 무엇입니까? (　　)

① 임금님 귀가 커졌다.
② 노인이 병이 들었다.
③ 어진 임금님이 되었다.
④ 노인이 큰 왕관을 만들었다.
⑤ 노인이 대나무 숲에 가서 임금님의 비밀을 말했다.

3 「임금님 귀는 당나귀 귀」에 이어질 내용을 간단히 쓰시오.

____

____

____

기초 다지기 옳은 표현 알기

4 다음 (　　) 안에서 옳은 표현을 골라 ○표를 하시오.

(1)

나는 학급 회장 (으로서 , 으로써) 학급에 열심히 봉사할 것이다.

(2)

사람들이 농사를 시작함(으로서 , 으로써) 한곳에 머물러 살 수 있게 되었다.

준비

》만화 영화나 영화를 본 경험 말하기

㉮ 만화 영화 「니모를 찾아서」를 본 경험 말하기

사랑하기도 하지만 걱정이 많다는 뜻이에요.

아버지

딸

그래, 알았다. 즐겁게 놀고 너무 늦지 않게 들어오면 좋겠구나. 아빠도 이제 걱정을 덜 하도록 노력하마.

아버지와 딸이 본 만화 영화	「니모를 찾아서」
아빠 물고기에 대한 딸의 생각	니모를 많이 걱정한다.
아빠 물고기에 대한 아버지의 생각	니모를 무척 사랑한다.

기본

》영화를 감상하는 방법 알기

㉮ 「우리들」을 감상하는 방법

<table>
<tr><td>제목, ❶ □□□, 예고편 따위를 보고 내용을 미리 상상하기</td><td colspan="2"> 광고지를 보니 두 소녀가 둘도 없는 친구가 되는 이야기일 것 같습니다.</td></tr>
<tr><td rowspan="2">기억에 남는 대사나 인상 깊은 장면을 생각하기</td><td>기억에 남는 ❷ □□</td><td>인상 깊은 장면</td></tr>
<tr><td>선이 자주 말하던 “아니, 그게 아니고…….”가 가장 기억에 남습니다. 나도 선처럼 말을 할 때 “있잖아…….”라는 말을 자주 하기 때문입니다.</td><td>첫 장면에서 피구를 하려고 편을 나눌 때 선의 표정이 점점 변해 가는 것이 가장 인상 깊었습니다.</td></tr>
<tr><td>영화 내용을 떠올려 보고 느낀 점을 글로 쓰기</td><td colspan="2">주인공에게 편지 쓰기
선에게
선아, 나도 너처럼 초등학교 4학년 학생이야. 지금은 지아랑 잘 지내니? 지아가 너한테 속상하게 한 행동을 생각하면 무척 화가 나. 그렇지만 지아가 너를 싫어해서 그렇게 한 게 아니라 전에 다녔던 학교에서처럼 또 힘든 시간을 보내게 될까 봐 걱정이 돼서 그랬던 거 같아. 지아도 지금쯤 후회하고 있을 거야. 지아랑 다시 잘 지내기 바랄게. 그리고 마지막 피구 할 때처럼 친구들에게 너의 의견을 당당하게 말하기 바라. 그리고 보라한테 가서 “앞으로 나한테 함부로 말하지 말아 줘.”라고 말하는 게 좋겠어. 항상 힘내기 바랄게. 동생 윤을 잘 돌보아 주는 모습이 무척 좋아 보였어. 안녕!</td></tr>
</table>

기본 ……

만화 영화 감상하기

예 「오늘이」를 감상하기

등장인물의 성격	오늘이	어려움을 이겨 내고 원천강으로 돌아간 것으로 보아 용기가 있습니다.
	매일이	정말 열심히 책을 읽었고 그 덕분에 오늘이에게 원천강으로 가는 길을 책에서 찾아 주기도 한 것으로 보아 성실합니다.
	❸ □□□	많은 여의주를 가지고 있는 것으로 보아 욕심이 많지만 나중에 여의주를 버리고 오늘이를 구했기 때문에 마음씨가 착합니다.
등장인물에게 본받고 싶은 행동		오늘이가 처음 본 등장인물들에게 물어보는 모습을 본받고 싶습니다. 처음 만난 인물들에게 스스럼없이 말을 거는 모습이 부러웠습니다.
인상 깊은 장면		이무기가 오늘이를 구해 주는 장면이 인상 깊습니다. 자신의 욕심을 버리고 남을 위해 희생하는 것은 쉬운 일이 아닌데 그렇게 한 것이 대단하다고 생각합니다.

기본 ……

만화 영화를 감상하고 사건을 생각하며 이어질 내용 쓰기

예 「오늘이」의 이어질 이야기를 상상하기

등장인물	고민	해결
오늘이	원천강으로 가야 하는데 가는 길을 모른다.	매일이, 연꽃나무, 구름이, 이무기를 만나 원천강으로 가게 된다.

⬇

중심인물을 누구로 하고 싶나요?	오늘이
❹ □□□□에게 어떤 일이 생기나요?	오늘이의 친구인 매일이의 병을 고치려고 치료법 책을 찾아야 하는 일이 생긴다.
중심인물은 그 일을 어떻게 해결하나요?	오늘이가 매일이의 병을 고칠 수 있는 치료법 책을 찾아서 연꽃나무를 만났는데, 연꽃나무가 구름이도 다시 구름이 생겨서 고민한다고 말한다. 그래서 오늘이는 용이 된 이무기의 도움을 받아 구름이의 구름을 없애고, 매일이의 병을 고칠 치료법 책을 친구들과 같이 원천강에서 찾아 매일이를 살린다.

단원 평가

• 단원 평가 더 풀기 >> 평가 교재 2~7쪽

1~3 그림을 보고, 물음에 답하시오.

한꺼번에 너무 많이 물으시는데요? 꼭 「니모를 찾아서」에 나오는 아빠 물고기 같아요.
딸
아버지
지난번에 같이 본 만화 영화 「니모를 찾아서」에 나오는 아빠 물고기처럼 너를 무척 사랑한다는 말이지?
사랑하기도 하지만 걱정이 많다는 뜻이에요.

1 딸은 아버지를 「니모를 찾아서」의 어떤 등장인물과 비슷하다고 했습니까?

( )

2 1번 문제 답에 대한 딸의 생각으로 알맞은 것은 무엇입니까? ( )

① 호기심이 많다.
② 사람을 잘 믿는다.
③ 말이 없는 편이다.
④ 니모를 많이 걱정한다.
⑤ 다른 사람을 잘 도와준다.

3 아버지와 딸처럼 만화 영화나 영화를 본 경험을 말하지 않은 친구를 쓰시오.

영준: 극장에 가서 먹은 팝콘이 정말 맛있었어.
담희: 석우와 영택이의 우정을 그린 「가방 들어 주는 아이」는 감동적이었어.
지완: 여름 방학 때 형과 함께 재미있게 본 「검정 고무신」이 기억에 남아.

( )

4~6 그림을 보고, 물음에 답하시오.

지아 ▶
◀ 선
우리들

4 이 광고지에서 선과 지아가 꽃으로 한 일은 무엇입니까? ( )

① 해바라기로 목걸이를 만들었다.
② 진달래로 화전을 만들어 먹었다.
③ 장미 꽃잎을 책 속에 넣어 말렸다.
④ 개나리꽃을 꺾어 서로 나누어 가졌다.
⑤ 봉숭아 꽃잎을 찧어 손톱에 물을 들였다.

5 이 광고지의 영화에 나오는 등장인물을 알아보는 방법으로 알맞은 것에 ○표를 하시오.

(1) 도감을 찾아본다. ( )
(2) 백과사전을 찾아본다. ( )
(3) 영화 누리집을 찾아본다. ( )

논술형

6 이 광고지를 보고 어떤 내용이 펼쳐질지 상상해 써 보시오.

중요

7 영화를 감상하는 방법으로 알맞지 않은 것은 무엇입니까? ( )

① 느낀 점을 글로 쓴다.
② 인상 깊은 장면을 생각한다.
③ 기억에 남는 대사를 생각한다.
④ 제목을 보고 내용을 미리 상상한다.
⑤ 영화를 본 시간이나 장소를 생각한다.

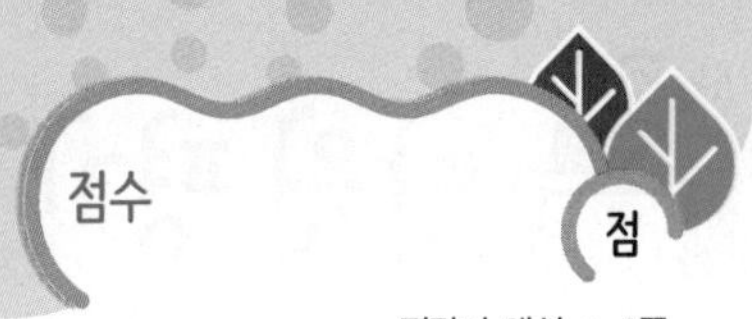

정답과 해설 ● 4쪽

중요

8 다음 「우리들」 영화의 장면이 인상 깊은 까닭을 알맞게 말한 친구를 쓰시오.

장면
체육 시간에 피구를 하려고 편을 가르는데 선은 맨 마지막까지 선택을 받지 못한다.

서현: 피구를 하면서 마지막까지 살아남아 즐거워하던 선이가 기억에 남아.
재호: 피구를 하려고 편을 나눌 때 선의 표정이 점점 변해 가는 것이 가장 인상 깊었어.

( )

9~12 장면을 보고, 물음에 답하시오.

▲ 오늘이, 야아, 여의주가 원천강에서 행복하게 산다.

▲ 수상한 뱃사람들이 야아 몰래 오늘이를 데려가다가 화살로 야아를 쏜 뒤에 원천강이 얼어붙는다.

▲ 오늘이는 원천강으로 돌아가는 길에 행복을 찾겠다며 책만 읽는 매일이를 만난다.

▲ 야아와 다시 만난 오늘이는 행복하게 산다.

9 이 만화 영화에서 일어난 일이 아닌 것은 무엇입니까? ( )

① 오늘이는 매일이를 만났다.
② 오늘이는 원천강에서 혼자 살았다.
③ 매일이는 행복을 찾겠다며 책만 읽었다.
④ 뱃사람들이 야아 몰래 오늘이를 데려갔다.
⑤ 야아가 화살에 맞은 뒤에 원천강이 얼어붙었다.

10 오늘이가 원천강으로 가려고 하는 까닭은 무엇입니까? ( )

① 매일이가 기다리고 있어서
② 원천강에 여의주를 두고 와서
③ 원천강에만 있는 약을 구하려고
④ 원천강에 숨겨진 보물을 찾으려고
⑤ 원천강으로 다시 돌아가 야아와 행복하게 살고 싶어서

11 매일이의 성격은 어떠한지 쓰시오.

( )

서술형

12 이 만화 영화에서 인상 깊은 장면을 골라 그 까닭과 함께 쓰시오.

____

____

13~14 장면을 보고, 물음에 답하시오.

강치가 아무르와 싸워서 불타는 얼음을 되찾음.

국어 활동

13 강치의 성격으로 알맞은 것은 무엇입니까? ( )

① 친절하다.
② 용감하다.
③ 다정하다.
④ 소심하다.
⑤ 화를 잘 낸다.

국어 활동

14 이 만화 영화를 바르게 감상한 것을 골라 기호를 쓰시오.

㉠ 등장인물의 수를 세어 봤어.
㉡ 인상 깊은 장면을 이야기해 봤어.

( )

단원 평가

15~18 표의 내용을 보고, 물음에 답하시오.

등장 인물	고민	사건과 해결
오늘이	원천강으로 가야 하는데 가는 길을 모른다.	매일이, 연꽃나무, 구름이, 이무기를 만나 원천강으로 가게 된다.
연꽃 나무	꽃봉오리를 많이 가지고 있는데, 이상하게도 하나만 꽃이 핀 까닭을 알고 싶다.	연꽃이 꺾어지자마자 송이송이 다른 꽃들이 피기 시작했다.
이무기	여의주를 많이 가졌는데도 용이 되지 못한 까닭을 모른다.	위험에 빠진 오늘이를 구하려고 품고 있던 여의주를 모두 버려 마침내 용이 되었다.

15 오늘이가 원천강으로 가면서 만난 인물을 모두 찾아 쓰시오.

(　　　　　　　　　　　　　　　　　　)

16 다음 고민을 가진 등장인물은 누구입니까?

> 꽃봉오리를 많이 가지고 있는데, 이상하게도 하나만 꽃이 핀 까닭을 알고 싶다.

(　　　　　　　　)

17 이무기의 고민은 어떻게 해결되었습니까? (　　)

① 용이 되는 것을 포기했다.
② 여의주를 매일 열심히 닦았다.
③ 오늘이의 친구가 되어 주었다.
④ 오늘이에게서 여의주를 받았다.
⑤ 오늘이를 구하려고 품고 있던 여의주를 모두 버렸다.

중요

18 이 만화 영화의 이어질 이야기를 쓰려고 할 때 생각할 내용으로 알맞지 않은 것은 무엇입니까? (　　)

① 중심인물을 누구로 하고 싶나요?
② 중심인물에게 어떤 일이 생기나요?
③ 꼭 한 명의 새로운 인물을 등장시키나요?
④ 중심인물은 그 일을 어떻게 해결하나요?
⑤ 중심인물들의 고민이 어떻게 해결되나요?

19~20 글을 읽고, 물음에 답하시오.

> 지호가 쓴 이야기를 역할극으로 하면 정말 재미있을 것 같아. 원천강에 갑자기 햇빛이 사라져 버리자 몇 날 며칠 어둠이 내려앉았어. 식물들은 말라 죽어 가고……. 야아가 용을 데리고 와서 빛을 잃어버린 해에게 불을 뿜자 햇빛이 원천강을 감쌌지. 다시 식물들이 살아나서 잔치를 벌이는 것을 역할극으로 했으면 좋겠어.

19 지호가 쓴 이야기에서 역할극으로 했으면 좋겠다고 한 것을 찾아 ○표를 하시오.

(1) 야아가 시름시름 앓다가 죽는 모습 (　　)
(2) 원천강의 물이 넘쳐 홍수가 난 모습 (　　)
(3) 다시 식물들이 살아나서 잔치를 벌이는 모습 (　　)

20 지호가 쓴 이야기로 역할극을 발표할 때 주의할 점이 아닌 것은 무엇입니까? (　　)

① 알맞은 몸짓을 한다.
② 적절한 표정을 짓는다.
③ 역할에 맞는 말투로 연기한다.
④ 또박또박 정확하게 발음을 한다.
⑤ 모든 상황에서 작은 목소리로 말한다.

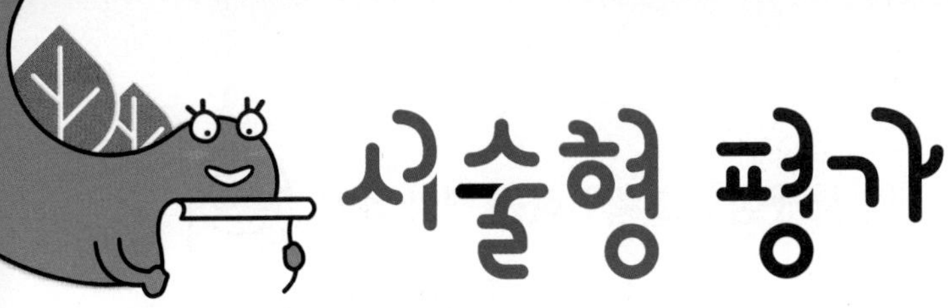

맞은 개수 개

정답과 해설 ● 5쪽

1~2 장면을 보고, 물음에 답하시오.

장면 ①의 내용	장면 ②의 내용
언제나 혼자인 외톨이 선은 여름 방학을 시작하는 날, 전학생인 지아를 만나 친구가 된다.	지아와 선은 봉숭아 꽃물을 들이며 여름 방학을 함께 보내고 순식간에 세상 누구보다 친한 사이가 된다.

장면 ③의 내용	장면 ④의 내용
개학을 하고 학교에서 선을 만난 지아는 선을 따돌리는 보라 편에 서서 선을 외면한다.	선은 지아가 금을 밟지 않았다고 용기를 내어 친구들에게 말한다.

1 「우리들」 영화의 장면입니다. 이 영화에서 가장 인상 깊은 장면과 그 까닭을 함께 쓰시오.

2 이 영화의 내용을 다시 떠올려 보고 느낀 점을 등장인물에게 편지 형식으로 쓰시오.

3~4 장면을 보고, 물음에 답하시오.

▲ 오늘이는 원천강으로 돌아가는 길에 행복을 찾겠다며 책만 읽는 매일이를 만난다.

▲ 꽃봉오리를 많이 가졌지만 꽃이 한 송이밖에 피지 않는 연꽃나무를 만난다.

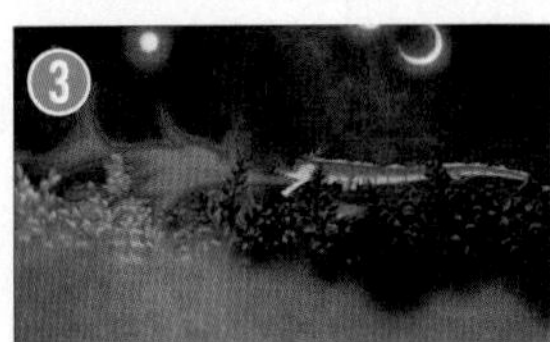
▲ 이무기는 갈라진 얼음 사이로 떨어지는 오늘이를 구해 마침내 용이 되고, 용이 불을 뿜어 원천강이 빛을 되찾는다.

▲ 구름이는 연꽃을 꺾어서 매일이에게 주고, 둘은 행복한 시간을 보낸다.

▲ 야아와 다시 만난 오늘이는 행복하게 산다.

3 원천강으로 돌아온 오늘이에게 어떤 일이 생길지 이어질 이야기를 상상해서 써 보시오.

4 오늘이는 3번 문제에서 답한 일을 어떻게 해결할지 쓰시오.

낱말 퀴즈

교과서 문장으로 확인하는 핵심 낱말 

● 다음 교과서 문장의 파란색 낱말 중에서 알맞은 것을 골라 인물들이 한 말을 완성하시오.

- 오늘이는 사막에서 비와 구름을 벗어나고 싶어 하는 구름이를 만난다.
- 이무기는 갈라진 얼음 사이로 떨어지는 오늘이를 구해 마침내 용이 된다.
- 용이 된 이무기가 오늘이를 등에 태우고 여행을 떠난다는 내용이 마음에 들어.
- 다시 식물들이 살아나서 잔치를 벌이는 것을 역할극으로 했으면 좋겠어.

왜! 드디어 ❶__________의 시작이야.

대장님, 시작부터 ❷__________을 건너야 하다니, 너무 끔찍해요.

쨍-

걱정마라. 사막 탐험을 위해 ❸__________을 잔뜩 준비해 왔지.

사막에서 우리가 궁금해 하던 ❹__________을 볼 수 있을까?

정답 | ❶ 여행 ❷ 사막 ❸ 얼음 ❹ 식물

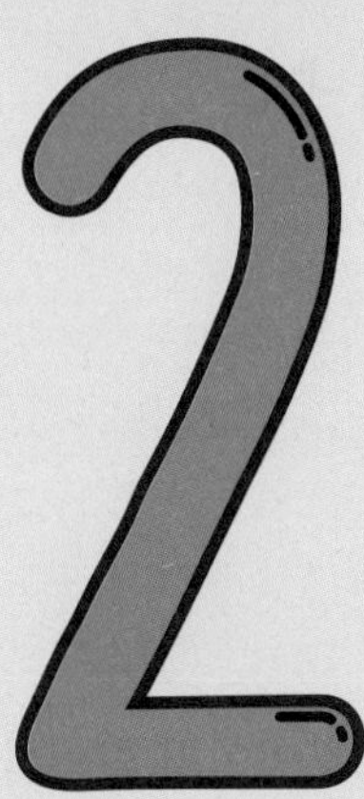

2 마음을 전하는 글을 써요

무엇을 배울까요?

준비

- 마음을 드러내는 표현 찾기

기본

- 글쓴이가 전하려는 마음 알기
- 마음을 전하는 글을 쓰는 방법 알기
- 마음을 전하는 글 쓰기

실천

- 마음을 담아 붙임쪽지 쓰기

교과서 핵심

1 마음을 드러내는 표현 찾기

① 마음을 전하고 싶은 일을 떠올려 봅니다.
② 그때의 마음을 드러내는 표현을 생각해 봅니다.

2 글쓴이가 전하려는 마음 알기

① 누가 누구에게 쓴 글인지 확인합니다.
② 무슨 일에 대해 썼는지 확인합니다.
③ 글쓴이가 마음을 전하려고 사용한 표현은 무엇인지 확인합니다.
④ 글쓴이가 전하려는 마음은 무엇인지 확인합니다.

예 지우가 쓴 글에서 지우의 마음을 알기

선생님, 안녕하세요? 저는 전지우입니다. 그동안 잘 지내셨습니까? 선생님께 고마운 마음을 전하려고 이렇게 글을 쓰게 되었습니다.
지난 체험학습에서 도자기를 만들 때였습니다. … 선생님, 제 마음에 드는 그릇을 만들도록 도와주셔서 고맙습니다. 안녕히 계세요.

⬇

전하려는 마음	마음을 전하려고 사용한 표현	마음을 전하고 싶었던 까닭
고마운 마음	고맙습니다.	체험학습에서 도자기 만드는 것을 선생님께서 도와주셨기 때문입니다.

3 마음을 전하는 글을 쓰는 방법

① 마음을 전하고 싶은 일을 떠올립니다.
② 글에서 전하려는 마음을 생각합니다.
③ 마음을 잘 나타낼 수 있는 표현을 사용합니다.
④ 읽는 사람의 마음이 어떠할지 짐작하며 씁니다.

4 마음을 전하는 글 쓰기

① 마음을 전하는 글을 쓰는 데 필요한 내용을 정리합니다.

마음을 전할 사람, 전하려는 마음, 있었던 일, 마음을 나타내는 표현

② 마음을 전하는 글을 쓰고, 자신의 마음을 잘 표현했는지 점검합니다.

핵심 확인문제

정답과 해설 ● 6쪽

1 글쓴이의 마음을 파악하려면 글쓴이가 마음을 전하려고 사용한 □□을/를 확인합니다.

2 고마운 마음을 전하려고 할 때 사용할 수 있는 표현을 쓰시오.

(　　　　　　　　)

3 편지 형식으로 마음을 전하는 글을 쓸 때 들어갈 내용에 모두 ○표를 하시오.

(1) 받는 사람 (　)
(2) 편지지를 산 곳 (　)
(3) 전하고 싶은 마음 (　)

4 마음을 전하는 글을 쓸 때에는 □□ 사람의 마음이 어떠할지 짐작하며 씁니다.

5 마음을 전하는 글을 쓰려면 마음을 전할 사람, 전하려는 마음, 있었던 일, 마음을 나타내는 표현을 생각해 정리합니다.

(○, ×)

준비 《 마음을 드러내는 표현 찾기

정답과 해설 ● 6쪽

● **태웅이가 쓴 편지를 읽기**

우리 반 친구들에게

친구들아, 안녕?

나 태웅이야. 오늘 운동회에서 있었던 일을 생각하면 아직도 가슴이 두근거려. 그때 그 고마운 마음을 직접 말로 전하고 싶었지만 쑥스러워서 이렇게 편지를 쓰게 되었어.

운동회 날이 되면 나는 기쁘면서도 두려웠어. 달리기 경기를 하는 게 늘 걱정이 되었거든. ㉠달리기를 할 때면 나는 어디론가 숨고 싶었어. 잔뜩 긴장해서 달리다가 오늘도 그만 넘어지고 말았지. 그런데 그때 너희가 달리다가 돌아와서 나를 일으켜 주었지. 내 손을 꼭 잡은 너희의 따뜻한 마음이 느껴져서 눈물이 날 것 같았어. ㉡힘껏 달리고 싶었을 텐데 나 때문에 참았을 것 같아서 미안한 마음이 들어.

고마워, 친구들아!

㉢같이 달려 주고 ♥응원해 준 너희의 따뜻한 마음 잊지 않을게.

20○○년 9월 12일

태웅이가
쓴 사람

- **글의 종류**: 편지글
- **글의 내용**: 태웅이가 운동회 달리기 시합 중에 넘어진 자신을 일으켜 준 반 친구들에게 고마운 마음을 전하고 있습니다.

♥응원(應 응할 응, 援 도울 원) 운동 경기 따위에서 선수들이 힘을 낼 수 있도록 도와주는 일.

교과서 핵심

● **편지에 드러난 태웅이의 마음**

마음을 드러내는 표현	태웅이의 마음
달리기를 할 ~ 숨고 싶었어.	부끄러운 마음
힘껏 ~ 미안한 마음이 들어.	미안한 마음
같이 달려 주고 ~ 잊지 않을게.	고마운 마음

교과서 문제

1 태웅이가 누구에게 쓴 편지입니까?

(   )

교과서 문제

2 태웅이가 편지를 쓴 까닭은 무엇입니까? (   )

① 부탁을 하려고
② 자기소개를 하려고
③ 자신의 소식을 전하려고
④ 자신의 마음을 전하려고
⑤ 자신이 겪은 일을 알려 주려고

핵심

3 ㉠~㉢에 드러난 태웅이의 마음을 찾아 선으로 이으시오.

(1) ㉠ •   • ① 미안한 마음
(2) ㉡ •   • ② 고마운 마음
(3) ㉢ •   • ③ 부끄러운 마음

4 태웅이가 쓴 편지를 받고 태웅이에게 마음을 전하는 말을 잘못한 친구는 누구입니까?

재인: 나도 함께 뛸 수 있어서 참 행복했어.
우민: 네가 좋은 기억을 얻게 돼서 너무 기뻐.
소민: 나는 날마다 달리기 연습을 하고 있어.

(   )

서술형

5 다음 대화에서 ㉮를 마음을 드러내는 다른 말로 바꾸어 써 보시오.

내 글의 좋은 점도 말해 주면 좋았을 텐데.
㉮미안해. 그 생각을 못 했어.

글쓴이가 전하려는 마음 알기

정답과 해설 ● 6쪽

● 글쓴이의 마음을 생각하며 지우가 쓴 편지를 읽기

ᵛ존경하는 김하영 선생님께

선생님, 안녕하세요? 저는 전지우입니다. 그동안 잘 지내셨습니까? 선생님께 고마운 마음을 전하려고 이렇게 글을 쓰게 되었습니다.

지난 체험학습에서 도자기를 만들 때였습니다. 저는 진흙 반죽을 물레 위에 놓고 그릇 모양을 만들려고 했습니다. 그런데 생각처럼 잘되지 않았습니다. 만들고 나니 상상했던 모양과 너무 달라서 당황스러웠습니다.

제가 속상해서 어찌할 바를 모를 때 선생님께서 오셨습니다. 그리고 어떻게 모양을 내는지 시범(모범을 보임.)을 보여 주셨습니다. 저는 선생님을 따라서 다시 해 보았습니다. 그랬더니 신기하게도 그릇 모양이 잘 만들어졌습니다.

그날 만든 그릇은 지금도 제 책상 위에 놓여 있습니다. 이 그릇을 보면 친절하게 가르쳐 주시던 선생님 모습이 생각납니다.

선생님, 제 마음에 드는 그릇을 만들도록 도와주셔서 고맙습니다. 안녕히 계세요.

20○○년 9월 24일

제자 전지우 올림

- **글의 종류:** 편지글
- **글의 내용:** 지우가 지난 체험학습 때 도자기 만드는 것을 도와주신 김하영 선생님께 고마운 마음을 전하고 있습니다.

ᵛ**존경**(尊 높을 존, 敬 공경할 경) 남의 인격, 사상, 행위 따위를 받들어 공경함.
예 나도 커서 세종 대왕처럼 존경받는 사람이 되고 싶다.

교과서 핵심

● 지우가 선생님께 전하려는 마음

전하려는 마음	고마운 마음
마음을 전하려고 사용한 표현	고맙습니다. 등

📖 교과서 문제

1 이 글의 형식으로 알맞은 것은 무엇입니까? ( )

① 일기　② 편지
③ 만화　④ 기사문
⑤ 독서 감상문

📖 교과서 문제

2 지난 체험학습 때 지우가 당황했던 까닭을 두 가지 고르시오. (,)

① 물레를 망가뜨려서
② 친구가 만든 도자기를 깨뜨려서
③ 진흙 반죽을 새로 산 옷에 잔뜩 묻혀서
④ 도자기를 만들 때 생각처럼 잘되지 않아서
⑤ 만든 도자기가 상상했던 모양과 너무 달라서

3 지우가 전하려는 마음을 파악할 때, 확인할 내용으로 알맞지 않은 것은 무엇입니까? ( )

① 무슨 일에 대해 썼을까?
② 상대의 마음은 무엇일까?
③ 지우가 누구에게 쓴 글일까?
④ 지우가 전하려는 마음은 무엇일까?
⑤ 지우가 마음을 전하려고 사용한 표현은 무엇일까?

핵심

4 지우가 선생님께 전하려는 마음과 마음을 전하려고 사용한 표현을 찾아 쓰시오.

(1) 전하려는 마음	
(2) 마음을 전하려고 사용한 표현	

마음을 전하는 글을 쓰는 방법 알기

정답과 해설 ● 6쪽

● 아들을 향한 아버지의 마음을 생각하며 안창호 선생이 아들에게 쓴 편지 읽기

▲ 도산 안창호 선생의 가족사진

❶ 사랑하는 아들 ♥필립

어머니의 편지를 받아 보았다. 네가 넘어져 팔을 다쳤다는 소식이 들어 있어 매우 걱정되는구나. 팔이 낫거들랑 내게 바로 알려라. 한 학년 올라가게 된 것을 축하한다. 아버지는 무척 기쁘구나. 나는 이곳에 편안히 잘 있다. 미국 국회 의원들이 동양에 온다고 해 홍콩으로 왔다만 그들이 이곳에 들르지 않아 만나지는 못했단다. 나는 곧 상하이로 돌아갈 거란다.

중심 내용 네가 넘어져 팔을 다쳤다는 소식을 듣고 매우 걱정되고, 한 학년 올라가게 된 것을 축하한다.

❷ 내 아들 필립아. 키가 크고 몸이 커지는 만큼 스스로 좋은 사람이 되려고 힘써야 한단다. 네가 어리고 몸이 작았을 때보다 더욱더 힘써야 하지. 스스로 좋은 사람이 되려고 노력하는 네 모습을 내 눈으로 직접 보고 싶구나. 너는 워낙 남을 속이지 않는 ♥진실한 사람이라 좋은 사람이 되기도 쉬울 거란다.

- **글의 종류**: 편지글
- **글의 내용**: 안창호 선생이 아들 필립에게 아들 소식에 대한 마음과 당부하는 말을 전하고 있습니다.

♥필립 반드시 독립을 이룬다는 뜻으로, 안창호 선생이 아들에게 지어 준 이름.

♥진실한 마음에 거짓이 없이 순수하고 바른.

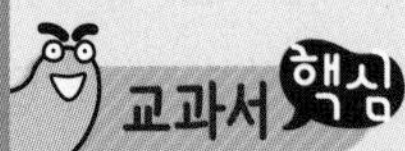

● 마음을 전하는 글을 쓴 방법

글에서 전하려는 마음	
• 다친 일을 걱정하는 마음 • 한 학년 올라간 일을 축하하는 마음 • 좋은 사람이 되기 위해 힘쓰기를 당부함.	
마음을 잘 나타낼 수 있는 표현	
• 걱정되는구나. • 힘써야 한단다.	• 축하한다. • 기쁘구나.

교과서 문제

1 글쓴이가 어디에 있을 때 쓴 편지입니까? (　　)

① 미국　② 일본
③ 홍콩　④ 서울
⑤ 상하이

핵심

2 글 ❶에서 전하려는 마음으로 알맞은 것을 두 가지 고르시오. (　　,　　)

① 다친 일을 걱정하는 마음
② 홍콩에 도착해서 기쁜 마음
③ 미국 국회 의원을 만나기 싫은 마음
④ 한 학년 올라간 일을 축하하는 마음
⑤ 홍콩으로 가족들이 오기를 기대하는 마음

3 글 ❷에서 글쓴이가 아들에게 당부하는 것은 무엇인지 쓰시오.

(　　　　　　　　　　　　　　)

핵심 역량

4 다음은 글쓴이가 아들에게 마음을 전하는 글을 쓴 방법을 말한 것입니다. 빈칸에 들어갈 말로 알맞지 않은 것은 무엇입니까? (　　)

> "[　　　　]"와 같은 표현으로 글쓴이의 마음을 드러냈습니다.

① 축하한다.
② 기쁘구나.
③ 받아 보았다.
④ 걱정되는구나.
⑤ 힘써야 한단다.

기본

정답과 해설 ● 6쪽

좋은 사람이 되려면 진실하고 깨끗해야 해. 또 좋은 친구를 가려 사귀어야 한단다. 그게 좋은 사람이 되는 첫 번째 조건이지. 더욱 부지런해져라. 어려운 일도 ㉠열심히 견디거라. 책은 부지런히 보고 있니? ㉡아무 책이나 읽지 말고, 좋은 책을 골라 ㉢꾸준히 읽어라. 좋은 책을 가려 보는 것이 좋은 사람이 되는 ㉣두 번째 조건이란다. 좋은 친구를 사귀고 좋은 책을 읽는 일을 멈추지 말아라. 책은 두 종류를 택하렴. 첫째는 좋은 사람들의 이야기가 담겨 있어 본받을(본보기로 하여 그대로 따라 할) 수 있는 책이고, 둘째는 너의 공부에 필요한 지식을 얻기 위한 책이다. 또 우리글과 책을 잘 익혀라. 즐거운 마음으로 내 말을 따라 주겠지? 너를 믿는다.

1920년 8월 3일 홍콩에서

아버지가

중심 내용 스스로 좋은 사람이 되기 위해 좋은 친구를 가려 사귀고 좋은 책을 골라 꾸준히 읽는 일을 멈추지 말기를 바란다.

교과서 핵심

● 마음을 전하는 글을 쓴 방법

고려한 점
읽는 사람인 아들의 마음을 고려하여 안부를 묻고 당부할 말을 전함.
마음을 잘 나타낼 수 있는 표현
• 열심히 견디거라. • 꾸준히 읽어라. • 너를 믿는다.

교과서 문제

5 글쓴이가 아들에게 어떤 책을 읽으라고 했는지 두 가지를 고르시오. (,)

① 그림이 많고 쉬운 책
② 또래 친구들이 주인공인 책
③ 어려운 낱말이 많고 두꺼운 책
④ 공부에 필요한 지식을 얻기 위한 책
⑤ 좋은 사람들의 이야기가 담겨 있어 본받을 수 있는 책

6 좋은 사람이 되기 위해 해야 한다고 한 내용이 아닌 것은 무엇입니까? ( )

① 진실하고 깨끗해야 한다.
② 친구를 가려 사귀면 안 된다.
③ 우리글과 책을 잘 익혀야 한다.
④ 어려운 일도 열심히 견뎌야 한다.
⑤ 좋은 책을 골라 꾸준히 읽어야 한다.

핵심

7 ㉠~㉣ 중 글쓴이가 마음을 전하려고 사용한 표현을 두 가지 찾아 기호를 쓰시오.

( )

핵심

8 마음을 전하는 글을 쓰는 방법으로 알맞지 않은 것은 무엇입니까? ( )

① 쓰는 사람의 마음만 고려해 쓴다.
② 글에서 전하려는 마음을 생각한다.
③ 마음을 전하고 싶은 일을 떠올린다.
④ 마음을 잘 나타낼 수 있는 표현을 사용한다.
⑤ 글을 읽는 사람의 마음이 어떠할지 짐작하며 쓴다.

역량 활동

마음을 전하는 글 쓰기

정답과 해설 ● 7쪽

● 전해야 할 마음을 떠올리기

가

네가 싫어하는 별명을 부르며 놀려서 미안해.

나

네가 우리 학년 달리기 대회에서 상을 받았다고 들었어.

다

괜찮아?

라

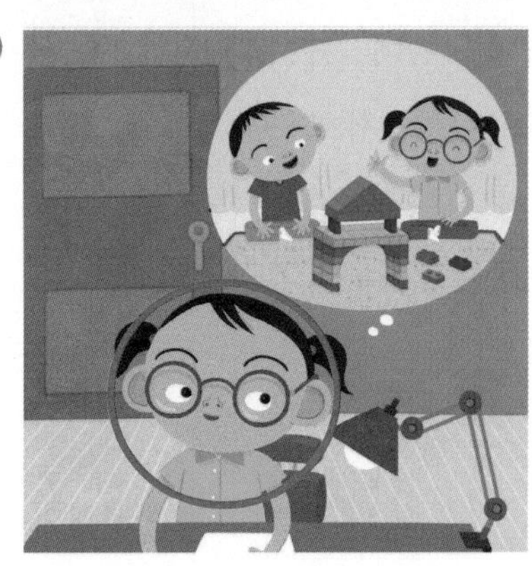

• **그림 설명:** 친구를 놀렸던 일에 대해 미안한 마음, 상을 받은 친구를 축하하는 마음, 친구의 병문안에서 위로하는 마음, 함께 놀았던 친구를 그리워하는 마음이 나타나 있습니다.

교과서 핵심

● 마음을 전하는 글을 쓸 때 필요한 내용 예

마음을 전할 사람	친구
전하려는 마음	미안한 마음
있었던 일	친구가 싫어하는 별명을 부르며 놀린 일
마음을 나타내는 표현	정말 미안해.

교과서 문제

1 그림 가~라의 상황에서 ○표를 한 친구들이 전해야 할 마음을 보기 에서 찾아 각각 쓰시오.

보기
그리운 마음, 미안한 마음, 위로하는 마음, 축하하는 마음

(1) 그림 가: (　　　　　　　　)
(2) 그림 나: (　　　　　　　　)
(3) 그림 다: (　　　　　　　　)
(4) 그림 라: (　　　　　　　　)

2 그림 나와 같은 마음을 전할 때 사용할 수 있는 표현으로 알맞은 것은 무엇입니까? (　　)

① 고마워.　　② 축하해.
③ 지루해.　　④ 속상해.
⑤ 재미있어.

역량 서술형

3 마음을 전하고 싶은 일을 생각하여 다음 빈칸에 알맞은 내용을 정리해 보시오.

(1) 마음을 전할 사람	
(2) 전하려는 마음	
(3) 있었던 일	
(4) 마음을 나타내는 표현	

핵심

4 마음을 전하는 글을 쓰는 데 필요한 내용으로 볼 수 없는 것은 무엇입니까? (　　)

① 있었던 일
② 전하려는 마음
③ 마음을 전할 사람
④ 마음을 나타내는 표현
⑤ 읽는 사람이 답장을 해 주었으면 하는 바람

● 재환이가 겪은 일을 알아보기

❶ 재환이는 새로운 동네로 이사를 왔습니다. 재환이는 이웃들에게 인사를 하기로 했습니다. 그래서 재환이가 사는 아파트 승강기 안에 편지를 붙였답니다.

> 안녕하세요? 저는 12층에 이사 온 열한 살 이재환입니다.
>
> 새로 만난 이웃들에게 인사를 드리고 싶어 편지를 씁니다. 저희 가족은 엄마, 아빠, 귀여운 동생 그리고 저, 이렇게 넷입니다. 저희는 아직 이사 온 지 얼마 되지 않아 다니는 길도, 사람들도 낯설기만 합니다. 그래도 저는 나무도 많고 놀이터가 있는 이곳이 마음에 듭니다. 앞으로 여러분과 좋은 이웃이 되고 싶습니다.
>
> 이재환 올림

중심 내용 재환이는 아파트 승강기 안에 편지를 붙였다.

❷ 하루, 이틀이 지날수록 재환이의 편지에는 신기한 일이 생겼어요.

이사 온 거 축하합니다. 앞으로도 자주 ♥소통하는 이웃이 됩시다.

환영해요.

안녕하세요? 저도 12층에 살아요! 좋은 친구가 되었으면 좋겠네요.

친하게 지내요. 전 7층에 살아요. 집 앞 공원에서 같이 운동해요.

반가워!

환영해요! 이렇게 먼저 인사해 줘서 고마워요. 참 예쁜 마음씨네요.

반가워요.

좋은 이웃!

승강기를 탄 이웃 사람들이 편지를 보고 마음을 담은 쪽지를 붙인 것이었어요. 재환이도, 쪽지를 써서 붙인 이웃도 모두 훈훈한(마음을 부드럽게 녹여 주는 따스함이 있는) 마음이 한가득했습니다.

중심 내용 승강기를 탄 이웃 사람들이 재환이의 편지 위에 마음을 담은 쪽지를 붙였다.

• **글의 내용**: 이사를 온 재환이가 아파트 승강기 안에 편지를 붙인 이후에 겪은 일이 잘 나타나 있습니다.

♥소통(疏 트일 소, 通 통할 통) 뜻이 서로 통하여 오해가 없음.
예 짝과 나는 의견 소통이 잘 이루어진다.

교과서 문제

1 재환이가 승강기 안에 편지를 붙인 까닭은 무엇입니까? ( )

① 나이가 같은 친구를 찾으려고
② 이웃 사람들의 소식이 궁금해서
③ 이사 와서 이웃에게 인사하려고
④ 아파트의 층간 소음에 대해 알리려고
⑤ 놀이터를 깨끗이 사용하자고 부탁하려고

2 재환이가 쓴 편지를 통해 알 수 있는 것이 <u>아닌</u> 것은 무엇입니까? ( )

① 재환이는 열한 살이다.
② 재환이에게 동생이 있다.
③ 재환이네는 12층에 이사 왔다.
④ 재환이는 할머니와 함께 살고 있다.
⑤ 재환이가 이사 온 동네에는 나무가 많다.

교과서 문제

3 재환이의 편지를 본 이웃 사람들은 어떻게 했는지 쓰시오.

( )

교과서 문제

4 재환이의 편지를 읽은 이웃 사람들의 마음은 어떠했습니까? ( )

① 언짢았다.
② 답답한 마음이다.
③ 훈훈한 마음이다.
④ 섭섭한 마음이다.
⑤ 부끄러운 마음이다.

정답과 해설 ● 7쪽

● 학급 친구들에게 전할 소식을 정하기

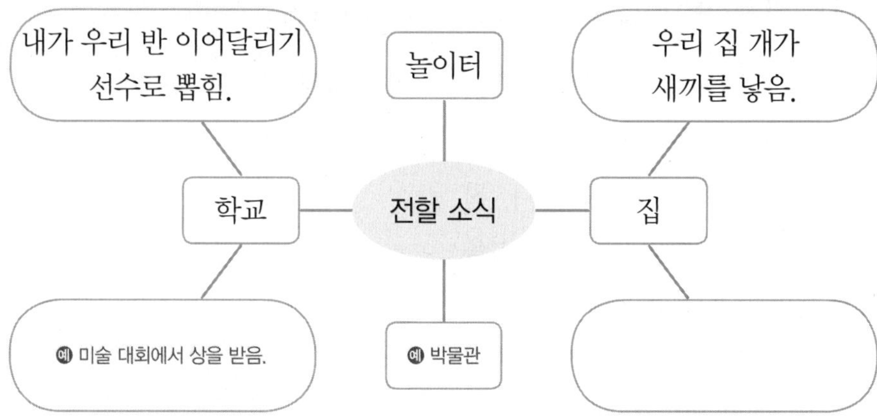

● 마음을 담아 붙임쪽지나 댓글을 써 보기

선택 활동 ❶: 교실 알림판 이용하기
① 친구들에게 전하고 싶은 소식을 써서 교실 알림판에 붙인다. ② 친구가 쓴 소식을 읽고 전하고 싶은 마음을 붙임쪽지에 쓴다. ③ 친구가 쓴 소식 옆에 붙임쪽지를 붙인다.

선택 활동 ❷: 학급 온라인 게시판 이용하기
① 친구들에게 전할 소식을 학급 온라인 게시판에 쓴다. ② 친구가 쓴 소식을 읽고 전하고 싶은 마음을 댓글로 쓴다. ③ 다른 친구가 쓴 댓글도 읽어 본다.

• **활동 내용:** 교실 알림판이나 학급 온라인 게시판을 이용하여 마음을 담아 붙임쪽지나 댓글을 쓰는 방법이 나타나 있습니다.

2 단원

교과서 핵심

● **마음을 담아 붙임쪽지 쓰기**

자신의 소식을 쪽지로 쓸 때
• 자신의 마음을 정직하게 표현한다. • 쪽지를 읽을 친구의 마음을 생각하며 쓴다. • 교실 알림판에 붙일 때에는 친구가 쓴 글을 가리지 않도록 한다.

친구가 쓴 글에 답장을 쓸 때
• 답장을 읽게 되는 친구의 마음을 생각하며 쓴다. • '축하해', '축하'와 같은 간단한 말보다는 자신의 마음을 담은 구체적인 말을 쓴다. • 답장을 받지 못한 친구가 없도록 배려하는 마음으로 쓴다.

교과서 문제

5 학급 친구들에게 자신이 전하고 싶은 소식을 한 가지 떠올려 쓰시오.

( )

6 교실 알림판에 붙일 자신의 소식을 담은 쪽지를 쓰는 방법으로 알맞지 않은 것은 무엇입니까? ( )

① 자신의 마음을 정직하게 표현한다.
② 자신의 마음을 드러내는 표현을 사용한다.
③ 쪽지를 읽을 친구의 마음을 생각하며 쓴다.
④ 친구들이 자신의 소식을 잘 알 수 있도록 쓴다.
⑤ 교실 알림판에 무조건 자신의 쪽지가 가장 잘 보이는 곳에 붙인다.

핵심

7 교실 알림판에 붙은 친구의 소식에 붙여 줄 답장을 쓸 때 주의할 점을 잘못 말한 친구를 쓰시오.

> 영은: '축하!'처럼 간단하게 쓰는 것이 좋아.
> 현준: 답장을 읽게 되는 친구의 마음을 생각하며 써야 해.
> 서진: 답장을 받지 못한 친구가 없도록 배려하는 마음으로 써야 해.

( )

8 다음 빈칸에 알맞은 말을 쓰시오.

> 학급 온라인 게시판에 댓글을 쓸 때에는 ( )의 처지를 생각하며 써야 합니다. 직접 보지 않고 대화하는 온라인 게시판이라고 하여 거짓말을 하거나 남에게 나쁜 말을 하면 안 됩니다.

기본 • 28쪽 글쓴이가 전하려는 마음 알기

딸들에게

피아노와 춤을 사랑하는 큰딸 시연아! 십 년 전 막 태어난 너를 처음 안았을 때의 느낌이 아직도 생생한데 벌써 4학년이 되었구나. 친구들과 어울려 놀러 다니는 너를 보며 우리 딸이 많이 컸다는 사실을 새삼 실감하곤 한단다. 언제나 바르게 생활하고, 하고 싶은 것도 많고 꿈도 많은 시연이가 엄마는 항상 자랑스럽단다. 앞으로도 지금처럼 건강하고, 좋아하는 일을 열심히 하는 시연이가 되면 좋겠구나.

생생한데: 바로 눈앞에 보는 것처럼 명백하고 또렷한데

우리 집 애교쟁이 작은딸 정연아! 퇴근해서 집으로 돌아오면 가장 먼저 현관으로 뛰어나오는 귀염둥이! 엄마를 세상에서 가장 좋아한다는 것을 온몸으로 느끼게 해 주는 딸, 네가 현관에서 나를 맞아줄 때 하루의 피로가 모두 없어진단다. 언제나 밝고 씩씩하게 자라길 바란다. 주변 사람 모두가 행복을 느끼게 하는 너의 미소를 언제까지나 보고 싶구나. / 우리 딸들의 깔깔대는 웃음소리를 들을 때마다 엄마는 힘이 솟고 행복감을 느낀단다. 엄마에게 너희는 세상 무엇과도 바꿀 수 없는 소중한 보물이야. 엄마는 너희가 건강하고 훌륭하게 자랄 수 있도록 도울게. 언제나 사랑한다.

깔깔대는: 되바라진 목소리로 못 참을 듯이 계속 웃는

20○○년 9월 3일 / 엄마가

1 어떤 형식의 글인지 쓰시오.
(　　　　　　　　)

2 글쓴이가 어떤 마음을 전하고 있는지 빈칸에 알맞은 말을 각각 쓰시오.

- 엄마가 (1)(　　　　　) 을/를 (2)(　　　　　) 마음

3 편지를 읽은 딸들의 마음은 어떠하겠습니까? (　　)

① 불안하다. ② 행복하다. ③ 속상하다. ④ 걱정된다. ⑤ 죄송하다.

기본 • 29~30쪽 마음을 전하는 글을 쓰는 방법 알기

좋은 사람과 사귀려면 좋은 인상을 주어라

필립 체스터필드

㉮ ㉠좋아하는 사람이나 존경하는 사람에게는 자신도 모르게 신경이 쓰이지. 그리고 어떻게 하면 그 사람을 기쁘게 해 줄까 고민도 하고 말이야. / 사람을 사귀는 데 가장 기본이 되는 것이 그런 마음이란다. 상대를 기쁘게 해 주고 싶은 마음. 그것을 어떻게 해야 하는지 모르겠다고? ㉡주위에 너를 기쁘게 해 주는 사람들이 있잖니. 너도 그 사람들의 마음 그대로 하면 돼. 어렵지 않단다.

사람은 동전과 같단다. 앞면과 뒷면이 같이 있어. 나쁘기만 한 사람도, 착하기만 한 사람도 없단다. 단점과 장점을 모두 갖고 있어. 그러므로 ㉢한 면만 보고 그 사람 전체를 평가하는 것은 옳지 않아. 그리고 그 사람의 단점을 발견했다고 해서 일부러 멀리할 필요는 없어.

4 글쓴이가 말한, 사람을 사귀는 데 가장 기본이 되는 마음에 ○표를 하시오.

(1) 장점만 찾는 마음 (　　)
(2) 상대를 평가하지 않는 마음 (　　)
(3) 상대를 기쁘게 해 주고 싶은 마음 (　　)

5 ㉠~㉢ 중 글쓴이가 마음을 전하려고 사용한 표현을 찾아 기호를 쓰시오.
(　　　　　　　　)

㉯ ㉣상대에게 좋은 인상을 주려면 넓은 지식과 올바른 태도 못지않게 옷차림과 말투, 행동에도 신경 써야 한단다. 때로는 외모를 단정히 하는 것도 필요해.

그리고 친해지고 싶다면 혼자서 모든 이야기를 하려고 하지 마. 대화는 서로 주고받는 거야. 혼자만 말하는 것은 연설이란다.

㉰ 대화를 이끌어 가려면 그 사람의 분위기에 맞는 이야기를 할 줄 알아야 해. 그러면서 상대의 장점을 자연스럽게 끌어내면 상대도 너에게 좋은 감정을 갖게 될 거야.

특히 주의할 것은 흐름과 상관없는 네 이야기를 하지 않도록 하는 거야. 그것도 모자라 이야기 대부분을 자기 얘기만 하다 보면 자신도 모르게 과장을 하게 되고 우쭐대게 된단다. 그러면 불편한 분위기가 되고 말지.

우쭐대게: 의기양양하여 자꾸 뽐내게

사람의 인격이란 말하지 않아도 자연스럽게 드러나는 법이란다. 아무리 입으로 떠벌리고 치장을 하더라도 그 사람의 됨됨이는 숨기기 어려워.

6 ㉣에서 글쓴이는 어떤 마음을 전하고 있는지 쓰시오.

- 상대에게 (   ) 을/를 주는 사람이 되기를 바라는 마음

7 글쓴이가 말한 대화를 이끌어 갈 때 주의할 점을 골라 번호를 쓰시오.

① 상대의 말만 열심히 듣는다.
② 흐름과 상관없는 자기 이야기를 하지 않는다.

(   )

기초 다지기 낱말의 발음에 주의하기

8 다음에서 파란색으로 쓰인 낱말을 바르게 발음한 것을 찾아 ○표를 하시오.

(1)

어항의 물이 참 맑다.

(막따 , 말따)

(2)

달이 참 밝기도 하다.

(박끼도 , 발끼도)

9 다음에서 밑줄 그은 낱말의 알맞은 발음을 골라 ○표를 하시오.

(1) 가을 산에 붉지 않은 단풍이 드물다. → [북찌 , 불찌]
(2) 물이 참 맑기도 하구나. → [막끼도 , 말끼도]
(3) 찰흙 반죽이 묽고 부드럽다. → [묵꼬 , 물꼬]

준비 ······ 마음을 드러내는 표현 찾기

예 태웅이가 쓴 편지에 드러난 태웅이의 마음 알기

우리 반 친구들에게

친구들아, 안녕?

나 태웅이야. 오늘 운동회에서 있었던 일을 생각하면 아직도 가슴이 두근거려. 그때 그 고마운 마음을 직접 말로 전하고 싶었지만 쑥스러워서 이렇게 편지를 쓰게 되었어.

운동회 날이 되면 나는 기쁘면서도 두려웠어. 달리기 경기를 하는 게 늘 걱정이 되었거든. 달리기를 할 때면 나는 어디론가 숨고 싶었어. (부끄러운 마음) 잔뜩 긴장해서 달리다가 오늘도 그만 넘어지고 말았지. 그런데 그때 너희가 달리다가 돌아와서 나를 일으켜 주었지. 내 손을 꼭 잡은 너희의 따뜻한 마음이 느껴져서 눈물이 날 것 같았어. 힘껏 달리고 싶었을 텐데 나 때문에 참았을 것 같아서 미안한 마음이 들어. (❶ ☐☐☐ 마음)

고마워, 친구들아!

같이 달려 주고 응원해 준 너희의 따뜻한 마음 잊지 않을게. (고마운 마음)

20○○년 9월 12일

태웅이가

기본 ······ 글쓴이가 전하려는 마음 알기

예 지우가 전하려는 마음을 알기

누가 누구에게 쓴 글인지 알기	지우가 선생님께 쓴 글입니다.
무슨 일에 대해 쓴 글인지 알기	지난 체험학습에서 도자기를 만들 때 생각처럼 잘되지 않아 속상했는데 선생님께서 어떻게 모양을 내는지 직접 시범을 보여 주시며 도와주셔서 그릇을 잘 만들 수 있었습니다.
글쓴이가 마음을 전하려고 사용한 ❷ ☐☐ 알기	고맙습니다.
글쓴이가 전하려는 마음 알기	고마운 마음

기본 ……

» 마음을 전하는 글을 쓰는 방법 알기

예 안창호 선생이 아들에게 마음을 전하는 편지를 쓴 방법

편지를 쓸 때 고려한 점	• 읽는 사람: ❸ ☐☐ 필립 • 목적: 안부를 묻고 당부할 말을 전하기 위해서입니다.
전하려는 마음	• 다친 일을 걱정하는 마음 • 한 학년 올라간 일을 축하하는 마음 • 좋은 사람이 되기 위해 힘쓰기를 당부함.
마음을 잘 나타낼 수 있는 표현	• 걱정되는구나. • 축하한다. • 힘써야 한단다.

기본 ……

» 마음을 전하는 글 쓰기

예 마음을 전하는 글을 쓸 때 필요한 내용 정리하기

네가 싫어하는 별명을 부르며 놀려서 미안해.

마음을 전할 사람	친구
전하려는 마음	미안한 마음
있었던 일	친구가 싫어하는 별명을 부르며 놀린 일
마음을 나타내는 표현	정말 미안해. 다시는 안 그럴게.

네가 우리 학년 달리기 대회에서 상을 받았다고 들었어.

마음을 전할 사람	친구
전하려는 마음	❹ ☐☐☐☐ 마음
있었던 일	친구가 달리기 대회에서 상을 받은 일
마음을 나타내는 표현	축하해! 정말 잘 달리더라.

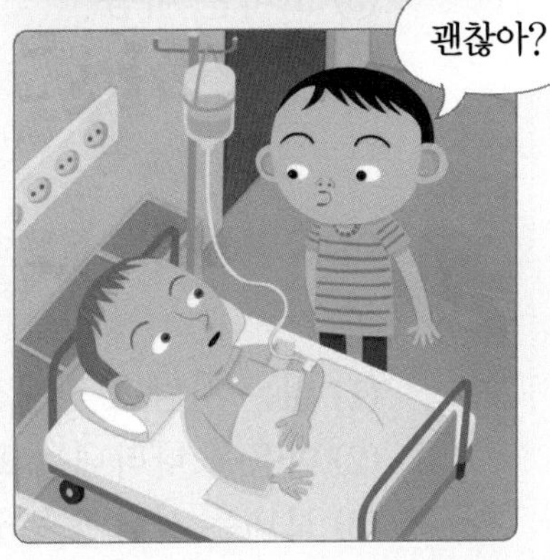
괜찮아?

마음을 전할 사람	친구
전하려는 마음	위로하는 마음
있었던 일	친구가 아파서 병원에 입원한 일
마음을 나타내는 표현	괜찮아? 어서 낫기를 바랄게.

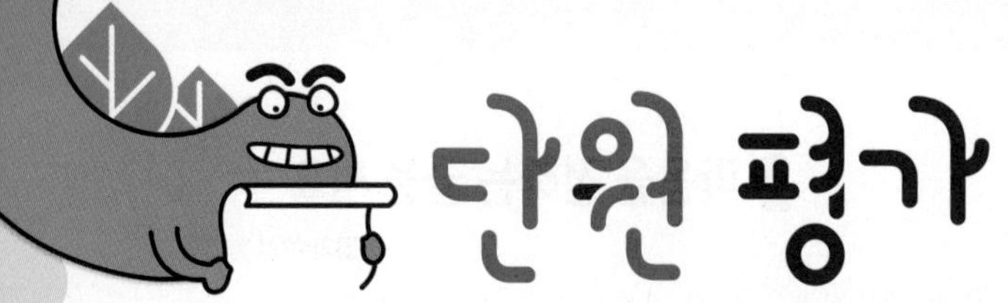

• 단원 평가 더 풀기 >> 평가 교재 8~13쪽

1 다음에서 남자아이는 전시 해설사 선생님께 어떤 마음을 전할지 쓰시오.

전시 해설사 선생님
덕분에 많은 것을
알게 되었어.

(　　　　　　　　　　)

2~4 글을 읽고, 물음에 답하시오.

> ㉮ 나 태웅이야. 오늘 운동회에서 있었던 일을 생각하면 아직도 가슴이 두근거려. 그때 그 고마운 마음을 직접 말로 전하고 싶었지만 쑥스러워서 이렇게 편지를 쓰게 되었어.
> ㉯ 잔뜩 긴장해서 달리다가 오늘도 그만 넘어지고 말았지. 그런데 그때 너희가 달리다가 돌아와서 나를 일으켜 주었지. 내 손을 꼭 잡은 너희의 따뜻한 마음이 느껴져서 눈물이 날 것 같았어. 힘껏 달리고 싶었을 텐데 나 때문에 참았을 것 같아서 미안한 마음이 들어.
> 고마워, 친구들아!

2 이 편지에서는 어떤 마음을 전했습니까? (　　)

① 고마운 마음　② 신나는 마음
③ 서운한 마음　④ 안타까운 마음
⑤ 축하하는 마음

3 이 편지에서 마음을 나타내는 낱말을 세 가지 고르시오. (　　,　　,　　)

① 참았을　② 미안한　③ 고마워
④ 넘어지고　⑤ 쑥스러워서

논술형

4 태웅이가 쓴 편지를 받은 친구들이 태웅이에게 어떤 말로 마음을 전할지 쓰시오.

____

____

5~7 글을 읽고, 물음에 답하시오.

> ㉮ 선생님, 안녕하세요? 저는 전지우입니다. 그동안 잘 지내셨습니까? 선생님께 고마운 마음을 전하려고 이렇게 글을 쓰게 되었습니다.
> 지난 체험학습에서 도자기를 만들 때였습니다. 저는 진흙 반죽을 물레 위에 놓고 그릇 모양을 만들려고 했습니다. 그런데 생각처럼 잘되지 않았습니다.
> ㉯ 제가 속상해서 어찌할 바를 모를 때 선생님께서 오셨습니다. 그리고 어떻게 모양을 내는지 시범을 보여 주셨습니다.
> ㉰ 그날 만든 그릇은 지금도 제 책상 위에 놓여 있습니다. 이 그릇을 보면 친절하게 가르쳐 주시던 선생님 모습이 생각납니다.
> 선생님, 제 마음에 드는 그릇을 만들도록 도와주셔서 고맙습니다.

5 지우는 무슨 일에 대해 썼습니까? (　　)

① 예쁜 그릇을 선물로 받은 일
② 실습 시간에 요리를 만들었던 일
③ 지난 체험학습에서 벌에 쏘였던 일
④ 선생님께서 만드신 그릇을 망가뜨린 일
⑤ 지난 체험학습에서 도자기 만드는 것을 선생님께서 도와주셨던 일

중요

6 지우가 선생님께 전하려는 마음은 무엇입니까? (　　)

① 기쁜 마음　② 죄송한 마음
③ 고마운 마음　④ 부끄러운 마음
⑤ 안타까운 마음

7 이 글의 특징을 잘못 말한 것에 ×표를 하시오.

(1) 읽는 사람이 정해진 글이야. (　　)
(2) 마음을 나타내는 표현을 썼어. (　　)
(3) 보내는 사람이 누구인지 알 수 없어. (　　)

점수 점

정답과 해설 ● 8쪽

2 단원

국어 활동

8 다음에서 엄마가 딸들에게 어떤 마음을 전하고 있는지 쓰시오.

> 엄마에게 너희는 세상 무엇과도 바꿀 수 없는 소중한 보물이야. 엄마는 너희가 건강하고 훌륭하게 자랄 수 있도록 도울게. 언제나 사랑한다.

( )

9~12 글을 읽고, 물음에 답하시오.

> 사랑하는 아들 필립
> 어머니의 편지를 받아 보았다. 네가 넘어져 팔을 다쳤다는 소식이 들어 있어 매우 걱정되는구나. 팔이 낫거들랑 내게 바로 알려라. 한 학년 올라가게 된 것을 축하한다. 아버지는 무척 기쁘구나. 나는 이곳에 편안히 잘 있다. 미국 국회 의원들이 동양에 온다고 해 홍콩으로 왔다만 그들이 이곳에 들르지 않아 만나지는 못했단다. 나는 곧 상하이로 돌아갈 거란다.

9 글쓴이가 아내의 편지를 받고 알게 된 것은 무엇입니까? ( )

① 아들이 상하이로 오는 것
② 아들이 학교를 졸업하는 것
③ 아들이 넘어져서 팔을 다친 것
④ 아들이 학교에서 상을 받은 것
⑤ 가족이 홍콩으로 이사를 가게 된 것

10 글쓴이가 아들에게 어떤 마음을 전하고 있는지 모두 찾아 기호를 쓰시오.

> ㉠ 다친 일을 걱정하는 마음
> ㉡ 잘 지내고 있어서 안도하는 마음
> ㉢ 홍콩으로 오는 것을 기대하는 마음
> ㉣ 한 학년 올라간 일을 축하하는 마음

( )

중요

11 10번 문제에서 답한 마음을 전하려고 어떤 표현을 사용했는지 두 가지 찾아 쓰시오.

- ( )
- ( )

12 글쓴이가 마음을 전하는 글을 쓴 방법을 잘못 말한 친구를 쓰시오.

> 하준: 아들의 마음을 고려하지 않고 썼어.
> 민규: 아들과 관련된 일을 떠올리며 쓴 것 같아.
> 지윤: 글쓴이의 마음을 드러낸 표현을 사용했어.

( )

13 마음을 전하는 글을 쓰는 방법을 정리하였습니다. 빈칸에 알맞은 말을 쓰시오.

- 글에서 전하려는 (1)( )을/를 생각하고, 마음을 잘 나타낼 수 있는 (2)( )을/를 사용한다.

국어 활동

14 다음에서 글쓴이는 어떤 마음을 전하고 있습니까? ( )

> 상대에게 좋은 인상을 주려면 넓은 지식과 올바른 태도 못지않게 옷차림과 말투, 행동에도 신경 써야 한단다. 때로는 외모를 단정히 하는 것도 필요해.
> 그리고 친해지고 싶다면 혼자서 모든 이야기를 하려고 하지 마. 대화는 서로 주고받는 거야.

① 말을 유창하게 하기를 바라는 마음
② 인기 있는 사람이 되기를 바라는 마음
③ 혼자 모든 이야기를 하기 바라는 마음
④ 외모를 화려하게 가꾸기를 바라는 마음
⑤ 상대에게 좋은 인상을 주는 사람이 되기를 바라는 마음

단원 평가

중요

15 다음 상황에서 ㉠ 친구가 전해야 할 마음으로 알맞은 것은 무엇입니까? ( )

네가 우리 학년 달리기 대회에서 상을 받았다고 들었어.
㉠

① 미안한 마음 ② 그리운 마음
③ 축하하는 마음 ④ 위로하는 마음
⑤ 부끄러운 마음

16 15번 문제 답의 마음을 전할 때 사용할 수 있는 마음을 나타내는 표현을 쓰시오.

( )

17~19 글을 읽고, 물음에 답하시오.

㉮ 재환이는 새로운 동네로 이사를 왔습니다. 재환이는 이웃들에게 인사를 하기로 했습니다. 그래서 재환이가 사는 아파트 승강기 안에 편지를 붙였답니다.

㉠

안녕하세요? 저는 12층에 이사 온 열한 살 이재환입니다.

새로 만난 이웃들에게 인사를 드리고 싶어 편지를 씁니다. 저희 가족은 엄마, 아빠, 귀여운 동생 그리고 저, 이렇게 넷입니다. 저희는 아직 이사 온 지 얼마 되지 않아 다니는 길도, 사람들도 낯설기만 합니다. 그래도 저는 나무도 많고 놀이터가 있는 이곳이 마음에 듭니다. 앞으로 여러분과 좋은 이웃이 되고 싶습니다.

㉯ 승강기를 탄 이웃 사람들이 편지를 보고 마음을 담은 쪽지를 붙인 것이었어요. 재환이도, 쪽지를 써서 붙인 이웃도 모두 훈훈한 마음이 한가득했습니다.

17 아파트에 이사 온 재환이가 어떤 일을 했습니까? ( )

① 이웃 사람들을 찾아다녔다.
② 승강기 안에 편지를 붙였다.
③ 집 대문 앞에 쪽지를 써서 붙였다.
④ 놀이터에 떨어진 쓰레기를 주웠다.
⑤ 이웃 사람들을 찾아가 직접 인사를 했다.

18 ㉠을 본 이웃 사람들이 한 일은 무엇입니까? ( )

① 재환이의 편지를 가져갔다.
② 마음을 담은 쪽지를 붙였다.
③ 재환이에게 편지를 보내 주었다.
④ 재환이에게 선물을 보내 주었다.
⑤ 재환이의 집에 직접 찾아와 인사를 했다.

논술형

19 보기 와 같이 재환이에게 마음을 담아 쪽지를 써 보시오.

보기

이사 온 거 축하합니다. 앞으로도 자주 소통하는 이웃이 됩시다.

20 학급 온라인 게시판에서 친구가 쓴 소식을 읽고 댓글을 쓸 때 주의할 점으로 알맞은 것을 찾아 ○표를 하시오.

(1) 남에게 나쁜 말을 하면 안 된다. ( )
(2) 댓글을 쓰는 사람의 처지만 고려해 쓴다. ( )
(3) 직접 보면서 대화하지 않기 때문에 거짓말을 조금 해도 된다. ( )

서술형 평가

맞은 개수 개

정답과 해설 ● 9쪽

2 단원

1 다음 글에서 글쓴이의 미안한 마음이 드러난 부분을 찾아 쓰시오.

> 운동회 날이 되면 나는 기쁘면서도 두려웠어. 달리기 경기를 하는 게 늘 걱정이 되었거든. 달리기를 할 때면 나는 어디론가 숨고 싶었어. 잔뜩 긴장해서 달리다가 오늘도 그만 넘어지고 말았지. 그런데 그때 너희가 달리다가 돌아와서 나를 일으켜 주었지. 내 손을 꼭 잡은 너희의 따뜻한 마음이 느껴져서 눈물이 날 것 같았어. 힘껏 달리고 싶었을 텐데 나 때문에 참았을 것 같아서 미안한 마음이 들어.

2 다음 글에서 글쓴이는 무슨 일에 대해 어떤 마음을 전하고 있는지 쓰시오.

> ㉮ 지난 체험학습에서 도자기를 만들 때였습니다. 저는 진흙 반죽을 물레 위에 놓고 그릇 모양을 만들려고 했습니다. 그런데 생각처럼 잘되지 않았습니다.
> ㉯ 제가 속상해서 어찌할 바를 모를 때 선생님께서 오셨습니다. 그리고 어떻게 모양을 내는지 시범을 보여 주셨습니다. 저는 선생님을 따라서 다시 해 보았습니다.
> ㉰ 그날 만든 그릇은 지금도 제 책상 위에 놓여 있습니다. 이 그릇을 보면 친절하게 가르쳐 주시던 선생님 모습이 생각납니다.
> 선생님, 제 마음에 드는 그릇을 만들도록 도와주셔서 고맙습니다.

3~4 글을 읽고, 물음에 답하시오.

> 내 아들 필립아. 키가 크고 몸이 커지는 만큼 스스로 좋은 사람이 되려고 힘써야 한단다. 네가 어리고 몸이 작았을 때보다 더욱더 힘써야 하지. 스스로 좋은 사람이 되려고 노력하는 네 모습을 내 눈으로 직접 보고 싶구나. 너는 워낙 남을 속이지 않는 진실한 사람이라 좋은 사람이 되기도 쉬울 거란다.
> 좋은 사람이 되려면 진실하고 깨끗해야 해. 또 좋은 친구를 가려 사귀어야 한단다.

3 글쓴이는 어떤 마음을 전했는지 쓰시오.

4 좋은 사람이 되려면 어떻게 해야 한다고 했는지 쓰시오.

5 자신이 마음을 전하고 싶은 일을 떠올려 보고, 어떤 마음을 어떤 형식으로 전하고 싶은지 쓰시오.

낱말 퀴즈

교과서 문장으로 확인하는 핵심 낱말 

● 다음 교과서 문장의 파란색 낱말 중에서 알맞은 것을 골라 인물들이 한 말을 완성하시오.

- 오늘 운동회에서 있었던 일을 생각하면 아직도 가슴이 두근거려.
- 그때 그 고마운 마음을 직접 말로 전하고 싶었지만 쑥스러워서 이렇게 편지를 쓰게 되었어.
- 책은 부지런히 보고 있니?
- 네가 싫어하는 별명을 부르며 놀려서 미안해.

❶ ________ 걸어야 해가 지기 전에 숙소에 도착할 수 있어.

하이에나의 ❷ ________은 '초원의 청소부'야.

동물을 직접 보니까 가슴이 ❸ ________.

집에 ❹ ________를 보내고 싶은데 우체국이 안 보여.

정답 | ❶ 부지런히 ❷ 별명 ❸ 두근거려 ❹ 편지

바르고 공손하게

무엇을 배울까요?

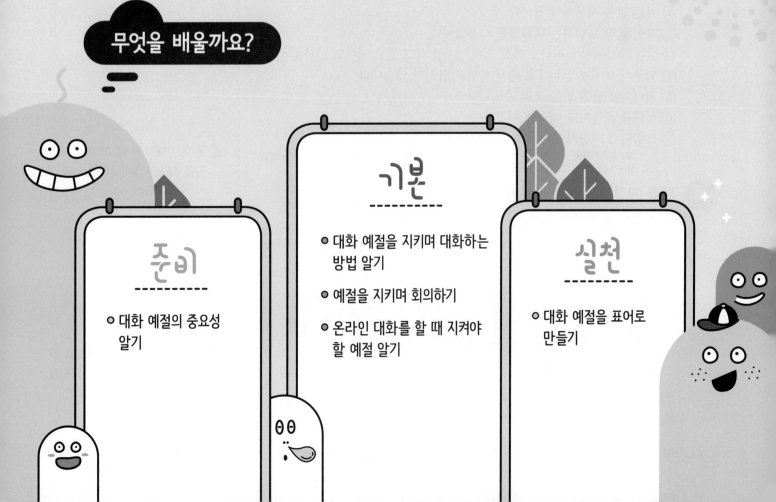

준비

- 대화 예절의 중요성 알기

기본

- 대화 예절을 지키며 대화하는 방법 알기
- 예절을 지키며 회의하기
- 온라인 대화를 할 때 지켜야 할 예절 알기

실천

- 대화 예절을 표어로 만들기

교과서 핵심

1 대화 예절을 지키며 대화하는 방법 알기

① 웃어른께는 바른 높임말을 사용합니다.
② 인사할 때에는 눈을 마주치며 인사해야 합니다.
③ 친구 앞에서는 귓속말을 하지 않아야 합니다.

예

웃어른께는 '내가'라고 말하지 않고 '제가'라는 표현을 사용해야 합니다.

2 예절을 지키며 회의하기

① 다른 사람이 발표할 때 끼어들지 않습니다.
② 회의와 같은 공식적인 상황에서는 높임말을 사용합니다.
③ 의견을 말할 때에는 손을 들어 말할 기회를 얻고 발표합니다.
④ 다른 사람 의견을 경청합니다.
⑤ 다른 사람 의견을 존중합니다.
⑥ 의견을 말할 때에는 공손한 태도로 말합니다.

3 온라인 대화를 할 때 지켜야 할 예절 알기

① 바른 말을 사용해야 합니다.
② 자신을 잘 표현하는 대화명을 사용합니다.
③ 상대가 보이지 않더라도 대화 전에 인사를 하고 끝날 때에도 인사합니다.
④ 얼굴이 보이지 않는다고 해서 함부로 말하지 않습니다.
⑤ 지나치게 줄임 말을 쓰지 않습니다.
⑥ 상대를 존중하고 예의를 지킵니다.
⑦ 그림말을 지나치게 사용하지 않습니다.
→ 그림말은 기분을 더 잘 표현해 줄 수도 있지만 너무 많이 사용하면 장난스러운 대화가 될 수도 있습니다. 상대가 잘 이해할 수 있을 정도로만 적절하게 사용해야 합니다.

4 대화 예절을 표어로 만들기

① 대화할 때 지켜야 할 예절을 여러 방법으로 알아봅니다.

▲ 공익 광고 영상 보기

▲ 책 찾아보기

▲ 인터넷 검색하기

② 조사한 대상, 조사한 내용, 조사를 하면서 느낀 점을 정리해 봅니다.
③ 정리한 내용을 바탕으로 대화 예절과 관련 있는 표어를 만들어 봅니다.

핵심 확인문제

정답과 해설 ● 9쪽

1 인사할 때에는 □을/를 마주치며 인사해야 합니다.

2 회의와 같은 공식적인 상황에서는 어떤 말을 사용해야 합니까?
( )

3 온라인 대화를 할 때에는 자신을 잘 표현하는 □□□을/를 사용합니다.

4 온라인 대화를 할 때에는 그림말을 최대한 많이 사용합니다.
(○, ×)

5 대화할 때 지켜야 할 예절을 알아볼 때 □□ 광고 영상을 보면서 알아볼 수 있습니다.

대화 예절의 중요성 알기

정답과 해설 ● 9쪽

🔈 박 노인을 어떻게 불렀는지 살펴보며 읽기

박바우와 박 서방

- **배경**: 고깃집 앞
- **등장인물**: 윗마을 양반, 아랫마을 양반, 박 노인(박바우)

해설: 옛날, 어느 마을에 고기 파는 일을 하던 '박바우'라는 노인이 있었다. 어느 날, 젊은 양반 두 사람이 거의 같은 시간에 고기를 사러 왔다. 윗마을 양반은 박 노인에게 이렇게 말했다.

윗마을 양반: ㉠바우야, 쇠고기 한 ♥근만 줘라.

박 노인: (건성으로 대답하며) 알겠습니다.

해설: 이번에는 아랫마을 양반이 고기를 주문했다.

아랫마을 양반: (깍듯이 부탁하는 말투로) ㉡박 서방, 쇠고기 한 근만 주게.

박 노인: (웃으면서 대답하며) 아이고, 네, 조금만 기다리시지요.

해설: 박 노인은 젊은 양반들에게 각각 고기를 주는데 둘의 크기가 한 눈에 봐도 다르게 보였다. 윗마을 양반이 가만히 보니 자기가 받은 고기보다 아랫마을 양반이 받은 고기가 더 좋아 보이고 양도 훨씬 많아 보였다.

윗마을 양반: 야, 바우야! 똑같은 한 근인데, 어째서 이렇게 다르게 주느냐?

박 노인: (태연하게) 그러니까 손님 것은 바우 놈이 자른 것이고, 이분 것은 박 서방이 자른 것이기 때문이랍니다.

태연하게: 마땅히 머뭇거리거나 두려워할 상황에서 태도나 기색이 아무렇지도 않은 듯이 예사롭게

- **글의 내용**: 윗마을 양반은 박 노인을 존중하지 않으며 말하고, 아랫마을 양반은 박 노인을 존중하며 말하였습니다.

♥근(斤 도끼 근) 무게의 단위. 한 근은 고기나 한약재의 무게를 잴 때는 600그램에 해당함.

교과서 핵심

● **대화 예절의 중요성 알기**

존중하지 않고 말할 때
윗마을 양반의 말에 박 노인은 기분이 나빠서 고기를 적게 주었다.

존중하며 말할 때
아랫마을 양반의 말에 박 노인은 기분이 좋아서 고기를 많이 주었다.

⬇

말하는 사람의 말투에 따라 듣는 사람의 태도가 달라질 수 있다.

📖 교과서 문제

1 고기를 사러 온 젊은 양반들은 박 노인을 각각 무엇이라고 불렀습니까?

(1) 윗마을 양반: (　　　　　　)

(2) 아랫마을 양반: (　　　　　　)

📖 교과서 문제

2 박 노인이 아랫마을 양반에게 고기를 더 많이 준 까닭은 무엇입니까? (　　)

① 자신과 더 친해서
② 고기를 더 많이 달라고 해서
③ 고깃값을 더 많이 주겠다고 해서
④ 윗마을 양반보다 훨씬 더 가난해서
⑤ 자신을 더 존중해 주는 느낌이 들어서

📖 교과서 문제

3 ㉠, ㉡의 말을 듣고 박 노인이 어떤 표정을 지었을지 선으로 이으시오.

(1) ㉠ •　　　　• ① 즐거운 표정

(2) ㉡ •　　　　• ② 짜증 난 표정

핵심

4 이 이야기를 통하여 알 수 있는 것은 무엇인지 빈칸에 알맞은 말을 쓰시오.

- 똑같은 이야기라도 말하는 사람의 (　　　　　　)에 따라 듣는 사람의 태도가 달라질 수 있다.

준비

민수를 친구들이 어떻게 불렀는지 살펴보며 읽기

오늘 아침 민수네 교실에서 있었던 일

- **배경:** 아침, 교실 안
- **등장인물:** 영철, 민수, 채은

(효과음) 드르륵 덜컥

영철: (교실로 들어오는 민수를 보며) 어이, 키다리! 왔냐?

민수: 뭐야, 아침부터 듣기 싫은 별명을 부르고…….

채은: (밝은 목소리로) 민수야, 안녕?

민수: (밝은 목소리로) 안녕, 채은아? 어제 네가 빌려준 책 참 재미있더라. 고마워.

(마음속으로) 교실에 들어오는 친구들을 보니, 들어올 때 큰 소리로 인사하는 친구, 장난으로 인사하는 친구, 상대를 배려하며 인사하는 친구, 반갑게 인사하는 친구, 아무런 인사도 하지 않는 친구…… 참 다양한 모습이구나. 저학년일 때는 친구들과 손을 흔들며 반갑게 인사를 잘했는데 지금은 왜 이렇게 되었을까?

- **글의 내용:** 영철이는 민수를 듣기 싫은 별명으로 부르고, 채은이는 민수를 이름으로 불렀습니다.

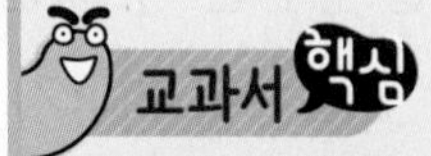

● 대화 예절 생각하기

상대가 한 말에 자신의 기분이 상했을 때
민수는 영철이에게 기분이 상한 까닭을 잘 설명하고 기분이 좋게 말해 주기를 요청한다.

자신이 한 말 때문에 상대가 기분이 상했을 때
영철이는 민수에게 사과하고 조심해서 말하겠다고 한다.

5 교실로 들어오는 민수를 보며 영철이와 채은이는 각각 어떻게 인사했는지 선으로 이으시오.

(1) 영철 •　　　• ① 이름을 바르게 불렀다.

(2) 채은 •　　　• ② 큰 소리로 별명을 불렀다.

6 영철이가 한 말을 들은 민수의 기분은 어떠하겠습니까? (　　)

① 기분이 좋았다.
② 기분이 나빴다.
③ 영철이에게 고마웠다.
④ 자신이 먼저 인사를 하지 않아 영철이에게 미안하였다.
⑤ 영철이와 앞으로 더 친하게 지내고 싶다는 마음이 들었다.

서술형

7 영철이가 한 말에 민수가 다음과 같이 대답했다면 영철이는 어떻게 답했을지 쓰시오.

어이, 키다리! 왔냐?
나는 그 별명 싫은데, 내 이름으로 불러 줄래?

▲ 영철　▲ 민수

핵심

8 자신이 한 말 때문에 상대가 기분이 상했다고 말한다면 어떻게 말하는 것이 좋겠습니까?

(　　　　　　　　　　)

역량 활동

대화 예절을 지키며 대화하는 방법 알기

정답과 해설 ● 10쪽

3 단원

● 대화 예절을 지키며 대화했는지 아이들이 한 말을 비교해 보기

❶

아버지, 내가 수저를 놓을게요.
아버지, 제가 물을 가져올게요.

❷

아저씨, 고맙습니다.
아주머니, 수고하셨어요.
정지

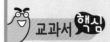

• 그림 설명: ❶은 남매가 아버지와 식사를 준비하고 있고, ❷는 두 아이가 교통 봉사 활동을 하시는 아주머니와 아저씨께 인사하고 있습니다.

교과서 핵심

◎ 대화 예절을 지키며 대화하기

그림 ❶	웃어른께는 '내가'라는 표현을 쓰지 않고 '제가'라고 표현한다.
그림 ❷	웃어른께는 "수고하셨어요."라는 표현을 쓰지 않고 "고맙습니다."라고 표현한다.

교과서 문제

1 그림 ❶에서 대화 예절에 어긋나는 표현을 찾아 쓰시오.

( )

교과서 문제

2 대화 예절을 지켜야 하는 상황을 바르게 말한 사람을 쓰시오.

> 채은: 책을 달라고 하는 친구에게 "제가 줄게."라고 말해야 해.
> 우주: 무거운 물건을 들고 가시는 할머니를 도와드릴 때 "제가 도와드리겠습니다."라고 말해야 해.

( )

교과서 문제

3 그림 ❷에서 여자아이와 남자아이 가운데 어떤 아이의 말이 더 예절에 알맞은지 쓰시오.

( )

교과서 문제

4 3번 문제처럼 생각한 까닭은 무엇입니까? ( )

① 웃어른께 반말을 해서
② 웃어른을 쳐다보지 않고 말해서
③ 웃어른이 듣지 못하게 작게 말해서
④ 웃어른께 진심이 담기지 않은 말을 해서
⑤ 웃어른께 "수고하셨어요."라고 말씀드리는 것은 예절에 어긋나서

서술형

5 오른쪽 그림과 같은 상황에서 대화 예절을 지키며 말하려면 여자아이가 어떻게 말해야 하는지 쓰시오.

기본

일상생활에서 주의해야 할 대화 예절을 생각하며 읽기

신유의 생일잔치

• **배경**: 교실, 신유네 집 현관, 식탁, 신유의 방
• **등장인물**: 신유 어머니, 신유, 원우, 지혜, 현영

신유: 원우야, 내 생일에 우리 집에서 같이 놀자.

원우: (쾌활하게) 당연하지. 우리 사 총사가 오랜만에 모여서 신나게 놀 기회인데!

(효과음) 딩동딩동

(효과음) 문 열리는 소리

신유 어머니: (밝은 목소리로) 안녕? 어서 와라. 신유 친구들이구나. 반갑다.

❶ 현관

지혜: (성급하게) 안녕하세요? 그런데 신유는 어디 갔나요? 어? 신유야, 생일 축하해!

원우: 야! 신유야, 생일 축하해! 하하하.

(효과음) 삐리리링

└→ 앞의 대화에서 예절에 어긋난 부분이 있음을 알려 주고, 예절을 지켜 달라는 상황을 제시하는 효과음

원우, 지혜, 현영: 아주머니, 안녕하세요? 생일잔치에 초대해 주셔서 감사합니다.

❷ 식탁

신유 어머니: (따뜻한 목소리로) 이렇게 신유의 생일을 축하하러 우리 집에 와 줘서 고맙구나. 손 씻고 식탁에 앉으렴.

원우, 지혜, 현영: 야, 맛있겠다!

원우: 내가 닭 다리 먹어야지!

(효과음) 삐리리링

• **글의 내용**: 신유의 생일잔치에 간 친구들은 집에 들어갈 때, 음식을 먹을 때, 친구들과 놀 때 대화 예절을 지키지 않았습니다.

교과서 핵심 ◦ **대화 예절을 지키며 대화하기**

장소	예절을 잘 지키지 않은 부분	바른 예절
현관	신유 어머니께 인사를 제대로 하지 않고 집 안으로 뛰어 들어 갔다.	얼굴을 바라보며 바른 자세로 인사한다.
식탁	음식을 준비해 주셔서 고맙다는 말을 하지 않았다.	"고맙습니다."라고 말한다.

6 **누구의 생일잔치입니까?**

(　　　　　　　　　　)

교과서 문제

7 **다음은 ❶에서 예절을 잘 지키지 않은 부분입니다. 빈칸에 알맞은 말을 쓰시오.**

장소	예절을 잘 지키지 않은 부분
현관	신유 어머니께 (　　　　　)을/를 제대로 하지 않고 집 안으로 뛰어들어 갔다.

핵심

8 **7번 문제에서 친구들이 대화 예절을 잘 지키려면 어떻게 해야 합니까?** (　　)

① 친구들과 떠들며 들어간다.
② 신유 어머니를 쳐다보지 않고 인사한다.
③ 신유 어머니보다 신유에게 먼저 인사한다.
④ 아무 말 없이 신유 어머니께 고개만 숙인다.
⑤ 신유 어머니 얼굴을 바라보며 바른 자세로 인사한다.

핵심

9 **어른께서 준비해 주신 음식을 먹을 때는 어떻게 해야 할지 쓰시오.**

(　　　　　　　　　　　　　　　　)

지혜: 아주머니, 맛있는 음식을 준비해 주셔서 고맙습니다. 맛있게 먹겠습니다.

원우, 현영: 아주머니, 맛있는 음식을 준비해 주셔서 고맙습니다. 잘 먹겠습니다.

신유 어머니: 그렇게 말해 주니 고맙구나. 천천히 많이 먹으렴.

❸ 신유 방

원우: 신유야, 이제 네 방으로 가서 놀자.

신유: 여기야.

원우: 신유야, 여기는 책이 정말 많구나.

현영: (귓속말로) 신유는 이 많은 책을 다 봤나 봐.

지혜: (귓속말로) 정말 많다. 그래서 공부를 잘하나 봐.

원우: (귓속말로) 역시 책을 좋아하는 신유답다.

(효과음) 삐리리링

신유: (서운한 목소리로) 얘들아, 나만 빼고 너희끼리 귓속말로 비밀 이야기를 하는 것 같아 기분이 나빠.

현영: (미안한 목소리로) 미안해, 신유야. 아무 생각 없이 우리끼리 그냥 한 말인데, 앞으로는 귓속말 하지 않을게.

신유: 그래, 앞으로는 절대 귓속말을 하지 말아 줘. 나만 따돌리는 것 같아 속상하단 말이야.

원우: 신유야, 오늘은 네 생일이니까 이제 재미있게 놀자.

지혜: 그래, 뭐부터 할까?

다 같이: 하하하. 호호호.

원우: 오늘 재미있게 잘 놀았습니다. 안녕히 계세요.

신유 어머니: (흐뭇하게) 그래, 원우야. 정말 예의가 바르구나. 다들 또 놀러 오렴.

원우, 지혜, 현영: 안녕히 계세요.

신유: 잘 가.

지혜: 내일 학교에서 보자.

현영: 안녕.

원우: 오늘 즐거웠어. 다시 한번 생일 축하해.

교과서 핵심 ● 대화 예절을 지키며 대화하기

장소	예절을 잘 지키지 않은 부분	바른 예절
신유 방	친구 앞에서 귓속말을 했다.	친구 앞에서 귓속말을 하지 않는다.

10 신유 방에 들어간 친구들이 한 귓속말의 내용이 아닌 것은 무엇입니까? ( )

① 방에 책이 정말 많다.
② 신유가 책을 좋아한다.
③ 방이 너무 지저분하다.
④ 신유가 방 안의 많은 책을 다 본 것 같다.
⑤ 신유가 책을 많이 봐서 공부를 잘하는 것 같다.

11 친구들이 귓속말을 하는 것을 본 신유의 기분은 어떠하다고 했는지 쓰시오.

( )

핵심

12 ▢ 부분에서 친구들이 지켜야 할 예절은 무엇입니까? ( )

① 친구들이 함께 놀아야 한다.
② 큰 소리로 이야기하면 안 된다.
③ 친구 앞에서 귓속말을 하지 않는다.
④ 친구의 물건을 함부로 만지지 않는다.
⑤ 친구의 방에 함부로 들어가면 안 된다.

역량 논술형

13 대화할 때 예절을 잘 지킨 경험을 쓰시오.

● 다음과 같은 상황으로 역할극을 하며 상대의 기분을 알아보기

상황 1. 대화 도중에 끼어드는 사슴

내 생각에는…….
이게 더 좋은 의견이야!
1

내 말 아직 안 끝났는데…….
㉠내 말부터 들어 봐.
2

상황 2. 거친 말을 하는 거북

♥알나리깔나리.
너 그만해!
3

㉡뭐? 너 혼나 볼래?
…….
4

상황 3. 남이 하는 말은 듣지 않고 자기 말만 하는 사자

저요! 저요! 제가 할게요.
다른 친구도 발표해야지.
…….
㉢내 마음이야. 저요! 저요!
5
6

• **그림 설명:** 말하는 도중에 끼어든 사슴, 거친 말을 한 거북, 자기 말만 하는 사자가 나타나 있습니다.

♥알나리깔나리 아이들이 남을 놀릴 때 하는 말.

교과서 핵심

○ **대화 예절을 지키며 대화하기**

예의 바르지 않은 말	예의 바른 말
내 말부터 들어 봐.	미안해. 네 말이 끝날 때까지 기다릴게.
뭐? 너 혼나 볼래?	기분을 상하게 해서 미안해. 이제 그만할게.
내 마음이야. 저요! 저요!	그래, 다른 친구부터 하고 나서 할게.

14 동물들이 한 행동을 찾아 선으로 이으시오.

(1) 사슴 •   • ① 토끼에게 거친 말을 했다.

(2) 거북 •   • ② 토끼가 말하는 도중에 끼어들었다.

(3) 사자 •   • ③ 자기만 발표하겠다고 했다.

교과서 문제

15 상황 1에서 토끼 역할을 한 친구의 기분은 어떠했겠습니까?

( )

핵심

16 ㉠~㉢의 예의 바르지 않은 말을 고쳐 써 보시오.

(1) ㉠	
(2) ㉡	
(3) ㉢	

교과서 문제

17 예절을 지키며 대화를 주고받으면 좋은 점입니다. 빈칸에 알맞은 말을 쓰시오.

• 친구에게 배려받는 것 같아서 ( )

회의할 때 지켜야 할 예절이 무엇인지 생각하며 읽기

우리 반 회의 시간

- **배경**: 4학년 교실, 학급 회의가 시작됨.
- **등장인물**: 사회자, 고경희, 김찬민, 박태영, 이희정, 강찬우

사회자: 자리를 정리해 주시기 바랍니다. 지금부터 제8회 학급 회의를 시작하겠습니다. 오늘 회의 주제를 무엇으로 정하면 좋을지 말씀해 주십시오. 고경희 친구가 의견을 발표해 주십시오.

고경희: 저는 "친구들과 사이좋게 지내자."를 주제로 제안합니다. 왜냐하면 요즘 우리 반 친구들이 자주 다투는 것을 봤기 때문입니다.

사회자: 김찬민 친구도 의견을 발표해 주십시오.

김찬민: 청소를 하고 나서도 교실이 깨끗하지 않습니다. 그래서 "교실을 깨끗이 사용하자."를 주제로 제안합니다.

사회자: 회의 주제는 ♥다수결로 정하겠습니다. 첫 번째 주제에 찬성하시는 분은 손을 들어 주십시오. 두 번째 주제에 찬성하시는 분은 손을 들어 주십시오. 29명 가운데에서 19명이 첫 번째 주제를 선택했습니다. 오늘 회의 주제는 다수결의 원칙에 따라 "친구들과 사이좋게 지내자."로 정하겠습니다.

(효과음) 칠판에 쓰는 소리

사회자: 친구들과 사이좋게 지내려면 실천해야 할 일이 무엇인지 발표해 주십시오. 박태영 친구가 의견을 발표해 주십시오.

- **글의 내용**: "친구들과 사이좋게 지내자."라는 회의 주제로 학급 회의를 하고 있습니다.

♥**다수결** 회의에서 많은 사람의 의견에 따라 가부를 결정하는 일.

1 학급 회의 시작을 알린 사람은 누구입니까?

( )

2 사회자는 무엇을 정하려고 하고 있습니까? ( )

① 회의 장소
② 회의 시간
③ 회의 주제
④ 회의 준비물
⑤ 회의에 참여하는 사람 수

3 친구들이 말한 회의 주제와 그 까닭을 찾아 선으로 이으시오.

(1) 교실을 깨끗이 사용하자. •		• ① 요즘 반 친구들이 자주 다투는 것을 봤기 때문이다.
(2) 친구들과 사이좋게 지내자. •		• ② 청소를 하고 나서도 교실이 깨끗하지 않기 때문이다.

교과서 문제

4 학급 회의에서 정한 주제는 무엇입니까?

( )

기본

박태영: 제 의견은 "듣기 싫은 별명으로 부르지 말자."입니다. 기분이 나빠지면 서로 사이좋게 지내기가 어려워지기 때문입니다.

사회자: 좋은 의견입니다. 다른 의견이 더 있습니까? 이희정 친구가 의견을 발표해 주십시오.

이희정: 저는 고운 말을…….

강찬우: (끼어들며) 잠깐만. "심한 장난을 하지 말자."가 좋겠습니다. 왜냐하면 장난이 심해져서 싸우는 경우가 많기 때문입니다.

사회자: 강찬우 친구, 좋은 의견 감사합니다. 하지만 다른 사람이 의견을 발표할 때 끼어드는 것은 잘못입니다. 다음부터는 꼭 손을 들어 말할 ♥기회를 얻고 나서 발표해 주시기 바랍니다. 이희정 친구는 계속 발표해 주십시오.

이희정: 네, 제 의견은 "고운 말을 사용하자."입니다. 친구들이 나쁜 말을 주고받으면 사이가 안 좋아지는 것을 자주 봤기 때문입니다.

고경희: (♥비아냥거리며) 칫, 친할 때 그런 말로 장난치는 것도 모르나?

이희정: (짜증 내며) 너는 그래서 날마다 친구들과 다투냐?

♥기회(機 틀 기, 會 모일 회) 어떠한 일을 하는 데 적절한 시기나 경우.
예 기회가 된다면 세계 여행을 해 보고 싶습니다.

♥비아냥거리며 얄밉게 빈정거리며 자꾸 놀리며.
예 여기저기에서 사람들이 비아냥거리며 웃고 있었습니다.

교과서 핵심 ● 예절을 지키며 회의하기

예절에 어긋난 부분	지켜야 할 예절
찬우는 희정이가 말하는데 끼어들었다.	다른 사람이 발표할 때 끼어들지 않는다.
경희는 말할 기회를 얻지 않고 말했다.	의견을 말할 때에는 손을 들어 말할 기회를 얻고 발표한다.
희정이와 경희는 높임말을 사용하지 않았다.	회의와 같은 공식적인 상황에서는 높임말을 사용한다.

5 회의 주제에 대해 태영이가 말한 의견은 무엇입니까?

( )

6 희정이가 자신의 의견을 발표하다가 멈춘 까닭은 무엇입니까? ( )

① 말할 순서가 아니었기 때문에
② 말할 의견을 생각해야 했기 때문에
③ 태영이가 말한 의견과 비슷했기 때문에
④ 찬우가 말하는 도중에 끼어들었기 때문에
⑤ 사회자가 발표를 멈추어 달라고 했기 때문에

핵심

7 사회자가 찬우에게 말한 회의할 때 지켜야 할 예절은 무엇인지 쓰시오.

( )

교과서 문제

8 경희가 회의할 때 예절에 어긋난 부분은 무엇인지 두 가지 고르시오. (,)

① 사회자에게 불만을 말했다.
② 높임말을 사용하지 않았다.
③ 말할 기회를 얻지 않고 말했다.
④ 자기 차례인데도 말하지 않았다.
⑤ 친구가 한 말을 똑같이 따라 말했다.

사회자: 모두 조용히 해 주십시오. 말할 기회도 얻지 않고 높임말도 사용하지 않은 고경희 친구 그리고 마찬가지로 말할 기회를 얻지 않고 거친 말을 사용한 이희정 친구에게 '주의'를 한 번씩 드립니다.

(효과음) 칠판에 쓰는 소리

사회자: 지금부터 주제에 대한 실천 내용을 정하도록 하겠습니다. 표결을 하기 전에 추가로 의견을 이야기할 친구는 발표해 주시기 바랍니다. 김찬민 친구가 의견을 발표해 주십시오.

김찬민: (자신 없게) 고운 말? 뭐였지? 아무튼 그 의견보다는 '이름 부르지 않기'로 정하면 좋겠습니다. 왜냐하면 우리 반 모두가 싫어할 것 같기 때문입니다.

사회자: "고운 말을 사용하자."는 의견이 있었고, 이름이 아니라 "듣기 싫은 별명으로 부르지 말자."라는 의견이 있었습니다. 다른 사람 의견을 잘 들어 주시면 고맙겠습니다. 표결을 시작하겠습니다. 먼저, "듣기 싫은 별명으로 부르지 말자."를 실천 내용으로 정하는 것에 찬성하시는 분은 손을 들어 주십시오. 29명 가운데에서 20명이 찬성했습니다. 다음, "심한 장난을 하지 말자."를 실천 내용으로 정하는 것에 찬성하시는 분은 손을 들어 주십시오. 29명 가운데에서 6명이 찬성했으므로 실천 내용으로 정하지 않겠습니다. 마지막으로, "고운 말을 사용하자."를 실천 내용으로 정하는 것에 찬성하시는 분은 손을 들어 주십시오. 29명 가운데에서 10명이 찬성했으므로 실천 내용으로 정하지 않겠습니다.

(효과음) 칠판에 쓰는 소리

사회자: 오늘 회의 주제는 "친구들과 사이좋게 지내자."이고 실천 내용은 "듣기 싫은 별명으로 부르지 말자."로 정했습니다. 결정한 실천 내용을 모두 잘 지켜 주시기 바랍니다. 이상으로 학급 회의를 마칩니다.

교과서 핵심 ● 예절을 지키며 회의하기

예절에 어긋난 부분	지켜야 할 예절
찬민이는 다른 사람 의견을 잘 듣지 않았다.	다른 사람 의견을 경청한다.

역량

9 희정이가 사회자에게 주의를 받은 까닭은 무엇입니까? ( )

① 거친 말을 사용해서
② 회의 시간에 졸아서
③ 회의 시간에 장난을 쳐서
④ 사회자의 말을 중간에 끊어서
⑤ 자기 의견만 맞다고 고집해서

서술형

10 회의할 때 찬민이가 예절에 어긋난 부분은 무엇인지 쓰시오.

____

____

핵심

11 회의하면서 지켜야 할 예절을 보기 에서 찾아 빈칸에 알맞게 쓰시오.

보기

경청, 높임말, 끼어들지, 말할 기회

(1) 다른 사람 의견을 ( )한다.
(2) 다른 사람이 발표할 때 ( ) 않는다.
(3) 회의와 같은 공식적인 상황에서는 ( )을/를 사용한다.
(4) 의견을 말할 때에는 손을 들어 ( )을/를 얻고 발표한다.

교과서 문제

12 회의에서 결정한 실천 내용은 무엇인지 쓰시오.

( )

기본 — 온라인 대화를 할 때 지켜야 할 예절 알기

● 지혜가 친구들과 나눈 온라인 대화를 보기

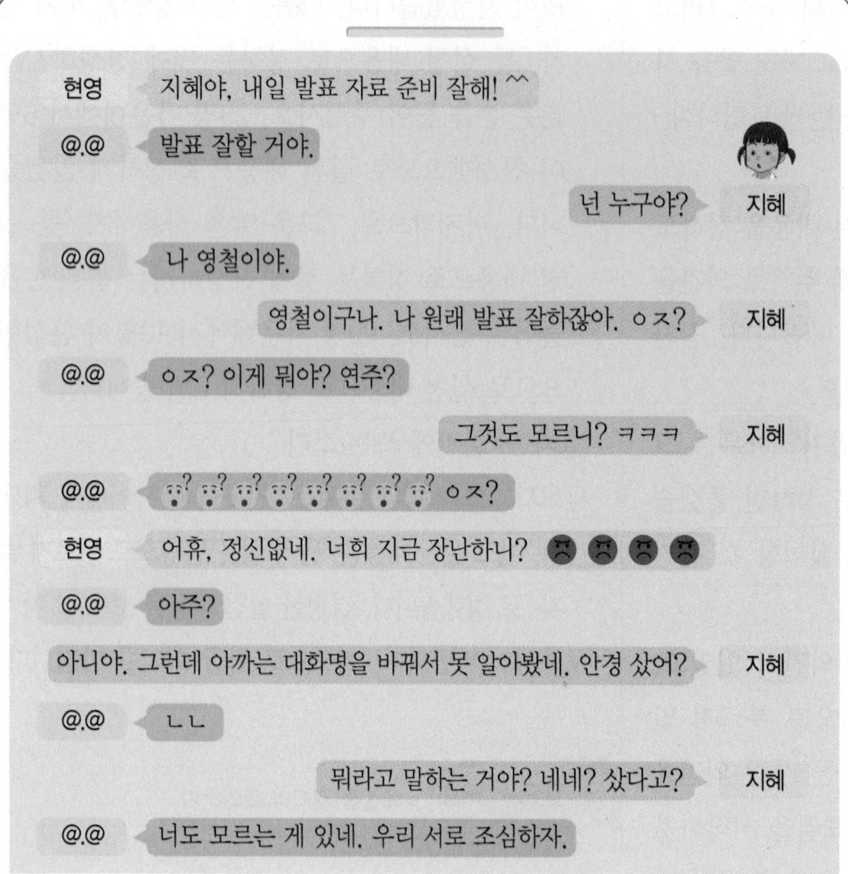

• 글의 내용: 현영, 영철, 지혜가 온라인 대화를 하고 있는데, 줄임 말을 서로 이해하지 못하였습니다.

교과서 핵심

● 온라인 대화를 할 때 지켜야 할 예절

대화명을 사용할 때
지혜가 영철이를 못 알아보았다. 자신을 잘 표현하는 대화명을 사용한다.

줄임 말을 사용할 때
영철이가 'ㅇㅈ'의 뜻을 모르고 있다. 줄임 말을 지나치게 쓰지 않는다.

그림말을 사용할 때
영철이가 그림말을 많이 사용했다. 상대가 잘 이해할 수 있을 정도로만 적절하게 사용한다.

교과서 문제

1 지혜가 영철이를 못 알아본 까닭은 무엇입니까? ( )

① 그림말을 너무 많이 사용했기 때문에
② 영철이와는 친하게 지내지 않기 때문에
③ 현영이가 영철이가 아니라고 했기 때문에
④ 대화명을 이름이 아닌 다른 것으로 썼기 때문에
⑤ 영철이와는 온라인에서 대화를 해 본 적이 없기 때문에

논술형

2 자신이라면 어떤 대화명을 사용할지, 그 까닭과 함께 쓰시오.

교과서 문제

3 온라인 대화를 할 때 줄임 말을 지나치게 쓰면 어떤 일이 일어나겠습니까? ( )

① 바른 문장을 쓸 수 있다.
② 오해가 잘 생기지 않는다.
③ 친구들끼리 대화가 잘 된다.
④ 예쁜 우리말을 많이 만들 수 있다.
⑤ 항상 새로운 말의 뜻을 배워야 한다.

핵심 교과서 문제

4 현영이가 화가 난 까닭을 살펴보고, 온라인 대화를 할 때 지켜야 할 예절이 무엇인지 빈칸에 알맞은 말을 쓰시오.

( )은/는 기분을 더 잘 표현해 줄 수도 있지만 너무 많이 사용하면 장난스러운 대화가 될 수도 있다. 그러므로 상대가 잘 이해할 수 있을 정도로만 적절하게 사용한다.

정답과 해설 ● 11쪽

3 단원

● 온라인 대화를 할 때 생길 수 있는 문제를 생각하기

가
이게 무슨 말이야?
몰라. 재미있어 보이는데 나도 써 볼까?
무슨 말인지 모르고 써도 괜찮을까?
'ㅇㅇ'
나
갑자기 대화방에서 나가면 어떡해! 난 아직 할 이야기가 남았는데.
점심시간에 한 말이 무슨 뜻이야?
그거 아무것도 아니야. 신경 쓰지 마. 안녕.
△△님이 나갔습니다.

• **그림 설명**: 뜻을 모르는 표현을 사용하고, 자신이 할 말만 하고 대화방에서 나가 버리는 등 온라인 대화를 할 때 생길 수 있는 문제가 나타나 있습니다.

교과서 핵심

◦ 온라인 대화를 할 때 지켜야 할 예절

가 뜻을 모르는 표현을 사용하는 경우
뜻을 몰라도 사람들이 사용하면 같이 사용하기 때문에 오해가 생긴다. 뜻을 알 수 없는 표현을 사용하지 않는다.

나 자신이 할 말만 하고 대화방에서 나가는 경우
상대의 얼굴이 보이지 않으므로 자기 위주로만 말을 하게 된다. 상대를 배려해야 한다.

교과서 문제

5 **그림 가의 온라인 대화에서 나타난 문제를 바르게 말한 친구는 누구입니까?**

진아: 외국어를 많이 사용했어.
민주: 뜻을 모르는 표현을 사용했어.
형민: 지나치게 긴 문장으로 말하였어.
강우: 뜻이 어려운 한자를 써서 상대가 이해 못하였어.

( )

핵심

6 **그림 가에서 알 수 있는 온라인 대화를 할 때 지켜야 할 예절을 써 보시오.**

( )

7 **그림 나의 온라인 대화에서 문제가 생기는 까닭은 무엇일지 찾아 ○표를 하시오.**

(1) 얼굴을 보지 않고 말하므로 설명이 길어질 수 있기 때문이다. ( )
(2) 상대의 얼굴이 보이지 않으므로 자기 위주로만 말을 할 수 있기 때문이다. ( )

8 **온라인 대화 예절을 한 문장으로 만드는 빙고 놀이를 하려고 합니다. 문장을 만든 것 중 알맞지 않은 것은 무엇입니까?** ( )

① 고운 말을 사용한다.
② 상대를 배려하며 대화한다.
③ 신중하게 생각하고 글을 쓴다.
④ 시간을 아끼기 위해 인사를 생략한다.
⑤ 예의를 갖추어 공손한 말투를 사용한다.

실천 《 대화 예절을 표어로 만들기

정답과 해설 ● 12쪽

● 대화할 때 지켜야 할 예절을 여러 방법으로 알아보기

❶

❷

❸

❹
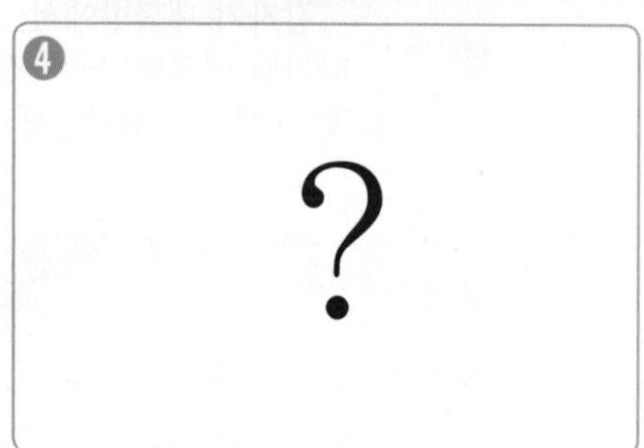

㉠

조사한 대상	공익 광고 영상「너의 목소리가 들려」
조사한 내용	보이지 않는다고 나쁜 말을 해서는 안 된다.
느낀 점	온라인 대화를 할 때에도 말조심을 해야 한다고 생각했다. "낮말은 새가 듣고 밤말은 쥐가 듣는다."라는 속담이 떠올랐다.

• **그림 설명:** 대화할 때 지켜야 할 예절을 알아보는 방법으로 공익 광고 보기, 책을 찾아보기, 인터넷에서 검색하기 등이 나타나 있습니다.

교과서 핵심

● **대화 예절을 표어로 만들기** 예

대화 예절과 관련 있는 경험 떠올리기	친구가 듣기 싫어하는 말을 해서 친구의 기분을 상하게 한 적이 있다.
표어 만들기	내가 한 거친 말 내게 올 거친 말

1 ㉠의 표에서는 대화할 때 지켜야 할 예절을 어떤 방법으로 알아보았습니까? ( )

① 책을 찾아보기
② 공익 광고 보기
③ 친구들과 대화하기
④ 인터넷에서 검색하기
⑤ 부모님께 여쭈어 보기

2 ㉠의 표에서 나타난 느낀 점은 무엇인지 빈칸에 알맞은 말을 쓰시오.

• 온라인 대화를 할 때에도 ( ) 을/를 해야겠다.

교과서 문제

3 다음은 대화할 때 지켜야 할 예절을 알아보고 진우가 친구들에게 이야기한 내용입니다. 진우가 자료를 조사한 대상은 무엇입니까?

> 진우: 다른 사람이 말할 때 중간에 끼어들면 안 되지만 급한 일이 있다면 양해를 구할 수 있다는 것을 책을 읽고 알게 되었어.

( )

핵심 서술형

4 대화 예절과 관련 있는 경험을 떠올려 보고, 대화 예절과 관련 있는 표어를 만들어 보시오.

(1) 경험	
(2) 표어	

3 단원

기본 • 47~50쪽 대화 예절을 지키며 대화하는 방법 알기

● 다른 사람에게 말할 때와 다른 사람의 말을 들을 때 지켜야 할 예절

(1)	시간, 장소에 맞게 말한다.	
(2)	항상 커다란 목소리로 말한다.	
(3)	듣는 사람의 기분을 고려하며 말한다.	
(4)	자신에게 관심이 없는 이야기이면 듣지 않는다.	
(5)	적절히 반응하며 듣는다.	
(6)	책을 읽으며 이야기를 듣는다.	

● 예절에 맞게 말할 내용을 써 보기

㉮

그래, 고맙다고 전해 드려라.
㉠

㉯

㉡미안해. 다리는 괜찮아?

1 (1)~(6)을 보고, 지켜야 할 바른 예절을 모두 골라 표의 빈칸에 ○표를 하시오.

2 ㉠에 들어갈 말로 알맞은 것에 ○표를 하시오.

(1) 어머니가 이것을 가져다 주래요. ( )

(2) 어머니께서 이것을 가져다드리라고 하셨어요. ( )

3 ㉡의 말을 들은 친구는 어떤 말을 하면 좋을지 쓰시오.

____

____

기본 • 54~55쪽 온라인 대화를 할 때 지켜야 할 예절 알기

● 자신의 온라인 대화 예절 점수를 알아보기

문항	점수(1~10점)
1. 상대에게 불쾌감을 주는 대화를 하지 않는다.	
2. 바른 말, 고운 말을 쓴다.	
3. 주제에 맞는 대화를 한다.	
4. 사실과 다른 내용을 올리지 않는다.	
5. 시간과 상황에 어울리는 대화를 한다.	
6. 상대의 정보를 다른 곳에서 이야기하지 않는다.	
7. 인터넷에 있는 정보를 인용할 때에는 출처를 밝힌다.	
8. 다른 사람의 실수를 이해한다.	
9. 대화를 시작하고 끝낼 때 인사한다.	
10. 상대가 원하지 않는 행동을 강요하지 않는다.	

4 온라인 대화를 할 때 지켜야 할 예절로 알맞지 않은 것은 무엇입니까? ( )

① 주제에 맞는 대화를 한다.
② 다른 사람의 실수를 이해한다.
③ 시간과 상황에 어울리는 대화를 한다.
④ 상대에게 불쾌감을 주는 대화를 하지 않는다.
⑤ 인터넷에 있는 정보를 인용할 때 출처는 밝히지 않아도 된다.

단원 마무리

준비 ……

》 대화 예절의 중요성 알기

예 「박바우와 박 서방」에서 대화 예절 생각해 보기

바우야, 쇠고기 한 근만 줘라.	상대를 존중하지 않고 말할 때	윗마을 양반의 말에 박 노인은 기분이 나빠서 고기를 적게 주었습니다.
박 서방, 쇠고기 한 근만 주게.	상대를 존중하며 말할 때	아랫마을 양반의 말에 박 노인은 기분이 좋아서 고기를 많이 주었습니다.

➡ 똑같은 이야기라도 말하는 사람의 ❶ □□에 따라 듣는 사람의 태도가 달라질 수 있습니다.

예 「오늘 아침 민수네 교실에서 있었던 일」에서 대화 예절 생각해 보기

어이, 키다리! 왔냐? ▲ 영철	상대가 한 말에 자신의 기분이 상했을 때	기분이 상한 까닭을 잘 설명하고 기분이 좋게 말해 주기를 요청합니다.
	자신이 한 말 때문에 상대가 기분이 상했을 때	상대에게 사과하고 조심해서 말하겠다고 합니다.

기본 ……

》 대화 예절을 지키며 대화하는 방법 알기

예 「신유의 생일잔치」에서 대화 예절을 생각해 보기

▲ 집에 들어갈 때

신유 어머니의 얼굴을 바라보며 바른 자세로 인사합니다.

▲ 음식을 먹을 때

신유 어머니께 "고맙습니다."라고 말합니다.

▲ 친구들과 놀 때

친구 앞에서 ❷ □□□을/를 하지 않습니다.

기본 ……

》예절을 지키며 회의하기

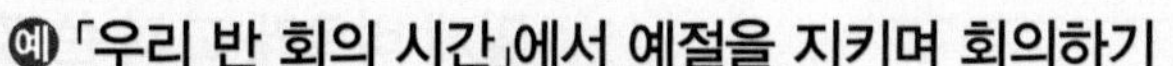

예 「우리 반 회의 시간」에서 예절을 지키며 회의하기

다른 사람이 발표할 때 끼어들지 않습니다.

의견을 말할 때에는 손을 들어 말할 기회를 얻고 발표합니다.

회의와 같은 공식적인 상황에서는 높임 말을 사용합니다.

다른 사람 의견을 ❸ □□ 합니다.

기본 ……

》온라인 대화를 할 때 지켜야 할 예절 알기

예 영철, 지혜, 현영이 온라인 대화를 할 때 지켜야 할 예절

대화명을 사용할 때	@@ 나 영철이야.	얼굴을 직접 확인할 수 없으므로 자신을 잘 표현하는 대화명을 사용합니다.
줄임 말을 사용할 때	나 원래 발표 잘하잖아. ㅇㅈ?	처음 봐서 뜻을 모를 수 있으므로 줄임 말을 지나치게 쓰지 않습니다.
그림말을 사용할 때	(그림말)	❹ □□□ 은/는 너무 많이 사용하면 장난스러운 대화가 될 수도 있으므로 상대가 잘 이해할 수 있을 정도로만 적절하게 사용합니다.

단원 평가

• 단원 평가 **더 풀기** ≫ 평가 교재 14~19쪽

1~2 **글을 읽고, 물음에 답하시오.**

> 윗마을 양반: 바우야, 쇠고기 한 근만 줘라.
> 박 노인: (건성으로 대답하며) 알겠습니다.
> 해설: 이번에는 아랫마을 양반이 고기를 주문했다.
> 아랫마을 양반: (깍듯이 부탁하는 말투로) 박 서방, 쇠고기 한 근만 주게.
> 박 노인: (웃으면서 대답하며) 아이고, 네, 조금만 기다리시지요.
> 해설: 박 노인은 젊은 양반들에게 각각 고기를 주는데 둘의 크기가 한눈에 봐도 다르게 보였다. 윗마을 양반이 가만히 보니 자기가 받은 고기보다 아랫마을 양반이 받은 고기가 더 좋아 보이고 양도 훨씬 많아 보였다.

1 **박 노인은 누가 자신을 더 존중해 준다고 생각했겠습니까?**

( )

2 **이 이야기와 관련된 속담으로 알맞은 것을 두 가지 고르시오.** (,)

① 가재는 게 편이다.
② 남의 떡이 더 커 보인다.
③ 고래 싸움에 새우 등 터진다.
④ 말 한마디에 천 냥 빚도 갚는다.
⑤ 가는 말이 고와야 오는 말이 곱다.

논술형

3 **평소에 자신이 어떻게 대화하는지 되돌아보고 다음 질문에 대한 답을 써 보시오.**

> 상대가 한 말에 자신의 기분이 상했다면 어떻게 말하는 것이 좋을까요?

____

____

4 **다음 대화에서 밑줄 그은 부분을 대화 예절에 맞게 바르게 고쳐 쓴 것을 찾아 ○표를 하시오.**

> 아들: <u>아버지, 내가 수저를 놓을게요.</u>

(1) 아버지, 내가 수저를 놓을게. ( )
(2) 아버지, 제가 수저를 놓을게. ( )
(3) 아버지, 제가 수저를 놓을게요. ( )

5~7 **글을 읽고, 물음에 답하시오.**

> 신유 어머니: (밝은 목소리로) 안녕? 어서 와라. 신유 친구들이구나. 반갑다.
> 〈현관〉
> 지혜: (성급하게) 안녕하세요? 그런데 신유는 어디 갔나요? 어? 신유야, 생일 축하해!
> 원우: 야! 신유야, 생일 축하해! 하하하.

5 **신유 친구들이 신유네 집에 갔을 때 맞아 준 사람은 누구입니까?**

( )

6 **이 대화에서 신유 친구들이 예절을 잘 지키지 않은 점은 무엇입니까?** ( )

① 거친 말을 사용하였다.
② 높임말을 사용하지 않았다.
③ 어른을 뚫어지게 쳐다보았다.
④ 고맙다는 인사말을 하지 않았다.
⑤ 어른께 인사를 제대로 하지 않았다.

중요

7 **신유 친구들이 대화 예절을 지키려면 어떻게 해야 할지 쓰시오.**

( )

3 단원

종요

8 **다음 역할극의 상황에서 사슴이 예절을 잘 지키려면 어떻게 해야 되는지 쓰시오.**

내 말 아직 안
끝났는데…….
내 말부터
들어 봐.

(　　　　　　　　　　　　　　　　　　)

국어 활동

9 **대화 예절을 지키며 듣고 말하는 방법으로 알맞지 않은 것은 무엇입니까?** (　　)

① 상대를 바라보며 말한다.
② 적절히 반응하며 듣는다.
③ 고운 말, 바른 말을 쓴다.
④ 다른 사람이 하는 말을 끝까지 듣는다.
⑤ 듣는 사람의 기분보다는 말하는 사람의 기분을 고려하며 말한다.

국어 활동

10 **다음 말을 들은 친구가 예절에 맞게 말할 내용으로 알맞은 것은 무엇입니까?** (　　)

미안해.
다리는 괜찮아?

① 당연히 조심해야지.
② 정말 너는 조심성이 없구나.
③ 미안하다고 하면 다 된 거니?
④ 공을 그렇게 차면 어떻게 하니?
⑤ 그래, 괜찮아. 다음에는 더 조심하면 좋겠어.

11~13 **글을 읽고, 물음에 답하시오.**

> ㉮ 사회자: 오늘 회의 주제는 다수결의 원칙에 따라 "친구들과 사이좋게 지내자."로 정하겠습니다. / (효과음) 칠판에 쓰는 소리
> 사회자: 친구들과 사이좋게 지내려면 실천해야 할 일이 무엇인지 발표해 주십시오.
> ㉯ 이희정: 네, 제 의견은 "고운 말을 사용하자." 입니다. 친구들이 나쁜 말을 주고받으면 사이가 안 좋아지는 것을 자주 봤기 때문입니다.
> 고경희: (비아냥거리며) 칫, 친할 때 그런 말로 장난치는 것도 모르나?
> 이희정: (짜증 내며) 너는 그래서 날마다 친구들과 다투냐?
> 사회자: 모두 조용히 해 주십시오. 말할 기회도 얻지 않고 높임말도 사용하지 않은 고경희 친구 그리고 마찬가지로 말할 기회를 얻지 않고 거친 말을 사용한 이희정 친구에게 '주의'를 한 번씩 드립니다.

11 **사회자가 발표해 달라고 한 내용은 무엇입니까?**

(　　　　　　　　　　　　　　　　　　)

12 **희정이의 의견은 무엇입니까?**

(　　　　　　　　　　　　　　　　　　)

13 **경희와 희정이에 대한 설명으로 알맞지 않은 것은 무엇입니까?** (　　)

① 서로 존중하지 않았다.
② 거친 말을 사용하였다.
③ 서로 귓속말을 하였다.
④ 높임말을 사용하지 않았다.
⑤ 말할 기회를 얻지 않고 말했다.

단원 평가

중요

14 **회의하면서 지켜야 할 예절로 알맞지 않은 것은 무엇입니까?** ( )

① 다른 사람 의견을 경청한다.
② 관심 있는 의견만 주의 깊게 듣는다.
③ 다른 사람이 발표할 때 끼어들지 않는다.
④ 회의와 같은 공식적인 상황에서는 높임말을 사용한다.
⑤ 의견을 말할 때에는 손을 들어 말할 기회를 얻고 발표한다.

15 **예절을 지키며 회의하면 어떤 점이 좋을지 한 가지 쓰시오.**

( )

16~18 **대화를 보고, 물음에 답하시오.**

영철이구나. 나 원래 발표 잘하잖아. ㅇㅈ? 지혜
@@ ㅇㅈ? 이게 뭐야? 연주?
그것도 모르니? ㅋㅋㅋ 지혜
@@ ㅇㅈ?
현영 어휴, 정신없네. 너희 지금 장난하니?

16 **이 온라인 대화에 쓰인 줄임 말을 두 가지 고르시오.** (,)

① ?
② ㅇㅈ
③ 어휴
④ @.@
⑤ ㅋㅋㅋ

17 **현영이가 사용한 그림말은 어떤 기분을 나타낼지 쓰시오.**

( )

서술형

18 **이 온라인 대화를 하는 친구들이 지켜야 할 예절은 무엇인지 쓰시오.**

____

____

19 **다음에서 알 수 있는 온라인 대화를 할 때 생길 수 있는 문제는 무엇입니까?** ( )

이게 무슨 말이야?
몰라. 재미있어 보이는데 나도 써 볼까?
무슨 말인지 모르고 써도 괜찮을까?
'ㅇㅇ'

① 대화 전에 인사를 하지 않는다.
② 자신이 할 말만 하고 대화방을 나간다.
③ 얼굴이 보이지 않는다고 함부로 말한다.
④ 상대가 보이지 않아 자기 위주로만 말한다.
⑤ 사람들이 사용하는 뜻 모르는 표현을 사용한다.

20 **대화 예절과 관련 있는 표어로 볼 수 없는 것에 ×표를 하시오.**

(1) 자나 깨나 예절 바른 말 ( )
(2) 서로 도우며 싹트는 우정 ( )
(3) 함께 지킨 대화 예절 우리 모두 좋은 기분 ( )

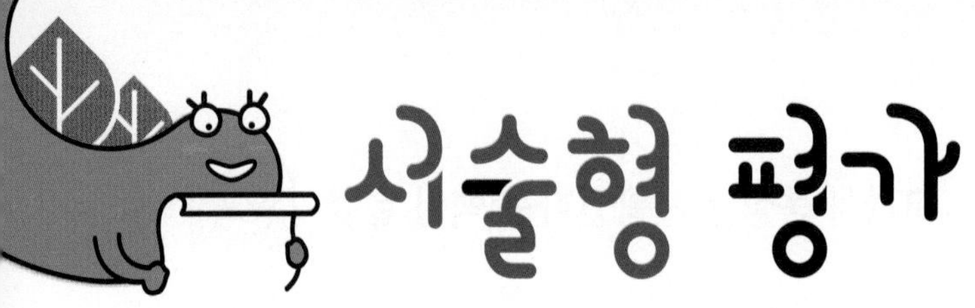

맞은 개수 개

정답과 해설 ● 13쪽

3 단원

1 **영철이가 지켜야 할 대화 예절은 무엇인지 쓰시오.**

> 영철: (교실로 들어오는 민수를 보며) 어이, 키다리! 왔냐?
> 민수: 뭐야, 아침부터 듣기 싫은 별명을 부르고…….
> 채은: (밝은 목소리로) 민수야, 안녕?
> 민수: (밝은 목소리로) 안녕, 채은아? 어제 네가 빌려준 책 참 재미있더라. 고마워.

2~3 **글을 읽고, 물음에 답하시오.**

> 원우: 신유야, 여기는 책이 정말 많구나.
> 현영: (귓속말로) 신유는 이 많은 책을 다 봤나 봐.
> 지혜: (귓속말로) 정말 많다. 그래서 공부를 잘하나 봐.
> 원우: (귓속말로) 역시 책을 좋아하는 신유답다.
> (효과음) 삐리리링
> 신유: (서운한 목소리로) 얘들아, 나만 빼고 너희끼리 귓속말로 비밀 이야기를 하는 것 같아 기분이 나빠.

2 **신유는 왜 기분이 나쁘다고 하였는지 쓰시오.**

3 **신유 친구들이 대화 예절을 지키며 말하는 방법은 무엇인지 쓰시오.**

4 **학급 회의를 하면서 찬우가 지켜야 할 예절은 무엇인지 쓰시오.**

> 이희정: 저는 고운 말을…….
> 강찬우: (끼어들며) 잠깐만. "심한 장난을 하지 말자."가 좋겠습니다. 왜냐하면 장난이 심해져서 싸우는 경우가 많기 때문입니다.
> 사회자: 강찬우 친구, 좋은 의견 감사합니다. 하지만 다른 사람이 의견을 발표할 때 끼어드는 것은 잘못입니다. 다음부터는 꼭 손을 들어 말할 기회를 얻고 나서 발표해 주시기 바랍니다.

5 **회의할 때 예절을 더 잘 지키려면 우리가 어떤 노력을 해야 할지 쓰시오.**

6 **온라인 대화를 할 때 그림말을 받고, 기분이 좋았거나 불편했던 적은 없었는지 생각해 보고 그렇게 느낀 까닭도 쓰시오.**

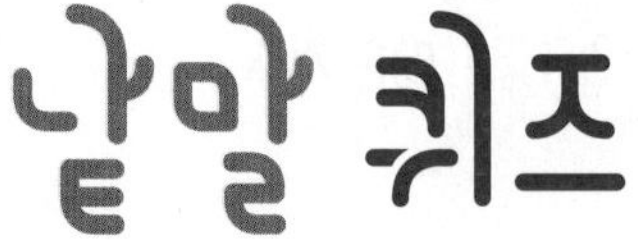

교과서 문장으로 확인하는 핵심 낱말 

● 다음 교과서 문장의 파란색 낱말 중에서 알맞은 것을 골라 인물들이 한 말을 완성하시오.

- 저는 "친구들과 사이좋게 지내자."를 주제로 제안합니다.
- 오늘 회의 주제는 다수결의 원칙에 따라 "친구들과 사이좋게 지내자."로 정하겠습니다.
- 말할 기회를 얻지 않고 거친 말을 사용한 이희정 친구에게 '주의'를 한 번씩 드립니다.
- 표결을 하기 전에 추가로 의견을 이야기할 친구는 발표해 주시기 바랍니다.

안전 제일 ❶__________ 알지?

짐을 ❷__________ 했더니 어깨가 아프다.

아이들에게 뱀을 조심하라고 ❹__________ 를 줘야겠어.

쉬었다가 가는 것을 ❸__________ 합니다!

덜덜

덜덜

정답 | ❶ 원칙 ❷ 추가 ❸ 제안 ❹ 주의

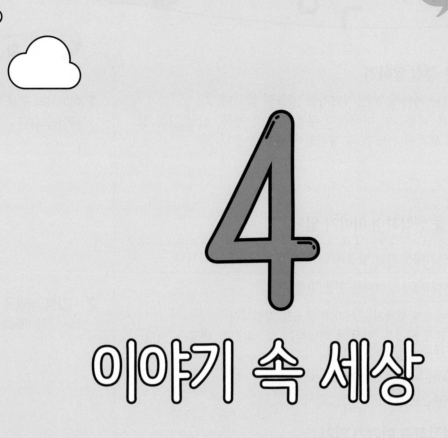

4 이야기 속 세상

무엇을 배울까요?

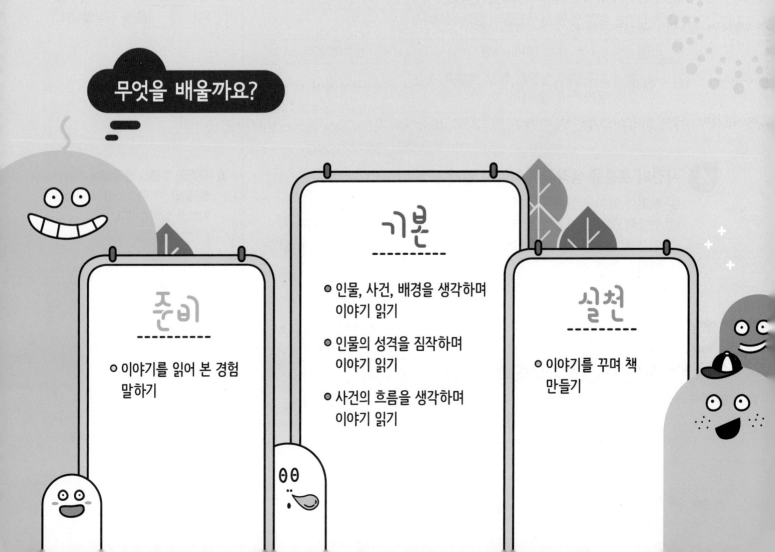

준비

- 이야기를 읽어 본 경험 말하기

기본

- 인물, 사건, 배경을 생각하며 이야기 읽기
- 인물의 성격을 짐작하며 이야기 읽기
- 사건의 흐름을 생각하며 이야기 읽기

실천

- 이야기를 꾸며 책 만들기

교과서 핵심

1 이야기를 읽어 본 경험 말하기

① 재미있게 읽었거나 기억에 남는 이야기를 떠올려 봅니다.
② 인상 깊은 장면을 떠올리며 이야기의 내용(이야기 제목, 인상 깊은 장면, 장면에 대한 생각이나 느낌)을 정리하여 발표해 봅니다.

2 인물, 사건, 배경을 생각하며 이야기 읽기

인물	이야기에서 어떤 일을 겪는 사람이나 사물을 말합니다.
사건	이야기에서 일어나는 일을 말합니다.
배경	• 이야기가 펼쳐지는 시간과 장소를 말합니다. • 시간적 배경은 '언제'에 해당하는 것, 공간적 배경은 '어디에서'에 해당하는 것입니다.

→ 인물, 사건, 배경은 이야기를 구성하는 데 꼭 필요한 요소입니다.

3 인물의 성격을 짐작하며 이야기 읽기

① 인물이 한 말에서 인물의 성격을 짐작합니다.
② 인물의 행동에서 인물의 성격을 짐작합니다.

예 「우진이는 정말 멋져!」에서 인물의 성격 짐작하기

인물	말이나 행동	인물의 성격
나	우진이 칭찬을 듣고 헤벌쭉 웃는 윤아가 참 얄미웠어요.	샘이 많다.

4 사건의 흐름을 생각하며 이야기 읽기

① 사건이 일어난 차례를 살펴봅니다.
② 인물의 성격에 따라 인물의 행동이 어떻게 달라지는지 살펴봅니다.
③ 인물의 행동에 따라 이어질 이야기가 어떻게 달라질지 예측하며 읽습니다.

5 이야기를 꾸며 책 만들기

① 인물의 성격을 바꾸어 새로 꾸미고 싶은 이야기를 정해 봅니다.
② 새로 꾸밀 이야기의 구성 요소를 생각그물로 정리해 봅니다.
③ 이야기를 자연스럽게 꾸며 쓰고, 인물, 사건, 배경이 서로 어울리게 꾸며 쓸 이야기의 내용을 정리해 봅니다.
④ 친구들 관심을 끌 수 있게 표지를 꾸미고, 이야기책 제목을 정하여 꾸민 이야기를 책으로 만들어 봅니다.

핵심 확인문제

정답과 해설 ● 14쪽

1 이야기의 구성 요소 세 가지는 무엇입니까?
( )

2 시간적 배경은 '(언제 , 어디에서)'에 해당하는 것입니다.

3 인물이 한 말과 행동에서 인물의 ☐☐을/를 짐작합니다.

4 사건의 흐름을 생각하며 이야기를 읽을 때에는 사건이 일어난 차례를 살펴봅니다.
(○ , ×)

5 이야기를 꾸며 책을 만들 때에는 친구들 관심을 끌 수 있게 ☐☐을/를 꾸밉니다.

준비 이야기를 읽어 본 경험 말하기

정답과 해설 ● 14쪽

● 기억에 남는 이야기를 떠올려 보기

• 그림 설명: 『피터팬』, 『바보 온달과 평강 공주』, 『송아지가 뚫어 준 울타리 구멍』의 책이 나와 있습니다.

4 단원

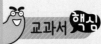

교과서 핵심

● 이야기를 읽어 본 경험 말하기 예

이야기 제목	「황금 감나무」
인상 깊은 장면	까마귀가 동생을 금산으로 데려다주는 장면이 가장 인상 깊었다.
장면에 대한 생각이나 느낌	베트남 이야기인데 우리나라의 「흥부 놀부」 이야기와 비슷해서 재미있었다.

1 다음은 어떤 이야기를 떠올린 것인지 제목을 찾아 쓰시오.

> 평양에서 바보로 소문이 났던 온달은 평강 공주와 결혼해 학문을 닦고 무예를 익혔습니다. 그리고 고구려의 뛰어난 장수가 되어 나라를 위해 싸웠습니다. 그러나 장군이 된 온달은 신라와의 싸움에서 목숨을 잃고 말았습니다.

( )

2 기억에 남는 이야기의 내용을 정리할 때 생각할 것으로 알맞지 않은 것은 무엇입니까? ( )

① 어떤 일이 일어났나요?
② 이야기의 제목은 무엇인가요?
③ 나오는 인물은 누구누구인가요?
④ 언제 어디에서 일어난 일인가요?
⑤ 장면에 대한 다른 사람의 생각이나 느낌은 어떠한가요?

핵심 논술형

3 자신이 읽은 이야기의 내용을 정리해 보시오.

(1) 이야기 제목	
(2) 인상 깊은 장면	
(3) 장면에 대한 생각이나 느낌	

4 이야기를 읽어 본 경험을 발표할 때 그 내용이 알맞지 않은 사람을 쓰시오.

> 종인: 기억에 남는 까닭도 발표할 거야.
> 서하: 이야기의 줄거리만 강조해서 발표할 거야.
> 태민: 기억에 남는 장면이나 사건을 발표할 거야.

( )

인물, 사건, 배경을 생각하며 읽기

사라, 버스를 타다

• 글: 윌리엄 밀러 • 옮김: 박찬석 • 그림: 존 워드

❶ 아침마다 사라는 어머니와 함께 버스를 탔습니다. 언제나 백인들이 앉는 자리와 구분된 뒷자리에 앉았습니다. 고개를 돌려 자기를 쳐다보는 백인 아이들에게 사라는 얼굴을 찡그렸습니다. 백인 아이들도 얼굴을 찡그리며 웃어 댔습니다. 그러다가 어머니들에게 잔소리를 들은 뒤에야 바로 앉았습니다.

"지금까지 언제나 이래 왔단다. 자리에 앉을 수 있는 것만으로도 만족해야지."

어머니께서는 두 손을 깍지 낀 채 이렇게 말씀하시고는 했습니다.

어머니께서는 사라보다 먼저 버스에서 내리셨습니다. 사라는 혼자서 학교로 가고, 어머니께서는 백인 가정의 부엌에서 일을 하셨습니다. 어머니를 생각하면 사라는 마음이 아팠습니다. 어머니께서는 주말도 없이 하루 종일 일하셨지만, 신발 한 켤레, 옷 한 벌 사 입으실 ♥형편이 못 되었습니다.

중심 내용 아침마다 사라는 어머니와 함께 버스를 탔고, 언제나 백인들이 앉는 자리와 구분된 뒷자리에 앉았다.

❷ 어느 날 아침, 사라는 버스 앞쪽 자리가 얼마나 좋은 곳인지 알아보기로 마음먹었습니다. 사라는 자리에서 일어나 좁은 통로로 걸어 나갔습니다. 별다른 것도 없어 보였습니다. 창문은 똑같이 지저분했고, 버스의 시끄러운 소리도 똑같았습니다. 앞쪽 자리가 뭐가 그리(그다지) 대단하다는 것일까요?

• **글의 종류**: 이야기
• **글의 내용**: 흑인인 사라가 백인들이 앉는 버스 앞쪽 자리에 앉았다가 경찰에 잡혀갔습니다.

♥형편(形 모양 **형**, 便 편할 **편**) 살림살이의 형세.

교과서 핵심 ∘ 이 이야기 전체의 인물과 배경

인물	사라, 사라의 어머니, 경찰관, 운전사, 신문 기자 등
배경	사라가 학교에 가려고 버스를 탄 어느 날 아침부터 법이 바뀐 뒤 사라가 버스를 타게 된 날까지 / 미국, 사라가 사는 마을

1 이 이야기의 처음은 어디에서 시작되었는지 쓰시오.

( )

교과서 문제

2 인물, 사건, 배경의 뜻을 찾아 선으로 이으시오.

(1) 이야기가 펼쳐지는 시간과 장소 • • ① 인물

(2) 이야기에서 어떤 일을 겪는 사람이나 사물 • • ② 사건

(3) 이야기에서 일어나는 일 • • ③ 배경

핵심

3 다음은 이야기의 구성 요소 중 무엇에 해당하는 내용입니까? ( )

사라, 사라의 어머니

① 제목 ② 인물
③ 사건 ④ 배경
⑤ 글쓴이

4 글 ❷에서 시간을 나타내는 표현을 찾아 쓰시오.

( )

정답과 해설 ● 15쪽

한 백인 아주머니께서 물으셨습니다.

"왜 그리 두리번거리니, 꼬마야?"

"뭐 특별한 게 있는지 알아보고 싶어서요."

아주머니께서 말씀하셨습니다.

"네 자리로 돌아가는 게 좋겠구나."

모두가 사라를 쳐다보았습니다.

사라는 계속 나아갔습니다. 앞쪽 끝까지 가서 운전사 옆자리에 앉았습니다. 사라는 운전사가 기어를 바꾸고 두 손으로 커다란 핸들을 돌리는 것을 지켜보았습니다. 운전사가 ♥성난 얼굴로 사라를 쏘아보았습니다. / "꼬마 아가씨, 뒤로 가서 앉아라. 너도 알다시피 늘 그래 왔잖니?"

사라는 그대로 앉은 채 마음속으로 말했습니다.

'뒷자리로 돌아갈 아무런 이유가 없어!'

운전사는 뭐라고 중얼거리더니 브레이크를 밟았습니다. 버스가 '끼익' 소리를 내며 갑자기 멈춰 섰습니다.

"규칙을 따르지 못하겠다면 이제부터는 걸어가거라."

운전사가 '덜컹' 소리를 내며 문을 당겨 열었습니다. 사라는 외롭고 무서웠습니다. 사라 생각에 버스에서 내리는 것도, 학교까지 걸어가는 것도 그리 어려운 일은 아니었습니다. 하지만 걷기에는 꽤 먼 길이었습니다.

사라는 작지만 당당한 목소리로 말했습니다.

"문 닫으셔도 돼요. 저는 학교까지 타고 가겠어요."

♥성난 몹시 노엽거나 언짢은 기분인.
예 나는 성난 얼굴로 동생을 노려보았습니다.

교과서 핵심 ● 인물, 사건, 배경을 생각하며 이야기 읽기

장소	버스 안
사건	사라가 버스 앞자리에 앉았다.

핵심

5 사라가 있는 장소와 그곳에서 일어난 일을 정리해 쓰시오.

(1) 장소	
(2) 일어난 일	

교과서 문제

6 사람들이 사라에게 버스 뒷자리로 가라고 한 까닭은 무엇입니까? ( )

① 버스 앞자리가 위험해서
② 흑인은 늘 뒷자리에 앉아야 해서
③ 버스 앞자리에 앉을 자리가 없어서
④ 운전사 옆자리는 비워 두어야 해서
⑤ 곧 내릴 사람이 앞자리에 앉아야 해서

7 사라는 왜 버스 뒷자리로 돌아가지 않았겠습니까?

( )

8 이 글에서 알 수 있는 사라의 성격을 <u>두 가지</u> 고르시오. (,)

① 소심하다. ② 당당하다.
③ 어리석다. ④ 용기가 있다.
⑤ 화를 잘 낸다.

기본

운전사는 자리에서 일어나 쿵쾅거리며 버스 계단을 내려갔습니다. 버스 안에 있던 백인들이 화를 내며 소리쳤습니다.

"빨리 가자고! 이러다 지각하겠어."

잠시 뒤, 운전사는 경찰관과 함께 돌아왔습니다.

경찰관이 물었습니다.

"오늘, 무슨 일이 있니?"

사라는 가슴이 ♥콩닥거렸습니다.

"아무 일도 없어요."

"법이 뭔지 너도 알 거다. 그렇지?"

"그럼요. 학교에서 배웠어요."

경찰관이 살짝 웃으며 말했습니다.

"아무렴. 법에는 말이다, ㉠너희 같은 사람은 버스 뒷자리에 앉아야 한다고 나와 있단다. 그래서 말인데, 법을 어기고 싶지 않다면 네 자리로 돌아가거라."

밖에 사람들이 모여들기 시작했습니다. 사람들이 흥분하여 사라에게 큰 소리를 질렀지만, 몇몇은 사라를 응원했습니다.

한 아저씨께서 소리치셨습니다.

"일어나지 마라. 그 자리는 네 피부색과 아무 상관이 없어."

경찰관이 안타깝다는 듯 고개를 절레절레 흔들더니 사라를 번쩍 안아 올렸습니다. 그러고는 사람들 사이를 지나 경찰서로 향했습니다.

사라는 울기 시작했습니다.

"절 감옥으로 보내실 건가요?"

경찰관은 아무 말도 하지 않았습니다. 하지만 사람들은 더 크게 소리를 질렀습니다.

한 아주머니께서 소리치셨습니다.

㉡"용기를 내!"

그러자 다른 사람이 ♥되받아쳤습니다.

㉢"법을 어기면 어떻게 되는지 확실히 알게 해 줘!"

중심 내용 어느 날 아침, 사라는 버스 앞쪽 자리가 얼마나 좋은 곳인지 알아보려고 갔다가 경찰서로 잡혀가게 되었다.

♥콩닥거렸습니다 가슴이 자꾸 세차게 뛰었습니다.

♥되받아쳤습니다 남의 행동이나 말에 엇서며 대들었습니다.

9 ㉠은 어떤 사람을 말하는 것인지 쓰시오.

(　　　　　　　　)

10 운전사와 함께 온 경찰관이 한 행동은 무엇입니까? (　　)

① 사라와 함께 학교에 갔다.
② 법을 어긴 사라를 위로해 주었다.
③ 사라와 함께 걸어가 주겠다고 했다.
④ 버스의 자리는 피부색과 상관이 없다고 말했다.
⑤ 사라가 말을 듣지 않자 경찰서로 데리고 갔다.

교과서 문제

11 ㉡과 ㉢은 각각 어떤 처지에서 한 말인지 찾아 선으로 이으시오.

(1) ㉡ • 　　• ① 흑인은 버스 앞자리에 앉으면 안 된다.

(2) ㉢ • 　　• ② 흑인도 버스 앞자리에 앉아도 된다.

12 이 이야기의 공간적 배경은 어느 나라이겠습니까?

(　　　　　　　　)

정답과 해설 ● 15쪽

❸ 경찰관이 어머니께 전화를 하는 동안, 사라는 커다란 책상 앞에 앉아 있었습니다. 키가 큰 아저씨께서 사진기를 들고 와 사라를 찍으셨습니다.

"신문사에서 왔단다. 용기 있는 행동을 한 사람에 대한 기사를 쓰고 있어."

아저씨의 말씀에 경찰관이 크고 거친 손으로 사라의 등을 토닥이며 대꾸했습니다.

"꼬맹이가 잠시 헷갈렸을 뿐이오."

사라의 이야기는 빠르게 퍼져 나갔습니다. 많은 사람이 여기저기에서 사라를 보러 왔습니다. 누구인가 사라에게 초콜릿 과자를 가져다주었습니다. 사라는 과자를 한 입 베어 물고 나서야 자기가 얼마나 배가 고픈지 깨달았습니다.

과자를 반쯤 먹었을 때 어머니께서 오셨습니다. 어머니께서 손을 내밀며 말씀하셨습니다.

"가자, 경찰관들이 진짜 범죄자들을 잡으러 가야 할 때인 것 같구나."

경찰관이 사라와 어머니의 뒤에 대고 소리쳤습니다.

"앞으로 당신 딸이 어디에 앉아야 하는지 단단히 ♥일러 주시오!"

밖으로 나오자, 신문 기자가 사라의 사진을 좀 더 찍은 뒤에 잘 가라고 손을 흔들어 주었습니다. 사라가 어머니와 함께 사람들 사이를 헤치고(앞에 걸리는 것을 좌우로 물리치고) 나가며 말했습니다.

"죄송해요, 어머니. 말썽을 일으키려던 것은 아니었어요. 그냥 뭐가 그리 특별한지 알고 싶었을 뿐이에요."

"괜찮다. 넌 아무것도 잘못한 게 없어." / 사라와 어머니는 아무 말 없이 집으로 걸어갔습니다.

중심 내용 신문사에서 온 기자가 용기 있는 행동을 한 사라를 사진으로 찍었고, 사라의 이야기는 빠르게 퍼져 나갔다.

♥일러 미리 알려. 예 친구에게 약속 시간을 일러 주었습니다.

교과서 핵심 ● 인물, 사건, 배경을 생각하며 이야기 읽기

장소	경찰서
사건	사라가 경찰서에 잡혀갔다. 기자가 사라의 사진을 찍어 가고 많은 사람이 사라를 보러 왔다.

13 글 ❸의 공간적 배경은 어디에서 시작되었는지 쓰시오.

( )

핵심 역량

14 글 ❸에서 일어난 일은 무엇인지 두 가지 고르시오. (,)

① 사라가 어머니께 혼이 났다.
② 경찰관이 사라에게 사과했다.
③ 많은 사람이 사라를 보러 왔다.
④ 기자가 사라의 사진을 찍어 갔다.
⑤ 사라의 어머니가 경찰관과 싸웠다.

15 어머니를 만난 사라의 마음으로 가장 알맞지 않은 것은 무엇입니까? ( )

① 어머니를 만나서 안심이 된다.
② 어머니께 죄송한 마음이 들었다.
③ 어머니가 데리러 와 주셔서 고맙다.
④ 어머니께 혼이 날까 봐 걱정이 된다.
⑤ 신문 기자가 사진을 찍은 일을 자랑하고 싶다.

16 어머니는 사라가 한 행동에 대해 어떻게 생각하였는지 쓰시오.

( )

기본

❹ 그날 밤, 어머니께서는 사라의 방으로 들어와 사라를 안아 주셨습니다.

"사라야, 엄마는 너한테 화나지 않았어. 너는 세상의 어떤 백인 아이 ♥못지않게 착한 아이란다. 너는 특별한 아이야."

사라는 몹시 혼란스러웠습니다. / "그런데 왜 저는 버스 앞자리에 타면 안 되나요?"

"법이 그렇기 때문이야. 법이라고 다 좋은 것은 아니지만 말이다."

사라가 어머니의 피곤한 눈을 올려다보며 물었습니다. / "법은 절대 바뀌지 않나요?"

어머니께서 부드럽게 대답하셨습니다.

"언젠가는 바뀌겠지."

중심 내용 어머니는 사라에게 흑인은 버스 앞자리에 타면 안 된다는 법이 있다는 것을 알려 주셨다.

❺ 이튿날 아침, 어머니께서 사라에게 버스를 타는 대신 걸어가는 것이 어떻겠느냐고 물으셨습니다. 어머니께서는 웃으려고 애를 쓰셨지만, 사라는 어머니의 눈에 고인 눈물을 보았습니다.

"어쨌든 날씨가 그리 춥지는 않구나. 하느님은 우리에게 낡은 버스가 아니라 두 다리를 주셨어. 그렇지?"

"그럼요, 어머니. 저는 걷는 것이 좋아요. 얼마 든지요." / 사라와 어머니는 버스 정류장을 천천히 지나갔습니다. 사람들이 고개를 돌려 수군거렸습니다. (남이 알아듣지 못하도록 낮은 목소리로 자꾸 가만가만 이야기하였습니다.) 사라 또래의 남자아이 하나가 신문과 연필을 가지고 뛰어왔습니다.

"사인 좀 해 줄래? 오랫동안 간직하고 싶어."

어머니께서는 소년한테서 신문을 받아 들고 싱긋 웃으셨습니다.

"우리 딸이 영웅이라도 된 것 같구나."

사라는 신문 첫 장에 난 자신의 사진을 보고 몹시 쑥스러웠습니다. / "어머니, 얼른 가요."

♥못지않게 일정한 수준이나 정도에 뒤지지 않게.
㉠ 언니는 화가 못지않게 그림 실력이 뛰어납니다.

교과서 핵심 ● 인물, 사건, 배경을 생각하며 이야기 읽기

장소	사라의 방
사건	어머니께서 법은 언젠가는 바뀐다며 사라를 위로하셨다.

핵심

17 글 ❹와 글 ❺의 배경에 맞게 선으로 이으시오.

(1) 글 ❹ •　　• ① 그날 밤, 사라의 방

(2) 글 ❺ •　　• ② 이튿날 아침, 버스 정류장 앞

18 사라의 어머니가 사라에게 해 준 말로 알맞지 않은 것은 무엇입니까? (　　)

① 사라는 착하다.
② 사라는 특별하다.
③ 사라한테 화나지 않았다.
④ 법은 절대 바뀌지 않는다.
⑤ 법이라고 다 좋은 것은 아니다.

서술형

19 사라와 어머니가 버스를 타지 않고 걸어가게 된 까닭은 무엇일지 쓰시오.

20 사라에게 생긴 일은 무엇입니까? (　　)

① 돈을 많이 벌게 되었다.
② 신문에 실려 유명해졌다.
③ 어머니와 헤어지게 됐다.
④ 학교에 가지 못하게 됐다.
⑤ 사람들이 사라를 원망했다.

정답과 해설 ● 15쪽

사라가 어머니를 ♥재촉했지만 이미 늦은 뒤였습니다. 흑인이고 백인이고 할 것 없이 많은 사람이 몰려와 사라에게 악수를 청했습니다. 신문 기자가 또다시 사진을 찍으려고 왔습니다. 사람들은 사라를 뒤따라 걸었습니다.

사라는 마음이 뿌듯했습니다.

어머니께서 말씀하셨습니다.

"웃어도 괜찮아. 넌 특별한 아이잖니?"

그날은 어떤 흑인도 버스를 타지 않았습니다. 그 다음 날도 마찬가지였습니다. 버스 회사는 당황했습니다. 시장도 어쩔 줄 몰라 했습니다. 그리하여 사람들은 마침내 법을 바꾸었습니다.

운전사가 문을 열어 주며 말했습니다.

"타시죠, 꼬마 아가씨."

사라는 자리에 앉기 전에 뒤돌아서 어머니를 쳐다보았습니다. 평소와 똑같은 외투와 똑같은 신발이었습니다. 그런데 오늘 어머니께서는 무엇인가 달라 보이셨습니다. 자랑과 행복이 두 눈에 가득했습니다.

어머니께서 말씀하셨습니다.

"사라야, 왜 머뭇거리니? 그 자리에 앉을 자격이 있는 사람은 바로 우리 딸인데……."

운전사가 사라를 쳐다보았습니다. 버스에 있는 모든 사람이 사라를 쳐다보았습니다.

"아니에요, 어머니. 이 자리는 바로 어머니의 자리예요! 앞으로 어머니께서 계속 앉으실 수 있어요." / 어머니께서 활짝 웃으셨습니다. 사라와 어머니는 함께 자리에 앉았습니다.

버스가 도시를 가로지르며 달리기 시작했습니다.

가로지르며: 어떤 곳을 가로 등의 방향으로 질러서 지나며

중심 내용 어떤 흑인도 버스를 타지 않고 사라를 따라 걸어갔고, 마침내 흑인도 앞자리에 앉을 수 있도록 법을 바꾸었다.

♥**재촉했지만** 어떤 일을 빨리하도록 졸랐지만.

교과서 핵심 ● 인물, 사건, 배경을 생각하며 이야기 읽기

장소	버스 정류장 앞 → 버스 안
사건	사라는 버스를 타지 않기로 하고, 흑인들도 사라와 함께 버스를 타지 않았다. → 사람들이 마침내 법을 바꾸고 사라는 버스에 올라 앞자리에 앉을 수 있게 되었다.

21 사람들이 사라를 뒤따라 걸었을 때 사라는 어떤 마음이 들었습니까? ( )

① 슬프다. ② 속상하다.
③ 창피하다. ④ 뿌듯하다.
⑤ 후회스럽다.

교과서 문제

22 흑인들이 버스를 타지 않은 까닭은 무엇입니까? ( )

① 버스가 없어져서
② 버스 요금이 너무 비싸져서
③ 흑인에 대한 차별이 더 심해져서
④ 잘못된 법을 따르고 싶지 않아서
⑤ 흑인들을 버스에 타지 못하게 해서

핵심

23 이 이야기에서 다음 장소에서 일어난 일을 정리할 때 빈칸에 알맞은 말을 쓰시오.

버스 안	사람들이 마침내 ( )을/를 바꾸고 사라는 버스에 올라 앞자리에 앉을 수 있게 되었다.

서술형

24 이 이야기로 보아 버스 앞자리에는 이제 누가 앉을 수 있게 되었는지 쓰시오.

인물이 한 말, 생각, 행동을 살펴보며 읽기

우진이는 정말 멋져!

• 글: 강정연 • 그림: 김진화

❶ 교실에 들어서니 나 말고도 다섯 명의 친구가 있었어요. 그중에는 윤아도 있었어요. 윤아와 나는 선생님이 오기 전까지 공기놀이를 하기로 했어요.

한참을 신나게 놀고 있는데 뒷문이 드르륵 열렸어요. 우진이예요.

"너희 뭐 해? 또 공기놀이하는구나."

우진이가 생글생글 웃으며 우리끼리 노는 데 참견했어요. 내가 놀고 있으면 우진이가 꼭 구경하러 오더라고요. 어쩌면 우진이도 나랑 짝이 되고 싶은지도 모르겠어요.

"우아, 윤아 공기 되게 잘한다!"

아이참, 정말 이상해요. 조금 전까지만 해도 윤아보다 내가 훨씬 더 잘했는데, 우진이가 나타나자마자 자꾸만 실수하는 거예요. ㉠우진이 칭찬을 듣고 헤벌쭉 웃는 윤아가 참 얄미웠어요.

"나 공기놀이 그만할래."

나는 공기 알들을 주섬주섬 챙기며 일어섰어요. 공기 알 주인도 나고, 공기놀이도 내가 훨씬 더 잘하는데 윤아만 기분이 좋은 것 같아 심통이 난 거죠, 뭐.

심통: 마땅치 않게 여기는 나쁜 마음

그런데 그때 우진이가 내 옷자락을 잡으며 말렸어요.

"승연아, 우리 셋이 공기놀이하자. 나도 공기놀이할 줄 알거든."

"어? 그, 그래."

우진이가 커다란 눈을 끔뻑이며 부탁하는데 어떻게 안 들어줄 수 있겠어요?

중심 내용 '나', 윤아, 우진이는 쉬는 시간에 공기놀이를 하기로 했다.

• **글의 종류:** 이야기
• **글의 내용:** '내'가 우진이와 공기놀이를 할 때, 창훈이 때문에 사물함 밑으로 들어간 공기 알을 우진이가 주워 주고, 윤아와 '나'를 밀친 창훈이에게 사과하라고 말도 해 주었습니다.

교과서 핵심 • 인물의 성격을 짐작하기

인물	말이나 행동	인물의 성격
나	우진이 칭찬을 듣고 헤벌쭉 웃는 윤아가 참 얄미웠어요.	샘이 많다.

1 언제 어디에서 일어난 일입니까?

(1) 언제: (　　　　　　　　　)
(2) 어디에서: (　　　　　　　　　)

2 '나'는 윤아와 무엇을 하기로 했습니까? (　　)

① 공기놀이
② 교실 청소
③ 동화책 읽기
④ 사물함 정리
⑤ 가위바위보 놀이

핵심

3 ㉠으로 보아 '나'의 성격은 어떠하겠습니까? (　　)

① 너그럽다.
② 샘이 많다.
③ 고집이 세다.
④ 우유부단하다.
⑤ 이해심이 많다.

교과서 문제

4 인물의 성격을 짐작하는 방법입니다. 빈칸에 알맞은 말을 차례대로 쓰시오.

• 인물이 한 (1)(　　　　　)(이)나 (2)(　　　　　)(으)로 인물의 성격을 짐작한다.

정답과 해설 ● 16쪽

❷ 나는 다시 자리에 앉아 공기 알을 바닥에 내려놓았어요. 우리는 가위바위보를 해서 순서를 정했죠. 우진이와 함께 공기놀이를 한다고 생각하니 가슴이 두근거렸어요.

가장 먼저 윤아가 공기 알을 잡았어요. 윤아는 입을 ♥앙다물고 무척 침착하게 공기 알을 던지고 잡기를 계속했어요. 웬일인지 다른 때보다 훨씬 잘하는 것 같았어요. 어느새 윤아는 손등에 공기 알 네 개를 올려 두고 가느다란 손가락을 꼼지락거리며(몸을 천천히 좀스럽게 계속 움직이며) 공기 알을 잡으려고 했지요.

'떨어져라, 떨어져라, 떨어져라…….'

나도 모르게 마음속으로 빌고 있는데 갑자기 윤아가 앞으로 폭 고꾸라지지 뭐예요. 장난꾸러기 창훈이가 다른 아이들이랑 장난치며 뛰다가 윤아와 부딪친 거죠. 그 바람에 윤아 손등에 있던 공기 알이 와르르 떨어져 두 개는 책상 밑으로, 한 개는 우진이 다리 밑으로, 나머지 한 개는 사물함 밑으로 굴러 들어갔어요. / "김창훈! 너 때문에 죽었잖아!"

"김창훈! 너 때문에 내 공기 알이 사물함 밑으로 들어갔잖아!"

윤아는 공기 알을 못 잡은 게 억울해서, 나는 사물함 밑으로 굴러 들어간 내 공기 알이 걱정돼서 소리쳤어요. 우리 목소리에 놀랐는지 창훈이는 온몸을 움찔하더라고요. 그것도 잠시뿐, 창훈이는 미안하다는 소리 대신 혀만 쏙 내밀고는 휙 도망가 버리는 거 있죠.

중심 내용 창훈이 때문에 '내' 공기 알이 사물함 밑으로 굴러 들어갔다.

❸ 윤아와 나는 교실 바닥에 엎드려 사물함 밑을 들여다봤지만, 사물함 밑은 너무 깜깜해서 아무것도 보이지 않았어요. / "손을 넣어 볼까?"

㉠"싫어. 그러다가 벌레라도 손에 닿으면 어떡해?"

♥앙다물고 힘을 주어 꽉 다물고.
예 동생은 입을 앙다물고 말을 하지 않았습니다.

교과서 핵심 ● 인물의 성격을 짐작하기

인물	말이나 행동	인물의 성격
창훈	미안하다는 소리 대신 혀만 쏙 내밀고는 휙 도망가 버렸다.	장난스럽다. 배려심이 없다.
윤아	"싫어. 그러다가 벌레라도 손에 닿으면 어떡해?"	조심성이 많다. 깔끔하다.

교과서 문제

5 공기 알이 사물함 밑으로 굴러 들어간 까닭은 무엇입니까? (　　)

① 공기 알이 망가져서
② 윤아가 실수로 떨어뜨려서
③ 창훈이가 뛰다가 윤아와 부딪쳐서
④ 윤아가 화가 나서 공기 알을 던져서
⑤ 창훈이가 공기 알을 가져가서 놀다가

6 윤아와 '나'는 각각 어떤 마음에서 창훈이에게 소리쳤는지 선으로 이으시오.

(1) 윤아 • 　　• ① 걱정되는 마음
(2) '나' • 　　• ② 억울한 마음

서술형

7 인물의 성격을 알 수 있는 말이나 행동을 빈칸에 쓰시오.

인물	말이나 행동	인물의 성격
창훈		장난스럽다. / 배려심이 없다.

핵심

8 ㉠에서 짐작할 수 있는 인물의 성격은 무엇인지 두 가지 고르시오. (　　,　　)

① 깔끔하다. ② 용감하다.
③ 털털하다. ④ 적극적이다.
⑤ 조심성이 많다.

㉠나는 윤아 입에서 '벌레'라는 말이 나오자마자 사물함 밑으로 반쯤 넣었던 손을 얼른 뺐어요.

윤아와 나는 서로 울상이 되어 마주 보았어요.

(울상: 울려고 하는 얼굴 표정)

"이걸로 꺼내 보자."

우진이는 어디서 가져왔는지 기다란 자를 들고 나타났어요. 그러고는 바닥에 납작 엎드려 자로 사물함 밑을 더듬거렸어요. 사물함 밑에서 자가 빠져나올 때마다 먼지 뭉치가 잔뜩 붙은 10원짜리 동전, 연필, 지우개 들이 따라 나왔어요. 자가 다섯 번째쯤 사물함 밑을 더듬거리다가 나왔을 때에야 윤아와 내가 손뼉 치며 소리쳤어요.

㉡"어! 나왔다!"

자 끝에는 분홍색 꽃 모양의 작은 공기 알이 살짝 걸려 있었어요. 작은 물방울무늬가 있는 빨간색 나비 핀도요. 우진이는 공기 알과 나비 핀을 손에 들고 먼지를 툴툴 털어 냈어요. 그러고는 우리에게 공기 알과 나비 핀을 쑥 내밀었어요.

㉢"여기 공기 알. 그리고 이 핀 가질래?"

나는 선뜻 손을 내밀지 못했어요. 어떻게 하면 좋을지 몰랐거든요.

그때 윤아가 얼굴을 찡그리며 말했어요.

㉣"아유, 더러워! 그 핀을 어떻게 쓰냐?"

그러자 우진이는 공기 알만 나에게 건네주고 나비 핀은 쓰레기통에 넣어 버렸어요.

"그래, 더러울 거야." / 우진이의 목소리에는 부끄러운 마음이 묻어 있었어요. 마음 같아서는 윤아를 한 대 콩 쥐어박고 싶었지만 참았어요. 그런데 그때, 창훈이가 다시 나타나 윤아와 나를 또 밀치고 지나가는 거예요. 윤아와 나는 하마터면 같이 넘어질 뻔했지요. 그런데 우진이가 갑자기 창훈이 팔을 팍 잡아채더니 윤아와 내 앞으로 창훈이를 돌려세웠어요.

교과서 핵심 ◦ 인물의 성격을 짐작하기

인물	말이나 행동	인물의 성격
나	윤아 입에서 '벌레'라는 말이 나오자마자 ~ 손을 얼른 뺐어요.	소심하다. 내성적이다.
우진	자를 들고 나타났어요. ~ "이 핀 가질래?"	적극적이다. 다정다감하다.

핵심

9 ㉠에서 짐작할 수 있는 '나'의 성격을 쓰시오.

(　　　　　　　　　　)

10 '나'는 공기 알을 어떻게 찾을 수 있었는지 알맞은 것을 찾아 ○표를 하시오.

(1) 창훈이가 사물함 밑에 손을 넣어 공기 알을 빼냈다. (　　)

(2) 우진이가 자를 들고 와 사물함 밑을 더듬거려 공기 알을 빼냈다. (　　)

핵심

11 ㉡~㉣ 중에서 다정다감한 성격을 짐작할 수 있는 말은 무엇인지 기호를 쓰시오.

(　　　　　　　　　　)

교과서 문제

12 '내'가 윤아를 한 대 콩 쥐어박고 싶었던 까닭은 무엇입니까? (　　)

① 우진이가 건넨 핀을 윤아가 버려서
② 우진이가 건넨 핀을 윤아가 촌스럽다고 해서
③ 우진이가 건넨 핀을 윤아가 가져가 버려서
④ 우진이가 건넨 핀을 더럽다며 면박을 준 윤아가 얄미워서
⑤ 우진이가 건넨 핀을 갖기 싫은데 윤아가 '나'에게 가지라고 해서

㉠"너 왜 자꾸 여자애들 괴롭혀? 아까 일도, 지금 일도 얼른 사과해." / 우진이는 작정한 듯이 굳은 얼굴로 창훈이를 ♥**다그쳤고**, 창훈이는 싱글싱글 웃으며 우진이 손을 억지로 떼어 내려 했어요. 하지만 키가 한 뼘이나 더 큰 우진이를 창훈이가 어떻게 이겨 낼 수 있겠어요?

"너 지금 사과 안 하면 선생님한테 다 이를 거야."

㉡일이 이쯤 되자 창훈이는 슬슬 웃기기 작전을 쓰기 시작했어요. 보일 듯 말 듯한 작은 새우 눈으로 눈웃음을 살살 지으며, 콧구멍을 벌름거리고 입을 펭귄처럼 쭉 내밀고는, "우진아, 한 번만 봐줘잉. 난 선생님이 제일 무서웡." 하고 콧소리를 내며 말하는 거지요. 아무리 화난 사람도 창훈이의 이런 우스꽝스러운 얼굴을 보면 웃지 않고는 못 견딜 거예요. 나와 윤아도 웃지 않으려고 억지로 참았지만 쿡쿡 웃음이 새어 나오고 말았어요.

결국 우진이도 웃는 바람에 손에 힘이 풀려 창훈이를 놓아주었어요. 창훈이는 기다렸다는 듯이 엉덩춤을 실룩실룩 추더니 휭 하고 자리를 떴어요. 그러고는 또다시 친구들이랑 어울려 장난치며 놀기 시작했지요.

우진이는 우리를 돌아보고 씩 웃고는 자리로 가 앉았어요. 윤아와 나도 자리로 돌아와 앉았고요.

나는 아까 우진이가 주려고 했던 머리핀이 자꾸만 생각났어요. / '우진이는 나한테 주고 싶었을까, 윤아한테 주고 싶었을까? 윤아만 아니면 내가 그냥 가졌을 텐데…….'

우진이는 생각하면 할수록 참 멋진 아이예요. 이런 우진이를 어떻게 안 좋아할 수 있겠어요? 이런 우진이와 어떻게 짝이 되고 싶지 않을 수 있겠어요?

중심 내용 우진이가 사물함 밑에서 '내' 공기 알을 찾아 주었고, 여자애들을 괴롭히던 창훈이에게도 사과하라고 다그쳤다.

♥다그쳤고 일이나 행동 따위를 빨리 끝내려고 몰아쳤고.

교과서 핵심 ● 인물의 성격을 짐작하기

인물	말이나 행동	인물의 성격
우진	"지금 일도 얼른 사과해."	의롭다.
창훈	"우진아, 한 번만 봐줘잉."	장난을 좋아한다.

4 단원

핵심
13 ㉠에서 우진이의 성격을 바르게 짐작한 사람을 쓰시오.

> 은정: 우진이의 성격은 의로운 것 같아.
> 민우: 우진이가 창훈이를 다그치는 행동을 보니 이기적인 성격인 것 같아.
> 희수: 우진이는 창훈이의 체면을 생각하지 않는 배려심이 없는 성격이야.

( )

핵심
14 ㉡에서 짐작할 수 있는 창훈이의 성격은 어떠합니까? ( )

① 착하다. ② 소심하다.
③ 거만하다. ④ 화를 잘 낸다.
⑤ 장난을 좋아한다.

15 '나'는 우진이를 어떤 아이라고 했는지 쓰시오.

• 생각하면 할수록 ( )

교과서 문제
16 '나'는 우진이를 어떻게 생각하고 있습니까? ( )

① 우진이를 좋아한다.
② 우진이를 싫어한다.
③ 우진이를 무서워한다.
④ 우진이가 용감해지기를 바란다.
⑤ 우진이가 적극적으로 행동하기를 바란다.

이야기에서 일어난 사건을 생각하며 읽기

젓가락 달인

• 글: 유타루 • 그림: 김윤주

❶ 우봉이는 가방에서 책을 꺼내 책상에 탁 올려놓았어요.

이때 드르륵 문 열리는 소리가 났어요. 선생님이 웬 여자아이를 데리고 교실로 들어왔어요. 우봉이는 여자아이에게서 눈을 떼지 못했어요. 약간 가무잡잡한 피부색 때문이 아니었어요. 크고 맑은 눈! 우봉이는 여자아이 눈이 참 예쁘다고 생각했어요.

"우리 반에 새로 전학 온 친구가 있어요. 자기 이름을 직접 소개해 보겠어요?"

선생님이 여자아이의 어깨를 한 손으로 가볍게 감싸 주었어요.

"안녕? 나는, 아니 아니, 내 성은 김해 김씨이고 이름은 주은이야. 김해 김씨, 김주은. 잘 부탁해."

주은이가 또랑또랑 말했어요. '김해 김씨'를 말할 때는 목에 힘까지 주었어요. 아이들이 "김해 김씨?" 하며 고개를 갸웃했어요. 그러다 누군가가 "아아, 김해 김치?"라고 하자 깔깔거렸어요.

"조용! 여러분, 주은이 친구하고 사이좋게 지내도록 해요. 가만 있자, 주은이가 어디 앉으면 좋을까? 아, 저기, 우봉이 옆에 가 앉을래?"

중심 내용 우봉이가 전학 온 주은이와 짝이 되었다.

❷ 할아버지가 방바닥에 접시 두 개를 놓았어요. 하나는 빈 접시, 다른 하나는 바둑알들이 담긴 접시였어요.

"그러니까 초급은 나무젓가락으로 삼십 초 안에 바둑알을 다섯 개 옮기면 합격이다, 그 말인겨?"

초급: 맨 처음 또는 최저의 등급이나 단계

"네. 그리고 중급은 삼십 초 안에 일곱 개고요."

• **글의 종류**: 이야기
• **글의 내용**: 우봉이는 전학 온 주은이와 젓가락 달인 뽑기 대회에 참여하여 이기고 싶었지만, 상품권을 타서 젓가락과 머리핀을 사고 싶다던 주은이가 떠올라 고민하였습니다.

교과서 핵심 • 사건의 흐름

우봉이에게 일어난 일	우봉이가 전학 온 주은이와 짝이 되었다.

교과서 문제

1 이야기에 나오는 한 장면을 보고 어떤 내용의 이야기일지 생각하여 써 보시오.

____

____

교과서 문제

2 주은이는 자기를 어떻게 소개했는지 빈칸에 알맞은 말을 쓰시오.

• (   ) 목소리로 성은 (   )이고 이름은 주은이라며 잘 부탁한다고 말했다.

핵심

3 이 이야기에서 우봉이에게 일어난 일은 무엇입니까? (   )

① 선생님께 혼이 났다.
② 주은이와 다투게 되었다.
③ 수업 시간에 지각을 했다.
④ 친구들이 우봉이를 놀렸다.
⑤ 전학 온 주은이와 짝이 되었다.

교과서 문제

4 글 ❶과 글 ❷에서 우봉이가 만나거나 함께한 사람을 찾아 선으로 이으시오.

(1) 글 ❶ •   • ① 할아버지

(2) 글 ❷ •   • ② 선생님, 주은

우봉이는 손에 쥔 나무젓가락 끝을 오므렸다 폈다 하며 대답했어요.

할아버지가 손목시계를 보며 준비라하는 눈짓을 했어요. 우봉이는 알았다고 고개를 끄덕였어요.

"준비, 시작!"

우봉이는 나무젓가락으로 바둑알을 집어 옆 접시로 옮기기 시작했어요. 하나, 둘, 셋, 넷, 그리고 다섯 개째 옮기려고 할 때 할아버지 목소리가 들렸어요.

"땡!" / "벌써 삼십 초가 지났어요? 하나만 더 옮겼으면 초급 합격인데."

우봉이가 몹시 아쉬워했어요.

할아버지가 우봉이 등을 다독이며 말씀하셨어요.

(다독이며: 남의 약한 점을 따뜻이 어루만져 감싸고 달래며)

㉠"우리 우봉이 아주 잘하는구먼. 젓가락을 바르게 사용할 줄 아니까, 조금만 더 연습하면 거뜬하겠구먼."

우봉이는 할아버지 말씀에 용기가 났어요. 할아버지는 접시 한쪽에 바둑알을 수북이 놓았어요. 우봉이는 나무젓가락으로 바둑알을 집어 빈 접시로 옮기는 연습을 계속했어요. 그러면서 문득 생각했어요.

'더 잘하려면 나도 ♥권법이나 ♥수법 같은 게 있어야 해. 뭐로 하면 좋을까?'

중심 내용 우봉이가 할아버지의 도움을 받아 젓가락질 연습을 열심히 하였다.

❸ "엄마 심부름 좀 해 줄래? 두부 사는 걸 깜빡했어."

엄마가 시장바구니에서 물건들을 꺼내다 말고 말씀하셨어요. 할아버지랑 바둑알로 알 까기를 하던 우봉이가 "네." 하고 자리에서 일어났어요.

"나도 바람 좀 쐬고 싶구먼."

우봉이는 할아버지랑 집을 나섰어요. 우봉이는 집 가까운 마트로 가려고 했어요. 그런데 할아버지가 시장에 가자고 했어요.

♥권법 주먹으로 치거나 발로 차거나 하는 기술을 주로 하는 무술.

♥수법 수단과 방법을 아울러 이르는 말.

교과서 핵심 ● 사건의 흐름

우봉이에게 일어난 일	우봉이가 할아버지의 도움을 받아 젓가락질 연습을 열심히 하였다.

핵심

5 우봉이가 한 일은 무엇입니까? ( )

① 접시를 닦았다.
② 바둑알을 닦았다.
③ 할아버지와 바둑을 두었다.
④ 젓가락질 연습을 열심히 하였다.
⑤ 나무젓가락으로 음식을 먹었다.

6 5번 문제 답에서 짐작할 수 있는 우봉이의 성격은 어떠합니까? ( )

① 게으르다. ② 소극적이다.
③ 고민이 많다. ④ 융통성이 없다.
⑤ 승부욕이 강하다.

7 ㉠의 말씀을 듣고 우봉이는 어떤 마음이 들었는지 쓰시오.

( )

8 우봉이가 할아버지랑 집을 나선 까닭은 무엇입니까? ( )

① 바람을 쐬고 싶어서
② 마트 구경을 하고 싶어서
③ 엄마 심부름을 하기 위해서
④ 할아버지가 시장 구경을 가자고 하셔서
⑤ 할아버지랑 하던 알 까기가 재미가 없어져서

기본

우봉이는 시장 골목으로 들어갔어요. 할아버지는 구경하느라 느릿느릿 걸으며 가다 서다를 반복했어요. 우봉이는 할아버지보다 앞서가며 눈을 굴렸어요. 두부 가게가 어디 있나 하고요.

'어, 주은이잖아!'

주은이가 ㉠채소 ㉡가게 안에서 젓가락질 연습을 하고 있었어요. 나무젓가락으로 강낭콩을 들었다 놓았다 하고 있었어요. 주은이 옆에는 한 아줌마가 있었는데 생김새가 좀 ♥**남달랐어요**. 얼굴도 가무잡잡했어요. 아줌마가 대나무로 만든 작은 그릇에서 뭔가를 꺼내 조몰락조몰락했어요.

"그렇게 먹지 마. 정말 싫어."

주은이가 아줌마에게 화를 내듯 크게 말했어요.

"♥**카오리아오**는 이렇게 손으로 먹는 꺼야. 우리 꼬향에선 다 끄래."

아줌마는 목소리도 컸어요. 그렇다고 주은이처럼 화난 건 아니었어요. 웃고 있었으니까요.

그런데 말투가 이상했어요. 사투리도 아닌데 아주 어색하게 들렸어요.

아줌마가 조몰락조몰락하던 것을 입에 쏙 넣었어요. 밥 덩어리 비슷했어요.

'왝! 저걸 먹다니!'

우봉이는 속이 메스꺼웠어요.
먹은 것이 되넘어 올 것같이 속이 몹시 울렁거리는 느낌이 있었어요.

"아유, 정말 창피해."

주은이가 콩 집던 나무젓가락을 아줌마한테 얼른 내밀었어요. 그러고는 주위를 두리번거렸어요.

지켜보던 우봉이는 다른 사람 뒤로 얼른 몸을 숨겼어요.

중심 내용 우봉이가 시장에서 주은이 어머니께서 손으로 음식 드시는 것을 우연히 보게 되었다.

♥남달랐어요 보통의 사람과 유난히 달랐어요.
예 누나는 글을 쓰는 재주가 남달랐어요.

♥카오리아오 라오스 전통 음식으로 찹쌀 찐 것을 손으로 뭉쳐 먹음.

교과서 핵심 ∘사건의 흐름

우봉이에게 일어난 일	우봉이가 시장에서 주은이 어머니께서 손으로 음식 드시는 것을 우연히 보게 되었다.

교과서 문제

9 ㉠, ㉡과 뜻이 비슷한 낱말을 찾아 각각 선으로 이으시오.

(1) 채소 •   • ① 야채   • ② 과일

(2) 가게 •   • ① 건물   • ② 점포

교과서 문제

10 주은이는 젓가락 달인이 되려고 어떻게 연습했습니까?

핵심

11 우봉이에게 일어난 일은 무엇인지 빈칸에 알맞은 말을 쓰시오.

- 우봉이가 시장에서 주은이 어머니께서 (　　　)(으)로 음식 드시는 것을 우연히 보게 되었다.

12 주은이 어머니에 대한 설명으로 알맞지 않은 것은 무엇입니까? (　　)

① 목소리가 컸다.
② 얼굴이 가무잡잡했다.
③ 생김새가 좀 남달랐다.
④ 주은이에게 화를 내고 있었다.
⑤ 사투리도 아닌데 말투가 어색했다.

❹ 저녁때 우봉이는 반찬으로 콩장과 메추리알과 묵만 먹었어요.

"우봉아, 김치랑 콩나물도 좀 먹어 봐."

엄마가 우봉이에게 말씀하셨어요.

"그래, 젓가락 달인도 좋지만 골고루 먹어야지."

아빠도 우봉이에게 한마디 하셨어요. 그래도 우봉이는 젓가락 연습이 되는 것만 골라서 반찬으로 먹었어요. 엄마, 아빠가 "정말 못 말려." 하는 표정을 지었어요. / 메추리알을 집으려던 우봉이는 문득 생각난 게 있어 젓가락질을 멈췄어요.

"궁금한 게 있는데요, 손으로 밥을 조몰락조몰락해서 먹는 건 나쁜 거죠? 그런 사람 야만인이죠? 원시인이죠?"

우봉이가 묻자 아빠가 말씀하셨어요.

"왜? 아는 사람 중에 그런 사람이라도 있어?"

"아, 아니요. 그냥 어디서 봤는데, 우리나라 사람은 아니에요."

"손으로 밥 먹는 사람들도 있긴 하지. 인도라는 나라 알지? 그 나라에도 그냥 맨손으로 밥을 먹는 사람들이 있어."

"정말요? 인도는 내가 좋아하는 카레의 나라인데. 그런 나라에 야만인이 많다니."

뜻밖이어서 우봉이는 고개를 갸우뚱했어요. 그걸 보고 할아버지가 말씀하셨어요.

"손으로 먹는 걸 두고 나쁘다고, 또 야만인이라고 해서는 안 되는겨. 그게 그 나라 ♥풍습이고 문화인겨. 할아버지가 된장찌개 좋아하는데, 외국 사람이 냄새나는 된장 먹는다고 나를 야만인이라고 부르면 기분 나쁠겨. 할아버지 말 알아듣겠능겨?"

"그래도 맨손으로 밥을 조몰락거리는 건 더러워요. 병 걸릴 것 같아요."

중심 내용 우봉이네 가족이 손으로 음식 먹는 것에 대해 이야기하였다.

♥풍습(風 바람 풍, 習 익힐 습) 풍속과 습관을 아울러 이르는 말.

교과서 핵심 ○사건의 흐름

우봉이에게 일어난 일	우봉이네 가족이 손으로 음식 먹는 것에 대해 이야기하였다.

핵심

13 우봉이네 가족은 무엇에 대해 이야기하였습니까? ( )

① 밥을 먹지 않는 나라
② 손으로 음식 먹는 것
③ 우리나라의 음식 문화
④ 야만인과 원시인이 많은 곳
⑤ 젓가락을 사용하면 좋은 점

14 할아버지는 13번 문제 답에 대해 어떻게 생각하시는지 빈칸에 알맞은 말을 각각 쓰시오.

• 그것이 그 나라 (1)( ) 이고 (2)( )이기 때문에 나쁘다거나 야만인이라고 하면 안 된다.

15 우봉이가 한 말과 행동으로 짐작할 수 있는 우봉이의 성격을 찾아 ○표를 하시오.

(1) 사려 깊다. ( )
(2) 편견이 없다. ( )
(3) 융통성이 없다. ( )

역량 논술형

16 우봉이가 한 말에 대한 자신의 생각을 써 보시오.

⑤ 우봉이는 물을 마시고 화장실로 가서 오줌을 누었어요. 긴장이 돼서 오줌이 쫄쫄 나왔어요.

교실로 돌아왔을 때, 책상이 칠판 앞으로 옮겨져 있었어요. 주은이 책상도 마찬가지였어요. 그 두 책상 사이에는 교탁이 있었고, 교탁 위에는 스티커가 가득 든 유리병과 상품권이 든 파란 봉투가 놓여 있었어요. / "젓가락왕을 가리는 거니까 아이들이 잘 봐야겠지? 그래서 옮겼어."

선생님 말씀을 듣고 우봉이는 앞으로 나가 앉았어요. 주은이도 자기 책상을 찾아가 앉았어요.

"박우봉, 너 무슨 권법이냐? 내 악어 입 탁탁을 대체 뭐로 이긴 거야?"

성규가 뒤통수를 긁적이며 우봉이에게 물었어요.

"구리구리 딱따구리 권법."

우봉이는 좀 큰 소리로 대답했어요.

"그럼 주은이 너는? 너는 도대체 무슨 수법이니?"

이번에는 민지가 주은이에게 억울하다는 듯 물었어요. 우봉이도 궁금해서 주은이 쪽으로 고개를 돌렸어요.

"쏙쏙 족집게 수법."

주은이가 비밀을 말하듯이 대꾸했어요.

우봉이는 속으로 생각했어요.

'그랬구나. 쏙쏙 족집게 수법. 하지만 어쩔 수 없어. 상품권은 딱 하나고, 나는 왕딱지를 사고 싶어. 구리구리 딱따구리 권법을 쓸 수밖에 없어.'

교과서 핵심 ● 사건의 흐름

우봉이에게 일어난 일	우봉이와 주은이가 젓가락 달인 결승전에서 겨루게 되었다.

17 화장실에 간 우봉이는 어떠한 마음입니까? (　　)

① 신나는 마음　② 편안한 마음
③ 느긋한 마음　④ 긴장한 마음
⑤ 여유 있는 마음

18 사건의 흐름을 생각하며 읽는 방법입니다. 빈칸에 알맞은 말을 보기 에서 찾아 쓰시오.

보기
성격　행동　차례

(1) 사건이 일어난 (　　)을/를 살펴본다.
(2) 인물의 (　　)에 따라 인물의 행동이 어떻게 달라지는지 살펴본다.
(3) 인물의 (　　)에 따라 이어질 이야기가 어떻게 달라질지 예측하며 읽는다.

핵심
19 일어난 일의 차례대로 기호를 쓰시오.

㉠ 우봉이가 젓가락질 연습을 열심히 하였다.
㉡ 우봉이네 가족이 손으로 음식 먹는 것에 대해 이야기하였다.
㉢ 우봉이가 전학 온 주은이와 짝이 되었다.
㉣ 우봉이와 주은이가 결승전에서 겨루게 되었다.
㉤ 우봉이가 시장에서 주은이 어머니께서 손으로 음식 드시는 것을 보게 되었다.

(　　) → (　　) → (　　) → (　　) → (　　)

20 우봉이가 게으른 성격이었다면 이 이야기의 사건은 어떻게 바뀌었겠습니까?
(　　　　　　　　　　　　　　　　)

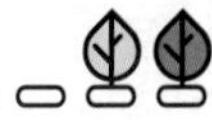

정답과 해설 ● 16쪽

우봉이와 주은이는 서로 눈이 마주쳤어요. 우봉이는 당황해서 눈을 깜박거렸어요. 주은이는 긴장한 채 살짝 웃음을 지었어요.

"자, 그럼 똑같이 콩 열두 개씩 옮긴 주은이와 우봉이가 한 번 더 젓가락질 ♥솜씨를 뽐내 보세요. 그런데 이번에는 삼십 초가 아니라 일 분으로 하겠어요."

선생님이 우봉이와 주은이 접시에 콩을 각각 한 주먹씩 더 올려놓았어요.

이때 성규가 "구리구리 딱따구리 권법 파이팅!" 하고 소리쳤어요. 그러자 이에 질세라 민지가 "김해 김씨 김주은, 쏙쏙 족집게 수법 짱!" 하고 맞받아쳤어요. 두 패로 갈린 아이들은 '딱따구리'와 '족집게'를 각각 목 터져라 응원했어요. 교실은 금세 후끈 달아올랐어요.

후끈: 흥분이나 긴장 따위가 갑자기 아주 고조되는 모양

"자, 이제 그만."

선생님이 손을 들자 응원 소리가 잠잠해졌어요.

"준비…… 시작."

주은이와 우봉이는 동시에 쇠젓가락을 집어 들었어요.

우봉이가 콩을 세 개 옮겼을 때, 귓바퀴에 저번처럼 감기는 말이 있었어요.

'더 좋은 것은 따로 있는디. 그냥 달인만 되는 거. 동무들 이길 생각일랑 말고.'

우봉이는 무시하듯 콩을 더 빨리 집어 옮겼어요. 그러자 할아버지 말씀이 귓바퀴에 더 칭칭 감겼어요. 그뿐만이 아니었어요. 주은이 일기도 눈앞에서 ♥아른거리기 시작했어요. 상품권을 타서 젓가락과 머리핀을 사고 싶다던.

'아, 싫은데. 져 주기 싫은데…….'

우봉이는 젓가락질을 하면서 다른 손으로 옆통수를 벅벅 긁었어요.

중심 내용 우봉이와 주은이가 젓가락 달인 결승전에서 겨루게 되었다.

♥솜씨 손을 놀려 무엇을 만들거나 어떤 일을 하는 재주.
예 어머니께서 요리 솜씨를 발휘하셨습니다.

♥아른거리기 무엇이 희미하게 보이다 말다 하기.

4 단원

21 친구들이 우봉이와 주은이를 응원한 말을 찾아 선으로 이으시오.

(1) 우봉 • • ① 족집게

(2) 주은 • • ② 딱따구리

서술형

22 우봉이가 결승전에서 머뭇거린 까닭은 무엇인지 쓰시오.

____

____

23 다음 행동으로 짐작할 수 있는 우봉이의 성격을 쓰시오.

> 지기 싫으면서도 젓가락질에 집중하지 못하고 고민하였다.

(　　　　　　　　　　)

24 23번 문제에서 답한 성격으로 어떤 일이 생길지 알맞은 것을 찾아 기호를 쓰시오.

> ㉠ 우봉이가 대회에 집중해서 이기게 된다.
> ㉡ 우봉이가 이기려고 욕심을 부려 규칙을 어기게 된다.
> ㉢ 우봉이가 경기에서 이기지만 주은이에게 미안한 마음에 크게 기뻐하지 못한다.

(　　　　　　)

1~3 대화를 읽고, 물음에 답하시오.

● 새로 꾸미고 싶은 이야기를 정하기

「사라, 버스를 타다」에 등장하는 사라가 소심한 성격이었다면 이야기에 나온 사건이 달라졌을 것 같아. 나는 사라 성격을 바꾸어 이야기를 꾸며 볼 거야.

「우진이는 정말 멋져!」에서 승연이가 솔직한 성격이라면 이야기가 어떻게 바뀔까? 나는 승연이 성격을 바꾸어 이야기를 꾸밀 거야.

「젓가락 달인」에서 우봉이의 성격이…….

1 친구들이 떠올린 이야기는 무엇인지 각각 써 보시오.

(1) 영지: (　　　　　　　　　　)
(2) 민수: (　　　　　　　　　　)
(3) 강우: (　　　　　　　　　　)

2 영지와 민수는 떠올린 이야기에서 인물들의 성격을 어떻게 바꾸려고 하는지 선으로 이으시오.

(1) 영지 •　　　　• ① 솔직한 성격
(2) 민수 •　　　　• ② 소심한 성격

논술형

3 민수처럼 인물의 성격을 바꾼다면, 이야기에서 사건의 흐름이 어떻게 변할지 상상하여 쓰시오.

교과서 문제

4 자신이 새로 꾸미고 싶은 이야기를 떠올려 다음 표에 정리해 보시오.

(1) 꾸며 쓸 이야기	
(2) 성격을 바꾸고 싶은 인물	
(3) 인물의 원래 성격	
(4) 인물의 새로운 성격	

핵심

5 이야기를 새롭게 꾸며 쓰는 방법을 말한 내용이 알맞지 않은 사람을 쓰시오.

상진: 이야기를 자연스럽게 꾸며 써야 해.
지민: 이야기를 바꿀 때에는 사건만 바꾸는 게 좋아.
승현: 이야기를 바꿀 때에는 인물, 사건, 배경이 서로 어울리게 바꿔야 해.

(　　　　　　　　　　)

6 꾸민 이야기를 책으로 만드는 과정이 잘못된 것은 무엇입니까? (　　)

① 책 쪽수를 정한다.
② 책 제목을 정한다.
③ 이야기 내용과 어울리는 그림을 그린다.
④ 친구들 관심을 끌 수 있게 표지를 꾸민다.
⑤ 원래 이야기 전체 내용을 표지에 싣는다.

기본 • 68~73쪽 인물, 사건, 배경을 생각하며 이야기 읽기

주인 잃은 옷

원유순

(가) 나는 아주 고운 세모시(올이 가늘고 고운 모시) 옷감입니다. 은은한 비색(고려청자의 빛깔과 같은 푸른색)을 띤 나는 누구에게나 곱다고 칭찬을 듣습니다.

처음 내가 옷감으로 곱게 짜였을 때 퍽 가슴이 설레었지요.

(나) 하지만 나는 꿈꾸었던 것과는 달리 어느 할아버지의 손에 팔려 갔습니다. 허리가 구부정하고 이마가 훤하게 벗겨진 할아버지는 한눈에도 부잣집의 기품 있는 사람하고는 거리가 멀어 보였습니다.

(다) 할아버지는 나를 아주 소중하게 품고 가서 한복 만드는 집에 맡겼습니다. / "아주머니, 세상에서 제일 곱게 지어 주시라요. 태어나서 처음으로 오마니한테 드리는 선물이야요."

한복 짓는 아주머니는 금방 할아버지의 말씀을 알아듣는 눈치였습니다. / "그러지요. 얼마나 기쁘시겠어요? 오십 년 만에 꿈에 그리던 어머니를 뵙게 되었으니. 이렇게 길이 열릴 줄 누가 알았겠어요?"

(라) "얘야, 북에 계신 우리 오마니가 돌아가셨단다, 돌아가셨어. 그렇게 목메어 그리던 큰아들이 한 달만 있으면 달려갈 텐데……."

할아버지는 기가 막혀 눈물도 나오지 않는 것 같았습니다.

(마) 이튿날, 할아버지는 북녘땅이 보이는 곳으로 나를 데리고 갔습니다. 할아버지는 들판에 작은 모닥불을 지폈습니다.

"어머니, 저세상에 가실 때 못난 불효자가 드리는 이 옷을 입고 가세요."

나는 그만 가슴이 덜컥 내려앉았습니다. 세상에 태어나서 제대로 구실 한번 못 해 보고 한 줌 재가 될 내 운명이 슬프고 또 슬펐습니다.

(바) "할머니의 소원은 아들이 살아 돌아와 내 속에 든 밥을 한 끼라도 먹는 것이었지. 그런데 그 소원을 이루지도 못하고 할머니는 바로 그저께 돌아가셨지. 한 달만 있으면 서로 만날 수 있었다는데."

그제야 나는 할아버지의 마음을 알 것 같았습니다. 나를 태워서라도 어머니가 가시는 저승길에 손수 마련한 옷 한 벌 입혀 드리려는 아들의 안타까운 마음을.

나는 바람에 살짝 몸을 실었습니다. 그리고 일백 하고도 일곱 살 되는 할머니의 몸 위에 사뿐히 내려앉았습니다. 그제야 나는 바람의 말처럼 세상에서 가장 값진(물건 따위가 값이 많이 나갈 만한 가치가 있는) 옷이 될 수 있었습니다.

1 이 이야기에 나오지 않는 인물은 누구입니까? (　　)

① 북녘땅
② 할아버지
③ 세모시 옷감
④ 할아버지의 어머니
⑤ 한복 짓는 아주머니

2 (가)~(바)에서 배경은 어떻게 바뀌었는지 차례대로 기호를 쓰시오.

㉠ 들판 ㉡ 옷감 파는 집 ㉢ 한복 만드는 집

(　　) → (　　) → (　　)

3 이 이야기에서 일어난 일이 아닌 것은 무엇입니까? (　　)

① '나'는 불에 탔다.
② 할아버지가 북에 가셨다.
③ 할머니께서 돌아가셨다.
④ '나'는 할머니의 옷이 되었다.
⑤ 할아버지께서 '나'를 사셨다.

4 단원

기본 • 78~83쪽 사건의 흐름을 생각하며 이야기 읽기

비 오는 날

김자연

㉮ "아버지, 나 여기서 그만 내려 줘."

"그게 뭔 소리여. 조금만 더 가면 학교가 바로 코앞인데."

"그래도 난 여기서 내리고 싶단 말야."

영란이가 다시 아버지 허리춤을 꾹꾹 눌렀다.

㉯ 아버지는 오십 가까이에 영란이를 얻었다. 위로 아들 넷을 낳고 십 년 있다 딸을 얻은 셈이다.

"아버지, 떡에 신문지가 달라붙어서 못 먹겠어."

어릴 때 영란이가 아버지에게 투정이라도 부릴 때면 아버지는 신문지 조각을 하나하나 꼼꼼하게 손으로 떼어 내고 그 떡을 영란이 손에 넘겨주었다. 영란이가 자라 학교에 입학하자 아버지는 아예 자전거로 영란이를 태우고 다녔다. 또 학교가 끝날 때면 영란이를 데리러 왔다.

㉰ 그러나 3학년이 되면서부터 영란이는 달라지기 시작했다. 수업이 끝나면 교문 앞에 서 있는 아버지 때문에 영란이는 친구들과 어울려 놀지도 못했다. 더 큰 문제는 아버지를 얼핏 한 번 본 읍내 친구들이 영란이 아버지를 할아버지로 알았다는 것이다. 그때부터이다. 영란이는 아버지 자전거를 타고 학교 다니는 게 싫어졌다.

㉱ 멀리서도 비에 젖은 채 서 있는 아버지 모습이 여느 부모들과 비교할 수 없을 만큼 늙어 보였다. 영란이는 현관문 뒤에 매미처럼 착 달라붙어 한동안 꼼짝하지 않았다. 오늘같이 아이들이 많은 곳에서 아버지와 함께 고물 자전거를 타고 집으로 가긴 정말 싫었다. 영란이는 아버지가 서 있는 정문이 아닌 뒷문으로 얼른 발길을 옮겼다.

㉲ 아버지가 술을 마신 것이 다 자기 탓 같았다. 입이 바싹 탔다. 목뒷덜미도 홧홧거렸다. 술까지 잔뜩 먹은 아버지 모습을 보자 뒷문으로 몰래 돌아 나온 게 영 마음에 걸렸다. 그래도 오늘 영란이는 반 아이들이 다 보는 앞에서 아버지를 알은체하기가 싫었다.

홧홧거렸다: 달아오르는 듯한 뜨거운 기운이 자주 생겼다.

㉳ "대체 이 양반이 오늘 무슨 일이 있었는지 모르것네. 뭔지는 몰라도 엄청 속상한 일이 있었던 모양이구먼!"

영란이는 잠든 아버지 모습을 가만히 들여다보았다. 볕에 그을린 얼굴, 투박하고 거친 손, 괭이살이 박힌 발뒤꿈치. 아버지는 흡사 마른 명태 같았다. / 그때다.

4 영란이가 아버지 자전거를 타고 학교 다니는 게 싫어진 까닭을 두 가지 고르시오. (,)

① 혼자 가는 게 편해서
② 자전거가 좁았기 때문에
③ 아버지가 고생하시는 것 같아서
④ 친구들과 어울려 놀지 못하기 때문에
⑤ 친구들이 영란이 아버지를 할아버지로 알았기 때문에

5 영란이가 아버지를 배려하는 성격이었다면 글 ㉱에서 어떤 일이 일어났을지 쓰시오.

____

____

6 아버지의 모습으로 알맞지 않은 것은 무엇입니까? ( )

① 말끔한 옷
② 볕에 그을린 얼굴
③ 투박하고 거친 손
④ 마른 명태와 같은 모습
⑤ 괭이살이 박힌 발뒤꿈치

"원 시상에! 이 양반이 이걸 아직까지 호주머니에 넣고 다녔디야."

영란이 엄마가 눈을 동그랗게 뜨고 아버지 바지 호주머니 사이로 삐죽 삐져나온 초코파이를 끄집어냈다.

"이걸 여태 먹지 않고 호주머니에 넣어 가지고 다니다니! 에그, 징한 양반. 모정에서 노인들 간식으로 나누어 준 것이 한참 되었는디. 니 아버지가 초코파이를 얼마나 좋아하냐. 그런데 그걸 널 준다고 먹지 않고 가지고 다녀 쌓더니만."

모정: 네모, 육모, 팔모 따위로 모가 나게 지은 정자

"날 준다고?"

"그려. 시상에 그걸 여태껏 먹지 않고 아껴 두었는갑다. 이걸 가지고 다닌 지가 솔찬히 되었을 건디."

사 "별일이네. 으깨진 초코파이를 다 먹고."

"까 보니까 많이 으깨지지도 않았고만!"

초코파이를 삼키는 영란이 목이 꽉 메어 왔다.

메어 왔다: 어떤 감정이 북받쳐 목소리가 잘 나지 않았다.

"엄마, 내일 아버지에게 내가 초코파이 다 먹었다고 말해. 알았지?"

엄마가 알 수 없다는 듯 영란이를 물끄러미 바라보았다.

7 영란이에게 있었던 일을 차례대로 기호를 쓰시오.

> ㉠ 영란이가 아버지 몰래 혼자 집으로 돌아왔다.
> ㉡ 아버지께서 비를 맞으며 영란이를 데리러 학교에 오셨다.
> ㉢ 아버지께서 술을 마시고 집으로 돌아오셨다.
> ㉣ 어머니께서 아버지 바지 호주머니에서 초코파이를 발견하셨다.
> ㉤ 아침에 아버지께서 자전거로 영란이를 학교에 데려다주셨다.

(　　)→(　　)→(　　)→(　　)→(　　)

기초 다지기 뜻이 비슷한 낱말 알기

8 다음 대화에서 '얼큰하다', '매콤하다', '맵다'는 매운맛을 나타낼 때 쓰는 서로 뜻이 비슷한 낱말입니다. 보기 에서 이와 같이 서로 뜻이 비슷한 낱말을 찾아 모두 써 보시오.

> 보기
> 키우다　　무덥다　　후텁지근하다　　보살피다

(1) 가꾸다: (　　　　　　)　(2) 뜨겁다: (　　　　　　)

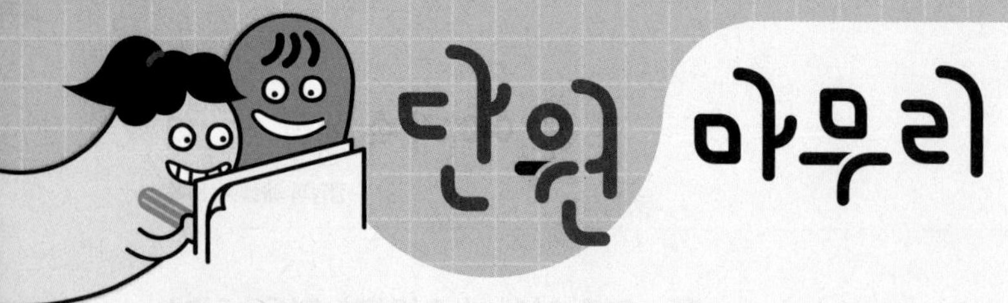

기본 ……

》인물, 사건, 배경을 생각하며 이야기 읽기

예 「사라, 버스를 타다」에서 인물, 사건, 배경 생각하기

인물	사라, 사라의 어머니, 경찰관, 운전사, 신문 기자 등	
사건	버스 안	사라가 버스 앞자리에 앉았다.
	경찰서	사라가 경찰서에 잡혀갔다. 기자가 사라의 사진을 찍어 가고 많은 사람이 사라를 보러 왔다.
	사라의 방	사라의 어머니께서 법은 언젠가는 바뀐다며 사라를 위로하셨다.
	버스 정류장 앞	사라는 버스를 타지 않기로 하고, 흑인들도 사라와 함께 버스를 타지 않았다.
	버스 안	사람들이 마침내 법을 바꾸고 사라는 버스에 올라 앞자리에 앉을 수 있게 되었다.
❶ □□	사라가 학교에 가려고 버스를 탄 어느 날 아침부터 법이 바뀐 뒤 사라가 버스를 타게 된 날까지 / 미국, 사라가 사는 마을	

기본 ……

》인물의 성격을 짐작하며 이야기 읽기

예 「우진이는 정말 멋져!」에서 인물의 성격 짐작하기

인물	말이나 행동	인물의 성격
나	우진이 칭찬을 듣고 헤벌쭉 웃는 윤아가 참 얄미웠어요.	❷ □이/가 많다.
	윤아 입에서 '벌레'라는 말이 나오자마자 사물함 밑으로 반쯤 넣었던 손을 얼른 뺐어요.	소심하다. 내성적이다.
우진	자를 들고 와 사물함 밑을 더듬거려 공기 알을 빼냈다. "여기 공기 알, 그리고 이 핀 가질래?"	적극적이다. 다정다감하다.
	"너 왜 자꾸 여자애들 괴롭혀? 아까 일도, 지금 일도 얼른 사과해."	의롭다.
창훈	창훈이는 미안하다는 소리 대신 혀만 쏙 내밀고는 휙 도망가 버렸다.	장난스럽다. 배려심이 없다.
	"우진아, 한 번만 봐줘잉."	장난을 좋아한다.
윤아	"싫어. 그러다가 벌레라도 손에 닿으면 어떡해?"	조심성이 많다. 깔끔하다.

기본

》사건의 흐름을 생각하며 이야기 읽기

예 「젓가락 달인」에서 사건의 흐름

우봉이가 전학 온 주은이와 짝이 되었다.

↓

우봉이가 할아버지의 도움을 받아 ❸ ☐☐☐☐ 연습을 열심히 하였다.

↓

우봉이가 시장에서 주은이 어머니께서 손으로 음식 드시는 것을 우연히 보게 되었다.

↓

우봉이네 가족이 손으로 음식 먹는 것에 대해 이야기하였다.

↓

우봉이와 주은이가 젓가락 달인 결승전에서 겨루게 되었다.

실천

》이야기를 꾸며 책 만들기

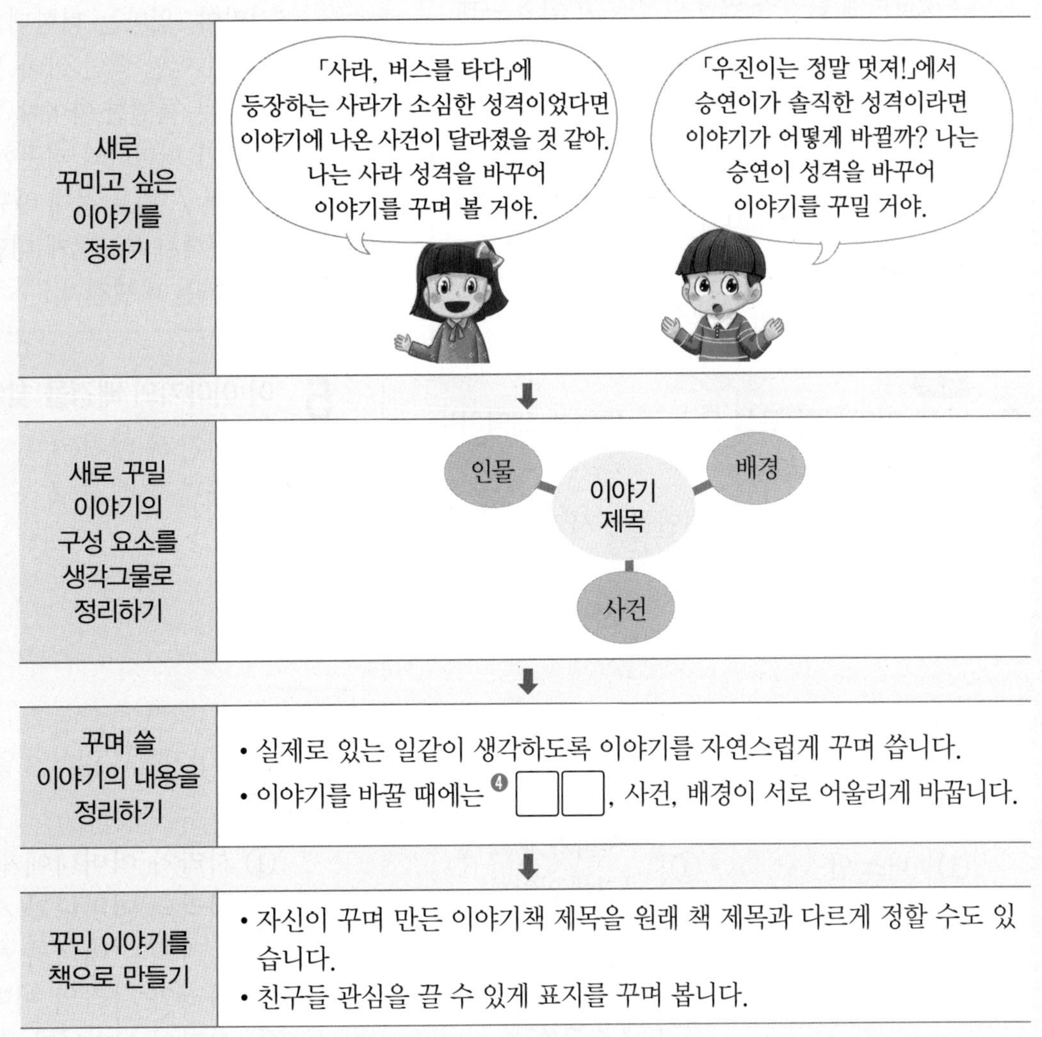

새로 꾸미고 싶은 이야기를 정하기	「사라, 버스를 타다」에 등장하는 사라가 소심한 성격이었다면 이야기에 나온 사건이 달라졌을 것 같아. 나는 사라 성격을 바꾸어 이야기를 꾸며 볼 거야. 「우진이는 정말 멋져!」에서 승연이가 솔직한 성격이라면 이야기가 어떻게 바뀔까? 나는 승연이 성격을 바꾸어 이야기를 꾸밀 거야.
새로 꾸밀 이야기의 구성 요소를 생각그물로 정리하기	이야기 제목 — 인물, 배경, 사건
꾸며 쓸 이야기의 내용을 정리하기	• 실제로 있는 일같이 생각하도록 이야기를 자연스럽게 꾸며 씁니다. • 이야기를 바꿀 때에는 ❹ ☐☐, 사건, 배경이 서로 어울리게 바꿉니다.
꾸민 이야기를 책으로 만들기	• 자신이 꾸며 만든 이야기책 제목을 원래 책 제목과 다르게 정할 수도 있습니다. • 친구들 관심을 끌 수 있게 표지를 꾸며 봅니다.

단원 평가

• 단원 평가 더 풀기 >> 평가 교재 20~25쪽

논술형

1 이야기를 읽어 본 경험을 떠올려 어떤 점이 재미있었거나 기억에 남았는지 쓰시오.

____

____

2~4 글을 읽고, 물음에 답하시오.

> ㉮ ㉠어느 날 아침, 사라는 버스 앞쪽 자리가 얼마나 좋은 곳인지 알아보기로 마음먹었습니다.
> ㉯ 사라는 계속 나아갔습니다. 앞쪽 끝까지 가서 운전사 옆자리에 앉았습니다.
> ㉰ 경찰관이 살짝 웃으며 말했습니다.
> "아무렴. 법에는 말이다, 너희 같은 사람은 버스 뒷자리에 앉아야 한다고 나와 있단다. 그래서 말인데, 법을 어기고 싶지 않다면 네 자리로 돌아가거라."
> ㉱ 경찰관이 안타깝다는 듯 고개를 절레절레 흔들더니 사라를 번쩍 안아 올렸습니다. 그러고는 사람들 사이를 지나 경찰서로 향했습니다.
> ㉲ 경찰관이 어머니께 전화를 하는 동안, 사라는 커다란 책상 앞에 앉아 있었습니다.

중요

2 ㉠은 이야기의 구성 요소 중 무엇에 해당하는지 ○표를 하시오.

(인물 , 사건 , 배경)

3 사라가 있는 장소와 그 장소에서 일어난 일에 맞게 선으로 이으시오.

(1) 버스 안 •   • ① 사라가 버스 앞자리에 앉았다.

(2) 경찰서 •   • ② 사라가 경찰서에 잡혀갔다.

4 경찰관이 사라에게 한 말의 내용은 무엇입니까? (　　)

① 법을 지키지 않아도 된다.
② 요금을 내고 버스를 타야 한다.
③ 어린아이는 버스를 타면 안 된다.
④ 앞자리에 계속 앉아 있어도 좋다.
⑤ 법을 어기고 싶지 않다면 뒷자리로 돌아가야 한다.

5~6 글을 읽고, 물음에 답하시오.

> ㉮ 그날 밤, 어머니께서는 사라의 방으로 들어와 사라를 안아 주셨습니다.
> "사라야, 엄마는 너한테 화나지 않았어. 너는 세상의 어떤 백인 아이 못지않게 착한 아이란다. 너는 특별한 아이야."
> ㉯ 사라가 어머니의 피곤한 눈을 올려다보며 물었습니다. / "법은 절대 바뀌지 않나요?"
> 어머니께서 부드럽게 대답하셨습니다.
> "언젠가는 바뀌겠지."

5 이 이야기의 배경을 찾아 쓰시오.

(1) 시간적 배경: (　　　　　　　　)
(2) 공간적 배경: (　　　　　　　　)

6 이 이야기에서 일어난 일은 무엇입니까? (　　)

① 사라가 어머니에게 떼를 썼다.
② 사라의 어머니가 사라를 위로하였다.
③ 사라의 어머니가 사라를 크게 혼냈다.
④ 사라와 사라의 어머니가 이사를 갔다.
⑤ 사라의 어머니가 집에 돌아오지 않았다.

정답과 해설 ● 18쪽

국어 활동

7 다음 이야기에서 인물을 찾아 쓰시오.

> 나는 아주 고운 세모시 옷감입니다. 은은한 비색을 띤 나는 누구에게나 곱다고 칭찬을 듣습니다.

( )

8 인물의 성격을 짐작할 때 살펴볼 것을 두 가지 고르시오. (,)

① 출판사　② 책 표지
③ 책의 지은이　④ 인물의 행동
⑤ 인물이 한 말

9~11 글을 읽고, 물음에 답하시오.

> ㉮ 장난꾸러기 창훈이가 다른 아이들이랑 장난치며 뛰다가 윤아와 부딪친 거죠.
> ㉯ 나는 사물함 밑으로 굴러 들어간 내 공기 알이 걱정돼서 소리쳤어요. 우리 목소리에 놀랐는지 창훈이는 온몸을 움찔하더라고요. 그것도 잠시뿐, 창훈이는 미안하다는 소리 대신 혀만 쏙 내밀고는 휙 도망가 버리는 거 있죠.
> 윤아와 나는 교실 바닥에 엎드려 사물함 밑을 들여다봤지만, 사물함 밑은 너무 깜깜해서 아무것도 보이지 않았어요.
> "손을 넣어 볼까?"
> ㉠"싫어. 그러다가 벌레라도 손에 닿으면 어떡해?"

9 창훈이가 뛰다가 윤아와 부딪쳐서 생긴 일은 무엇입니까? ( )

① 윤아가 울었다.
② 윤아가 크게 다쳤다.
③ 공기 알이 부서졌다.
④ 창훈이가 선생님께 혼났다.
⑤ 공기 알이 사물함 밑으로 굴러 들어갔다.

10 이 이야기에서 장난스럽고 배려심이 없는 성격의 인물은 누구입니까?

( )

중요

11 ㉠의 말에서 짐작할 수 있는 성격을 쓰시오.

( )

12~14 글을 읽고, 물음에 답하시오.

> 그런데 그때, 창훈이가 다시 나타나 윤아와 나를 또 밀치고 지나가는 거예요. 윤아와 나는 하마터면 같이 넘어질 뻔했지요. 그런데 우진이가 갑자기 창훈이 팔을 팍 잡아채더니 윤아와 내 앞으로 창훈이를 돌려세웠어요.
> "너 왜 자꾸 여자애들 괴롭혀? 아까 일도, 지금 일도 얼른 사과해."

12 우진이가 한 말과 행동은 무엇입니까? ( )

① 윤아와 '나'를 밀쳤다.
② 창훈이와 장난을 쳤다.
③ 윤아와 '나'에게 사과했다.
④ 선생님께 창훈이가 한 일을 말씀드렸다.
⑤ 창훈이에게 윤아와 '나'에게 사과하라고 했다.

13 우진이가 한 말과 행동에서 짐작한 성격으로 알맞은 것은 무엇입니까? ( )

① 의로운 성격이다.
② 내성적인 성격이다.
③ 겁이 많은 성격이다.
④ 장난을 좋아하는 성격이다.
⑤ 부끄러움을 많이 타는 성격이다.

논술형

14 자신의 성격을 생각해 보고 자신은 우진이와 같은 상황이었다면 어떻게 행동했을지 쓰시오.

15~18 글을 읽고, 물음에 답하시오.

> ㉮ "우리 우봉이 아주 잘하는구먼. 젓가락을 바르게 사용할 줄 아니까, 조금만 더 연습하면 거뜬하겠구먼."
> 우봉이는 할아버지 말씀에 용기가 났어요. 할아버지는 접시 한쪽에 바둑알을 수북이 놓았어요. 우봉이는 나무젓가락으로 바둑알을 집어 빈 접시로 옮기는 연습을 계속했어요.
> ㉯ "우봉아, 김치랑 콩나물도 좀 먹어 봐."
> 엄마가 우봉이에게 말씀하셨어요.
> "그래, 젓가락 달인도 좋지만 골고루 먹어야지."
> 아빠도 우봉이에게 한마디 하셨어요. 그래도 우봉이는 젓가락 연습이 되는 것만 골라서 반찬으로 먹었어요.
> ㉰ "젓가락왕을 가리는 거니까 아이들이 잘 봐야겠지? 그래서 옮겼어."
> 선생님 말씀을 듣고 우봉이는 앞으로 나가 앉았어요. 주은이도 자기 책상을 찾아가 앉았어요.

15 글 ㉮~㉰에서 우봉이가 만나거나 함께한 사람이 아닌 것은 누구입니까? ( )

① 아버지 ② 선생님
③ 어머니 ④ 할아버지
⑤ 주은이 어머니

16 우봉이는 젓가락 달인이 되려고 어떻게 연습했는지 두 가지 고르시오. (,)

① 콩나물을 집는 연습을 했다.
② 장갑을 끼고 젓가락 연습을 했다.
③ 할아버지와 바둑알로 젓가락 연습을 했다.
④ 양손을 번갈아 사용하며 젓가락 연습을 했다.
⑤ 밥을 먹을 때도 젓가락 연습이 되는 반찬만 골라 먹었다.

중요
17 일이 일어난 차례에 맞게 우봉이에게 일어난 일을 빈칸에 쓰시오.

• 우봉이가 할아버지의 도움을 받아 젓가락질 연습을 열심히 하였다. → ( )

18 만약 우봉이가 다음과 같은 성격이었다면 어떤 일이 일어났을지 선으로 이으시오.

(1) 게으른 성격 • • ① 혼자 연습하느라 좋은 결과를 얻지 못함.

(2) 소극적인 성격 • • ② 젓가락질 연습을 게을리해서 결승전에 나가지 못함.

국어 활동
19 다음 이야기의 앞부분에 일어난 사건은 무엇일지 쓰시오.

> 술까지 잔뜩 먹은 아버지 모습을 보자 뒷문으로 몰래 돌아 나온 게 영 마음에 걸렸다. 그래도 오늘 영란이는 반 아이들이 다 보는 앞에서 아버지를 알은체하기가 싫었다.

( )

20 이야기를 새롭게 꾸며 책을 만드는 방법으로 알맞지 않은 것은 무엇입니까? ( )

① 이야기를 자연스럽게 꾸며 써야 한다.
② 이야기 내용과 어울리는 그림을 그린다.
③ 친구들 관심을 끌 수 있게 표지를 꾸민다.
④ 이야기를 바꿀 때에는 인물, 사건, 배경이 서로 어울리게 바꿔야 한다.
⑤ 자신이 꾸며 만든 이야기책 제목은 꼭 원래 책 제목과 같게 정해야 한다.

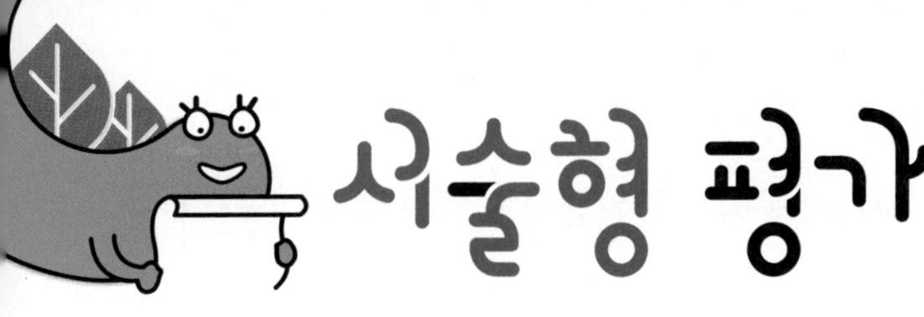

정답과 해설 ● 19쪽

1 다음 이야기에서 나오는 인물이나 사건, 배경에 대해 생각한 내용을 쓰시오.

> ㉮ 아침마다 사라는 어머니와 함께 버스를 탔습니다. 언제나 백인들이 앉는 자리와 구분된 뒷자리에 앉았습니다.
> ㉯ 어느 날 아침, 사라는 버스 앞쪽 자리가 얼마나 좋은 곳인지 알아보기로 마음먹었습니다. 사라는 자리에서 일어나 좁은 통로로 걸어 나갔습니다.
> ㉰ 사라는 계속 나아갔습니다. 앞쪽 끝까지 가서 운전사 옆자리에 앉았습니다.
> ㉱ 운전사가 성난 얼굴로 사라를 쏘아보았습니다. / "꼬마 아가씨, 뒤로 가서 앉아라. 너도 알다시피 늘 그래 왔잖니?"
> 사라는 그대로 앉은 채 마음속으로 말했습니다.
> '뒷자리로 돌아갈 아무런 이유가 없어!'

2 다음 창훈이가 한 말과 행동에서 성격을 짐작하여 쓰시오.

> 일이 이쯤 되자 창훈이는 슬슬 웃기기 작전을 쓰기 시작했어요. 보일 듯 말 듯한 작은 새우 눈으로 눈웃음을 살살 지으며, 콧구멍을 벌름거리고 입을 펭귄처럼 쭉 내밀고는, "우진아, 한 번만 봐줘잉. 난 선생님이 제일 무서웡." 하고 콧소리를 내며 말하는 거지요.

3~4 글을 읽고, 물음에 답하시오.

> ㉮ "주은이가 어디 앉으면 좋을까? 아, 저기, 우봉이 옆에 가 앉을래?"
> ㉯ 주은이 옆에는 한 아줌마가 있었는데 생김새가 좀 남달랐어요. 얼굴도 가무잡잡했어요.
> ㉰ "그렇게 먹지 마. 정말 싫어."
> 주은이가 아줌마에게 화를 내듯 크게 말했어요.
> "카오리아오는 이렇게 손으로 먹는 꺼야. 우리 꼬향에선 다 끄래."
> ㉱ 아줌마가 조몰락조몰락하던 것을 입에 쏙 넣었어요. 밥 덩어리 비슷했어요.
> '웩! 저걸 먹다니!'
> 우봉이는 속이 메스꺼웠어요.
> "아유, 정말 창피해."
> 주은이가 콩 집던 나무젓가락을 아줌마한테 얼른 내밀었어요. 그러고는 주위를 두리번거렸어요. / 지켜보던 우봉이는 다른 사람 뒤로 얼른 몸을 숨겼어요.
> ㉲ "궁금한 게 있는데요, 손으로 밥을 조몰락조몰락해서 먹는 건 나쁜 거죠? 그런 사람 야만인이죠? 원시인이죠?"
> 우봉이가 묻자 아빠가 말씀하셨어요.

3 우봉이의 융통성 없는 성격 때문에 일어난 일은 무엇인지 쓰시오.

4 우봉이가 다른 문화에 대한 편견이 없는 개방적인 성격이었다면 어떤 일이 일어났을지 쓰시오.

낱말 퀴즈

교과서 문장으로 확인하는 핵심 낱말

● 다음 교과서 문장의 파란색 낱말 중에서 알맞은 것을 골라 인물들이 한 말을 완성하시오.

- 언제나 백인들이 앉는 자리와 구분된 뒷자리에 앉았습니다.
- "죄송해요, 어머니. 말썽을 일으키려던 것은 아니었어요."
- 윤아와 나는 하마터면 같이 넘어질 뻔했지요.
- '더 잘하려면 나도 권법이나 수법 같은 게 있어야 해. 뭘로 하면 좋을까?'

정답 | ❶ 말썽 ❷ 구분 ❸ 권법 ❹ 하마터면

5

의견이 드러나게 글을 써요

무엇을 배울까요?

준비

- 문장의 짜임에 맞게 말하기

기본

- 문장의 짜임을 생각하며 의견 표현하기
- 자신의 의견을 제시하는 글 쓰기

실천

- 의견을 제시하는 글을 쓰고 친구들과 의견 나누기

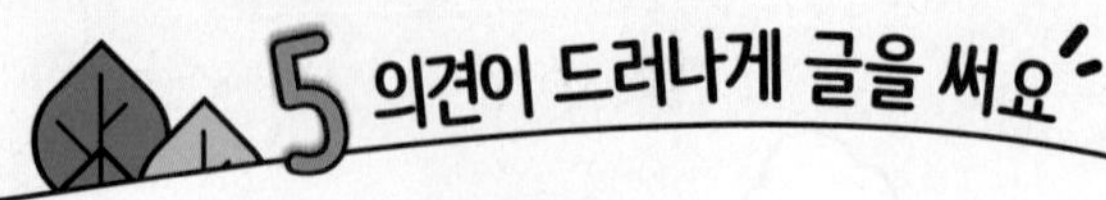

1 문장의 짜임

누가/무엇이+무엇이다	예 김예지는(누가) 내 친구입니다.(무엇이다)
누가/무엇이+어찌하다 '달리다, 먹는다'와 같이 움직임을 나타냅니다.	예 친절한 예지는(누가) 친구들을 잘 도와줍니다.(어찌하다)
누가/무엇이+어떠하다 '빨갛다, 둥글다'와 같이 성질이나 상태를 나타냅니다.	예 내 친구 예지는(누가) 친절합니다.(어떠하다)

2 문장의 짜임을 알면 좋은 점

① 문장을 두 부분으로 끊어 읽으면 이해하기 쉽습니다.
② 문장을 두 부분으로 나눠서 앞뒤 연결이 자연스러운지 생각하며 글을 쓸 수 있습니다.
③ 문장의 뒷부분을 살피면서 앞부분을 보면 어색한 문장을 자연스럽게 고칠 수 있습니다.

3 문장의 짜임을 생각하며 의견 표현하기

① 문장을 '누가/무엇이+무엇이다/어찌하다/어떠하다'로 나누어 봅니다.
② '누가/무엇이' 부분과 '무엇이다/어찌하다/어떠하다' 부분이 자연스럽게 연결되는지 살펴봅니다.

4 의견을 제시하는 글을 쓰는 방법

① 문제 상황을 자세히 씁니다.
② 자신의 의견을 분명히 밝힙니다.
③ 의견을 뒷받침하는 까닭을 씁니다.
④ 읽는 사람을 생각하며 예의 바르게 글을 씁니다. → 읽는 사람이 들어줄 수 있는 의견을 제시합니다.
⑤ '누가/무엇이'와 '무엇이다/어찌하다/어떠하다'의 연결이 자연스러운 문장을 씁니다.

5 의견을 제시하는 글을 쓰고 친구들과 의견 나누기

① 학급 신문에 의견을 제시하는 글을 씁니다.
② 의견을 제시하는 글을 쓰는 방법에 알맞게 씁니다.
③ 친구가 쓴 글을 읽고 친구의 글에 칭찬하는 댓글을 써서 붙여 봅니다.

예 칭찬하는 댓글

> 문제 상황이 잘 드러나게 썼어요.

> 의견과 그렇게 생각한 까닭이 잘 드러나게 썼어요.

핵심 확인문제

정답과 해설 ● 20쪽

1 다음 문장을 두 부분으로 나눌 때 빈칸에 들어갈 말은 무엇입니까?

> 예지는 친절합니다.

(1) 누가	(2) 어떠하다

2 '누가+무엇이다'의 짜임으로 이루어진 문장에 ○표를 하시오.

(1) 예지는 초등학생입니다. ( )
(2) 예지가 열심히 공부를 합니다. ( )

3 문장을 두 부분으로 끊어 읽으면 이해하기 쉽습니다.
(○, ×)

4 □□을/를 제시하는 글을 쓸 때는 문제 상황을 자세히 쓰고, 자신의 의견을 분명히 밝힙니다.

5 의견을 제시하는 글을 쓸 때 '□□/무엇이'와 '무엇이다/어찌하다/어떠하다'의 연결이 자연스럽게 씁니다.

준비 《 문장의 짜임에 맞게 말하기

정답과 해설 ● 20쪽

5 단원

● 문장의 짜임을 생각하며 다음 문장을 보기 와 같이 두 부분으로 나누기

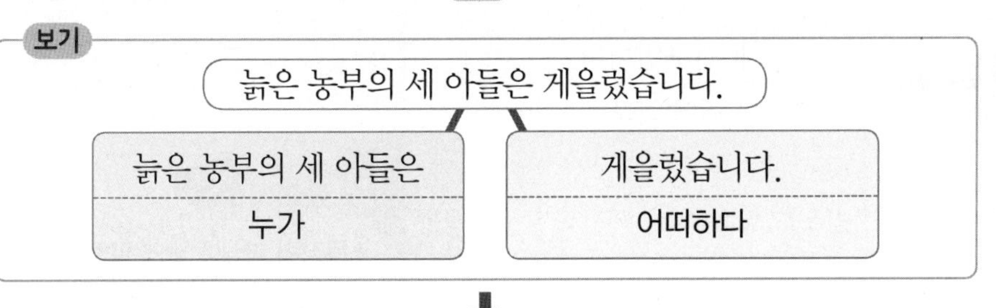

보기
늙은 농부의 세 아들은 게을렀습니다.
늙은 농부의 세 아들은
누가
게을렀습니다.
어떠하다

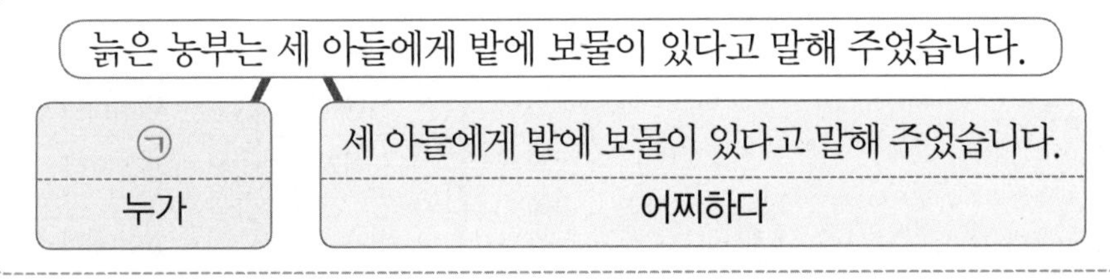

늙은 농부는 세 아들에게 밭에 보물이 있다고 말해 주었습니다.
㉠
누가
세 아들에게 밭에 보물이 있다고 말해 주었습니다.
어찌하다

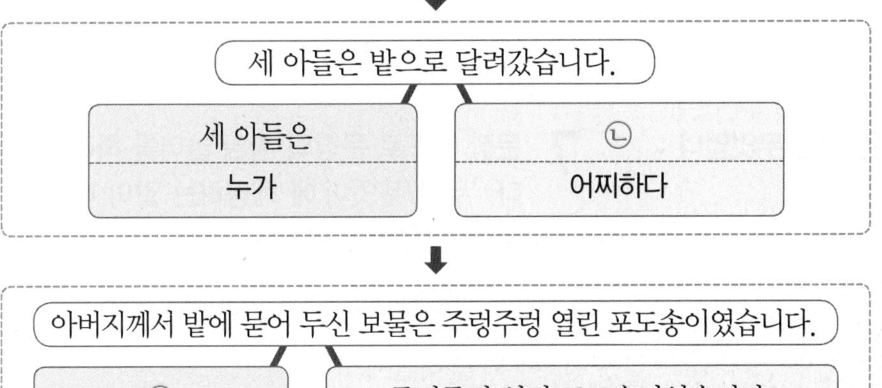

• **표 설명**: 주어진 문장을 '누가/무엇이'에 해당하는 부분과 '무엇이다/어찌하다/어떠하다'에 해당하는 부분으로 나누었습니다.

교과서 핵심

● **문장의 짜임**

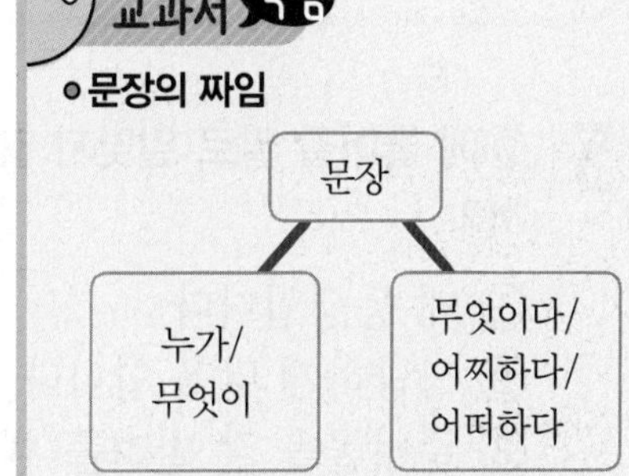

➡ '어찌하다'는 '달리다, 먹는다'와 같이 움직임을 나타내고, '어떠하다'는 '빨갛다, 둥글다'와 같이 성질이나 상태를 나타냅니다.

1 ㉠에 들어갈 말은 무엇입니까? (　　)

① 어머니는　② 한 아들이
③ 세 아들은　④ 할아버지는
⑤ 늙은 농부는

2 ㉡, ㉢에 들어갈 알맞은 말을 찾아 선으로 이으시오.

(1) ㉡ •　　• ① 밭으로 달려갔습니다.

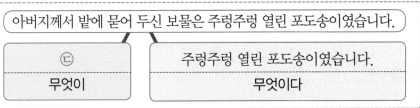

(2) ㉢ •　　• ② 아버지께서 밭에 묻어 두신 보물은

3 '누가/무엇이' 다음에 올 말로 알맞지 않은 것은 무엇입니까? (　　)

① 달리다　② 먹는다　③ 빨갛다
④ 둥글다　⑤ 내 친구는

핵심

4 문장의 짜임을 생각하며 다음 빈칸에 들어갈 알맞은 말을 쓰시오.

'누가/무엇이'에 해당하는 부분과 '무엇이다/어찌하다/(　　　　)'에 해당하는 부분으로 문장을 나눌 수 있어요.

(　　　　　　　　)

준비

정답과 해설 ● 20쪽

● 문장의 짜임을 생각하며 짧은 글을 쓰기

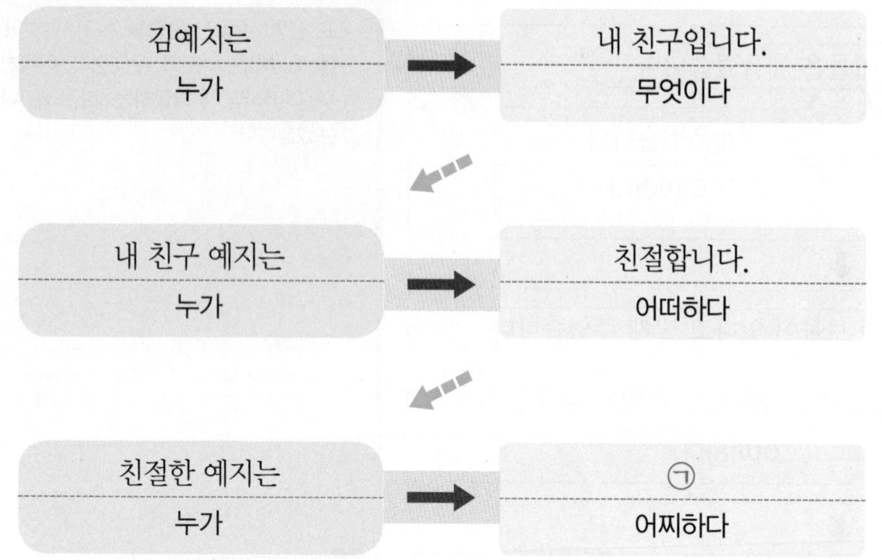

교과서 핵심

● 문장의 짜임에 맞게 말하기

누가	무엇이다
김예지는	내 친구이다.

누가	어떠하다
예지는	친절하다.

누가	어찌하다
예지는	친구들을 잘 도와준다.

교과서 문제

5 ㉠에 들어갈 말로 알맞지 않은 것은 무엇입니까? ( )

① 내 동생입니다.
② 상냥하게 말을 합니다.
③ 준비물을 잘 빌려줍니다.
④ 친구들을 잘 도와줍니다.
⑤ 친구들과 과자를 나누어 먹습니다.

핵심

6 '누가 + 어떠하다'의 짜임으로 만들어진 문장을 두 가지 고르시오. (,)

① 현서는 다정합니다.
② 이현서는 내 친구입니다.
③ 이현서는 초등학생입니다.
④ 내 친구 현서는 부지런합니다.
⑤ 부지런한 현서는 열심히 공부를 합니다.

7 문장 카드로 문장의 짜임 놀이를 하려고 합니다. '누가/무엇이'에 해당하는 말이 다음과 같을 때 어울리는 말을 쓰시오.

누가/무엇이	무엇이다/어찌하다/어떠하다
가을 하늘이	

8 문장의 짜임을 알면 좋은 점을 알맞지 않게 말한 친구를 쓰시오.

예준: 문장의 앞부분만 읽어도 문장의 뜻을 정확하게 이해할 수 있어.
연희: 문장을 두 부분으로 나눠서 앞뒤 연결이 자연스러운지 생각하며 글을 쓸 수 있어.
정빈: 문장의 뒷부분을 살피면서 앞부분을 보면 어색한 문장을 자연스럽게 고칠 수 있어.

( )

문장의 짜임을 생각하며 의견 표현하기

정답과 해설 ● 20쪽

등장인물의 의견을 비교하며 읽기

목홧값을 누가 물어야 하나?

'목홧값'은 '목화'와 '값'이 합해진 말로, 앞말이 'ㅘ' 모음으로 끝나고 뒷말의 첫소리 'ㄱ'이 'ㄲ'으로 소리 나기 때문에 사이시옷을 받치어 적음.

❶ 옛날 어느 마을에 목화 장수 네 사람이 살았다. 그들은 싼 목화가 있으면 함께 사서 큰 ♥광 속에 보관해 두었다가 값이 오르면 팔았다. 그런데 그 광에는 쥐가 많아 목화를 어지럽히기도 하고 오줌을 싸기도 했다. 목화 장수들은 ♥궁리 끝에 광에 고양이를 기르기로 하고 똑같이 돈을 내어 고양이를 샀다. 그러고는 공동 책임을 지려고 고양이의 다리 하나씩을 각자 몫으로 정하고 고양이를 보살피기로 했다.

중심 내용 목화 장수 네 사람은 고양이를 샀고, 각자 고양이의 다리 하나씩을 맡아 고양이를 보살피기로 했다.

❷ 어느 날, 고양이가 다리 하나를 다쳤다. 그 다리를 맡은 목화 장수는 고양이 다리에 산초기름(산초나무의 열매로 짠 기름)을 발라 주었다. 그런데 마침 추운 겨울철이라, 아궁이 곁에서 불을 쬐던 고양이의 다리에 불이 붙고 말았다. 고양이는 얼른 시원한 광 속으로 도망을 쳐서 목화 더미 위에서 굴렀다. 순식간에 목화 더미에 불이 번져 광 속의 목화가 몽땅 타 버리고 말았다.

중심 내용 고양이의 다친 다리를 맡은 목화 장수가 고양이 다리에 산초기름을 발라 주었고, 산초기름 때문에 광 속의 목화가 몽땅 타 버렸다.

- **글의 종류**: 이야기
- **글의 내용**: 목홧값을 누가 물어야 하는지에 대한 등장인물의 의견이 나타나 있습니다.

♥광 살림살이에 필요한 여러 가지 물건을 넣어 두는 곳.

♥궁리(窮 다할 궁, 理 다스릴 리) 마음속으로 이리저리 따져 깊이 생각함. 또는 그런 생각.
예 아무리 궁리를 해도 해결책이 떠오르지 않아요.

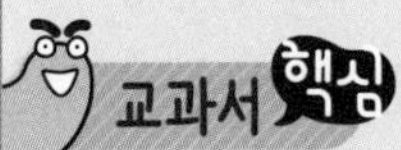

○ 문장의 짜임에 맞게 문장 쓰기 ①

목화 장수들이 고양이를 샀다.	
목화 장수들이	고양이를 샀다.
누가	어찌하다

1 목화 장수 네 사람이 고양이를 산 까닭은 무엇입니까? (　　)

① 값이 오르면 팔기 위해서
② 광에 불이 나는 것을 막으려고
③ 도둑이 들어오지 못하게 하려고
④ 목화 장수들이 고양이를 좋아해서
⑤ 목화를 보관한 광에 쥐가 많아 목화를 어지럽히기도 하고 오줌을 싸서

2 목화 장수 네 사람은 고양이를 공동으로 책임지기 위해 어떻게 하기로 했습니까? (　　)

① 하루씩 교대로 돌보기로 했다.
② 고양이의 먹이를 같이 주기로 했다.
③ 광 앞에서 고양이를 지키기로 했다.
④ 각자 한 시간씩 고양이와 놀기로 했다.
⑤ 고양이의 다리 하나씩을 각자 몫으로 정하고 보살피기로 했다.

3 다리에 불이 붙은 고양이가 광 속으로 도망을 쳐서 일어난 일은 무엇입니까? (　　)

① 쥐가 감쪽같이 사라졌다.
② 목화가 산더미처럼 쌓였다.
③ 광 속의 목화가 몽땅 타 버렸다.
④ 다리에 붙었던 불이 더 심해졌다.
⑤ 광에 더 이상 도둑이 들지 않았다.

핵심

4 글 ❶에서 일어난 일을 정리한 다음 문장을 '누가+어찌하다'로 나누어 쓰시오.

목화 장수들이 고양이를 샀다.	
(1) 누가	(2) 어찌하다

기본

정답과 해설 ● 20쪽

❸ 목화 장수 네 명은 뜻하지 않게 큰 ♥손해를 보게 되었다. 그러자 ㉮고양이의 성한 다리를 맡았던 목화 장수 세 명이 투덜투덜 불평을 늘어놓았다.

불평: 못마땅한 것을 말이나 행동으로 드러냄.

"이번 불은 순전히 고양이의 아픈 다리를 맡았던 저 사람 때문이야. 하필이면 불이 잘 붙는 산초기름을 발라 줄 게 뭐야?"

"맞아. 그러니 목홧값을 그 사람에게 물어 달라고 하자."

세 사람은 ㉯고양이의 아픈 다리를 맡았던 사람에게 목홧값을 물어 내라고 했다. 억울한 그 목화 장수는 절대 목홧값을 물어 줄 수 없다며 큰 싸움을 벌였다.

"불이 붙은 고양이가 광으로 도망칠 때는 성한 세 다리로 도망쳤잖아? 그러니까 광에 불이 난 것은 순전히 너희가 맡은 세 다리 때문이야."

아무리 싸워도 해결이 나지 않자, 네 사람은 고을 사또를 찾아가 ♥판결을 해 달라고 부탁했다.

중심 내용 목화 장수 네 명은 목홧값을 누가 물어야 하는지 싸움을 벌이다가 고을 사또를 찾아갔다.

♥손해(損 덜 손, 害 해칠 해) 돈이나 재산을 잃어 밑지거나 해를 입음.
예 물건이 팔리지 않아 손해가 많습니다.

♥판결(判 판단할 판, 決 결단할 결) 일의 옳고 그름을 판단하여 결정함.
예 벌금을 내라는 판결이 났습니다.

교과서 핵심

● 문장의 짜임에 맞게 문장 쓰기 ②

누가	어찌하다
목화 장수들은	고양이 때문에 큰 손해를 입어 투덜거렸다.
목화 장수들은	사또에게 판결을 부탁했다.

교과서 문제

5 ㉮와 ㉯의 의견을 찾아 선으로 이으시오.

(1) ㉮ • • ① 광에 불이 난 것은 고양이의 성한 다리 때문이니 목홧값을 물어 줄 수 없다.

(2) ㉯ • • ② 고양이의 아픈 다리를 맡았던 사람이 목홧값을 물어야 한다.

6 ㉮가 5번 문제의 답과 같이 생각한 까닭은 무엇입니까? ( )

① 고양이를 사자고 말했기 때문에
② 고양이의 다리를 아프게 했기 때문에
③ 고양이에게 먹이를 주지 않았기 때문에
④ 고양이의 아픈 다리에 불이 잘 붙는 산초기름을 발라 주었기 때문에
⑤ 다리에 불이 붙은 고양이가 광으로 도망칠 때는 성한 다리로 도망쳤기 때문에

논술형

7 누가 목홧값을 물어야 한다고 생각하는지 사또가 되어 판결을 내리고 그 까닭을 쓰시오.

(1) 판결: 목홧값은 ______________

____

(2) 까닭: 왜냐하면 ______________

____

핵심

8 다음 빈칸에 공통으로 들어갈 말을 보기 의 문장의 짜임을 참고로 하여 쓰시오.

보기
누가+어찌하다

[ ] 고양이 때문에 큰 손해를 입어 투덜거렸다.

⬇

[ ] 사또에게 판결을 부탁했다.

( )

● 편지를 읽고 글쓴이의 의견 말하기

㉮ 댐 ♥건설 기관 담당자님께 / 안녕하세요?

㉠저는 산 깊고 물 맑은 상수리에 사는 김효은입니다. 우리 마을은 앞으로 만강이 흐르고, 뒤로는 우뚝 솟은 산봉우리들이 병풍처럼 둘러싸여 한 폭의 그림처럼 아름답습니다.

㉡숲에는 천연기념물인 황조롱이, 까막딱따구리 같은 새들과 하늘다람쥐가 삽니다. 그리고 만강에는 쉬리나 배가사리, 금강모치 같은 우리나라의 ♥토종 물고기가 많이 삽니다.

그런데 어제 만강에 댐을 건설할 수 있는지 알아보려고 담당자들께서 우리 마을을 방문하셨습니다. ㉢담당자들께서는 작년에 비가 많이 와서 만강 하류에 있는 도시에 물난리가 났다고 말씀하셨습니다. 그래서 홍수를 막으려면 우리 마을에 댐을 건설해야 한다고 하셨습니다.

하지만 저는 댐을 건설하는 것에 반대합니다. 우리 상수리에 댐을 건설하면 숲에 사는 동물들이 살 곳을 잃고, 우리는 만강의 물고기들을 다시는 볼 수 없게 될 것입니다. 그리고 마을 어른들께서는 평생 살아온 고향을 떠나야 한다고 말씀하십니다. ㉣우리 마을에 댐을 건설하기로 한 계획을 취소해 주시기를 부탁합니다.

발표한 의사를 거두어들이거나 예정된 일을 없애 버림.

20○○년 10월 ○○일 / 김효은 올림

• 글의 종류: 편지
• 글의 내용: 효은이가 댐 건설 기관 담당자에게 댐 건설에 대한 자신의 의견을 전했습니다.

♥건설(建 세울 건, 設 베풀 설) 건물, 설비, 시설 따위를 새로 만들어 세움.

♥토종 본디부터 그 땅에서 나는 종자.

○ 의견을 제시하는 글 ①

문제 상황	담당자들께서는 작년에 비가 많이 와서 ~ 댐을 건설해야 한다고 하셨습니다.
효은이의 의견	상수리에 댐을 건설하는 것을 반대한다.
그렇게 생각한 까닭	숲에 사는 동물들이 살 곳을 잃기 때문이다. / 만강의 물고기들을 다시는 볼 수 없기 때문이다. / 마을 어른들께서는 평생 살아온 고향을 떠나셔야 하기 때문이다.

1 효은이가 이 편지를 쓴 까닭은 무엇입니까? ( )

① 홍수를 막기 위해서
② 마을의 발전을 위해서
③ 마을의 아름다움을 자랑하기 위해서
④ 상수리에 댐을 건설하는 것을 찬성하기 위해서
⑤ 상수리 댐 건설 계획을 취소해 주기를 부탁하기 위해서

2 ㉠~㉣ 중 문제 상황을 나타낸 것은 무엇인지 기호를 쓰시오.

( )

교과서 문제

3 댐 건설에 대한 효은이의 의견을 찾아 ○표를 하시오.

(1) 상수리에 댐을 건설해야 합니다. ( )
(2) 상수리에 댐을 건설하는 것을 반대합니다. ( )

핵심

4 효은이가 3번 문제의 답과 같이 생각하는 까닭을 세 가지 고르시오. (, ,)

① 도시보다 우리 마을이 더 아름답다.
② 마을 사람들이 고향을 떠나야 한다.
③ 숲에 사는 동물들이 살 곳을 잃는다.
④ 여름이 되면 물난리가 자주 일어난다.
⑤ 만강의 물고기들을 다시는 볼 수 없다.

㉯ 김효은 학생에게

안녕하세요?

김효은 학생의 편지를 잘 읽었습니다.

아름다운 상수리가 댐 건설로 겪게 될 어려움을 잘 압니다. 하지만 상수리 주변에 사는 주민들이 홍수로 겪는 정신적·물질적 피해는 해마다 늘어나고 있습니다.

만강에 댐을 건설하면 여름철에 ♥폭우로 생기는 문제를 막을 수 있습니다. 비가 내리는 대로 내버려 두면, 강 하류에서는 강물이 넘쳐서 논밭이 빗물에 잠기기도 합니다.

그리고 집과 길이 부서지고 심지어 사람이 목숨까지 잃을 만큼 위험합니다. 하지만 댐을 건설하면 홍수로 인한 이런 피해를 막을 수 있습니다.

상수리에 댐을 건설해야 합니다. 우리는 상수리 마을 주민들에게 피해가 가지 않도록 주민들이 이사하는 데 모든 지원(지지하여 도움.)을 아끼지 않을 것입니다. 댐 건설에는 상수리 마을 주민들의 ♥협조가 필요합니다. 김효은 학생도 이러한 점을 잘 이해해 주시기를 바랍니다.

20○○년 10월 ○○일 / 댐 건설 기관 담당자 드림

- **글의 종류**: 편지
- **글의 내용**: 댐 건설 기관 담당자가 효은이에게 댐 건설에 대한 기관의 의견을 전했습니다.

♥**폭우** 갑자기 세차게 쏟아지는 비.

♥**협조**(協 도울 협, 助 도울 조) 힘을 보태어 도움.
㉠ 관련 기관에 협조를 요청해야 합니다.

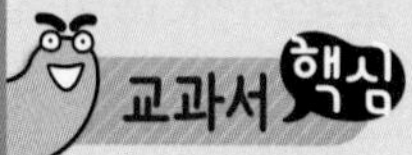

교과서 핵심

● **의견을 제시하는 글 ②**

문제 상황	상수리 주변에 사는 주민들이~ 피해는 해마다 늘어나고 있습니다.
댐 건설 기관 담당자의 의견	상수리에 댐을 건설해야 한다.
그렇게 생각한 까닭	여름철에 폭우로 생기는 문제를 막을 수 있다.

5 편지 ㉯에서 문제 상황이 나타난 부분은 어디입니까? ( )

① 김효은 학생에게
② 김효은 학생의 편지를 잘 읽었습니다.
③ 댐 건설에는 상수리 마을 주민들의 협조가 필요합니다.
④ 댐을 건설하면 홍수로 인한 이런 피해를 막을 수 있습니다.
⑤ 상수리 주변에 사는 주민들이 홍수로 겪는 정신적·물질적 피해는 해마다 늘어나고 있습니다.

핵심

6 댐 건설 기관 담당자의 의견과 까닭에 맞게 다음 빈칸에 알맞은 말을 쓰시오.

의견	상수리에 댐을 (1)( )
까닭	여름철에 (2)( )(으)로 생기는 문제를 막을 수 있다.

7 댐 건설에 대한 자신의 의견과 그렇게 생각한 까닭을 알맞게 말한 친구는 누구입니까?

우성: 나는 댐 건설에 찬성합니다. 왜냐하면 더 깨끗한 물을 마실 수 있기 때문입니다.
진솔: 나는 댐 건설에 반대합니다. 왜냐하면 자연환경이 파괴될 수 있기 때문입니다.

( )

역량

8 이와 같은 의견을 제시하는 글을 쓰는 방법으로 알맞지 않은 것은 무엇입니까? ( )

① 자신의 의견을 분명히 쓴다.
② 문제 상황을 최대한 짧게 쓴다.
③ 문장의 짜임이 자연스럽게 쓴다.
④ 의견을 뒷받침하는 까닭을 쓴다.
⑤ 읽는 사람이 들어줄 수 있는 의견을 쓴다.

역량 활동

의견을 제시하는 글을 쓰고 친구들과 의견 나누기

정답과 해설 ● 21쪽

5 단원

● 학급 신문을 만들 계획 세우기

환경을 주제로 정할까?
건강을 주제로 정하는 것은 어떠니?

❶ 학급 신문의 주제를 정한다.

학급 신문의 이름을 뭐라고 정하지?
주제와 어울리게 정해야겠지?

❷ 학급 신문의 이름을 정한다.

❸ 자신의 의견을 뒷받침할 자료를 찾는다.

❹ 자신의 의견과 의견을 뒷받침하는 까닭을 종이에 적는다.

❺ 각자가 적은 종이를 모둠별로 학급 신문에 붙인다.

❻ 학급 신문을 완성한다.

• **그림 설명:** 학급 신문을 만드는 순서와 방법이 나타나 있습니다.

교과서 핵심

◎ 학급 신문에 실을 자신의 의견을 글로 쓸 때 주의할 점

- 문제 상황을 제시해야 합니다.
- 자신의 의견을 분명히 밝힙니다.
- 알맞은 까닭을 듭니다.
- 읽는 사람을 생각해 예의를 갖춥니다.
- 읽는 사람이 들어줄 수 있는 의견을 제시합니다.
- 문장의 짜임에 맞게 씁니다.
- 제목을 씁니다.

1 학급 신문을 만들 때 가장 먼저 할 일은 무엇입니까? (　　)

① 자신의 의견을 적는다.
② 학급 신문의 주제를 정한다.
③ 학급 신문의 이름을 정한다.
④ 의견을 뒷받침하는 까닭을 적는다.
⑤ 자신의 의견을 뒷받침할 자료를 찾는다.

2 학급 신문에 들어갈 내용으로 알맞지 않은 것은 무엇입니까? (　　)

① 주제　　② 신문 이름
③ 친구들의 의견　　④ 사진이나 그림
⑤ 신문을 만든 장소

3 자신이 학급 신문을 만든다면 어떤 주제로 만들고 싶은지 쓰시오.

(　　　　　　　　　　)

핵심 역량

4 학급 신문에 실을 자신의 의견을 글로 쓸 때 주의할 점이 아닌 것은 무엇입니까? (　　)

① 문제 상황을 제시한다.
② 문장의 짜임에 맞게 쓴다.
③ 까닭은 꼭 한 가지만 쓴다.
④ 읽는 사람을 생각해 예의를 갖추어 쓴다.
⑤ 의견과 그렇게 생각하는 까닭이 드러나게 쓴다.

기본 • 99~100쪽 문장의 짜임을 생각하며 의견 표현하기

● 가~다에 해당하는 속담을 보기 에서 찾아 문장의 짜임에 맞게 쓰기

보기
- 바늘 도둑이 소도둑 된다.
- 발 없는 말이 천 리 간다.
- 빈 수레가 요란하다.

가 바늘을 훔치던 사람이 계속 반복하다 보면 결국은 소까지도 훔친다는 뜻으로, 작은 나쁜 짓도 자꾸 하게 되면 큰 죄를 저지르게 됨을 비유적으로 이르는 말이다.

누가/무엇이	무엇이다/어찌하다/어떠하다
바늘 도둑이	소도둑 된다.

나 실속 없는 사람이 겉으로 더 떠들어 댐을 비유적으로 이르는 말이다.

누가/무엇이	무엇이다/어찌하다/어떠하다
빈 수레가	요란하다.

다 말은 비록 발이 없지만 천 리 밖까지도 순식간에 퍼진다는 뜻으로, 말을 삼가야 함을 비유적으로 이르는 말이다.

누가/무엇이	무엇이다/어찌하다/어떠하다
발 없는 말이	천 리 간다.

● 보기 처럼 문장의 짜임에 맞게 ⬭와 ▭로 표시하기

보기
(빨간 것은) [사과이다.]

(사과는) [맛있다.]

(맛있는 것은) [바나나이다.]

(바나나는) [길다.]

(긴 것은) [기차이다.]

(기차는) [빠르다.]

(빠른 것은) [비행기이다.]

1 다음에서 설명하는 속담을 보기 에서 찾아 쓰시오.

바늘을 훔치던 사람이 계속 반복하다 보면 결국은 소까지도 훔친다는 뜻으로, 작은 나쁜 짓도 자꾸 하게 되면 큰 죄를 저지르게 됨을 비유적으로 이르는 말이다.

(　　　　　　　　)

2 1번 문제의 속담을 문장의 짜임에 맞게 쓰시오.

누가/무엇이	무엇이다/어찌하다/어떠하다
(1)	(2)

3 다음 문장에서 '무엇이'에 해당하는 부분에 ⬭표를 하시오.

바나나는 길다.

4 다음 문장을 문장의 짜임에 맞게 나누어 쓰시오.

(1) 긴 것은 기차이다.

무엇이	무엇이다

(2) 기차는 빠르다.

무엇이	어떠하다

5 단원

기본 • 101~102쪽 자신의 의견을 제시하는 글 쓰기

함께 사는 다문화, 왜 중요할까요?

홍명진

㉮ 다문화를 받아들이는 방법은 나와 다른 사람을 특별 대우 하는 것이 아니에요. 그들을 관심, 교육, 온정의 대상이 아니라 길거리에서 만나도 신기하지 않은 평범한 이웃이나 친구로 대하는 것이지요. 지하철 옆자리에 앉아도, 식당에서 마주쳐도 아무도 흘긋흘긋 훔쳐보지 않는 편안한 세상, '그들'이 아닌 '우리 중 하나'가 되게 하는 것이죠. 그리고 시간이 얼마쯤 더 지나면, 우리 동네에서 나와 피부색이 다른 경찰관, 소방관, 주민 센터 직원을 만날 수 있게 될지 모릅니다.

㉯ 우리의 마음속에 진정한 선진국이 된 한국은 어떤 모습일까요?

선진국: 다른 나라보다 정치·경제·문화 따위의 발달이 앞선 나라

물론 가장 먼저 경제적으로 지금보다 더 발전한 나라를 꿈꾸겠지요. 하지만 선진국이란 단순히 제품 생산이나 무역을 많이 하고 국민들의 소득이 높은 나라가 아니에요. 그런 것은 선진국이 되기 위한 조건 중 하나일 뿐이지요. 진짜 선진국이 되려면 겉모습뿐만 아니라 내면도 성숙해야 한답니다. 그 나라가 얼마나 건강하고 성숙한지 알 수 있는 방법은 무엇일까요? 그 나라가 사회의 하층민, 가난하고 소외된 사람들을 어떻게 대하는지 보면 알 수 있어요.

무역: 나라와 나라 사이에 서로 물품을 사고파는 일

내면: 밖으로 드러나지 아니하는 사람의 속마음

어느 사회나 ㉠도움을 필요로 하거나 어려움에 처한 사람들이 있어요. 가난한 사람들, 노인, 몸이 불편한 사람들, 외국인 노동자가 그들이죠. 그런 사람들을 배려하고 따뜻하게 품어 주지 못하는 사회를 진정으로 잘 사는 사회라고 말할 수 없습니다.

㉰ 하지만 사회의 발전을 함께 이끄는 구성원으로 이들을 받아들인다면 한국은 주변 국가로부터 본받을 만한 나라로 인정받을 겁니다.

구성원: 어떤 조직이나 단체를 이루고 있는 사람들

"우리는 한 공동체의 구성원이야."

라고 손을 내밀 수 있는 국가야말로 열려 있는 사회이며 우리가 만들어 가야 할 선진 국가의 모습이랍니다.

5 글쓴이가 말한, 다문화를 받아들이는 방법으로 알맞은 것에 ○표를 하시오.

(1) 나와 다른 사람을 특별 대우한다. (　　)

(2) 평범한 이웃이나 친구처럼 대한다. (　　)

(3) 길거리에서 만나면 신기하게 생각한다. (　　)

6 ㉠에 속하는 사람으로 알맞지 않은 것은 무엇입니까? (　　)

① 노인
② 운동 선수
③ 가난한 사람들
④ 외국인 노동자
⑤ 몸이 불편한 사람들

7 다문화 사회에서 우리가 노력해야 할 점에 대해 알맞은 까닭을 들어 자신의 의견을 쓰시오.

____

____

____

기초 다지기 방언과 뜻이 같은 표준어 알기

8 우리말에는 같은 뜻을 나타내는 여러 가지 방언이 있습니다. 다음 방언과 뜻이 같은 표준어가 잘못 짝 지어진 것은 무엇입니까? (　　)

① 올갱이 – 다슬기　② 부치기 – 부침개　③ 할매 – 할아버지
④ 오마니 – 어머니　⑤ 콩주름 – 콩나물

단원 마무리

준비

》문장의 짜임에 맞게 말하기

1. 문장의 짜임

누가	어떠하다
늙은 농부의 세 아들은	게을렀습니다.
❶ □□	어찌하다
늙은 농부는	세 아들에게 밭에 보물이 있다고 말해 주었습니다.
무엇이	무엇이다
아버지께서 밭에 묻어 두신 보물은	주렁주렁 열린 포도송이였습니다.

2. 문장의 짜임을 생각하며 짧은 글 쓰기

김예지는 내 친구 입니다.
내 친구 예지는 친절합니다.
❷ □□□ 예지는 친구들을 잘 도와줍니다.

기본

》문장의 짜임을 생각하며 의견 표현하기

예 「목홧값을 누가 물어야 하나?」의 이야기의 흐름을 문장의 짜임에 맞게 쓰기

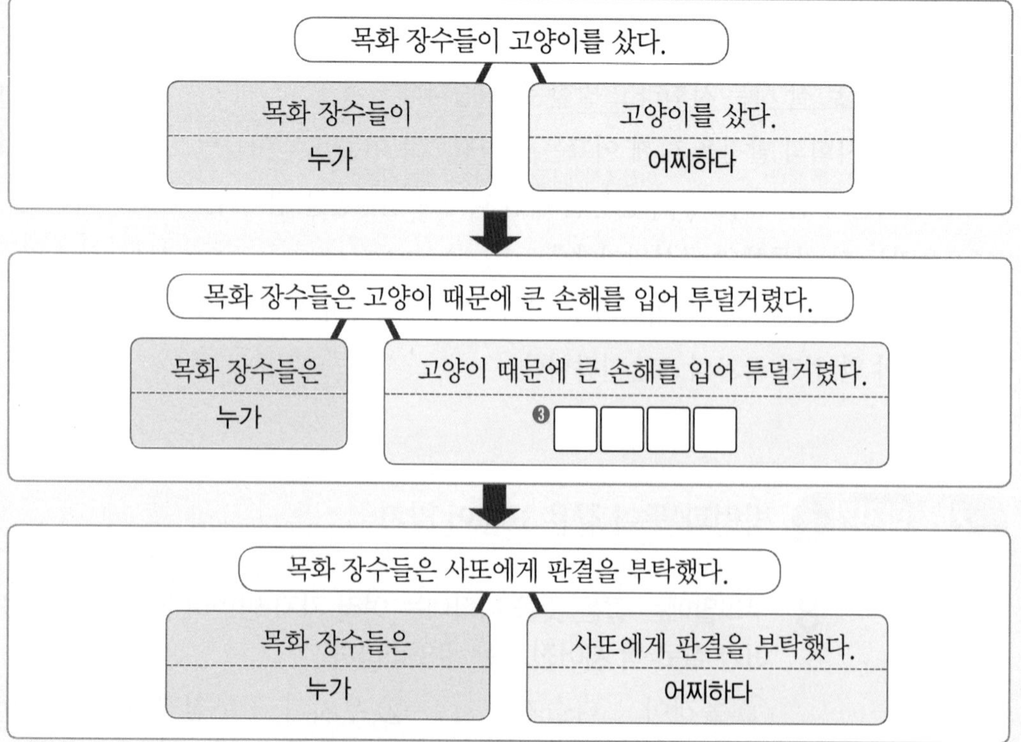

목화 장수들이 고양이를 샀다.
목화 장수들이
누가
고양이를 샀다.
어찌하다
목화 장수들은 고양이 때문에 큰 손해를 입어 투덜거렸다.
목화 장수들은
누가
고양이 때문에 큰 손해를 입어 투덜거렸다.
❸ □□□□
목화 장수들은 사포에게 판결을 부탁했다.
목화 장수들은
누가
사포에게 판결을 부탁했다.
어찌하다

5 단원

기본 ……

》자신의 의견을 제시하는 글 쓰기

1. 댐 건설에 대한 글쓴이의 의견 비교하기

효은

댐 건설 기관 담당자

효은이의 의견	상수리에 댐을 건설하는 것을 반대한다.
그렇게 생각한 까닭	숲에 사는 동물들이 살 곳을 잃기 때문이다. / 만강의 물고기들을 다시는 볼 수 없기 때문이다. / 마을 어른들께서 평생 살아온 고향을 떠나셔야 하기 때문이다.
댐 건설 기관 담당자의 의견	상수리에 댐을 건설해야 한다.
그렇게 생각한 ❹ □□	폭우로 생기는 문제를 막을 수 있다. / 홍수로 인한 피해를 막을 수 있다.

2. 의견을 제시하는 글을 쓰는 방법 알기

	효은이가 쓴 편지	댐 건설 기관 담당자가 쓴 편지
문제 상황 자세히 쓰기	담당자들께서는 작년에 비가 많이 와서 만강 하류에 있는 도시에 물난리가 났다고 말씀하셨습니다. 그래서 홍수를 막으려면 우리 마을에 댐을 건설해야 한다고 하셨습니다.	상수리 주변에 사는 주민들이 홍수로 겪는 정신적·물질적 피해는 해마다 늘어나고 있습니다.
자신의 ❺ □□ 제시하기	저는 댐을 건설하는 것에 반대합니다.	상수리에 댐을 건설해야 합니다.
의견을 뒷받침하는 까닭 쓰기	댐을 건설하면 숲에 사는 동물들이 살 곳을 잃고, 우리는 만강의 물고기들을 다시는 볼 수 없게 될 것입니다. 그리고 마을 어른들께서는 평생 살아온 고향을 떠나야 한다고 말씀하십니다.	만강에 댐을 건설하면 여름철에 폭우로 생기는 문제를 막을 수 있습니다.

3. 주변 사람들에게 자신의 의견을 제시하는 글 쓰기

꽃밭에 쓰레기가 버려져 있는 상황

예 학교 꽃밭에 쓰레기가 버려져 있는 것을 보았습니다. 처음에는 하나만 버려져 있었는데 점점 쓰레기가 늘어가고 있습니다. 학교 꽃밭에 쓰레기를 버리지 않았으면 좋겠습니다. 꽃밭은 쓰레기통이 아닙니다. 쓰레기는 꼭 쓰레기통에 버려 주세요. 꽃은 쓰레기가 없는 깨끗한 꽃밭에서 건강하게 자랄 수 있기 때문입니다. 그리고 보기에도 좋지 않습니다.

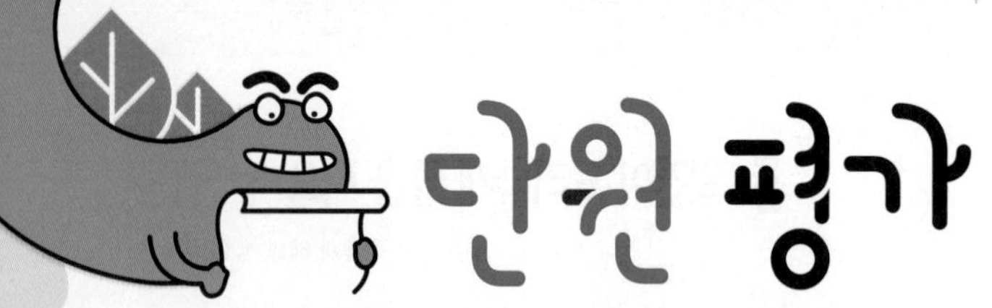

1 '누가+어찌하다'의 짜임에 맞게 문장을 나눈 것을 찾아 ○표를 하시오.

(1) 늙은 농부는+세 아들에게 밭에 보물이 있다고 말해 주었습니다. ( )

(2) 늙은 농부는 세 아들에게+밭에 보물이 있다고 말해 주었습니다. ( )

2 다음 문장을 두 부분으로 나눌 때 '무엇이'에 해당하는 부분은 무엇입니까? ( )

> 아버지께서 밭에 묻어 두신 보물은 주렁주렁 열린 포도송이였습니다.

① 아버지께서
② 아버지께서 밭에
③ 아버지께서 밭에 묻어 두신
④ 아버지께서 밭에 묻어 두신 보물은
⑤ 아버지께서 밭에 묻어 두신 보물은 주렁주렁 열린

3 다음 문장의 짜임에서 '어떠하다'에 해당하지 않는 말은 무엇입니까? ( )

> 누가/무엇이+어떠하다

① 달리다 ② 빨갛다 ③ 둥글다
④ 게으르다 ⑤ 친절하다

4 문장의 짜임을 생각하며 짧은 글을 쓸 때 빈칸에 '어떠하다'에 해당하는 말을 쓰시오.

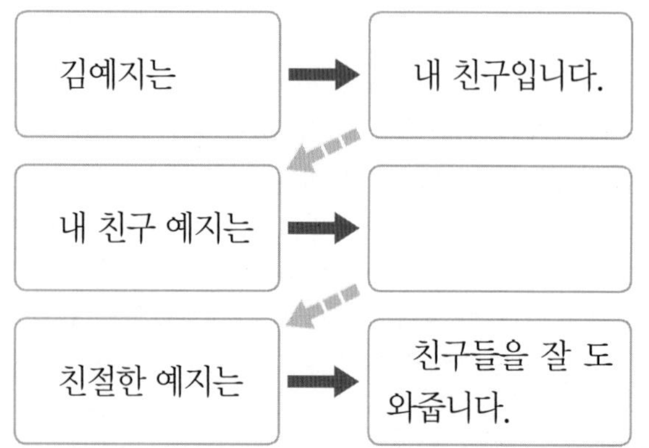

김예지는
내 친구입니다.
내 친구 예지는
친절한 예지는
친구들을 잘 도와줍니다.

5~6 글을 읽고, 물음에 답하시오.

> 옛날 어느 마을에 목화 장수 네 사람이 살았다. 그들은 싼 목화가 있으면 함께 사서 큰 광 속에 보관해 두었다가 값이 오르면 팔았다. 그런데 그 광에는 쥐가 많아 목화를 어지럽히기도 하고 오줌을 싸기도 했다. 목화 장수들은 궁리 끝에 광에 고양이를 기르기로 하고 똑같이 돈을 내어 고양이를 샀다. 그러고는 공동 책임을 지려고 고양이의 다리 하나씩을 각자 몫으로 정하고 고양이를 보살피기로 했다.

서술형

5 목화 장수 네 사람이 고양이를 기르기로 한 까닭은 무엇인지 쓰시오.

6 이 이야기에서 일어난 일을 문장의 짜임에 맞게 쓴 것은 무엇입니까? ( )

① 목화 장수들이 고양이를 샀다.
② 고양이를 목화 장수들이 팔았다.
③ 목화 장수들이 큰 광 속에서 살았다.
④ 고양이가 광에 있는 목화를 보살폈다.
⑤ 목화 장수들이 고양이를 광 속에 보관하였다.

중요

7 다음 문장을 '누가+어찌하다'에 알맞게 선으로 이으시오.

> 목화 장수들은 고양이 때문에 큰 손해를 입어 투덜거렸다.

(1) 누가 •   • ① 고양이 때문에 큰 손해를 입어 투덜거렸다.

(2) 어찌하다 •   • ② 목화 장수들은

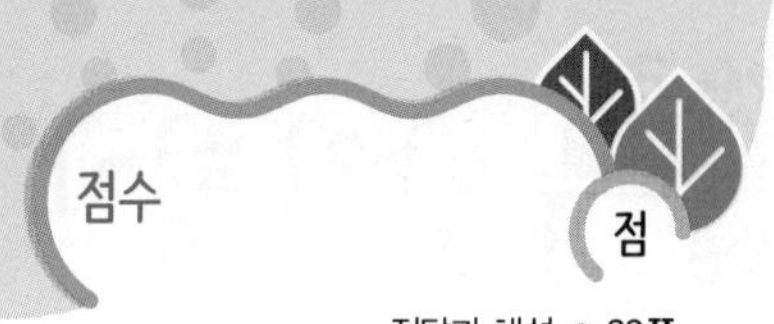

정답과 해설 ● 22쪽

8~9 글을 읽고, 물음에 답하시오.

세 사람은 고양이의 아픈 다리를 맡았던 사람에게 목홧값을 물어내라고 했다. 억울한 그 목화 장수는 절대 목홧값을 물어 줄 수 없다며 큰 싸움을 벌였다.

"불이 붙은 고양이가 광으로 도망칠 때는 성한 세 다리로 도망쳤잖아? 그러니까 광에 불이 난 것은 순전히 너희가 맡은 세 다리 때문이야."

아무리 싸워도 해결이 나지 않자, 네 사람은 고을 사또를 찾아가 판결을 해 달라고 부탁했다.

8 고양이의 아픈 다리를 맡았던 목화 장수의 의견은 무엇입니까? ( )

① 자기가 목홧값을 물어 주겠다.
② 고양이는 광으로 도망치지 않았다.
③ 아무도 목홧값을 물지 않아도 된다.
④ 광에 불이 난 것은 자기의 잘못이다.
⑤ 광에 불이 난 것은 고양이의 성한 세 다리 때문이다.

9 다음 문장을 문장의 짜임에 맞게 나누어 쓰시오.

목화 장수들은 사또에게 판결을 부탁했다.

(1) 누가: ( )
(2) 어찌하다:( )

국어 활동

10 다음과 같이 문장의 짜임에 맞게 ( )와 [ ]로 표시한 것으로 알맞지 않은 것은 무엇입니까? ( )

(빨간 것은)[사과이다.]

① (사과는)[맛있다.]
② (기차는)[빠르다.]
③ (긴 것은)[기차이다.]
④ (빠른)[것은 비행기이다.]
⑤ (맛있는 것은)[바나나이다.]

11~13 글을 읽고, 물음에 답하시오.

어제 만강에 댐을 건설할 수 있는지 알아보려고 담당자들께서 우리 마을을 방문하셨습니다. 담당자들께서는 작년에 비가 많이 와서 만강 하류에 있는 도시에 물난리가 났다고 말씀하셨습니다. 그래서 홍수를 막으려면 우리 마을에 댐을 건설해야 한다고 하셨습니다.

하지만 ㉠저는 댐을 건설하는 것에 반대합니다. 우리 상수리에 댐을 건설하면 ㉡숲에 사는 동물들이 살 곳을 잃고, 우리는 만강의 물고기들을 다시는 볼 수 없게 될 것입니다. 그리고 마을 어른들께서는 평생 살아온 고향을 떠나야 한다고 말씀하십니다. 우리 마을에 댐을 건설하기로 한 계획을 취소해 주시기를 부탁합니다.

20○○년 10월 ○○일 / 김효은 올림

서술형

11 효은이가 편지를 쓴 까닭은 무엇인지 쓰시오.

12 효은이가 제시한 문제 상황입니다. 빈칸에 들어갈 알맞은 말을 찾아 쓰시오.

담당자들께서는 작년에 비가 많이 와서 만강 하류에 있는 도시에 물난리가 났다고 말씀하셨습니다. 그래서 홍수를 막으려면 우리 마을에 ( )고 하셨습니다.

( )

중요

13 ㉠, ㉡은 각각 무엇에 해당하는지 보기 에서 찾아 쓰시오.

보기
의견, 의견을 뒷받침하는 까닭

(1) ㉠: ( )
(2) ㉡: ( )

단원 평가

14~16 글을 읽고, 물음에 답하시오.

> 김효은 학생의 편지를 잘 읽었습니다.
> 아름다운 상수리가 댐 건설로 겪게 될 어려움을 잘 압니다. 하지만 상수리 주변에 사는 주민들이 홍수로 겪는 정신적·물질적 피해는 해마다 늘어나고 있습니다.
> 만강에 댐을 건설하면 여름철에 폭우로 생기는 문제를 막을 수 있습니다. 비가 내리는 대로 내버려 두면, 강 하류에서는 강물이 넘쳐서 논밭이 빗물에 잠기기도 합니다.
> 그리고 집과 길이 부서지고 심지어 사람이 목숨까지 잃을 만큼 위험합니다. 하지만 댐을 건설하면 홍수로 인한 이런 피해를 막을 수 있습니다.
> 상수리에 댐을 건설해야 합니다. 우리는 상수리 마을 주민들에게 피해가 가지 않도록 주민들이 이사하는 데 모든 지원을 아끼지 않을 것입니다. 댐 건설에는 상수리 마을 주민들의 협조가 필요합니다.

14 댐 건설에 대한 글쓴이의 의견은 무엇입니까?

( )

15 글쓴이가 14번 문제에서 답한 의견과 같이 생각하는 까닭은 무엇입니까? ( )

① 자연환경을 보호할 수 있다.
② 동물들의 터전이 없어질 수 있다.
③ 새로운 곳으로 이사를 갈 수 있다.
④ 가뭄으로 인한 피해가 커질 수 있다.
⑤ 폭우로 생기는 문제를 막을 수 있다.

중요

16 댐 건설에 대한 자신의 의견을 제시하는 글을 쓰는 방법으로 알맞지 않은 것은 무엇입니까? ( )

① 예의를 지켜서 쓴다.
② 문제 상황을 제시한다.
③ 자신의 의견을 잘 드러낸다.
④ 그렇게 생각한 까닭은 쓰지 않는다.
⑤ '누가/무엇이'와 '무엇이다/어찌하다/어떠하다'의 연결이 자연스럽게 쓴다.

17 주변에서 의견을 제시할 필요가 있는 상황을 찾아 기호를 모두 쓰시오.

> ㉠ 아이들이 고운 말을 하는 상황
> ㉡ 횡단보도를 건너면서 스마트폰을 하는 상황
> ㉢ 인터넷을 보고 독후감을 그대로 베끼는 상황

( )

18 다음 그림과 같은 문제를 해결하기 위한 자신의 의견을 쓰시오.

( )

국어 활동

19 다음 문제 상황에서 우리가 해야 할 일을 의견으로 바르게 말한 것을 찾아 ○표를 하시오.

> 얼마나 많은 시간이 걸릴지 알 수 없지만 지금과 같은 속도라면 머지않아 우리나라도 미국이나 캐나다, 프랑스 같은 다문화 사회가 될 거예요. 그렇게 되면 지금 유럽이 겪고 있는 다문화로 인한 갈등은 남이 아닌 우리 이야기가 되겠지요.

(1) 전통 문화를 익힌다. ( )
(2) 외국인 이민자를 특별하게 대한다. ( )
(3) 다문화를 받아들이고, 다문화 사회를 준비해야 한다. ( )

20 학급 신문을 계획할 때 가장 먼저 할 일은 무엇입니까?

( )

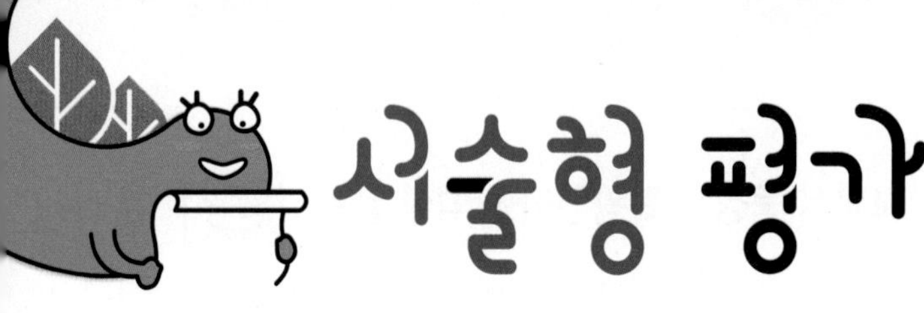

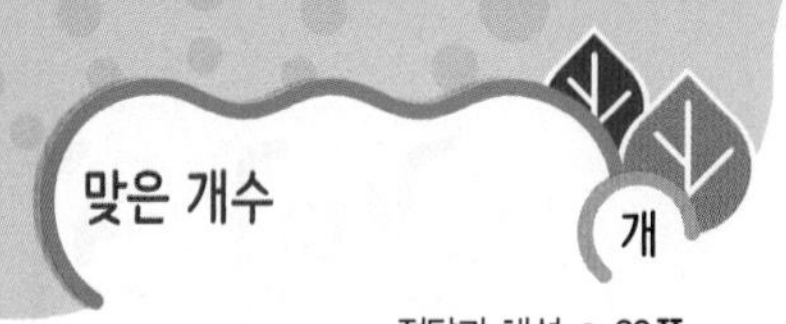

정답과 해설 ● 23쪽

1 문장의 짜임을 알면 좋은 점을 보기 와 같이 쓰시오.

보기
문장을 두 부분으로 끊어 읽으면 이해하기가 쉬워.

2~3 글을 읽고, 물음에 답하시오.

목화 장수 네 명은 뜻하지 않게 큰 손해를 보게 되었다. 그러자 고양이의 성한 다리를 맡았던 목화 장수 세 명이 투덜투덜 불평을 늘어놓았다.

"이번 불은 순전히 고양이의 아픈 다리를 맡았던 저 사람 때문이야. 하필이면 불이 잘 붙는 산초기름을 발라 줄 게 뭐야?"

"맞아. 그러니 목홧값을 그 사람에게 물어 달라고 하자."

세 사람은 고양이의 아픈 다리를 맡았던 사람에게 목홧값을 물어내라고 했다.

2 고양이의 성한 다리를 맡았던 목화 장수 세 명의 의견은 무엇인지 쓰시오.

3 이 이야기의 내용을 문장의 짜임에 맞게 한 문장으로 요약하시오.

4~5 글을 읽고, 물음에 답하시오.

㉮ 하지만 저는 댐을 건설하는 것에 반대합니다. 우리 상수리에 댐을 건설하면 숲에 사는 동물들이 살 곳을 잃고, 우리는 만강의 물고기들을 다시는 볼 수 없게 될 것입니다. 그리고 마을 어른들께서는 평생 살아온 고향을 떠나야 한다고 말씀하십니다. 우리 마을에 댐을 건설하기로 한 계획을 취소해 주시기를 부탁합니다.

㉯ 하지만 상수리 주변에 사는 주민들이 홍수로 겪는 정신적·물질적 피해는 해마다 늘어나고 있습니다.

만강에 댐을 건설하면 여름철에 폭우로 생기는 문제를 막을 수 있습니다. 비가 내리는 대로 내버려 두면, 강 하류에서는 강물이 넘쳐서 논밭이 빗물에 잠기기도 합니다.

그리고 집과 길이 부서지고 심지어 사람이 목숨까지 잃을 만큼 위험합니다. 하지만 댐을 건설하면 홍수로 인한 이런 피해를 막을 수 있습니다.

4 글 ㉮와 ㉯는 댐 건설에 대한 의견이 서로 다릅니다. 댐 건설에 대한 글쓴이의 의견을 비교해 쓰시오.

5 댐 건설에 대한 자신의 의견과 그렇게 생각하는 까닭을 함께 쓰시오.

낱말 퀴즈

교과서 문장으로 확인하는 **핵심 낱말** 

● 다음 교과서 문장의 파란색 낱말 중에서 알맞은 것을 골라 인물들이 한 말을 완성하시오.

- 늙은 농부는 세 아들에게 밭에 **보물**이 있다고 말해 주었습니다.
- 순식간에 목화 더미에 불이 번져 광 속의 목화가 **몽땅** 타 버리고 말았다.
- 아무리 싸워도 **해결**이 나지 않자, 네 사람은 고을 사또를 찾아가 판결을 해 달라고 부탁했다.
- 만강에 댐을 건설하면 여름철에 **폭우**로 생기는 문제를 막을 수 있습니다.

혹시 ❶_________이 들어 있는 것 아닐까?

이것 좀 봐. 내가 숲에 있는 산딸기를 ❷_________ 따 왔어.

이것으로 오늘 밤 잠자리 문제는 ❸_________이 됐어.

쏴

태풍이 온다는데 ❹_________에 견딜 수 있을까?

정답 | ❶ 보물 ❷ 몽땅 ❸ 해결 ❹ 폭우

역량 자신 알아보기

6 본받고 싶은 인물을 찾아봐요

무엇을 배울까요?

준비

- 본받고 싶은 인물 소개하기

기본

- 전기문의 특성 알기
- 전기문의 특성을 생각하며 읽기
- 본받을 점을 생각하며 전기문 읽기

실천

- 자신의 미래 모습 발표하기

1 본받고 싶은 인물 소개하기

① 전기문은 인물의 삶을 사실대로 기록한 글입니다.
② 전기문에 나오는 인물이 살았던 시대는 어떠했고, 자신이 인물과 같은 상황에 처했다면 어떠했을지 생각합니다.
③ 본받고 싶은 인물을 소개할 때에는 본받고 싶은 까닭, 인물이 살았던 시대 상황, 인물이 한 일을 중심으로 말합니다.

2 전기문의 특성

① 전기문은 인물의 삶을 사실에 근거해 쓴 글입니다.
② 전기문에는 인물이 살았던 시대 상황이 나타나 있습니다.
③ 전기문에는 인물이 한 일과 인물의 가치관이 나타나 있습니다.
→ 가치관은 사람이 어떤 행동이나 일을 선택하고 실천하는 데 바탕이 되는 생각을 말합니다.

예 「김만덕」을 읽고 전기문의 특성 알기

김만덕이 살았던 시대 상황은 어떠했니?

김만덕이 살았던 조선 시대에는 양반과 양민에 대한 신분 차별이 있었어.

3 전기문에서 인물의 가치관을 짐작하는 방법

① 인물의 생각이 드러난 곳을 찾아봅니다.
② 인물이 처한 시대 상황을 찾아봅니다.
③ 인물이 한 일과 인물이 한 일의 까닭을 찾아봅니다.

4 본받을 점을 생각하며 전기문 읽기

① 인물의 생각을 짐작하며 글을 읽습니다.
② 인물의 말이나 행동에서 본받을 점을 찾아봅니다.

5 자신의 미래 모습 발표하기

① 미래의 자기 모습을 상상해 봅니다.
② 자신이 앞으로 살아갈 모습을 상상해 봅니다.

예 미래에 자신이 하고 싶은 일을 이루어 가는 과정 상상하기

미래의 시대 상황		내가 겪을 어려움		어려움을 이겨 내는 방법		내가 이루어 낸 일
환경 오염으로 지구 환경이 파괴됨.	➡	대체 에너지 개발에 필요한 사람과 돈이 적어 개발에 어려움을 겪음.	➡	뜻이 있는 사람들을 모으고, 연구비를 모금함.	➡	대체 에너지를 개발함.

핵심 확인 문제

정답과 해설 ● 24쪽

1 인물의 삶을 사실에 근거해 쓴 글을 무엇이라고 합니까?
(   )

2 본받고 싶은 인물을 소개할 때에는 본받고 싶은 ☐☐, 인물이 살았던 시대 상황, 인물이 한 일을 중심으로 말합니다.

3 전기문에는 인물의 가치관이 나타나 있습니다.
(○ , ×)

4 다음에서 알 수 있는 전기문의 특성은 무엇인지 알맞은 것에 ○표를 하시오.

> 조선 시대에는 양반과 양민에 대한 신분 차별이 있었다.

• 인물이 살았던 (장소 , 시대 상황)을/를 알 수 있습니다.

5 전기문에서 인물의 가치관을 짐작하는 방법은 무엇입니까?

> 인물의 ☐☐이/가 드러난 곳과 인물이 처한 시대 상황, 인물이 한 일과 그 까닭을 찾아봅니다.

준비

정답과 해설 ● 24쪽

1~2 대화를 읽고, 물음에 답하시오.

● 전기문을 읽은 경험을 떠올리며 대화 읽기

정원아, 여기서 뭐 해?
책에서 본 인물이 남달리 한 일을 알고 싶어서 그 인물의 전기문을 찾고 있어.
마침 나도 전기문에 나오는 인물이 살았던 시대는 지금과 어떻게 달랐는지 궁금했는데, 같이 전기문이 있는 '역사' 책꽂이로 가 보자.
①
②

교과서 문제

1 전기문은 도서관의 어느 책꽂이에서 찾을 수 있습니까?

( ) 책꽂이

2 친구들이 전기문을 찾으려고 하는 까닭으로 알맞지 않은 것에 ×표를 하시오.

(1) 인물의 모습을 알고 싶어서 ( )

(2) 인물이 한 일을 알고 싶어서 ( )

(3) 인물이 살았던 시대를 알고 싶어서 ( )

교과서 문제

3 어떤 인물에 대한 설명인지 보기 에서 찾아 이름을 쓰시오.

보기
주시경　세종 대왕　헬렌 켈러

(1) 우리나라 최초로 국어 문법의 틀을 세운 ( )이/가 살던 시대는 우리글이 있었지만 글을 읽지 못하는 사람들이 대부분이었다.

(2) "장애는 불편하다. 하지만 불행하지는 않다."라는 말을 남긴 ( )은/는 장애에 대한 편견을 없애는 데 큰 역할을 했다.

4~5 대화를 읽고, 물음에 답하시오.

● 인물을 소개할 때 말할 내용을 생각하며 대화 읽기

① 주시경 선생님은 어떤 일을 하셨기에 본받고 싶다는 거니?

② 백 년 전만 해도 글을 읽지 못하는 사람들이 대부분이었는데, 주시경 선생님의 노력 덕분에 지금은 우리글을 쉽게 배울 수 있는 거래.

③ 주시경 선생님은 왜 그런 노력을 하셨을까?

④ 우리나라가 외세의 침략을 받지 않고 잘 살려면 우리글을 모두가 알아야 한다고 생각하셨고, 그래서 누구나 쉽게 배울 수 있도록 문법을 연구하셨대.

4 여자아이는 누구를 소개하고 있습니까?

( )

핵심

5 이 대화로 보아 전기문을 읽고 인물을 소개할 때 말하면 좋을 내용은 무엇인지 모두 고르시오.

(, ,)

① 인물의 단점
② 인물이 한 일
③ 본받고 싶은 까닭
④ 인물이 살았던 시대 상황
⑤ 자신이 인물에 대해 상상한 일

6 자신이 본받고 싶은 인물은 누구입니까?

( )

역량 제재

전기문의 특성 알기

🔈 전기문의 특성을 생각하며 읽기

김만덕

신현배

▲ 김만덕 초상

❶ "사또, 부탁드릴 일이 있어 왔습니다. 저는 본디 ♥양민의 딸이었습니다. 그런데 어린 나이에 부모를 ♥여의고 친척 집에 맡겨졌다가 어쩔 수 없이 기생이 되었습니다. 사또께서는 제 억울한 사정을 헤아리시어 저를 양민의 신분으로 되돌려 주시기 바랍니다."

김만덕은 눈물을 흘리며 제주 목사에게 간절히 말하였다. 제주 목사는 김만덕의 말이 사실인지 관리를 불러 조사하게 하였다. 그리고 김만덕의 억울한 사정이 밝혀지자 명을 내렸다.

목사: 조선 시대에 지방에 파견했던 행정 관리

"만덕의 이름을 기안에서 지우고 양민의 신분으로 되돌려 주어라."

기안: 관아에서 기생의 이름을 기록해 두던 책

김만덕은 뛸 듯이 기뻤다. 이제 자유의 몸이 되어 새로운 인생을 살게 된 것이다.

김만덕은 1739년에 제주도의 가난한 선비 집안에서 태어났다. 비록 가난하였으나 사랑과 정이 깊은 부모님 밑에서 자랐다. 그러나 열두 살이 되던 해에 심한 흉년과 전염병 때문에 부모님을 차례로 여의고 말았다. 친척 집을 이리저리 옮겨 다니며 살던 김만덕은 기생의 수양딸이 되었다가 스물세 살이 되던 해에 드디어 기생의 신분에서 벗어났다.

중심 내용 부모님을 여의고 기생이 되었던 김만덕은 스물세 살이 되던 해에 양민의 신분을 되찾았다.

- **글의 종류**: 전기문
- **글의 특징**: 김만덕이 살았던 시대 상황, 한 일, 가치관이 잘 나타나 있습니다.

♥**양민** 신분제 사회에서 지배 계급이 아닌 일반인을 뜻하는 말.

♥**여의고** 부모나 사랑하는 사람이 죽어서 이별하고.
예 친구는 일찍이 부모를 여의고 혼자 살았습니다.

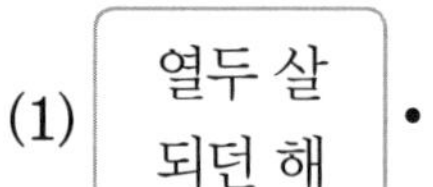

∘ 전기문의 특성 알기 ①

김만덕의 삶
김만덕은 조선 시대에 실제 살았던 인물이다.

➡ 전기문은 인물의 삶을 사실에 근거해 쓴 글입니다.

1 이와 같은 글의 종류는 무엇입니까? (　　)

① 일기 ② 편지 ③ 전기문 ④ 설명하는 글 ⑤ 주장하는 글

2 김만덕이 제주 목사에게 부탁한 일은 무엇입니까? (　　)

① 기생이 되게 해 달라는 것
② 제주도를 떠나게 해 달라는 것
③ 공부를 할 수 있게 해 달라는 것
④ 양민의 신분으로 되돌려 달라는 것
⑤ 자신을 보살폈던 친척을 찾아 달라는 것

3 김만덕에게 있었던 일에 맞게 각각 선으로 이으시오.

(1) 열두 살 되던 해 • 　　• ① 부모님을 여의었다.

(2) 스물세 살 되던 해 • 　　• ② 기생의 신분에서 벗어났다.

핵심

4 다음 빈칸에 알맞은 말을 쓰시오.

이 글은 인물의 삶을 (　　　　　　)에 근거해 쓴 글로, 김만덕은 조선 시대에 실제 살았던 인물이다.

❷ 자유의 몸이 된 김만덕은 제주도의 ♥포구에 객줏집을 열었다. 객줏집은 상인의 물건을 맡아 팔기도 하고 물건을 사고파는 데 ♥흥정을 붙이기도 하며, 상인들을 먹여 주고 재워 주기도 하는 집을 말하였다. 육지에서 온 상인들은 김만덕의 객줏집에서 묵어갈 뿐만 아니라 김만덕에게 육지의 물건을 맡기기도 하였다.

"쌀, 무명이오. 좋은 값에 팔아 주시오."

김만덕은 육지의 물건을 제주도 사람들에게 팔아 이익을 남길 수 있었다. 또 김만덕은 녹용, 약초, 귤, 미역, 전복 같은 제주도의 특산물에 눈길을 돌렸다. 이러한 물건들을 제주도 사람들에게 사들여 육지 상인들에게 팔았다. 육지 상인들은 제주도의 특산물을 적당한 가격에 사들일 수 있어 김만덕의 객줏집으로 몰려들었다.

김만덕은 장사를 하면서 세 가지 원칙을 지켰다. 첫째는 이익을 적게 남기고 많이 판다. 둘째는 적당한 가격에 물건을 사고판다. 그리고 셋째는 반드시 ♥신용을 지키고 정직한 ♥거래를 한다. 이러한 세 가지 원칙을 철저히 지켰기 때문에 김만덕의 사업은 나날이 ♥번창하였다.

중심 내용 김만덕은 장사를 하면서 세 가지 원칙을 지켰고, 사업은 나날이 번창하였다.

6 단원

♥**포구** 배가 드나드는 강이나 내에 바닷물이 드나드는 곳의 어귀.
♥**흥정** 물건을 사거나 팔기 위하여 품질이나 가격 따위를 의논함.
예 엄마는 가끔 시장에서 흥정을 하여 물건을 사십니다.
♥**신용** 사람이나 사물이 틀림없다고 믿어 의심하지 아니함. 또는 그런 믿음성의 정도.
♥**거래**(去 갈 거, 來 올 래) 물건을 사고팖.
♥**번창**(繁 번성할 번, 昌 창성할 창) 번화하게 잘 뻗어 나감.
예 사업의 번창으로 많은 돈을 벌 수 있었습니다.

교과서 핵심 ● **전기문의 특성 알기 ②**

김만덕의 가치관
예 정직과 신용을 원칙으로 장사를 했다는 것에서 정직을 중요하게 생각했다는 것을 알 수 있다.

5 자유의 몸이 된 김만덕이 제주도의 포구에 연 것으로, 다음에서 설명하는 것은 무엇입니까?

> 상인의 물건을 맡아 팔기도 하고 물건을 사고파는 데 흥정을 붙이기도 하며, 상인들을 먹여 주고 재워 주기도 하는 집

( )

6 김만덕이 한 일이 아닌 것은 무엇입니까? ( )

① 제주도 사람에게 특산물을 사들였다.
② 육지의 물건을 제주도 사람에게 팔았다.
③ 제주도의 특산물을 육지에 가서 팔았다.
④ 육지에서 온 상인을 먹여 주고 재워 주었다.
⑤ 상인의 물건을 맡아 팔기도 하고, 흥정도 붙였다.

7 김만덕이 장사를 하면서 지켰던 원칙을 세 가지 고르시오. (, ,)

① 이익을 적게 남기고 많이 판다.
② 적당한 가격에 물건을 사고판다.
③ 가격을 비싸게 부르고 적게 판다.
④ 가난한 사람에게는 돈을 받지 않는다.
⑤ 반드시 신용을 지키고 정직한 거래를 한다.

핵심

8 7번 문제에서 답한 세 가지 원칙으로 보아 김만덕이 중요하게 생각한 것은 무엇입니까? ( )

① 돈 ② 사랑 ③ 정직
④ 용기 ⑤ 이익

기본

❸ 몇십 년이 흘렀다. 김만덕은 제주도에서 손꼽히는 큰 상인이 되었다. 많은 돈을 벌어들여 '제주도 부자 김만덕' 하면 모르는 사람이 없을 정도였다. 그러나 김만덕은 돈이 많다고 하여 함부로 돈을 ♥낭비하지 않았다. 오히려 더 절약하고 검소한 생활을 하였다.

㉠ "풍년에는 흉년을 생각하여 더욱 절약해야 돼. 그리고 편안히 사는 사람은 어렵게 사는 사람을 생각하여 하늘의 은혜에 감사하며 검소하게 살아야 하고……."

김만덕은 주위 사람들에게 늘 이렇게 말하였다.

중심 내용 김만덕은 많은 돈을 벌었지만 오히려 더 절약하고 검소한 생활을 하였다.

❹ 1790년부터 4년 동안 제주도에는 흉년이 계속되었다. 그 바람에 양식이 없어 굶주리는 사람들이 늘어났다. 제주도 사람들은 모두 굶어 죽게 되었다며 근심에 잠겼다. 그러나 다행스럽게도 이듬해에는 농사가 잘되었다. 때맞추어 비가 내려 들판에는 곡식이 익어 갔다. 이대로라면 그해 농사는 대풍년이었다. 그런데 수확을 앞두고 제주도에 태풍이 몰려왔다. 그동안 애써 가꾸어 놓은 농산물이 모두 심한 피해를 입어 제주도 사람들은 이제 꼼짝없이 굶어 죽을 ♥지경에 이르렀다. 제주 목사는 그해 9월에 이러한 사정을 편지로 써서 조정에 알렸다.

> 태풍으로 올해 농사를 망쳐 제주도 사람 모두가 굶어 죽을 위기에 처했습니다. 곡식 이만 석을 급히 보내 주십시오.

♥낭비(浪 물결 낭, 費 쓸 비) 시간이나 재물 따위를 헛되이 헤프게 씀.
예 시간을 낭비하지 않고 잘 써야 합니다.

♥지경 '경우'나 '형편', '정도'의 뜻을 나타내는 말.

교과서 핵심 ◦ 전기문의 특성 알기 ③

김만덕이 살았던 시대 상황
1790년부터 제주도에 4년 동안 흉년이 들었고, 이듬해 수확을 앞두고 제주도에 태풍이 몰려와서 제주도 사람들이 모두 굶어 죽을 위기에 처했다.

9 제주도에서 손꼽히는 부자가 된 김만덕의 생활은 어떠하였습니까? (　　)

① 여행을 다녔다.
② 풍족한 생활을 누렸다.
③ 장사를 더 크게 벌였다.
④ 사치스러운 생활을 하였다.
⑤ 더 절약하고 검소한 생활을 하였다.

논술형

10 ㉠과 같은 김만덕이 한 말에서 본받고 싶은 점을 쓰시오.

____

____

핵심

11 글 ❹에 나타난 김만덕이 살았던 시대 상황을 두 가지 고르시오. (　　,　　)

① 4년 동안 흉년이 계속되었다.
② 많은 사람들이 육지로 떠났다.
③ 전염병이 돌아 사람들이 죽었다.
④ 수확을 앞두고 태풍이 몰려왔다.
⑤ 가뭄으로 먹을 물이 부족하였다.

역량

12 이 글을 읽고, 전기문의 특성을 바르게 말한 친구를 쓰시오.

> 세영: 인물의 가치관을 알 수 있어.
> 민우: 인물의 삶을 상상해 지어 낸 이야기야.
> 다율: 우리가 살고 있는 시대 상황이 나타나 있어.

(　　　　　　　　)

정조 임금은 이 편지를 받고 신하들과 회의를 하였다. 그리고 곡식 이만 석을 보내 제주도 사람들을 살리기로 결정하였다. ㉠임금의 명으로 신하들은 곡식을 여러 배에 나누어 실어 제주도로 보냈다. 하지만 그 배들은 제주도에 닿지 못하였다. 갑자기 태풍이 불어닥쳐 배가 모두 바닷속으로 가라앉아 버린 것이다. 배가 ♥침몰하였다는 소식을 들은 제주도 사람들은 이제는 굶어 죽을 수밖에 없다며 ♥절망에 빠졌다. 이것을 보고 김만덕은 생각하였다.

'제주도 사람들을 굶어 죽게 내버려 둘 수는 없다. 내가 나서서 그들을 살려야겠다.'

김만덕은 전 재산을 들여 육지에서 곡식을 사 오게 하였다. 그 곡식은 총 오백여 석이었다.

"제가 전 재산을 들여 육지에서 사들인 곡식입니다. 굶주린 사람들에게 나누어 주십시오."

제주 목사는 김만덕의 말을 듣고 깜짝 놀랐다.

'양반도 아닌 상인이 피땀 흘려 모은 재산을 제주도 사람들을 구하겠다고 모두 내놓다니 정말 어진 사람이구나.'

어진: 마음이 너그럽고 착하며 슬기롭고 덕행이 높은

관청 마당에는 곡식이 산더미같이 쌓여 있었다. 제주 목사는 곡식을 풀어 굶주린 사람들에게 나누어 주었다. 그리하여 제주도 사람들은 목숨을 건질 수 있었다.

중심 내용 김만덕은 자신의 전 재산을 들여 산 곡식을 제주도 사람들에게 나누어 주었다.

♥침몰(沈 가라앉을 **침**, 沒 가라앉을 **몰**) 물속에 가라앉음.

♥절망 바라볼 것이 없게 되어 모든 희망을 끊어 버림. 또는 그런 상태.

교과서 핵심 ● 전기문의 특성 알기 ④

김만덕이 한 일
예 제주도에 흉년이 들어 사람들이 굶어 죽을 위기에 처했을 때 전 재산을 들여 육지에서 곡식을 사 오게 했고, 그것을 굶주린 사람에게 나누어 주었다.

➡ 김만덕의 가치관: 예 나눔을 가치 있게 생각한다.

13 ㉠'임금의 명'의 내용은 무엇입니까? (　　)

① 제주도 특산물을 사 들여라.
② 제주도 사람들에게 일을 주어라.
③ 곡식 이만 석을 제주도에 보내라.
④ 제주도 사람들의 농사를 도와주어라.
⑤ 제주도 사람들이 육지에 오도록 하여라.

14 정조 임금이 보낸 배는 왜 제주도에 닿지 못하였습니까? (　　)

① 배가 갑자기 멈추어서
② 배가 다른 섬으로 가서
③ 도적들이 배를 훔쳐 가서
④ 배에 탄 사람들이 병이 나서
⑤ 태풍이 불어닥쳐 배가 침몰해서

핵심

15 굶어 죽을 위기에 처한 제주도 사람들을 위해 김만덕이 한 일은 무엇입니까? (　　)

① 임금에게 편지를 써서 보냈다.
② 사람들과 함께 육지로 떠났다.
③ 제주 목사에게 곡식을 달라고 하였다.
④ 부자들의 재산을 빼앗아 나누어 주었다.
⑤ 전 재산을 들여 곡식을 사서 나누어 주었다.

서술형

16 김만덕이 한 일에서 알 수 있는 김만덕의 가치관을 쓰시오.

❺ "㉠ 그분이 없었다면 우리는 어떻게 되었을까?"

"모두 굶어 죽었겠지. 그분은 제주도 사람들의 ♥은인이야."

㉡ 제주도 사람들은 모이기만 하면 김만덕의 업적과 어진 덕을 칭찬하였다. 제주 목사는 임금에게 김만덕의 행동을 칭찬하는 글을 올렸다. 임금은 제주 목사의 편지를 받고 눈이 ♥화등잔만 해졌다.

"제주도에 사는 여인이 전 재산을 내놓아 굶주린 사람들을 살렸다고? 참으로 고마운 일이로구나. 김만덕의 소원을 들어주도록 하여라."

제주 목사가 김만덕에게 소원을 묻자, 김만덕은 임금의 ♥용안을 뵙는 것과 금강산 구경을 말하였다. 임금은 김만덕에게 벼슬을 내려 임금을 만날 수 있게 해 주었다. ㉢양민의 신분으로는 임금을 만날 수 없었기 때문이다. 그리고 제주도 여자는 제주도를 떠날 수 없었던 그 당시의 ♥규범을 깨고 김만덕에게 금강산을 구경하도록 해 주었다.

중심 내용 정조 임금은 큰 기부를 하여 선행을 베푼 김만덕의 소원을 들어주었다.

❻ ㉣ 김만덕은 일 년여 동안 서울에서 지낸 뒤에 다시 고향 제주도로 돌아왔다. 그리고 예전과 다름없이 장사를 하며 어려운 사람들을 도왔다. ㉤ 김만덕은 자신만 풍요롭게 살기보다는 자신이 가진 것을 사람들과 나누며 함께 살았다. 김만덕의 삶은 이웃과 더불어 살며 나누고 베푸는 따뜻한 마음이 무엇인지 우리에게 잘 보여 준다.

중심 내용 김만덕의 삶은 이웃과 더불어 살며 나누고 베푸는 따뜻한 마음이 무엇인지 우리에게 잘 보여 준다.

♥은인(恩 은혜 은, 人 사람 인) 자신에게 은혜를 베푼 사람.
예 그분은 제 생명의 은인입니다.

♥화등잔 놀라거나 두려워 커다래진 눈을 비유적으로 이르는 말.

♥용안 임금의 얼굴을 높여 이르는 말.

♥규범(規 법 규, 範 법 범) 인간이 행동하거나 판단할 때에 마땅히 따르고 지켜야 할 가치 판단의 기준.

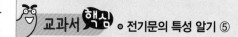

교과서 핵심 ● 전기문의 특성 알기 ⑤

김만덕이 살았던 시대 상황

예 양민의 신분으로는 임금을 만날 수 없었다는 말에서 양민에 대한 신분 차별이 있었다는 것을 알 수 있다.

17 ㉠'그분'은 누구를 말하는지 쓰시오.

( )

18 김만덕이 제주 목사에게 말한 소원을 두 가지 고르시오. (,)

① 서울을 구경하는 것
② 배를 구해 달라는 것
③ 금강산을 구경하는 것
④ 벼슬을 내려 달라는 것
⑤ 임금의 용안을 뵙는 것

핵심

19 ㉡~㉤ 중 인물이 살았던 시대 상황이 드러난 부분을 찾아 기호를 쓰시오.

( )

20 김만덕의 삶이 우리에게 보여 주는 것은 무엇인지 찾아 쓰시오.

• 김만덕의 삶은 ________________ 이/가 무엇인지 보여 준다.

인물이 살아온 과정을 생각하며 읽기

정약용

김은미

❶ 정약용은 ㉠1762년 지금의 경기도 남양주에 있는 마재에서 태어났어요. 지방 관리였던 아버지 덕분에 정약용은 어릴 때부터 백성의 삶을 가까이서 지켜볼 수 있었어요.

백성은 ㉡이른 아침부터 해가 떨어질 때까지 한시도 쉬지 않고 일했지요. 그런데도 백성은 늘 배불리 먹지 못했어요. 세금을 내지 못해 남의 집 머슴살이를 하는 사람도 많았어요. 어린 정약용의 눈에 그것은 참 이상한 일이었어요.

중심 내용 정약용은 1762년에 경기도 남양주에서 태어났다.

❷ ㉢열다섯 살 때, 아버지를 따라 한양으로 간 정약용은 많은 사람을 만나 학문을 배우고 익혔어요. 훗날 정약용에게 큰 영향을 준 이익의 책을 처음 본 것도 이즈음이었지요. 그때까지 정약용은 사람이 바르게 사는 도리를 따지는 성리학을 주로 공부했어요. 그런데 이익이 사물에 폭넓게 관심을 두고 해박한 지식을 쌓은 것을 보면서 정약용의 생각도 조금씩 달라졌어요. 백성이 잘 사는 데 도움이 되는 ♥실학에 관심을 갖게 된 거예요.

이익: 조선 영조 때의 학자. 실학의 대가로 천문, 지리, 의학 따위에 업적을 남김.
해박한: 여러 방면으로 학식이 넓은

중심 내용 정약용은 열다섯 살 때 아버지를 따라 한양으로 가서 학문을 배우고 익혔다.

❸ ㉣1792년 진주 목사로 있던 정약용의 아버지가 돌아가셨어요. 정약용은 벼슬을 그만두고 아버지의 무덤을 지키는 '시묘살이'를 했어요. 조선 시대에는 부모님이 돌아가시면 삼 년간 그 무덤 앞에 움막을 짓고 살면서 부모님의 명복을 빌었거든요.

목사: 조선 시대에, 지방의 목을 다스리던 관리
명복: 죽은 뒤 저승에서 받는 복

하지만 정조는 시묘를 살던 정약용을 가만히 내버려 두지 않았어요. 그즈음 정조는 수원에 성을 크게 쌓을 계획을 세우고 있었어요.

- 글의 종류: 전기문
- 글의 특징: 정약용이 살았던 시대 상황, 한 일, 가치관이 잘 나타나 있습니다.

♥실학(實 열매 실, 學 배울 학) 조선 시대에 실생활에 이롭거나 도움이 되는 것을 목표로 한 새로운 학문 연구 경향.

교과서 핵심 ● 전기문의 특성을 생각하며 읽기 ①

정약용이 살았던 시대 상황
예 당시 백성은 이른 아침부터 해가 떨어질 때까지 한시도 쉬지 않고 일했지만 늘 배불리 먹지 못했다.

1 정약용은 언제, 어디에서 태어났습니까?

(1) 언제: (　　　　　)

(2) 어디에서: (　　　　　)

핵심

2 정약용이 살았던 시대의 백성의 삶은 어떠했습니까? (　　)

① 세금이 없었다.
② 먹을 것이 남아돌았다.
③ 성리학을 주로 공부했다.
④ 쉬엄쉬엄 일을 하며 여유롭게 지냈다.
⑤ 쉬지 않고 일해도 배불리 먹지 못했다.

3 정약용은 이익의 책을 보면서 무엇에 관심을 갖게 되었습니까?

(　　　　　)

4 ㉠~㉣ 중 정약용이 한 일의 차례를 알 수 <u>있는 말이 아닌</u> 것의 기호를 쓰시오.

(　　　　　)

기본

정조는 정약용에게 책을 보내며 좋은 방법을 생각해 보라고 했어요.

"수원에 새로이 성을 지으려 하네. 성을 짓는 데 드는 돈을 줄이면서 백성의 수고도 덜 수 있는 방법을 찾아보게."

중심 내용 정약용은 1792년에 아버지께서 돌아가셔서 시묘를 살았다.

❹ 정약용은 정조가 보내 준 책들을 꼼꼼히 읽으며 ㉠ 고민에 빠졌어요. 정약용이 생각하기에 성을 쌓을 때 가장 큰 문제는 돌을 옮기는 일이었어요. 힘을 덜 들이고 크고 무거운 돌을 옮길 방법을 찾던 정약용은 서른한 살 되던 해, 마침내 거중기를 만들었어요. 도르래의 원리를 이용해 작은 힘으로도 무거운 물건을 들 수 있도록 만든 기계였지요.

▲ 거중기

거중기 덕분에 백성은 성을 짓는 일에 자주 나오지 않아도 되어 마음 편히 농사를 지을 수 있었어요. 나라에서도 성을 짓는 데 드는 ♥비용을 크게 줄일 수 있었어요. 정약용 덕분에 나라 살림도 아끼고 백성의 수고도 덜게 된 거예요.

중심 내용 정약용은 거중기를 만들어 성을 짓는 데 도움을 주었다.

❺ 서른세 살 때, 정약용은 정조의 비밀 명령을 받고 암행어사가 되었어요. 암행어사는 임금을 대신해 지방 관리들이 백성을 잘 다스리는지 알아보는 중요한 벼슬이었어요.

♥비용(費 쓸 비, 用 쓸 용) 어떤 일을 하는 데 드는 돈.
㉰ 우리 가족은 여행 비용으로 많은 돈을 썼습니다.

교과서 핵심 ● 전기문의 특성을 생각하며 읽기 ②

정약용이 한 일
• 서른한 살 되던 해 – 거중기를 발명했다. • 서른세 살 때 – 암행어사가 되었다.

5 정약용이 한 ㉠'고민'의 내용은 무엇입니까? ( )

① 성을 언제 쌓아야 하는가?
② 성을 어디에 쌓아야 하는가?
③ 성을 어떤 모양으로 쌓아야 하는가?
④ 성을 짓는 데 필요한 돈을 어떻게 마련해야 하는가?
⑤ 힘을 덜 들이고 크고 무거운 돌을 옮길 방법은 무엇인가?

6 정약용이 만든 거중기는 어떤 원리를 이용한 기계입니까?

( )의 원리

교과서 문제

7 정약용이 만든 거중기는 백성에게 어떤 도움을 주었습니까? ( )

① 먹을 것이 남아돌게 되었다.
② 농사를 짓지 않아도 되었다.
③ 농사를 짓는 사람이 늘어났다.
④ 농사를 짓는 시간이 줄어들었다.
⑤ 성을 짓는 일에 자주 나오지 않아도 되어 마음 편히 농사를 지을 수 있었다.

핵심

8 이 글에서 정약용이 한 일을 파악하여 빈칸에 알맞은 말을 쓰시오.

서른한 살 되던 해	거중기를 만들었다.
⬇	
서른세 살 때	( )이/가 되었다.

정답과 해설 ● 25쪽

6 단원

어느 날 연천 지역을 돌던 정약용은 주막에서 들려오는 이야기 소리에 귀가 번쩍 뜨였어요.

"아이고, 못 살겠다. 흉년이 들어 나라에서는 세금을 ♥면제해 주었다는데, 왜 우리 사또는 세금을 걷는 거야? 그걸로 자기 재산 불리려는 ♥속셈을 누가 모를 줄 알고? 흉년이 들어 먹을 것도 없는데 욕심 많은 사또 때문에 아주 죽겠네 그려."

정약용은 서둘러 사실을 알아보았어요. 그러고는 백성의 재물을 빼앗아 자기 배를 불린 연천 현감 김양직을 크게 벌했어요.

(현감: 조선 시대에 작은 현을 다스리던 지방관)

중심 내용 정약용은 서른세 살 때 암행어사가 되었다.

❻ 정약용은 암행어사로 일하는 동안 지방 관리가 어떤 마음을 가져야 하는지에 대해 깊이 생각했어요. 임금이 아무리 나라를 잘 다스려도 지방 관리가 나쁜 짓을 일삼으면 백성은 어렵게 살 수밖에 없다는 것을 알게 되었거든요. 어릴 때 아버지 옆에서 보았던 백성의 어려운 삶도 머릿속을 떠나지 않았어요. 정약용은 쉰일곱 살이 되던 1818년, 이런 생각들을 자세히 담은 『목민심서』라는 책을 펴냈어요.

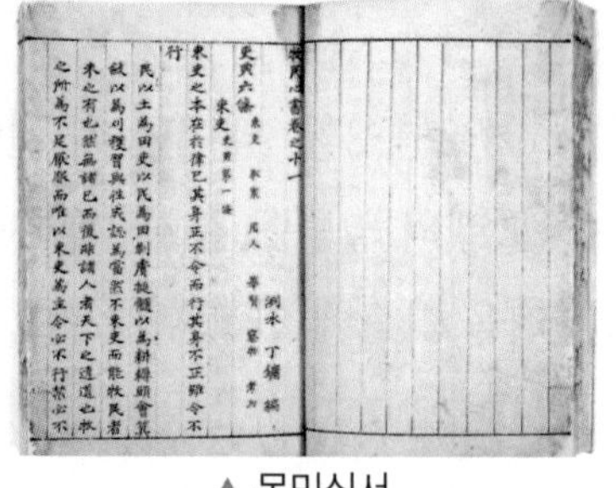

▲ 목민심서

중심 내용 정약용은 1818년에 『목민심서』를 펴냈다.

♥면제(免 면할 **면**, 除 덜 **제**) 책임이나 의무 따위를 면하여 줌.
예 학교에서 수업료 면제를 받았습니다.

♥속셈 마음속으로 하는 궁리나 계획.

교과서 핵심 ● 전기문의 특성을 살려 글의 내용 요약하기

인물이 한 일		짐작할 수 있는 인물의 가치관
• 거중기를 발명했다. • 암행어사가 되었다. • 『목민심서』를 썼다.	➡	예 백성의 어려운 삶을 지켜보면서 백성에게 도움이 되려고 맡은 일을 열심히 했다.

9 1818년에 정약용이 펴낸 책의 이름은 무엇입니까?

( )

교과서 문제

10 정약용이 9번 문제에서 답한 책을 펴낸 까닭을 <u>두 가지</u> 고르시오. (,)

① 정조가 책을 쓰라고 해서
② 임금이 나라를 잘 다스리기를 바라서
③ 어릴 때 보았던 백성의 어려운 삶이 떠올라서
④ 암행어사로 일하는 동안의 일을 기록하고 싶어서
⑤ 지방 관리가 어떤 마음을 가져야 하는지 말하고 싶어서

11 정약용의 가치관을 짐작하는 방법으로 알맞지 <u>않은</u> 것에 ×표를 하시오.

(1) 정약용의 생김새를 찾아본다. ( )
(2) 정약용이 한 일의 까닭을 찾아본다. ( )
(3) 정약용의 생각이 드러난 곳을 찾아본다. ( )

핵심 논술형

12 이 글 전체에서 짐작할 수 있는 정약용의 가치관은 무엇인지 쓰시오.

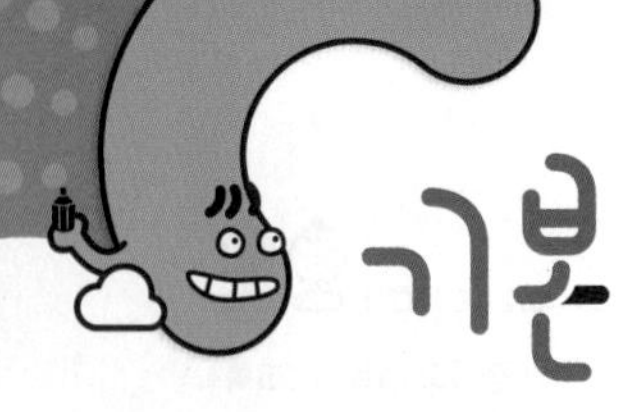

인물의 생각을 짐작하며 읽기

헬렌 켈러

신여명

❶ 1882년 2월, 태어난 지 열아홉 달밖에 되지 않은 헬렌의 열병이 좀처럼 낫지 않았습니다. 엄마는 헬렌을 가슴에 안고 며칠 동안 밤낮을 가리지 않고 돌보며 달랬지만 소용이 없었습니다. 헬렌은 거의 잠도 자지 않고 온몸을 뒤척이며(몸을 이리저리 뒤집으며) 괴로워했습니다. 며칠이 지난 뒤 헬렌의 열병은 마침내 가라앉았습니다. 헬렌은 겉으로 보기에는 아무런 이상(평소와는 다른 상태)이 없었으며, 깊은 잠에 빠져 있는 것 같았습니다. 엄마는 딸을 끌어안고 살아남은 것을 거듭 고마워했습니다. 그러나 엄마도, 의사들도 이 열병 때문에 헬렌에게 무슨 일이 일어났는지 그때는 알지 못했습니다.

엄마는 딸이 누워 있는 침대로 갔습니다. 햇빛이 유리창을 뚫고 헬렌의 얼굴을 밝게 비춰 주고 있었습니다. 헬렌은 눈을 뜨고 있으면서도 빛을 피하지 않은 채 그대로 있었습니다. 이전 같았으면 눈이 부셔 얼굴을 돌렸을 겁니다. 이상하게 생각한 엄마는 헬렌의 눈 가까이에 손을 흔들어 보았지만 눈을 전혀 깜박이지 않았습니다. 식탁에서 ♥램프를 가져와 얼굴 가까이 비춰 보았지만 아무런 반응이 없었습니다. 헬렌은 열병 때문에 ♥시력을 잃고 만 것입니다.

며칠 뒤였습니다. 저녁 식사를 알리는 종이 울렸을 때 엄마는 헬렌과 함께 있었습니다. 헬렌은 먹는 것을 좋아해서 언제나 종소리가 울리기가 무섭게 식탁으로 다가오고는 했습니다. 그런데 어쩐 일인지 이번에는 아무것도 알아듣지 못한 것 같았습니다. 엄마는 깡통에 돌을 넣은 딸랑이를 헬렌의 귀에 대고 흔들었습니다. 그런데 헬렌의 엄마는 또 한 번 큰 충격을 받았습니다. 헬렌이 아무런 반응도 보이지 않았기 때문입니다. 더 크게 흔들어도 마찬가지였습니다. 열병은 헬렌의 듣는 능력까지 빼앗아 간 것입니다.

중심 내용 헬렌은 태어난 지 열아홉 달밖에 되지 않았을 때 열병에 걸려 시력과 듣는 능력을 잃었다.

- **글의 종류**: 전기문
- **글의 특징**: 헬렌 켈러가 보지도 듣지도 말하지도 못하는 장애를 극복하고 남을 돕는 모습을 통해 본받을 점을 생각할 수 있습니다.

♥**램프** 석유를 연료로 하여 불을 켜는, 심지 둘레에 둥근 유리를 씌운 등.

♥**시력**(視 볼 시, 力 힘 력) 눈으로 물체를 볼 수 있는 능력.

1 헬렌이 열병에 걸린 것은 언제입니까?

(　　　　　　　　)

2 열병이 나은 후 헬렌의 모습으로 알맞은 것은 무엇입니까? (　　)

① 눈을 계속 깜박였다.
② 눈이 부시면 얼굴을 돌렸다.
③ 얼굴을 비추는 햇빛을 피하려고 했다.
④ 램프를 얼굴 가까이 비추자 예민하게 반응했다.
⑤ 눈 가까이에서 손을 흔들어도 눈을 전혀 깜박이지 않았다.

3 깡통에 돌을 넣은 딸랑이를 헬렌의 귀에 대고 흔들었을 때 헬렌의 엄마가 큰 충격을 받은 까닭은 무엇인지 쓰시오.

(　　　　　　　　)

4 열병 때문에 일어난 일을 두 가지 고르시오. (　　,　　)

① 헬렌이 시력을 잃었다.
② 헬렌이 걸을 수가 없었다.
③ 헬렌의 목소리가 달라졌다.
④ 헬렌이 아무것도 듣지 못했다.
⑤ 헬렌이 밥을 먹으려고 하지 않았다.

❷ 헬렌의 부모는 헬렌을 치료하려고 먼 곳까지 여행하면서 의사들을 찾아다녔지만 어떤 의사도 도움이 되지 못했습니다. 헬렌은 어둠과 침묵의 세계 속에 갇힌 채 몸부림쳤습니다. 오랜 시간이 지난 뒤 헬렌은 그 시절을 되돌아보며 이렇게 말했습니다.

"나는 너무 어려서 무슨 일이 일어났는지 알지 못했다. 잠에서 깨어나 보니 모든 것이 깜깜하고 조용했다. 나는 밤이 되었다고 생각했다."

다른 사람들과 의사소통을 할 수 없게 되자 헬렌은 슬퍼하는 날이 많아졌습니다. 그리고 화를 잘 내고 소리를 지르며 걷어차고 물어뜯고 때렸습니다. 헬렌은 제멋대로였고 성격이 ♥난폭해져서 집안 식구들을 괴롭혔습니다. 그러나 자신이 다른 사람을 얼마나 괴롭히는지 알지 못했습니다.

의사소통: 가지고 있는 생각이나 뜻이 서로 통함.

중심 내용 어둠과 침묵의 세계 속에 살게 된 헬렌은 슬퍼하는 날이 많아졌고 성격이 난폭해졌다.

❸ 1887년 3월 3일은 헬렌 켈러의 ♥생애에서 가장 중요한 날입니다. 헬렌의 운명을 바꾸어 놓은 앤 설리번 선생님을 만난 날이기 때문입니다. 헬렌은 여덟 살 때 설리번 선생님을 만난 것입니다. 앤은 마차에서 내려서 헬렌의 아버지와 인사를 나누자마자 물었습니다.

"헬렌은요?"

현관문 앞에 헬렌이 서 있었습니다. 앤은 작은 소녀를 안았습니다. 그러나 헬렌은 안기려 하지 않고 몸을 빼려고 했습니다. 헬렌의 엄마는 헬렌이 볼 수도 들을 수도 없게 된 뒤부터 엄마한테만 안길 뿐 다른 사람이 안는 것을 싫어한다고 말해 주었습니다. 그러나 잠시 후 헬렌이 앤에게 다가왔습니다. 그러더니 손으로 이 낯선 사람을 만지기 시작했습니다. 얼굴을 만지고 코와 입과 먼지 묻은 옷을 차례로 만지는 것이었습니다. 앤은 헬렌의 손이 곧 눈이라는 것을 바로 알아차렸습니다. 이 손을 통해 헬렌에게 새로운 세계를 열어 주어야 할 일이 앤에게 맡겨진 것입니다. 이 손이 어둠 속에 갇힌 헬렌을 빛의 세계로 끌어낼 줄 것입니다.

중심 내용 1887년 3월 3일 헬렌은 앤 설리번 선생님을 만났다.

♥난폭해져서 행동이 몹시 거칠고 사나워져서.
예 오랜만에 친구를 만났는데 너무 난폭해져서 놀랐습니다.

♥생애(生 날 생, 涯 물가 애) 살아 있는 한평생의 기간.
예 오늘은 생애 최고의 날입니다.

6 단원

5 다른 사람들과 의사소통을 할 수 없게 되자 헬렌은 어떻게 하였습니까? ( )

① 매일 울면서 지냈다.
② 방에 숨어서 나오지 않았다.
③ 부모님의 말씀을 그대로 따랐다.
④ 말을 할 수 있는 방법을 연구했다.
⑤ 제멋대로 하며 집안 식구들을 괴롭혔다.

6 헬렌 켈러의 생애에서 가장 중요한 날인 1887년 3월 3일, 헬렌이 만난 사람은 누구입니까?

( )

7 헬렌이 6번 문제에서 답한 사람을 처음 만났을 때의 행동으로 알맞지 않은 것에 ×표를 하시오.

(1) 무서워서 울음을 터뜨렸다. ( )
(2) 안기려 하지 않고 몸을 빼려고 했다. ( )
(3) 얼굴을 만지고 코와 입과 먼지 묻은 옷을 차례로 만졌다. ( )

8 앤 선생님은 헬렌을 처음 만나고 어떤 생각을 했을지 빈칸에 알맞은 말을 쓰시오.

• ( )을/를 통해 헬렌에게 새로운 세계를 열어 주어야겠다.

❹ 헬렌은 선생님에게 날마다 새로운 낱말들을 배웠지만 낱말과 사물의 관계가 어떤 것인지 이해하지 못하고 있었습니다.

그러던 1887년 4월 5일, 마침내 기적 같은 일이 일어났습니다. 아름다운 봄날 아침이었습니다. 앤 선생님에게 ㉠새로운 생각이 번쩍 떠올랐습니다. 헬렌은 ♥펌프 주변의 마당에서 노는 것을 좋아했는데, 펌프를 이용해 '물'이라는 낱말의 관계를 실감(실제로 체험하는 느낌) 나게 알게 해 줄 수 있지 않을까 하는 생각이 들었습니다. 선생님은 헬렌의 손을 잡고 펌프가로 데리고 갔습니다. 펌프로 물을 퍼올리자 헬렌의 손바닥으로 시원한 물이 쏟아져 내렸습니다. 선생님은 헬렌의 손바닥에 처음에는 천천히, 나중에는 빨리 'w-a-t-e-r'('물'을 나타내는 낱말)라고 ♥거듭 써 주었습니다. 그러자 ㉡헬렌의 얼굴이 환히 빛났습니다. 그러더니 선생님에게 'w-a-t-e-r'라고 여러 번 써 보여 주는 것이었습니다. 그 순간 헬렌은 자기 손에 쏟아지는 물을 나타내는 낱말이 'water'이고, 세상의 모든 것은 각각 이름을 가지고 있다는 것을 비로소 깨닫게 된 것입니다. 마침내 헬렌의 앞에 빛의 세계가 열렸습니다. 헬렌은 배우고 싶다는 뜨거운 마음이 생겼습니다. 헬렌은 아침에 일찍 일어나자마자 글자를 쓰기 시작해 하루 종일 글을 쓰고는 했습니다. 결국 헬렌은 글자를 통해 다른 사람에게 자기 생각을 전할 수 있게 되었습니다.

중심 내용 헬렌은 앤 선생님의 도움으로 세상의 모든 것은 각각 이름을 가지고 있다는 것을 알게 되었다.

♥**펌프** 수도 시설이 없는 곳에서, 사람이 손잡이를 상하로 되풀이하여 움직임으로써 그 압력에 의하여 땅속에 수직으로 박혀 있는 관을 통하여 지하수가 땅 위로 나오도록 하는 기구.

♥**거듭** 어떤 일을 되풀이하여.
㉠ 친구는 어제 일을 거듭 사과했습니다.

교과서 핵심 ● 본받을 점을 생각하며 전기문 읽기 ①

㉠ 헬렌은 아침에 일찍 일어나 글자를 쓰기 시작해 하루 종일 글을 쓰는 일을 되풀이하여 결국 다른 사람에게 자기 생각을 전할 수 있게 되었습니다. 헬렌이 자신의 어려움을 줄이기 위해 노력한 점을 본받고 싶습니다.

9 ㉠'새로운 생각'은 무엇이겠습니까? (　　)

① 낱말을 새로 만드는 방법
② 혼자서 공부할 수 있는 방법
③ 마당에서 재미있게 노는 방법
④ 친구들과 친해질 수 있는 방법
⑤ '물'이라는 낱말의 관계를 실감 나게 알려 주는 방법

교과서 문제

10 ㉡에서 헬렌의 얼굴이 환히 빛난 까닭은 무엇일지 두 가지 고르시오. (　　,　　)

① 물을 좋아해서
② 앤 선생님과 함께 노는 것이 좋아서
③ '물'을 나타내는 낱말을 알게 되어서
④ 물이 손바닥에 닿는 느낌이 시원해서
⑤ 세상의 모든 것은 각각 이름을 가지고 있다는 것을 깨달아서

교과서 문제

11 헬렌이 처음으로 낱말과 사물의 관계를 알았을 때 어떤 생각을 했을지 쓰시오.

(　　　　　　　　　　　　　　　　　　　　)

핵심

12 헬렌은 다른 사람에게 자기 생각을 전하기 위해 어떤 노력을 하였습니까? (　　)

① 앞을 보기 위해 눈 수술을 받았다.
② 사람들을 만나 자신의 상황을 말했다.
③ 여러 군데의 학교를 다니며 공부를 했다.
④ 앤 선생님에게 대신 글을 써 달라고 부탁했다.
⑤ 아침에 일찍 일어나자마자 글자를 쓰기 시작해 하루 종일 글을 썼다.

❺ 1889년 가을, 헬렌은 퍼킨스학교에 다니게 되었습니다. 앤 선생님은 변함없이 헬렌을 가르쳤고, 다른 선생님들도 헬렌을 도와주었습니다. 퍼킨스학교에 머무는 동안 헬렌은 시각·청각·언어 장애를 지닌 노르웨이의 한 소녀가 입으로 말하는 법을 배웠다는 소식을 들었습니다. 이 소식을 듣자 헬렌은 너무나 기뻤으며, 자신도 이것을 배우게 해 달라고 선생님을 졸랐습니다. 말하기를 배우는 것이 너무 힘들었지만 헬렌은 포기하지 않았습니다. 뜻대로 말이 되지 않아 어려움을 많이 겪었지만 자신도 마침내 말을 할 수 있을 것이라는 희망을 버리지 않고 끊임없이 노력했습니다. 새에게도 말을 걸고 장난감과 개에게도 말을 했습니다.

중심 내용 퍼킨스학교에 다니게 된 헬렌은 많은 어려움 속에서도 말하기를 배웠다.

❻ 열 살이 된 헬렌은 퍼킨스학교에 있는 동안 자신처럼 장애를 지닌 어린이를 돕는 일에 나섰습니다. 펜실베이니아주에 살고 있는 토미를 퍼킨스학교에 데려와 교육받을 수 있도록 ♥**모금**을 하기로 한 것입니다. 다섯 살의 토미는 헬렌처럼 보지도 듣지도 말하지도 못하는 아이였습니다. 토미는 부모님도 안 계시고 가난한 아이여서 학교에 갈 수 없었습니다. 헬렌은 토미가 퍼킨스학교에 다닐 수 있도록 도와 달라는 글을 여러 사람과 신문사에 보냈습니다. 헬렌도 이 모금에 참여하기 위해 사치스러운 물건을 사지 않고 돈을 보탰습니다. 다행히 많은 성금(정성으로 내는 돈)이 모여 토미는 아무 걱정 없이 학교에 다닐 수 있게 되었습니다. 헬렌은 매우 기뻤습니다. 남을 도우면 이렇게 큰 기쁨을 누릴 수 있다는 깨달음을 얻었습니다.

중심 내용 열 살이 된 헬렌은 자신처럼 장애를 가진 토미를 돕기 위해 모금을 하고, 신문사와 사람들에게 글을 써서 보냈다.

♥모금(募 모을 모, 金 쇠 금) 기부금이나 성금 따위를 모음.
예 어려운 사람을 위하여 모금을 하였습니다.

교과서 핵심 ● **본받을 점을 생각하며 전기문 읽기 ②**

- 헬렌은 토미가 퍼킨스학교에 다닐 수 있도록 도와 달라는 글을 여러 사람과 신문사에 보냈습니다.
- 남을 도우면 큰 기쁨을 누릴 수 있다는 깨달음을 얻었습니다.

➡ 예 자신도 장애 때문에 배우는 것이 힘든데도, 남을 도와주는 것이 기쁘다고 말했습니다.

13 자신과 같은 장애를 지닌 노르웨이의 소녀 이야기를 듣고 헬렌이 배우기로 한 것은 무엇입니까? (　　)

① 글 쓰기　② 듣는 방법
③ 볼 수 있는 방법　④ 입으로 말하는 법
⑤ 혼자 힘으로 움직이기

14 헬렌 켈러는 어떻게 자신의 어려움을 줄일 수 있었습니까? (　　)

① 친구들이 도와주었다.
② 병원에 다니며 치료를 받았다.
③ 포기하지 않고 끊임없이 노력했다.
④ 배우는 것을 포기하고 희망을 버렸다.
⑤ 비슷한 처지의 사람들과 함께 연습했다.

15 토미가 학교에 다닐 수 있도록 하기 위해 헬렌이 한 일을 두 가지 고르시오. (　　,　　)

① 모금에 참여했다.
② 토미를 자신의 집으로 데려왔다.
③ 토미가 말을 할 수 있도록 직접 가르쳤다.
④ 학교에 찾아가 토미를 받아 달라고 부탁했다.
⑤ 토미를 도와 달라는 글을 여러 사람과 신문사에 보냈다.

핵심 논술형

16 이 글 전체를 읽고, 헬렌 켈러에게서 본받을 점을 쓰시오.

실천

역량 활동

자신의 미래 모습 발표하기

정답과 해설 ● 26쪽

● 그림을 보며 유관순의 삶 생각하기

시대 상황: 1919년 3월 1일, 유관순은 일본의 ♥침략에서 벗어나고자 사람들과 함께 독립 만세 운동을 함.

어려움: 1919년 3월 10일, 일본은 만세 운동을 하는 사람들에게 총칼을 휘두르고, 강제로 학교 문을 닫게 함.

어려움을 이겨 내려는 노력: 고향에 돌아와서 태극기를 만들고, 아우내 장터에 모인 사람들과 독립 만세를 외침.

본받고 싶은 것: 백여 년이 지난 지금까지도 우리에게 나라를 사랑하는 마음을 일깨워 줌.

• **그림 설명**: 유관순의 삶이 간단히 나타나 있습니다.

♥침략(侵 침노할 **침**, 略 다스릴 **략**) 정당한 이유 없이 남의 나라에 쳐들어감. ⓔ 일본의 침략으로 우리나라 사람들은 고통받았습니다.

교과서 핵심

● **자신의 미래 모습 발표하기**

ⓔ 저는 정약용과 같은 사람이 되어 다른 사람을 편히 살게 해 주고 싶습니다.

1 이 그림은 누구의 삶에 대해 정리한 것입니까? ( )

① 주시경 ② 안중근
③ 유관순 ④ 헬렌 켈러
⑤ 세종 대왕

교과서 문제

2 유관순은 어려움을 이겨 내려고 어떤 노력을 했는지 두 가지 고르시오. (,)

① 일본으로 건너갔다.
② 고향에 돌아와서 태극기를 만들었다.
③ 독립운동가를 만나 함께 일을 하였다.
④ 학교에서 공부를 더욱 열심히 하였다.
⑤ 아우내 장터에 모인 사람들과 독립 만세를 외쳤다.

3 유관순에게서 본받을 점은 무엇입니까?
( )

역량 서술형

4 자신의 미래 모습을 상상하여 빈칸에 알맞은 말을 쓰시오.

나는 ( )을/를 할 것입니다.

왜냐하면 ______

정답과 해설 ● 27쪽

기본 • 116~120쪽 전기문의 특성 알기

임금님을 공부시킨 책벌레

㉮ 어린 시절, 선조는 책이라면 몸서리를 치던 개구쟁이였습니다. 그러나 책벌레 스승 유희춘을 만난 뒤 선조는 180도 달라졌습니다.

"스승님, 어제 들려주신 『사기』를 더 읽어 주십시오."

사기: 중국 한나라의 사마천이 아주 오랜 옛날 황제로부터 전한 무제까지의 역대 왕조의 사건과 업적을 엮은 역사책

"항우와 유방 이야기 말씀이시지요? 어디까지 했더라……."

유희춘은 수많은 책 속에서 읽은 광활한 역사와 훌륭한 임금들의 이야기를 들려주었습니다.

광활한: 막힌 데가 없이 트이고 넓은

선조는 그때부터 책의 재미를 깨닫고 스승을 따라 어딜 가나 책을 쥐고 다니게 되었습니다.

유희춘은 명종 대에 간신배들에 맞서 바른 뜻을 굽히지 않다가 정적들의 모함으로 제주도에 유배를 가 있었습니다. 선조는 왕이 되자마자 유희춘을 한양으로 불러들이고 관직을 내주었습니다.

간신배: 간사한 신하의 무리

정적: 정치에서 대립되는 처지에 있는 사람

㉯ "그동안 많은 책 속에서 여러 오류를 발견하였습니다. 소신에게 시간을 주신다면 그 책을 바로잡아 새로 편찬하고 싶습니다."

편찬하고: 여러 가지 자료를 모아 체계적으로 정리하여 책을 만들고

이후 유희춘은 선조의 전폭적인 지원 아래 이미 편찬된 책들의 오류를 바로잡고 새로이 찍어 냈습니다.

전폭적인: 전체에 걸쳐 남김없이 완전한

1 유희춘이 유배를 간 까닭은 무엇입니까?

____

____

2 유희춘의 업적을 두 가지 고르시오. (,)

① 역사책을 썼다.
② 오랑캐를 무찔렀다.
③ 선조에게 예를 가르쳤다.
④ 편찬된 책들의 오류를 바로잡아 새로 찍었다.
⑤ 선조에게 책의 재미를 깨닫게 했다.

기본 • 121~123쪽 전기문의 특성을 생각하며 읽기

● 일어난 일의 흐름을 생각하며 읽기

시인 허난설헌

장성자

㉮ "영특하다고 오라비의 칭찬이 대단했다. 글을 읽고 쓸 줄 안다고 들었는데, 왜 꼭 스승을 두고 배우려 하느냐?"

초희는 얼굴이 붉어졌다. 스승님께 듣는 첫 번째 질문이었다. 초희는 마른침을 삼켰다. 이달 선비도 여자는 배울 필요가 없다고 말할까 봐 겁이 났다.

"저는 성현들의 넓고 깊은 학문과 지혜를 배우고 싶고, 시도 짓고 싶습니다."

성현: 지혜와 덕이 매우 뛰어나 길이 우러러 본받을 만한 사람과 어질고 총명한 사람을 아울러 이르는 말

㉯ "아니다. 시는 누구나 쓸 수 있다." / "네?"

초희는 이달 선비의 말에 놀라 오라버니를 보았다. 지금까지 누구나 시를 쓸 수 있다고 말해 준 사람은 없었다.

3 초희의 오라버니가 소개한 스승님은 누구입니까?

( )

4 허난설헌이 살았던 시대 상황으로 알맞은 것에 ○표를 하시오.

(1) 누구나 시를 쓸 수 있었다. ( )
(2) 꼭 스승을 두고 글을 배워야 했다. ( )
(3) 여자는 배울 필요가 없다고 생각하는 사람들이 많았다. ( )

㉰ "㉠이제 우리는 글방 동무가 되는 거다." / "글방 동무요?"

"㉡함께 책을 읽고 글도 지으며 학문의 깊이를 더해 가는 동무 말이다."

스승님과 오라버니와 동무가 되다니, 그것도 마음껏 책을 읽고 시를 짓는 동무가 되다니, 초희는 꿈인지 생시인지 분간이 되지 않았다.

생시: 자거나 취하지 아니하고 깨어 있을 때

㉱ "초희는 여자이기 이전에 사람이다. 사람은 누구나 글공부를 하여 사람다운 사람이 되어야 한다."

초희는 허리를 곧게 펴고 숨을 깊게 내쉬었다. 그리고 초롱초롱한 눈빛으로 오라버니에게 말했다.

"오라버니, 균이는 제가 가르치겠습니다."

균: 허난설헌의 동생. 최초의 한글 소설인 「홍길동전」을 지었음.

균이가 멀뚱멀뚱 초희를 쳐다보다가 소리를 질렀다.

"싫어요. 누이는 무섭단 말이에요!"

글방 동무들의 웃음소리가 방문을 넘고, 담장을 건너 멀리 퍼져 나갔다.

● 허난설헌의 업적에 대해 자신의 생각 말하기

중국에서 먼저 주목받은 『난설헌집』

주목받은: 관심을 가지고 주의 깊게 살피는 시선을 받은

허난설헌은 불행한 삶 속에서도 꾸준히 시를 지었어요. 살아생전 쓴 시가 방 하나를 가득 채울 정도였다고 하니 왕성한 창작욕을 짐작할 만하지요. 그러나 안타깝게도 허난설헌의 유언에 따라 작품들은 거의 대부분 불타 사라지고 말았답니다.

창작욕: 새로운 예술 작품을 만들어 내려는 욕구

유언: 죽음에 이르러 말을 남김. 또는 그 말

다행히 누이의 재능을 아깝게 여긴 남동생 허균이 친정에 남아 있던 시와 자신이 외우는 시를 모아 『난설헌집』을 엮었어요. 그런데 임진왜란이 일어나 바로 시집을 내지는 못하고 8년 뒤 명나라에서 온 오명제라는 사람에게 누이의 시 200편을 소개했지요. 오명제는 이 시들을 『조선시선』, 『열조시집』 등의 시집에 실었고, 시들이 주목을 받으면서 '허난설헌'이라는 이름도 명나라에 알려지게 되었습니다. 이후 1606년에는 허균이 명나라 사신 주지번과 양유년에게 자신이 편집한 『난설헌집』을 건네주었어요. 그들은 허난설헌의 시를 "세상을 뛰어넘어 인간 세상에 있는 것 같지가 않다."라고 칭찬하며 조선에 이렇게 뛰어난 시인이 있다는 사실에 감탄했지요. 주지번과 양유년은 명나라에 돌아가 허난설헌의 시집을 출간했는데, "낙양의 종이값을 올려놓았다."라는 평을 들었을 만큼 큰 인기를 끌었답니다.

출간했는데: 책이나 그림 따위를 인쇄하여 세상에 내놓음.

낙양의 종이값을 올려놓았다: 어떤 책이 매우 잘 팔림을 비유적으로 이르는 말

5 ㉠, ㉡과 같은 말을 들었을 때 초희의 마음은 어떠했을지 두 가지 고르시오. (　　,　　)

① 슬펐다.
② 안타까웠다.
③ 너무 기뻤다.
④ 믿을 수 없었다.
⑤ 기분이 좋지 않았다.

6 허난설헌의 업적으로 알맞은 것은 무엇입니까? (　　)

① 직접 시집을 출간했다.
② 훌륭한 시인이 되었다.
③ 명나라에서 공부를 했다.
④ 시를 쓰는 방법을 널리 알렸다.
⑤ 자신이 쓴 시를 모두 불에 태웠다.

7 '중국에서 먼저 주목받은 『난설헌집』'을 읽고 허난설헌의 업적에 대한 자신의 생각을 쓰시오.

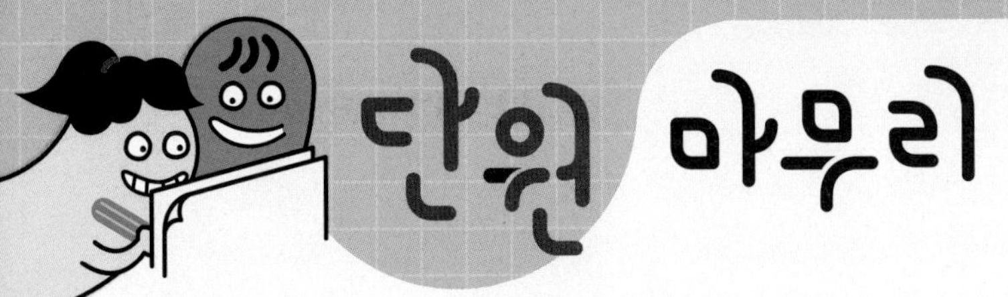

정답과 해설 ● 27쪽

준비 ……

》 본받고 싶은 인물 소개하기

예 본받고 싶은 인물 소개하기

◀ 주시경	우리 나라 최초로 국어 문법의 틀을 세운 ❶ □□□이/가 살던 시대는 우리글이 있었지만 글을 읽지 못하는 사람들이 대부분이었습니다.
◀ 헬렌 켈러	"장애는 불편하다. 하지만 불행하지는 않다."라는 말을 남긴 헬렌 켈러는 장애에 대한 편견을 없애는 데 큰 역할을 했습니다.
◀ 세종 대왕	세종 대왕은 한자가 너무 어려워 많은 백성이 글로 자신의 생각을 표현하지 못하는 것을 안타깝게 여겨 여러 학자와 함께 ❷ □□□□을/를 만들었습니다.

기본 ……

》 전기문의 특성 알기

예 「김만덕」에서 전기문의 특성 알아보기

인물이 살았던 시대 상황	• 조선 시대에는 양반과 양민에 대한 신분 차별이 있었다. • 1790년부터 제주도에 4년 동안 흉년이 들었고, 이듬해 수확을 앞두고 태풍이 몰려와서 큰 피해를 입었다.
인물이 한 일	제주도에 흉년이 들어 사람들이 굶어 죽을 위기에 처했을 때 전 재산을 들여 육지에서 곡식을 사 오게 했고, 그것을 굶주린 사람들에게 나누어 주었다.
인물의 ❸ □□□	자신이 가진 것을 나누고 베푸는 삶을 중요하게 생각한다.

기본 ……

》 전기문의 특성을 생각하며 글 읽기

예 전기문의 특성을 살려 「정약용」의 내용 요약하기

인물이 살았던 시대 상황	정약용이 살았던 시대의 백성은 이른 아침부터 해가 떨어질 때까지 한시도 쉬지 않고 일했지만 늘 배불리 먹지 못했다.
인물이 한 일	❹ □□□을/를 발명했다. / 암행어사가 되었다. / 『목민심서』를 펴냈다.
짐작할 수 있는 인물의 가치관	백성의 어려운 삶을 지켜보면서 백성에게 도움이 되려고 맡은 일을 열심히 했다.

단원 평가

• 단원 평가 더 풀기 >> 평가 교재 32~37쪽

1 인물의 삶을 사실대로 기록한 글을 무엇이라고 합니까? ( )

① 광고 ② 편지
③ 일기 ④ 전기문
⑤ 제안하는 글

2 다음은 어떤 인물에 대한 설명입니까? ( )

> 한자가 너무 어려워 많은 백성이 글로 자신의 생각을 표현하지 못하는 것을 안타깝게 여겨 여러 학자와 함께 훈민정음을 만들었다.

① 안중근 ② 주시경
③ 이순신 ④ 유관순
⑤ 세종 대왕

서술형

3 전기문을 읽은 경험을 떠올려 자신이 본받고 싶은 인물은 누구인지, 그 인물이 한 일은 무엇인지 간단히 소개하는 글을 쓰시오.

____

____

중요

4 전기문의 특성으로 알맞지 않은 것은 무엇입니까? ( )

① 인물이 한 일이 나타나 있다.
② 인물의 가치관이 나타나 있다.
③ 인물의 삶이 사실에 근거해 나타나 있다.
④ 인물의 주변 인물이 자세히 나타나 있다.
⑤ 인물이 살았던 시대 상황이 나타나 있다.

5~6 글을 읽고, 물음에 답하시오.

> "만덕의 이름을 기안에서 지우고 양민의 신분으로 되돌려 주어라."
>
> 김만덕은 뛸 듯이 기뻤다. 이제 자유의 몸이 되어 새로운 인생을 살게 된 것이다.
>
> 김만덕은 1739년에 제주도의 가난한 선비 집안에서 태어났다. 비록 가난하였으나 사랑과 정이 깊은 부모님 밑에서 자랐다. 그러나 열두 살이 되던 해에 심한 흉년과 전염병 때문에 부모님을 차례로 여의고 말았다. 친척 집을 이리저리 옮겨 다니며 살던 김만덕은 기생의 수양딸이 되었다가 스물세 살이 되던 해에 드디어 기생의 신분에서 벗어났다.

5 김만덕에 대한 내용으로 알맞지 않은 것은 무엇입니까? ( )

① 김만덕의 집안은 부유하였다.
② 김만덕은 1739년에 태어났다.
③ 김만덕은 기생의 수양딸이 되었다.
④ 김만덕은 열두 살 때 부모님을 여의었다.
⑤ 김만덕은 스물세 살 때 기생의 신분에서 벗어났다.

6 김만덕이 살았던 시대 상황으로 알맞은 것은 무엇입니까? ( )

① 신분 차별이 있었다.
② 누구나 양민이 될 수 있었다.
③ 신분이 구별되어 있지 않았다.
④ 여자는 자유롭게 살 수 없었다.
⑤ 선비들은 모두 가난하게 살았다.

7 김만덕이 한 일에서 알 수 있는 가치관은 무엇인지 빈칸에 알맞은 말을 쓰시오.

> 제주도 사람들이 굶어 죽을 위기에 처했을 때 전 재산을 들여 육지에서 곡식을 사 오게 했고, 그것을 굶주린 사람들에게 나누어 주었다.

• 김만덕은 ( )을/를 가치 있게 생각했다.

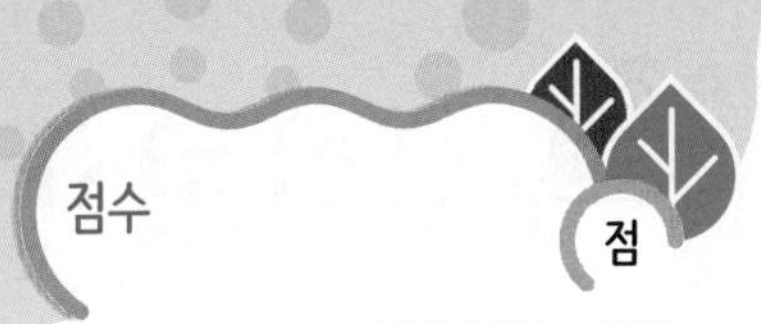

정답과 해설 ● 27쪽

국어 활동

8 다음 글을 읽고 유희춘의 업적에 밑줄을 그으시오.

> 선조는 유희춘에게 하고 싶은 일이 있는지 물었습니다. 긴 유배 생활로 퀭한 유희춘의 얼굴에 한 줄기 빛이 들었습니다.
> "그동안 많은 책 속에서 여러 오류를 발견하였습니다. 소신에게 시간을 주신다면 그 책을 바로잡아 새로 편찬하고 싶습니다."
> 이후 유희춘은 선조의 전폭적인 지원 아래 이미 편찬된 책들의 오류를 바로잡고 새로이 찍어 냈습니다.

9~10 글을 읽고, 물음에 답하시오.

> ㉮ 힘을 덜 들이고 크고 무거운 돌을 옮길 방법을 찾던 정약용은 ㉠서른한 살 되던 해, 마침내 거중기를 만들었어요. ㉡도르래의 원리를 이용해 작은 힘으로도 무거운 물건을 들 수 있도록 만든 기계였지요.
> 거중기 덕분에 백성은 ㉢성을 짓는 일에 자주 나오지 않아도 되어 마음 편히 농사를 지을 수 있었어요. 나라에서도 성을 짓는 데 드는 비용을 크게 줄일 수 있었어요.
> ㉯ ㉣서른세 살 때, 정약용은 정조의 비밀 명령을 받고 암행어사가 되었어요. 암행어사는 임금을 대신해 지방 관리들이 백성을 잘 다스리는지 알아보는 중요한 벼슬이었어요.

9 ㉠~㉣ 중 정약용이 한 일의 차례를 알 수 있는 말을 두 가지 찾아 기호를 쓰시오.

( )

10 정약용이 한 일을 두 가지 고르시오. (,)

① 거중기를 발명했다.
② 암행어사가 되었다.
③ 도르래를 만들었다.
④ 백성들과 함께 농사를 지었다.
⑤ 지방 관리가 되어 백성을 다스렸다.

11~12 글을 읽고, 물음에 답하시오.

> 정약용은 암행어사로 일하는 동안 지방 관리가 어떤 마음을 가져야 하는지에 대해 깊이 생각했어요. 임금이 아무리 나라를 잘 다스려도 지방 관리가 나쁜 짓을 일삼으면 백성은 어렵게 살 수밖에 없다는 것을 알게 되었거든요. 어릴 때 아버지 옆에서 보았던 백성의 어려운 삶도 머릿속을 떠나지 않았어요. 정약용은 쉰일곱 살이 되던 1818년, 이런 생각들을 자세히 담은 『목민심서』라는 책을 펴냈어요.

서술형

11 정약용이 『목민심서』라는 책을 펴낸 까닭은 무엇일지 쓰시오.

중요

12 이 글을 읽고 짐작할 수 있는 정약용의 가치관을 찾아 ○표를 하시오.

(1) 백성이 책을 읽어야 한다. ( )
(2) 임금이 나라를 잘 다스려야 한다. ( )
(3) 백성에게 도움이 되기 위해 맡은 일을 열심히 해야 한다. ( )

국어 활동

13 초희(허난설헌)가 살았던 시대 상황으로 알맞지 않은 것에 ×표를 하시오.

> "어머니께서 누이는 여자라 글공부하면 안 된다 하였습니다."
> 균이의 말에 초희가 얼굴을 찌푸렸다. 균이는 초희에게 혀를 쑥 내밀었다.
> "초희는 여자이기 이전에 사람이다. 사람은 누구나 글공부를 하여 사람다운 사람이 되어야 한다."
> 초희는 허리를 곧게 펴고 숨을 깊게 내쉬었다.

(1) 남녀 차별이 있었다. ( )
(2) 누구나 글공부를 할 수 있었다. ( )
(3) 여자는 글공부를 하면 안 되었다. ( )

6 단원

14 다음 글에서 헬렌은 자신의 어려움을 줄이기 위해 어떻게 하였습니까? ( )

> 뜻대로 말이 되지 않아 어려움을 많이 겪었지만 자신도 마침내 말을 할 수 있을 것이라는 희망을 버리지 않고 끊임없이 노력했습니다. 새에게도 말을 걸고 장난감과 개에게도 말을 했습니다.

① 항상 남의 도움을 받았다.
② 사람들과 잘 어울리지 않았다.
③ 자신만의 세계에 빠져 있었다.
④ 어려운 일보다는 쉬운 일을 했다.
⑤ 새에게도 말을 걸고 장난감과 개에게도 말을 하며 끊임없이 노력했다.

15~18 글을 읽고, 물음에 답하시오.

> 다섯 살의 토미는 헬렌처럼 보지도 듣지도 말하지도 못하는 아이였습니다. 토미는 부모님도 안 계시고 가난한 아이여서 학교에 갈 수 없었습니다. 헬렌은 토미가 퍼킨스학교에 다닐 수 있도록 도와 달라는 글을 여러 사람과 신문사에 보냈습니다. 헬렌도 이 모금에 참여하기 위해 사치스러운 물건을 사지 않고 돈을 보탰습니다. 다행히 많은 성금이 모여 토미는 아무 걱정 없이 학교에 다닐 수 있게 되었습니다. 헬렌은 매우 기뻤습니다. 남을 도우면 이렇게 큰 기쁨을 누릴 수 있다는 깨달음을 얻었습니다.

15 토미에 대한 설명으로 알맞은 것은 무엇입니까? ( )

① 공부를 싫어한다.
② 부모님과 함께 산다.
③ 부유한 가정에서 산다.
④ 헬렌의 가장 친한 친구이다.
⑤ 보지도 듣지도 말하지도 못한다.

16 헬렌이 여러 사람과 신문사에 보낸 글의 내용에 맞게 빈칸에 알맞은 말을 쓰시오.

• 토미가 ( )에 다닐 수 있도록 도와 달라는 내용

17 헬렌은 토미를 도우면서 어떤 깨달음을 얻었습니까? ( )

① 평소 저금을 많이 해야 한다는 것
② 사치스러운 물건은 사면 안 된다는 것
③ 공부는 되도록 빨리 시작해야 한다는 것
④ 남을 도우면 큰 기쁨을 누릴 수 있다는 것
⑤ 어려운 환경에서도 공부를 해야 한다는 것

중요

18 이 글을 읽고 헬렌에게서 본받을 점을 알맞게 말한 친구를 쓰시오.

> 진수: 웃어른께 예의 바르게 대하는 모습을 본받을 만해.
> 준희: 글을 잘 쓰기 위해 꾸준히 노력하는 모습을 본받고 싶어.
> 현지: 자신도 장애 때문에 배우는 것이 힘든데도, 남을 돕기 위해 노력하는 모습을 본받아야 해.

( )

19 다음은 유관순의 삶을 보고 무엇을 정리한 것입니까? ( )

> 백여 년이 지난 지금까지도 우리에게 나라를 사랑하는 마음을 일깨워 줌.

① 한 일 ② 가치관 ③ 어려움
④ 시대 상황 ⑤ 본받고 싶은 것

20 20년 뒤에 자신이 어떤 시대 상황에 있을지 상상해 쓰시오.

( )

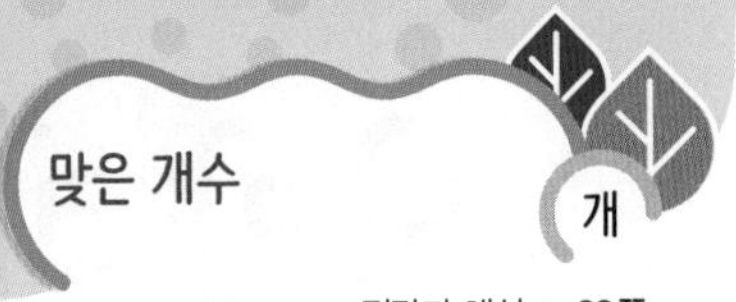

정답과 해설 ● 28쪽

1~2 글을 읽고, 물음에 답하시오.

'제주도 사람들을 굶어 죽게 내버려 둘 수는 없다. 내가 나서서 그들을 살려야겠다.'
김만덕은 전 재산을 들여 육지에서 곡식을 사오게 하였다. 그 곡식은 총 오백여 석이었다.
"제가 전 재산을 들여 육지에서 사들인 곡식입니다. 굶주린 사람들에게 나누어 주십시오."

1 김만덕이 한 일은 무엇인지 쓰시오.

2 1번 문제의 답을 통해 알 수 있는 김만덕의 가치관은 무엇인지 쓰시오.

3 다음 글을 읽고 정약용이 살았던 시대 상황을 요약해 쓰시오.

지방 관리였던 아버지 덕분에 정약용은 어릴 때부터 백성의 삶을 가까이서 지켜볼 수 있었어요.
백성은 이른 아침부터 해가 떨어질 때까지 한시도 쉬지 않고 일했지요. 그런데도 백성은 늘 배불리 먹지 못했어요. 세금을 내지 못해 남의 집 머슴살이를 하는 사람도 많았어요.

• 정약용이 살았던 시대의 백성은

4~5 글을 읽고, 물음에 답하시오.

앤 선생님에게 새로운 생각이 번쩍 떠올랐습니다. 헬렌은 펌프 주변의 마당에서 노는 것을 좋아했는데, 펌프를 이용해 '물'이라는 낱말의 관계를 실감 나게 알게 해 줄 수 있지 않을까 하는 생각이 들었습니다. ㉠선생님은 헬렌의 손을 잡고 펌프가로 데리고 갔습니다. 펌프로 물을 퍼 올리자 헬렌의 손바닥으로 시원한 물이 쏟아져 내렸습니다. 선생님은 헬렌의 손바닥에 처음에는 천천히, 나중에는 빨리 'w–a–t–e–r'라고 거듭 써 주었습니다. 그러자 헬렌의 얼굴이 환히 빛났습니다. 그러더니 선생님에게 'w–a–t–e–r'라고 여러 번 써 보여 주는 것이었습니다. 그 순간 헬렌은 자기 손으로 쏟아지는 물을 나타내는 낱말이 'water'이고, 세상의 모든 것은 각각 이름을 가지고 있다는 것을 비로소 깨닫게 된 것입니다. 마침내 헬렌의 앞에 빛의 세계가 열렸습니다. 헬렌은 배우고 싶다는 뜨거운 마음이 생겼습니다. 헬렌은 아침에 일찍 일어나자마자 글자를 쓰기 시작해 하루 종일 글을 쓰고는 했습니다. 결국 헬렌은 글자를 통해 다른 사람에게 자기 생각을 전할 수 있게 되었습니다.

4 앤 선생님이 ㉠과 같은 행동을 하며 헬렌에게 알려 주려 한 것은 무엇인지 쓰시오.

5 이 글을 읽고 헬렌에게서 본받을 점을 쓰시오.

낱말 퀴즈

교과서 문장으로 확인하는 핵심 낱말 

● 다음 교과서 문장의 파란색 낱말 중에서 알맞은 것을 골라 인물들이 한 말을 완성하시오.

- 책에서 본 인물이 남달리 한 일을 알고 싶어서 그 인물의 전기문을 찾고 있어.
- 헬렌 켈러는 장애에 대한 편견을 없애는 데 큰 역할을 했다.
- 김만덕은 장사를 하면서 세 가지 원칙을 지켰다.
- 그동안 애써 가꾸어 놓은 농산물이 심한 피해를 입어 제주도 사람들은 이제 꼼짝없이 굶어 죽을 지경에 이르렀다.

우리 마을에는 손님들이 지켜야 할 몇 가지 ❶ ________이 있습니다.

원주민들을 만날 때는 어떤 ❷ ________도 가져서는 안 돼.

❸ ________ 떠 온 물을 왜 버리라는 거야?

저 원주민은 ❹ ________ 키가 크네.

정답 | ❶ 원칙 ❷ 편견 ❸ 애써 ❹ 남달리

7 독서 감상문을 써요

무엇을 배울까요?

준비

- 읽은 책에 대한 생각이나 느낌 말하기

기본

- 독서 감상문을 쓰는 방법 알기
- 글을 읽고 감동받은 부분에 대한 생각이나 느낌 쓰기
- 글을 읽고 독서 감상문 쓰기

실천

- 글에 대한 생각이나 느낌을 여러 가지 형식으로 표현하기

교과서 핵심

1 독서 감상문을 쓰면 좋은 점

① 감명 깊게 읽은 부분이나 인상 깊은 장면을 기억할 수 있습니다.
② 읽은 책 내용을 다시 한번 생각할 수 있습니다.
③ 책을 읽은 동기와 책 내용, 읽고 난 뒤의 생각이나 느낌 따위를 정리할 수 있습니다.
④ 글을 읽고 느낀 재미나 감동을 다른 사람과 함께 나눌 수 있습니다.

2 독서 감상문을 쓰는 방법

단계	내용
독서 감상문을 쓸 책 정하기	• 읽으면서 여러 가지 생각을 한 책을 고릅니다. • 새롭게 안 내용이 많은 책을 고릅니다.
책 내용 정리하기	• 인상 깊은 부분을 떠올립니다. • 생각이나 느낌을 나타낼 수 있는 부분을 간략하게 씁니다.
생각이나 느낌 쓰기	• 새롭게 알거나 생각한 점, 책을 읽고 느낀 점을 씁니다. • 생각이나 느낌에 대한 까닭을 함께 씁니다.
독서 감상문 고쳐 쓰기	• 제목이 잘 어울리는지 확인합니다. • 생각이나 느낌이 책 내용과 잘 어울리는지 확인합니다.

→ 책 제목이 드러나게 붙이거나 책을 읽고 생각한 점이 잘 드러나게 제목을 붙일 수 있고, '○○(이)에게 보내는 편지'처럼 독서 감상문의 형식이 돋보이는 제목을 쓸 수도 있습니다.

3 글을 읽고 감동받은 부분에 대한 생각이나 느낌 쓰기

① 글에서 일어난 일, 인물의 행동, 인물의 마음 따위에서 자신이 인상 깊게 느끼는 부분이 있는지 생각해 봅니다.
② 내 경험이나 생각이 글 내용과 비슷해 공감할 수 있는 부분, 질문이나 생각이 많이 생기는 내용이 있는 부분, 기쁨, 슬픔, 화남, 즐거움 같은 감정을 강하게 느낀 부분 등에서 감동을 느낄 수 있습니다.
③ 자신이 감동받은 부분과 그 까닭을 정리해 봅니다.
④ 감동받은 부분에 대한 생각이나 느낌이 잘 드러나게 글을 씁니다.

→ 생각이나 느낌을 좀 더 자세히 쓰고, 자신의 경험과 연관 지어 쓰거나 다양한 표현을 사용하여 씁니다.

4 글에 대한 생각이나 느낌을 여러 가지 형식으로 표현하기

① 인상 깊은 장면을 생각하며 글을 읽습니다.
② 인상 깊은 장면에 대한 생각이나 느낌을 어떤 형식으로 표현하면 좋을지 생각해 봅니다.
③ 시로 표현하면 생각이나 느낌을 간단한 말과 재미있는 표현을 사용해 쓸 수 있고, 일기로 표현하면 자신의 경험과 관련지어 쓸 수 있고, 편지로 표현하면 생각이나 느낌을 누군가에게 말하듯이 쓸 수 있습니다.

핵심 확인 문제

정답과 해설 ● 29쪽

1 독서 감상문을 쓰면 책을 읽은 ☐☐과/와 책 내용, 읽고 난 뒤의 생각이나 느낌 따위를 정리할 수 있습니다.

2 독서 감상문을 쓸 책을 정할 때에는 새롭게 안 내용이 적은 책을 고릅니다.
(○, ×)

3 독서 감상문을 고쳐 쓸 때에는 생각이나 ☐☐이/가 책 내용과 잘 어울리는지 확인합니다.

4 글을 읽고 감동받은 부분을 찾을 때에 생각할 것으로 알맞지 않은 것에 ×표를 하시오.
(1) 일어난 일 ( )
(2) 인물의 행동 ( )
(3) 글쓴이의 마음 ( )

5 자신의 생각이나 느낌을 편지로 표현하면 누군가에게 말하듯이 쓸 수 있습니다.
(○, ×)

정답과 해설 ● 29쪽

1 친구들이 무엇에 대해 이야기하고 있는지 빈칸에 알맞은 말을 쓰시오.

『백두산 이야기』는 배경 그림과 내용이 조화를 이루어 인상 깊었어.

『아낌없이 주는 나무』를 읽고 아이에게 모든 것을 주는 나무의 행동에서 감동받았어.

• 자신이 재미있게 읽은 (   )에 대해 이야기하고 있다.

2 책을 읽고, 읽은 책에 대한 생각이나 느낌을 말하지 <u>않은</u> 친구는 누구인지 쓰시오.

> 서진: 『심청전』을 읽었는데 심청이 아버지를 위해 바다에 뛰어드는 장면에서 감동받았어.
> 수민: 나는 『김구 위인전』을 읽었어. 그 책은 우리나라 독립운동가인 김구 선생님의 이야기야.
> 주영: 『갈매기의 꿈』에서 조나단이 포기하지 않고 계속 노력한 끝에 결국 진정한 자유를 얻는 장면이 가장 인상 깊었어.

(   )

핵심 논술형

3 자신이 재미있게 읽은 책 제목을 쓰고, 그 책에 대한 생각이나 느낌을 쓰시오.

(1) 책 제목	
(2) 생각이나 느낌	

4~5 놀이 방법을 보고, 물음에 답하시오.

> ● 책 내용으로 책 제목 알아맞히기 놀이하기
>
> **놀이 방법**
>
> ① 자신이 읽은 책 가운데에서 친구들이 읽었을 만한 책 한 권을 정한다.
> ② 책 내용이나 인상 깊은 장면을 떠올린다.
> ③ 떠올린 책 내용 가운데에서 세 가지를 골라 소개할 내용을 쓴다.
> ④ 쓴 내용을 한 가지씩 말하면 친구들이 제목을 알아맞힌다.

4 책 제목 알아맞히기 놀이를 하려고 합니다. 다음에서 설명하는 책 제목은 무엇이겠습니까? (   )

> • 나라를 구한 영웅의 이야기입니다.
> • 적은 수의 군사로 많은 적을 물리쳤습니다.
> • 거북 모양의 유명한 배를 만들었습니다.

① 『흥부 놀부』 ② 『갈매기의 꿈』
③ 『이순신 위인전』 ④ 『유관순 위인전』
⑤ 『아낌없이 주는 나무』

5 4번 문제에서 답한 책에 대해 보기 와 같이 한 문장으로 쓰시오.

> 보기
> 『피노키오』는 거짓말을 했을 때 생각나는 책이다.

• 『   』은/는 __________ 때 __________ 책이다.

교과서 핵심

● 읽은 책에 대한 생각이나 느낌 말하기 예

기본 · 독서 감상문을 쓰는 방법 알기

어떤 내용이 들어 있는지 생각하며 시후가 쓴 독서 감상문 읽기

[   ]

㉠학교 도서관에서 책을 고르다가 『세시(한 해의 절기나 달, 계절에 따른 때.) ♥풍속』이라는 책을 읽었습니다. 이 책은 우리 조상이 농사일로 고된(힘든) 일상 속에서 빼먹지 않고 지켜 오던 일 년의 세시 풍속을 담은 책입니다. 세시 풍속은 옛날에만 있었던 것인 줄 알았는데 오늘날 우리 삶에도 많이 남아 있어서 신기했습니다.

책은 계절의 차례대로 봄, 여름, 가을, 겨울의 세시 풍속을 소개했습니다. 지금 계절이 겨울이므로 겨울 부분부터 읽어 보았습니다. 겨울의 세시 풍속 가운데에서 인상 깊었던 것은 동지의 풍속입니다.

동지는 음력 십일월인데, 세시 풍속으로 팥죽을 끓여 먹습니다. 얼마 전에 학교에서 팥죽이 나온 것이 떠올라 반가워서 읽었습니다. 동짓날이 그냥 팥죽을 먹는 날인 줄만 알았는데 생각보다 재미있는 이야기가 얽혀 있었습니다. ㉡옛날 사람들은 병을 옮기는 나쁜 귀신이 팥을 싫어한다고 믿었답니다. 그래서 동지에 팥으로 죽을 만들어 귀신이 못 오게 집 앞에 뿌렸답니다. 이 일에서 동지에 팥죽 먹는 풍습이 생겼답니다.

이런 재미있는 이야기를 지닌 동지는 낮이 길어지기 시작하는 날로, 사람들은 이날부터 태양의 기운이 다시 살아난다고 생각했다고 합니다. 동지가 밤이 가장 길고 낮이 가장 짧은 날이라고만 생각했는데, 우리 조상은 태양의 기운이 다시 살아나면서 낮이 길어지는 것이라고 생각한 점이 인상 깊었습니다. 그래서 한 가지를 볼 때 여러 가지 시각으로 봐야겠다고 생각했습니다.

『세시 풍속』을 읽고 나니 조상의 지혜를 더 잘 알 수 있었습니다. ㉢계절의 변화 하나하나에 의미를 부여하고(사물이나 일에 가치·의의 따위를 붙여 주고) 삶을 즐겁게 보내려는 마음을 듬뿍 느꼈습니다.

- **글의 종류**: 독서 감상문
- **글의 특징**: 시후가 『세시 풍속』이라는 책을 읽고 책을 읽은 동기, 책 내용, 책을 읽고 생각하거나 느낀 점 따위를 썼습니다.

♥풍속(風 바람 풍, 俗 풍속 속) 옛날부터 그 사회에 전해 오는 생활 전반에 걸친 습관 따위를 이르는 말.

교과서 핵심

독서 감상문을 구성하는 내용

책을 읽은 동기	학교 도서관에서 책을 고르다가 『세시 풍속』이라는 책을 읽었습니다.
책 내용	옛날 사람들은 병을 옮기는 나쁜 귀신이 팥을 싫어한다고 믿었답니다. 그래서 동지에 팥으로 죽을 만들어 귀신이 못 오게 집 앞에 뿌렸답니다. 이 일에서 동지에 팥죽 먹는 풍습이 생겼답니다.
책을 읽고 생각하거나 느낀 점	계절의 변화 하나하나에 의미를 부여하고 삶을 즐겁게 보내려는 마음을 듬뿍 느꼈습니다.

1 시후가 『세시 풍속』이라는 책에서 인상 깊게 읽었던 겨울의 세시 풍속은 무엇입니까?

(   )의 풍속

핵심

2 ㉠~㉢은 독서 감상문에 들어가는 다음 내용 중 무엇에 해당하는지 각각 알맞은 기호를 쓰시오.

(1) 책을 읽은 동기: (   )
(2) 책 내용: (   )
(3) 책을 읽고 생각하거나 느낀 점: (   )

3 [   ]에 들어갈 제목을 생각하여 쓰시오.

(   )

4 독서 감상문을 쓰면 좋은 점이 아닌 것에 ×표를 하시오.

(1) 인상 깊은 장면을 기억할 수 있다. (   )
(2) 읽은 책 내용을 다시 한번 생각할 수 있다. (   )
(3) 책 전체 내용을 빠짐없이 정리할 수 있다. (   )

정답과 해설 ● 29쪽

● 시후가 독서 감상문을 쓴 과정 짐작하기

❶ 독서 감상문을 쓸 책을 고릅니다.

❷ 책 내용을 떠올립니다.

❸ 인상 깊은 장면이나 내용을 정합니다.

팥죽을 만들어서 먹는 까닭이 있었구나.

❹ 인상 깊은 까닭을 생각해 봅니다.

달마다 세시 풍속으로 여러 가지 행사를 했다니 참 재미있네.

❺ 책에 대한 생각이나 느낌을 정리합니다.

❻ 독서 감상문에 알맞은 제목을 붙입니다.

• **그림 설명:** 시후가 독서 감상문을 쓴 과정을 짐작하였습니다.

교과서 핵심

● **독서 감상문을 쓰는 방법**

독서 감상문을 쓸 책 정하기	읽으면서 여러 가지 생각을 한 책이나 새롭게 안 내용이 많은 책을 고른다.
⬇	
책 내용 정리하기	인상 깊은 부분을 떠올리고, 생각이나 느낌을 나타낼 수 있는 부분을 간략하게 쓴다.
⬇	
생각이나 느낌 쓰기	새롭게 알거나 생각한 점, 책을 읽고 느낀 점을 쓰고, 생각이나 느낌에 대한 까닭을 함께 쓴다.
⬇	
독서 감상문 고쳐 쓰기	제목이 잘 어울리는지, 생각이나 느낌이 책 내용과 잘 어울리는지 확인한다.

5 시후가 독서 감상문을 쓰기 위해 가장 먼저 한 일은 무엇입니까? (　　)

① 책 내용 떠올리기
② 인상 깊은 까닭 생각하기
③ 독서 감상문을 쓸 책 고르기
④ 인상 깊은 장면이나 내용 정하기
⑤ 독서 감상문에 알맞은 제목 붙이기

6 책에서 인상 깊은 장면과 그 까닭을 생각해 본 뒤에 시후는 무엇을 했는지 빈칸에 알맞은 말을 쓰시오.

• 책에 대한 (　　　　　　　　)을/를 정리하였다.

핵심

7 다음 표에서 독서 감상문을 쓰는 방법을 잘못 정리한 것은 어느 것입니까? (　　)

독서 감상문을 쓸 책 정하기	① 읽으면서 여러 가지 생각을 한 책이나 새롭게 안 내용이 많은 책을 고른다.
책 내용 정리하기	② 인상 깊은 부분을 떠올리고, 생각이나 느낌을 나타낼 수 있는 부분은 쓰지 않는다.
생각이나 느낌 쓰기	③ 새롭게 알거나 생각한 점, 책을 읽고 느낀 점을 쓰고, 생각이나 느낌에 대한 까닭을 함께 쓴다.
독서 감상문 고쳐 쓰기	④ 제목이 잘 어울리는지, 생각이나 느낌이 책 내용과 잘 어울리는지 확인한다.

역량 제재

기본 글을 읽고 감동받은 부분에 대한 생각이나 느낌 쓰기

감동을 주는 부분을 찾으며 읽기

어머니의 이슬 털이

이순원

❶ 어릴 때 나는 학교 다니기가 싫었다. 학교로 가는 길 중간에 산에 올라가 아무 산소가(사람의 무덤이 있는 주변)에나 가방을 놓고 앉아 멀리 대관령을 바라보다가 점심때가 되면 그곳에서 혼자 청승맞게(초라하고 가엾게) 도시락을 까먹기도 했다. 그러다 점점 대담해져서(용감해져서) 아예 집에서부터 학교에 가지 않는 날도 있었다. 배가 아프다, 머리가 아프다, 어제는 비가 와서, 어제는 눈이 와서, 오늘은 무서운 선생님 시간에 준비물을 제대로 갖추지 못해서, 하는 식으로 갖은 ♥핑계를 댔다.

중심 내용 어릴 때 '나'는 학교 다니기가 싫어 갖은 핑계를 댔다.

❷ 오월 어느 날이었다. 그날도 학교에 가기 싫다고 말했다. 어머니가 왜 안 가느냐고 물어 공부도 재미가 없고, 학교 가는 것도 재미가 없다고 말했다.

"그래도 얼른 교복으로 갈아입어라."

"학교 안 간다니까." / "안 가면?"

"그냥 이렇게 자라다가 이다음 농사지을 거라고."

"농사는 뭐 아무나 짓는다더냐?"

"그러니 내가 짓는다고."

"에미가 신작로(새로 만든 길. 자동차가 다닐 수 있을 정도로 넓게 새로 낸 길)까지 데려다줄 테니까 얼른 교복 갈아입어."

몇 번 옥신각신하다가(서로 옳으니 그르니 하며 다투다가) 나는 마지못해 교복으로 갈아입었다. 어머니가 먼저 마당에 나와 내가 나오길 기다리고 있었다.

- **글의 종류:** 이야기
- **글의 내용:** 아들을 위하는 어머니의 행동과 아들을 사랑하는 어머니의 마음에서 감동을 느낄 수 있습니다.

♥**핑계** 내키지 아니하는 사태를 피하거나 사실을 감추려고 방패막이가 되는 다른 일을 내세움.

교과서 핵심 ● **감동받은 부분에 대한 생각이나 느낌 이야기하기 ①**

예 어머니께서 주인공을 학교에 보내려고 달래시는 장면(→ 감동받은 부분)에서 감동받았어. 왜냐하면 자식을 바른길로 이끌려는 어머니의 노력을 알 수 있었기 때문이야.(→ 감동받은 까닭)

1 '내'가 학교에 가지 않기 위해 말한 핑계가 아닌 것은 어느 것입니까? ( )

① 비가 온다.
② 눈이 온다.
③ 배가 아프다.
④ 머리가 아프다.
⑤ 학교가 너무 멀다.

교과서 문제

2 '내'가 학교에 가기 싫어한 까닭은 무엇입니까? ( )

① 같은 반 친구와 다투어서
② 농사 지을 시간이 부족해서
③ 학교까지 걸어가는 것이 힘들어서
④ 선생님께서 매일 어려운 숙제를 내셔서
⑤ 공부도 재미가 없고, 학교 가는 것도 재미가 없어서

핵심

3 어머니께서 '나'를 학교에 보내려고 달래시는 장면에서 감동받은 까닭을 알맞게 말한 친구에게 ○표를 하시오.

(1) 민혁: 자식의 생각을 존중해 주려는 어머니의 마음이 느껴지기 때문이야. ( )

(2) 세희: 자식을 바른길로 이끌려는 어머니의 노력을 알 수 있기 때문이야. ( )

4 글에서 감동을 느낄 수 있는 부분으로 알맞지 않은 것의 기호를 쓰시오.

㉠ 질문이나 생각이 많이 생기는 부분
㉡ 기쁨, 슬픔 같은 감정을 강하게 느낀 부분
㉢ 내 생각이 글 내용과 달라 이해하기 힘든 부분

( )

정답과 해설 ● 29쪽

가방을 들고 밖으로 나오자 어머니가 ♥지겟작대기를 들고 서 있었다. 나는 어머니가 그걸로 말 안 듣는 나를 때리려고 그러는 줄 알았다. 이제까지 어머니는 한 번도 나를 때린 적이 없었다. 그런 어머니의 모습이 조금은 낯설기도 하고 무섭기도 해 나는 신발을 신고도 ♥봉당에서 한참 동안 멈칫거리다가 마당으로 내려섰다.

"얼른 가자." / 어머니가 ♥재촉했다.

"누구든 재미로 학교 다니는 사람은 없다."

"그래도 나는 싫어."

중심 내용 오월 어느 날, 어머니께서는 신작로까지 데려다준다고 하시면서 '나'에게 학교에 가자고 하셨다.

❸ 어머니는 한 손엔 내 가방을 들고 또 한 손엔 지겟작대기를 들고 나보다 앞서 마당을 나섰다. 나는 말없이 어머니의 뒤를 따랐다. 그러다 신작로로 가는 산길에 이르러 어머니가 다시 내게 가방을 내주었다.

"자, 여기서부터는 네가 가방을 들어라."

나는 어머니가 내가 학교에 가기 싫어하니 중간에 학교로 가지 않고 다른 길로 샐까 봐 신작로까지 데려다주는 것으로 생각했다.

"너는 뒤따라오너라."

거기에서부터는 ♥이슬받이였다. 사람 하나 겨우 다닐 좁은 산길 양옆으로 풀잎이 우거져 길 한가운데로 늘어져 있었다. 아침이면 풀잎마다 이슬방울이 조롱조롱 매달려 있었다. 어머니는 내게 가방을 넘겨준 다음 내가 가야 할 산길의 이슬을 털어내기 시작했다. 어머니의 일 바지 ♥자락이 이내 아침 이슬에 흥건히 젖었다. 어머니는 발로 이슬을 털고, 지겟작대기로 이슬을 털었다.

♥지겟작대기 지게를 버티어 세우는 작대기.

♥봉당 안방과 건넌방 사이의 마루를 놓을 자리에 마루를 놓지 않고 흙바닥 그대로 둔 곳.

♥재촉했다 어떤 일을 빨리하도록 졸랐다.

♥이슬받이 양쪽에 이슬 맺힌 풀이 우거진 좁은 길.

♥자락 옷이나 이불 따위의 아래로 드리운 넓은 조각.
예 유미는 바지 자락을 걷어 올렸습니다.

5 '나'는 지겟작대기를 들고 서 있는 어머니의 모습을 보고 어떤 느낌이 들었는지 두 가지 고르시오. (,)

① 무섭다. ② 반갑다.
③ 낯설다. ④ 멋있다.
⑤ 신기하다.

6 학교 다니는 것에 대한 어머니의 생각으로 알맞은 것은 무엇입니까? ( )

① 학교에 가면 재미를 느낄 수 있다.
② 재미가 없어도 학교는 다녀야 한다.
③ 학교는 가고 싶은 사람만 가야 한다.
④ 학교를 반드시 다녀야 하는 것은 아니다.
⑤ 재미있는 수업이 있는 날에만 학교에 가도 된다.

7 '나'는 어머니께서 '나'를 신작로까지 데려다 주시는 까닭이 무엇이라고 생각했습니까? ( )

① '내'가 길을 잃을까 봐
② 학교가 신작로 끝에 있어서
③ 가는 길이 험하여 '내'가 다칠까 봐
④ 신작로에서 선생님이 기다리고 계셔서
⑤ '내'가 학교로 가지 않고 다른 길로 샐까 봐

교과서 문제

8 학교에 가기 싫어한 '나'를 위해 어머니는 어떻게 하셨는지 쓰시오.

• 아들의 옷에 이슬이 묻지 않도록 ________

기본

정답과 해설 ● 29쪽

그런다고 뒤따라가는 아들 교복 바지가 안 젖는 것도 아니었다. 신작로까지 십오 분이면 넘을 산길을 삼십 분도 더 걸려 넘었다. 어머니의 옷도, 그 뒤를 따라간 내 옷도 흠뻑 젖었다. 어머니는 고무신을 신고 나는 검은색 운동화를 신었다. 걸음을 옮길 때마다 물에 빠졌다가 나온 것처럼 시커먼 땟국물이 ♥찔꺽찔꺽 발목으로 올라왔다. 그렇게 어머니와 아들이 무릎에서 발끝까지 옷을 흠뻑 적신 다음에야 신작로에 닿았다.

“자, 이제 이걸 신어라.”

거기서 어머니는 품속에 넣어 온 새 양말과 새 신발을 내게 갈아 신겼다. 학교 가기 싫어하는 아들을 위해 아주 마음먹고 준비해 온 것 같았다.

“앞으로는 매일 털어 주마. 그러니 이 길로 곧장(곧바로) 학교로 가. 중간에 다른 데로 새지 말고.”

㉠ 그 자리에서 울지는 않았지만, 왠지 눈물이 날 것 같았다.

“아니, 내일부터 나오지 마. 나 혼자 갈 테니까.”

다음 날도 그다음 날도 어머니가 매일 이슬을 털어 준 것은 아니었다. 그러나 어떤 날 가끔 어머니는 그렇게 아들 학굣길에 이슬을 털어 주었다. 또 새벽처럼 일어나 그 길의 이슬을 털어놓고 올 때도 있었다.

어른이 된 지금도 나는 그렇게 생각한다. 그때 어머니가 이슬을 털어 주신 길을 걸어 지금 내가 여기까지 왔다고.

중심 내용 이슬받이에서 어머니는 ‘나’의 옷에 이슬이 묻지 않도록 앞서가며 이슬을 털어 주셨고, 품속에서 새 양말과 새 신발을 꺼내 ‘내’게 갈아 신기시며 앞으로는 매일 이슬을 털어 주겠다고 말씀하셨다.

♥찔꺽찔꺽 차지고 끈끈한 물질이 자꾸 밟히거나 들러붙는 소리. 또는 그 모양.

교과서 핵심 ● 감동받은 부분에 대한 생각이나 느낌 이야기하기 ②

예 어머니께서 아들을 위해 이슬을 털어 주시다가 옷을 흠뻑 적신 모습에서 감동받았어. 학교 가기 싫어하는 아들의 마음을 되돌리려고 노력하는 어머니의 마음이 느껴졌기 때문이야.

예 어머니께서 품속에 넣어 온 새 양말과 새 신발을 아들에게 갈아 신기신 장면에서 감동받았어. 아들에게 좋은 것만 주고 싶은 어머니의 마음이 느껴졌기 때문이야.

교과서 문제

9 어머니의 품속에 있었던 것은 무엇무엇입니까?

• 아들의 (   )과/와 (   )

10 ㉠ 부분에서 느낄 수 있는 ‘나’의 마음으로 알맞은 것은 무엇입니까? (   )

① 어머니가 두려운 마음
② 어머니께 죄송한 마음
③ 어머니가 원망스러운 마음
④ 어머니가 자랑스러운 마음
⑤ 어머니의 꾸중을 듣기 싫은 마음

핵심 역량

11 이 글을 읽고 감동받은 부분에 대한 생각이나 느낌을 쓰시오.

____

____

12 감동받은 부분에 대한 생각이나 느낌을 쓸 때 주의할 점이 아닌 것의 기호를 쓰시오.

㉠ 다양한 표현을 사용하여 쓴다.
㉡ 자신의 경험과 연관 지어 쓴다.
㉢ 생각이나 느낌을 짧고 간단하게 쓴다.

(   )

● 독서 감상문을 쓸 책을 정하는 방법 알아보기

내가 관심 있는 내용이라서 이 책을 골랐어.
새롭게 안 내용이 많아서 이 책을 골랐어.
책 속 인물의 생각이 내 생각과 비슷한 것 같아서 이 책을 골랐어.
책을 읽고 좋은 교훈을 얻어서 이 책을 골랐어.

● 독서 감상문을 쓸 책에 대하여 말하기

내가 고른 책은 『지구와 달』이라는 책이야. 내가 궁금했던 달에 대한 여러 가지 내용을 알려 줘.

내가 고른 책은…….

교과서 핵심

○ 독서 감상문에 쓸 내용 정리하기

독서 감상문 제목	
예 달의 크기	
나타내고 싶은 생각	
책을 읽은 까닭	예 표지에 있는 지구와 달 사진을 보고 책 내용에 관심이 생겼다.
인상 깊은 장면에 대한 생각이나 느낌	예 우리가 눈으로 달을 볼 때에는 크게 느껴지지 않지만 달의 크기는 지구의 약 4분의 1 정도, 태양의 약 400분의 1 정도로 매우 크다. 이 책을 읽고 지구와 달에 대해 새로운 사실을 많이 알 수 있었다.
앞으로의 다짐	예 지구와 달에 대한 여러 가지 사실을 더 많이 알고 싶다.

1 독서 감상문을 쓸 책을 정하는 방법으로 알맞지 않은 것은 무엇입니까? ( )

① 좋은 교훈을 얻은 책을 고른다.
② 친구들이 많이 읽은 책을 고른다.
③ 새롭게 안 내용이 많은 책을 고른다.
④ 기억에 남는 내용이 있는 책을 고른다.
⑤ 남에게 알리고 싶은 생각이 들었던 책을 고른다.

교과서 문제

2 독서 감상문을 쓸 책을 한 가지 골라 책 제목과 책을 고른 까닭을 쓰시오.

(1) 책 제목	
(2) 책을 고른 까닭	

핵심

3 독서 감상문에 쓸 내용으로 알맞지 않은 것은 무엇입니까? ( )

① 책 내용
② 앞으로의 다짐
③ 책을 읽은 까닭
④ 책의 가격과 산 곳
⑤ 인상 깊은 장면에 대한 생각이나 느낌

역량

4 친구들이 쓴 독서 감상문을 읽고 살펴볼 점이 아닌 것에 ×표를 하시오.

(1) 내용에 알맞은 제목을 붙였나요? ( )
(2) 내용을 잘 전할 수 있는 형식인가요? ( )
(3) 인상 깊게 읽은 부분이 나타났나요? ( )
(4) 나와 비슷하게 생각이나 느낌을 썼나요? ( )

실천 글에 대한 생각이나 느낌을 여러 가지 형식으로 표현하기

● 책을 읽고 생각이나 느낌을 여러 가지 형식으로 표현한 글 ㉮~㉰를 읽기

㉮ 『아름다운 꼴찌』를 읽고 쓴 시

그러면 되는 줄 알았는데

김가은

꼴찌만 아니면 될 줄 알았는데
꼴찌를 해도 좋았다.

♥등수만 중요한 줄 알았는데
더 큰 것이 있었다.

이기기만 하면 될 줄 알았는데
㉠더 큰 마음이 있었다.

• 글의 특징: 『아름다운 꼴찌』를 읽고 생각이나 느낌을 시 형식으로 표현했습니다.

♥등수(等 무리 등, 數 셈 수) 등급에 따라 정한 차례.

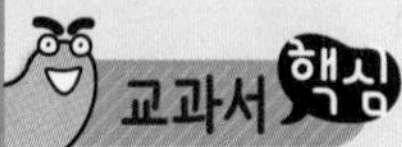

● 책을 읽고 생각이나 느낌을 시 형식으로 표현하기

㉮	자신의 생각이나 느낌을 간단한 말과 재미있는 표현을 사용해 쓸 수 있다.

1 가은이가 읽은 책 제목을 쓰시오.
( )

2 가은이는 책에 대한 생각이나 느낌을 어떤 형식으로 표현했는지 ○표를 하시오.
(시 , 만화 , 일기 , 편지)

핵심
3 글 ㉮와 같은 형식으로 책에 대한 생각이나 느낌을 표현하려는 친구는 누구인지 쓰시오.

▲ 해인

책을 읽고 느낀 감동을 간단한 말로 표현하고 싶어. 재미있는 표현을 사용해서 생각이나 느낌이 잘 드러나게 쓸 거야.

▲ 예진

나는 책을 읽으면서 주인공에게 하고 싶은 말이 여러 가지 있었어. 생각이나 느낌을 주인공에게 말하듯이 쓰면 좋을 것 같아.

( )

4 가은이가 책을 읽고 알게 된 점을 두 가지 고르시오. (,)

① 꼴찌를 해도 좋다.
② 이기기만 하면 된다.
③ 꼴찌만 아니면 된다.
④ 일 등을 하는 것이 중요하다.
⑤ 등수보다 더 중요한 것이 있다.

서술형
5 다음은 『아름다운 꼴찌』의 줄거리입니다. ㉠'더 큰 마음'은 무엇일지 짐작하여 쓰시오.

> 몸이 약한 아들이 마라톤 경주를 완주하게 하기 위해, 자신도 몸이 약하면서 아들의 뒤에서 묵묵히 마라톤 경주를 한 아버지의 이야기입니다.

나 『나무 그늘을 산 총각』에서 욕심쟁이 영감이 되어 쓴 일기

20○○년 11월 ○○일　날씨: 맑음

제목: 함께일 때 더 시원한 나무 그늘

나는 내 것이면 뭐든지 나 혼자 써도 된다고 생각했다. 그래서 나무 그늘도 혼자 쓰는 것이 당연하다고 여겼다. 내 것인데 다른 사람에게 왜 빌려주어야 한단 말인가? 하지만 지금 나는 그렇게 생각하지 않는다. 다른 사람들과 ♥더불어 행복을 느끼는 일이 훨씬 더 가치 있고 소중한 것임을 알았다. 총각이 ♥어리석은 나를 ♥일깨워 주었기 때문이다. 총각에게 고마운 마음을 꼭 전하고 싶다.

나는 새로 이사 온 집의 나무 그늘에 이웃을 초대했고, 지금은 이웃들과 사이좋게 지낸다. 혼자 많은 것을 차지할 때보다 다른 사람들과 함께하는 내가 더 행복하다. 이제 나는 욕심쟁이가 아니라 가진 것을 이웃들과 나눌 줄 아는 사람이 되었다.

- **글의 특징:** 『나무 그늘을 산 총각』을 읽고 생각이나 느낌을 일기 형식으로 표현했습니다.

♥더불어　둘 이상의 사람이 함께하여.

♥어리석은　슬기롭지 못하고 둔한.
예 소연이가 그런 어리석은 짓을 할 리가 없습니다.

♥일깨워　일러 주거나 가르쳐서 깨닫게 해.

● 책을 읽고 생각이나 느낌을 일기 형식으로 표현하기

나	자신의 경험과 관련지어 쓸 수 있고, 책에 나오는 인물이 되어 생각이나 느낌을 표현할 수 있다.

6 다음 빈칸에 알맞은 말을 차례대로 쓰시오.

- 글 나는 『나무 그늘을 산 총각』을 읽고 (　　　　　　　　)이/가 되어 쓴 (　　　　　　) 형식의 글입니다.

핵심

7 글 나의 형식으로 책에 대한 생각이나 느낌을 표현하면 좋은 점으로 가장 알맞은 것은 무엇입니까? (　　)

① 책 내용을 차례대로 정리할 수 있다.
② 자신의 경험과 관련지어 쓸 수 있다.
③ 생각이나 느낌을 말하듯이 쓸 수 있다.
④ 책에서 가장 재미있는 그림을 강조할 수 있다.
⑤ 생각이나 느낌을 간단한 말로 재미있게 표현할 수 있다.

8 어리석은 욕심쟁이 영감을 일깨워 준 사람은 누구인지 쓰시오.

(　　　　　　　　　　)

9 8번 문제에서 답한 사람을 만나고 달라진 '나'의 모습으로 알맞지 않은 것은 무엇입니까? (　　)

① 이웃들과 사이좋게 지낸다.
② 가진 것을 이웃들과 나눌 줄 안다.
③ 다른 사람들과 함께할 때 더 행복하다고 생각한다.
④ 자기 것이면 뭐든지 자기 혼자 써도 된다고 생각한다.
⑤ 다른 사람들과 더불어 행복을 느끼는 일이 가치 있다고 생각한다.

다 『초록 고양이』를 읽고 꽃담이에게 쓴 편지

엄마를 냄새로 찾아낸 꽃담이에게

꽃담아, 안녕? 나는 얼마 전에 도서관에서 『초록 고양이』를 읽었어. 초록 고양이가 데려간 엄마를 네가 냄새로 찾아 다시 엄마와 만난다는 내용에서 감동을 받았어.

나는 엄마를 사랑하기는 하지만 엄마에 대한 것을 기억하려고 애쓰지는(마음과 힘을 다하여 무엇을 이루려고 힘쓰지는) 않았던 것 같아. 네가 엄마를 냄새로 찾은 것은 늘 엄마에게 관심과 ♥애정이 있었다는 거잖아.

이 이야기를 읽고 부모님에게 좀 더 많은 관심을 가져야겠다고 생각했어. 가족의 소중함을 일깨워 줘서 정말 고마워.

그럼 안녕.

20○○년 11월 ○○일

친구 박성준

• 글의 특징: 『초록 고양이』를 읽고 생각이나 느낌을 편지 형식으로 표현했습니다.

♥애정(愛 사랑 애, 情 뜻 정) 사랑하는 마음.

예 저를 바라보는 어머니의 눈길에는 언제나 애정이 담겨 있습니다.

● 책을 읽고 생각이나 느낌을 편지 형식으로 표현하기

다	생각이나 느낌을 누군가에게 말하듯이 쓸 수 있다.

핵심

10 글 다에 대한 설명으로 알맞지 않은 것은 무엇입니까? (　　)

① 책을 읽고 쓴 글이다.
② 책 내용이 나타나 있다.
③ 편지 형식으로 쓴 글이다.
④ 책에서 일어난 사건을 순서대로 설명했다.
⑤ 책에 대한 글쓴이의 생각이나 느낌이 나타나 있다.

11 성준이가 책에서 감동받은 부분은 무엇인지 빈칸에 알맞은 말을 쓰시오.

• 초록 고양이가 데려간 엄마를 꽃담이가 (　　　　　)(으)로 찾아 다시 엄마와 만난다는 내용

12 성준이가 책을 읽고 다짐한 것은 무엇입니까? (　　)

① 책을 더 많이 읽어야겠다.
② 주변의 동식물에게 관심을 가져야겠다.
③ 책 속 주인공에게 편지를 자주 써야겠다.
④ 부모님에게 좀 더 많은 관심을 가져야겠다.
⑤ 내가 가진 냄새가 무엇인지 알아보아야겠다.

13 글 가~다와 같이 책에 대한 생각이나 느낌을 여러 가지 형식으로 표현하면 좋은 점을 모두 골라 ○표를 하시오.

(1) 읽는 사람이 재미있게 읽을 수 있다. (　　)
(2) 자신의 생각이나 느낌을 제대로 표현할 수 있다. (　　)
(3) 자신의 생각이나 느낌을 짧게 요약하여 나타낼 수 있다. (　　)

인상 깊은 장면을 생각하며 읽기

투발루에게 수영을 가르칠 걸 그랬어!

• 글: 유다정 • 그림: 박재현

❶ 넓은 바다 한복판, 아홉 개의 작은 섬으로 이루어진 나라 투발루에 로자와 고양이 투발루가 살았어. 로자와 투발루는 밥도 같이 먹고, 잠도 같이 자고, 노래도 같이 부르며 늘 함께했지. 하지만 다른 게 딱 하나 있었어.

"언니 수영하고 올게!"

로자가 투발루의 털을 쓰다듬고 바다로 가면 투발루는 긴 꼬랑지를 ♥바짝 세우고 야자나무 숲으로 들어가지. 투발루는 물을 너무너무 싫어하거든. 둘은 이렇게 따로따로 한참을 신나게 놀아. 하지만 돌아오는 길에는 꼭 만났어. 투발루가 길가에 ♥오도카니 앉아 로자를 기다려 주었거든.

중심 내용 투발루에 사는 로자와 고양이 투발루는 늘 함께했지만, 물을 싫어하는 투발루는 로자가 바다로 갈 때 야자나무 숲에서 놀다가 돌아오는 길에 만났다.

❷ "엄마, 물이 마당까지 들어와요."

둥근달이 떠오르는 보름이 되자 바닷물이 마당으로 들이닥쳤어.

"바닷물이 불어나서 큰일이구나!"

물은 자꾸만 불어났어. 투발루는 ♥안절부절못하더니 나무 위로 올라갔지.

• **글의 종류**: 이야기
• **글의 내용**: 사람들이 환경을 오염시켜서 로자네 가족이 투발루섬을 떠나야 했고, 로자는 고양이 투발루와 헤어지게 되었습니다.

♥바짝 매우 긴장하거나 힘주는 모양.
예 은지는 고개를 바짝 들고 나를 쳐다보았습니다.

♥오도카니 가만히 한자리에 서 있거나 앉아 있는 모양.
예 동생은 방 안에 혼자 오도카니 앉아 있었습니다.

♥안절부절못하더니 마음이 초조하고 불안하여 어찌할 바를 모르더니. 예 솔아는 거짓말이 들통날까 봐 안절부절못하더니 결국 방에서 나가 버렸습니다.

14 로자와 고양이 투발루가 살고 있는 나라는 어디인지 쓰시오.

( )

15 로자와 고양이 투발루는 늘 함께했지만 딱 한 가지 함께하지 않은 것은 무엇입니까? ( )

① 잠자기
② 밥 먹기
③ 노래 부르기
④ 바다에서 수영하기
⑤ 놀다가 집으로 돌아오기

16 보름이 되자, 로자네 집에 어떤 일이 일어났는지 빈칸에 알맞은 말을 쓰시오.

• ( )이/가 불어나서 로자네 집 마당까지 들이닥쳤다.

17 이 이야기를 읽고 인상 깊은 장면을 알맞게 말한 친구는 누구인지 쓰시오.

수민: 로자와 투발루가 싸우고 난 뒤에 화가 나서 따로 노는 장면이 인상 깊었어.
서진: 로자가 투발루섬에서 고양이 투발루와 늘 함께하며 친하게 지내는 모습이 인상 깊었어.

( )

실천

"야옹 야옹 이야옹."

그러고는 야자나무 위에서 몸을 웅크리고 마구 울었어.

몸 따위를 움츠러들이고

"그러게 수영을 배우면 좋잖아."

로자가 나무 위에서 떨고 있는 투발루를 안고 내려왔어.

"아빠, 바닷물이 왜 자꾸 불어나요?"

로자가 파란 바다를 보며 ♥나직이 물었어.

"지구가 더워져서 빙하가 녹아내리고 있거든. 그래서 바닷물이 불어나는 거야."

"바다가 저렇게 넓은데 빙하가 녹는다고 물이 불어나요?"

"엄청나게 큰 빙하가 녹아내리니까 불어날 수 밖에……."

로자는 아빠의 말을 들으며 손톱만 물어뜯었어. 그러자 투발루가 까칠한 혀로 로자의 손을 싸악싸악 핥아 주었지. 로자가 슬퍼 보였나 봐.

"우리도 이제 투발루를 떠나야 한단다."

아빠는 한숨을 푸욱 내쉬며 저녁노을로 붉어진 바다를 바라보았어.

"여기를 떠나 어떻게 살지 걱정이구나."

엄마도 멍하니 바다만 바라보았어.

"아직 우리 집은 물에 ♥잠기지 않았잖아요. 난 여기가 좋단 말예요."

"아빠 엄마도 너처럼 여기서 살고 싶단다. 하지만 바닷물이 자꾸 불어나서 곧 나라 전체가 물에 잠기게 될 거래. 어제는 마당까지 물이 들어왔잖아. 떠나기 싫지만 어쩔 수 없구나."

로자의 가족은 아주 슬픈 밤을 보냈지.

중심 내용 지구가 더워져서 빙하가 녹아내리자 바닷물이 불어나서 로자네 가족은 투발루를 떠나야 했다.

♥나직이 소리가 꽤 낮게.
예 엄마의 한숨 소리가 나직이 들려왔습니다.

♥잠기지 깊숙하게 박히거나 푹 묻히지.
예 다행히 비에 마을이 잠기지 않았습니다.

18 로자의 아빠는 바닷물이 불어나는 까닭이 무엇이라고 하셨는지 쓰시오.

(   )

19 로자네 가족이 투발루섬을 떠나야 하는 까닭은 무엇입니까? (   )

① 로자가 학교에 가야 해서
② 로자의 엄마가 섬을 떠나고 싶어 해서
③ 투발루섬에서는 동물을 기를 수 없어서
④ 로자네 가족이 다른 나라에 새 집을 구해서
⑤ 바닷물이 자꾸 불어나서 곧 나라 전체가 물에 잠기게 될 거라서

20 투발루섬을 떠나야 하는 로자네 가족의 마음은 어떠한지 두 가지를 고르시오. (,   )

① 즐겁다. ② 기쁘다.
③ 슬프다. ④ 기대가 된다.
⑤ 걱정이 된다.

핵심

21 이 글을 읽고 다음과 같이 생각이나 느낌을 표현하고 싶다면 어떤 형식을 사용하면 좋겠습니까? (   )

> 나라 전체가 물에 잠길 위기에 처해 투발루를 떠나야 하는 로자네 가족의 안타까운 상황을 간단한 말로 표현하고 싶다.

① 시 ② 편지 ③ 그림
④ 일기 ⑤ 만화

❸ "로자야, 며칠 뒤면 떠나야 하니까 짐을 챙겨야 지."

로자는 투발루와 함께 짐을 싸기 시작했어. 투발루가 좋아하는 담요, 밥그릇, 놀이 공, 장난감 쥐를 모두 챙겼지. 그러고 나서 자기 것을 챙겼어. 그런데 그 모습을 보고 아빠가 그러는 거야.

"로자야, 투발루는 할아버지한테 맡기고 가자!"

로자는 깜짝 놀랐어.

"아빠, 투발루를 두고 갈 수는 없어요. 그럼 나도 안 갈 거예요!"

"다른 나라에 가면 지금보다 훨씬 힘들게 살 거야. 그러니까 투발루를 할아버지한테 맡기고 가자."

"싫어요. 절대로 안 돼요! 투발루는 수영을 못하니까 물이 ♥불어나면 물에 빠져 죽을 거예요. 꼭 데려가야 해요. 아빠, 투발루도 데리고 가요! 네?"

로자는 아빠의 팔에 매달리며 ♥애원했어.

"그럼 어쩔 수 없구나."

중심 내용 아빠는 투발루를 할아버지께 맡기고 가자고 하셨지만 로자는 투발루가 수영을 못하기 때문에 꼭 데려가야 한다고 애원했다.

❹ 떠나기 전날 로자는 투발루를 데리고 하루 종일 돌아다녔어.

"여기는 우리가 어렸을 때 그네를 타던 곳이야. 저기는 아빠랑 같이 공을 차던 곳, 엄마랑 같이 채소를 가꾸던 곳, 난 이곳 투발루가 좋은데……."

친구들이랑 신나게 놀던 곳, 나무 위에서 바다로 풍덩 뛰어들던 곳, 저 야자나무에는 우리 둘이 자주 올라갔었지. 난 죽을 때까지 잊지 않을 거야. 내가 태어나고 자란 이곳 투발루를…….

중심 내용 떠나기 전날 로자는 투발루를 데리고 하루 종일 투발루 이곳저곳을 돌아다녔다.

♥불어나면 수량 따위가 본디보다 커지거나 많아지면.
예 강물이 불어나면 수영을 절대 해서는 안 됩니다.

♥애원(哀 슬플 애, 願 원할 원) 소원이나 요구 따위를 들어 달라고 애처롭게 사정하여 간절히 바람.

22 짐을 쌀 때, 로자는 먼저 누구의 물건을 챙겼는지 알맞은 것에 ○표를 하시오.

(자기의 물건 , 투발루의 물건)

23 아빠가 투발루를 할아버지한테 맡기고 가자고 한 까닭은 무엇입니까? (   )

① 투발루가 아프기 때문에
② 투발루는 비행기에 탈 수 없기 때문에
③ 투발루의 짐이 모두 할아버지 집에 있기 때문에
④ 투발루가 로자보다 할아버지를 더 좋아하기 때문에
⑤ 다른 나라에 가면 지금보다 훨씬 힘들게 살 것이기 때문에

24 로자는 왜 투발루를 꼭 데려가야 한다고 했는지 빈칸에 알맞은 말을 쓰시오.

• 투발루가 (   )을/를 못해서 물이 불어나면 물에 빠져 죽을 것이라고 생각하기 때문이다.

25 떠나기 전날, 로자가 투발루를 데리고 하루 종일 투발루섬을 돌아다닌 까닭은 무엇입니까? (   )

① 투발루섬을 잊지 않기 위해서
② 투발루를 맡길 곳을 찾기 위해서
③ 이웃들에게 작별 인사를 하기 위해서
④ 투발루와 마지막으로 산책을 하기 위해서
⑤ 바닷물이 들어오지 않는 곳을 찾기 위해서

실천

❺ "엄마, 잠깐 바다에 갔다 와도 돼요?"

투발루를 떠나는 날, 로자는 마지막으로 바다가 보고 싶었어.

"조금 ♥이따 떠나니까 빨리 와야 한다."

로자가 투발루의 털을 ♥쓰다듬고 바다로 가자, 투발루는 늘 하던 대로 긴 꼬랑지를 바짝 세우고 야자나무 숲으로 들어갔어.

로자는 바닷가를 ♥거닐다 돌아왔어.

그런데 투발루가 보이지 않았어.

"엄마, 투발루 어디 갔어요?"

"글쎄, 너랑 같이 나가지 않았니?"

로자는 숨이 턱에 ♥차오르도록 달렸어. 로자가 바다로 가면 투발루는 야자나무 숲으로 간다는 걸 알고 있었거든.

㉠ "투발루야, 어디 있어? 이 바보야, 이제 가야 한단 말이야. 얼른 나와, 제발……."

로자의 눈에선 쉬지 않고 눈물이 흘러내렸고, 코는 새빨개졌어.

중심 내용 투발루를 떠나는 날, 로자가 바다로 가자 투발루는 늘 하던 대로 야자나무 숲으로 들어갔고, 로자는 집으로 돌아왔지만 투발루는 보이지 않았다.

♥이따 이따가. 조금 지난 뒤에.
예 자세한 얘기는 이따 만나서 하자.

♥쓰다듬고 손으로 살살 어루만지고.
예 형은 귀여운 강아지의 머리를 쓰다듬고 간식을 주었습니다.

♥거닐다 가까운 거리를 이리저리 한가로이 걷다.
예 날씨가 좋아서 공원을 한참 거닐다 왔습니다.

♥차오르도록 물 따위가 어떤 공간을 채우며 일정 높이에 다다라 오르도록.

26 글 ❺의 시간적 배경은 언제인지 ○표를 하시오.

(1) 투발루를 떠나는 날 ( )
(2) 투발루를 떠나기 전날 ( )
(3) 투발루를 떠나고 난 다음 날 ( )

27 로자가 바닷가를 거닐다 돌아왔을 때, 어떤 일이 일어났습니까? ( )

① 투발루가 사라졌다.
② 비행기가 이미 떠나 버렸다.
③ 로자네 집이 물에 잠겨 버렸다.
④ 투발루가 수영을 할 수 있게 되었다.
⑤ 할아버지께서 투발루를 못 데려가게 하셨다.

28 ㉠ 부분에서 알 수 있는 로자의 마음을 두 가지 고르시오. (,)

① 부모님께 죄송한 마음
② 투발루가 걱정되는 마음
③ 투발루에게 고마운 마음
④ 부모님이 원망스러운 마음
⑤ 투발루를 빨리 찾고 싶은 마음

핵심

29 이 글에서 인상 깊은 장면과 그 장면에서 떠오른 생각이나 느낌을 쓰시오.

___

___

___

❻ "로자야, 이제 비행기를 타러 가야 해. 투발루는 할아버지가 잘 키워 주실 거야."

"싫어요, 아빠! 난 투발루랑 같이 갈 거예요."

로자가 더 깊은 숲으로 들어가려 하자 아빠가 로자를 안아 올렸어.

"아빠, 조금만 더 찾아봐요, 네? 아빠!"

하지만 아빠는 로자를 안고 비행장으로 급하게 걸어갔어. 비행기 탈 시간이 다 되었거든. 비행기가 요란한 소리를 내며 활주로(비행장에서 비행기가 뜨거나 내릴 때에 달리는 길)를 달리기 시작했어.

"투발루다!"

그 순간 창밖으로 멀리 콩알만 하게 투발루가 보였어. 로자는 안전띠를 풀려고 했어. 하지만 그럴 수 없었어.

"로자야, 안 돼! 비행기는 이미 출발했잖아. 멈출 수 없어!"

로자는 창밖으로 작아지는 투발루를 보며 후회(이전의 잘못을 깨치고 뉘우침.)하고 또 후회했지.

"투발루에게 수영을 가르칠 걸 그랬어!"

"로자야, 사람들이 환경을 ♥오염시키지 않으면 다시 투발루에 돌아올 수 있을 거야."

아빠의 말을 들으며 로자는 ♥간절히 빌었어.

"저는 투발루에서 투발루와 함께 살고 싶어요. 제발 도와주세요!"

중심 내용 결국 로자는 투발루를 찾지 못한 채 비행기에 올랐고, 투발루에게 수영을 가르치지 않은 것을 후회하며 투발루에서 투발루와 함께 살고 싶다고 빌었다.

♥오염(汚 더러울 오, 染 물들 염) 더럽게 물듦. 또는 더럽게 물들게 함. 예 지하수의 오염이 심각합니다.

♥간절히 마음속에서 우러나와 바라는 정도가 매우 절실하게.

● 이야기에 대한 생각이나 느낌을 어떤 형식으로 표현할지 이야기하기

예 투발루섬을 떠나는 로자의 슬픈 마음이 안타깝게 느껴졌어. 그래서 로자를 위로하는 편지를 써서 내 생각을 전하고 싶어.

예 만화를 이용해서 투발루와 로자가 헤어질 때 아쉬워하는 마음을 나타내고 싶어.

30 로자가 비행기 창밖으로 작아지는 투발루를 보며 후회한 것은 무엇인지 쓰시오.

(　　　　　　　　　　　　　　　　　　)

31 로자의 바람은 무엇입니까? (　　)

① 새로운 고양이를 키우는 것
② 투발루가 좋은 주인을 만나는 것
③ 무사히 새로운 나라에 도착하는 것
④ 투발루섬에서 투발루와 함께 사는 것
⑤ 투발루가 할아버지와 행복하게 사는 것

핵심

32 현진이가 이 글에 대한 생각이나 느낌을 표현하기에 알맞은 형식은 무엇인지 ○표를 하시오.

현진: 투발루섬을 떠나는 로자의 슬픈 마음이 안타깝게 느껴졌어. 그래서 로자를 위로하는 (편지 , 일기)를 써서 내 생각을 전하고 싶어.

논술형

33 이 글에 대한 자신의 생각이나 느낌을 어떤 형식으로 표현하고 싶은지 정하고, 그렇게 정한 까닭을 쓰시오.

(1) 형식: (　　　　　　　　　　)

(2) 까닭: ______________________

____

기본 • 140~141쪽 독서 감상문을 쓰는 방법 알기

나의 꿈, 나의 미래

㉠『학교에서 자신의 꿈이 무엇인지 발표했다. 나연이가 『꿈의 다이어리』라는 책을 읽고, 자신도 꿈에 대해 깊이 생각해 볼 수 있었다며 이 책을 적극 추천했다.』

㉡『이 책의 주인공인 하은이는 꿈이 많은 아이이다. 가수, 우주 비행사, 요리사와 같이 날마다 꿈이 바뀐다. 하지만 하은이는 꿈의 다이어리를 받고 난 뒤, 꿈을 이루려면 노력해야 한다는 사실을 깨닫게 된다.』

㉢『나는 사실 내 꿈이 무엇인지 모른다. 예전에는 과학자였지만 지금은 연예인이 되고 싶기도 하다. 하은이처럼 내 꿈은 계속 바뀌고 나는 한 번도 꿈에 대해 진지하게 생각한 적이 없다.』

㉣『하지만 이 책을 읽고 꿈은 내가 살아가면서 목표를 두고 노력해야 하는 것이라는 사실을 깨달았다. 앞으로는 내가 좋아하고 즐길 수 있는 것을 발견해서 그것을 이루려고 더 노력해야겠다.』

1 ㉠~㉣에 해당하는 내용을 찾아 번호를 쓰시오.

> ① 책을 읽고 생각한 앞으로의 다짐을 썼어요.
> ② 책 내용과 관련해 자신을 되돌아보는 내용을 썼어요.
> ③ 친구가 추천해서 책을 읽었다는 동기를 잘 드러냈어요.
> ④ 글쓴이가 관심 있었던 내용을 중심으로 책 내용을 정리했어요.

(1) ㉠: (　　　　)
(2) ㉡: (　　　　)
(3) ㉢: (　　　　)
(4) ㉣: (　　　　)

기본 • 145쪽 글을 읽고 독서 감상문 쓰기

멋진 사냥꾼 잠자리

안은영

㉮ 잠자리는 눈이 정말 크지? / 툭 튀어나온 눈이 머리를 다 덮어.
돋보기로 보면 벌집처럼 생긴 / 아주 작은 눈들이 보여.
잠자리 눈에는 그런 작은 눈이 2만 개가 넘게 빽빽이 모여 있어.
(빽빽이: 사이가 촘촘하게)
그만큼 눈이 좋다는 얘기야.
잠자리는 고개를 돌리지 않고도 앞, 뒤, 옆, 위, 아래 어디든 볼 수 있어. / 멀리서 움직이는 것도 금방 알아보지.
잠자리가 먹이를 쫓을 땐 정말 빨라.
잠자리가 좋아하는 먹이는 모기, 파리, 각다귀, 하루살이, 벌 같은 곤충이야. / 자기보다 작은 잠자리를 잡아먹기도 해.
뾰족한 가시가 난 다리로 붙잡으면, 절대 놓치지 않지.
붙잡은 먹이는 튼튼한 턱으로 물어뜯어 먹어 치워.
잠자리가 하루에 잡아먹는 곤충이 500마리는 될 거야.

2 이 글에서 설명하는 곤충은 무엇인지 쓰시오.

(　　　　　　　　)

3 이 글을 읽고 새롭게 안 내용을 <u>잘못</u> 정리한 것의 기호를 쓰시오.

> ㉠ 잠자리는 앞과 옆 방향만 볼 수 있다.
> ㉡ 잠자리는 하루에 약 500마리의 곤충을 잡아먹는다.
> ㉢ 잠자리 눈에는 작은 눈이 2만 개가 넘게 모여 있다.

(　　　　　　　　)

㉯ 짝짓기하고 알을 낳고 나면 잠자리들은 대부분 겨울이 오기 전에 죽어. / 물에 떨어져 죽은 잠자리를 봐.

그렇게 무서운 사냥꾼이었는데, 이제는 소금쟁이들한테 먹히게 됐어. / 지금쯤 물속에서는 잠자리 애벌레들이 자라나고 있겠지.

잠자리 애벌레가 어떻게 살고 있는지 볼래?

아랫입술을 번개같이 뻗어서 실지렁이나 장구벌레를 붙잡아.

올챙이나 물고기처럼 큰 것을 잡아먹기도 해.

사냥 솜씨가 꼭 엄마, 아빠를 닮았지?

처음에 알에서 깨었을 때는 작고 약하지만 점점 자라서 열 번쯤 껍질을 벗는 동안 힘이 더 세어지는 거야.

잠자리가 낳은 알이 다 잠자리가 되지는 못해.

알이 먹히는 일도 많고, 애벌레가 물방개나 장구애비한테 잡아먹히기도 하니까.

하지만 잠자리는 알을 아주 많이 낳으니까, 잠자리 식구가 줄어드는 일은 없을 거야.

4 잠자리 애벌레의 먹잇감으로 알맞지 않은 것은 무엇입니까? (　　)

① 올챙이　② 물고기
③ 개구리　④ 실지렁이
⑤ 장구벌레

5 이 글을 읽고 독서 감상문을 쓰려고 합니다. 독서 감상문에 쓰고 싶은 내용을 쓰시오.

____

____

____

기초 다지기 지역에 따른 표현 알기

6 '할아버지'를 지역에 따라 어떻게 말하는지 살펴보고, 보기 에서 알맞은 말을 찾아 빈칸에 쓰시오.

보기
하르방　　할배　　할압시

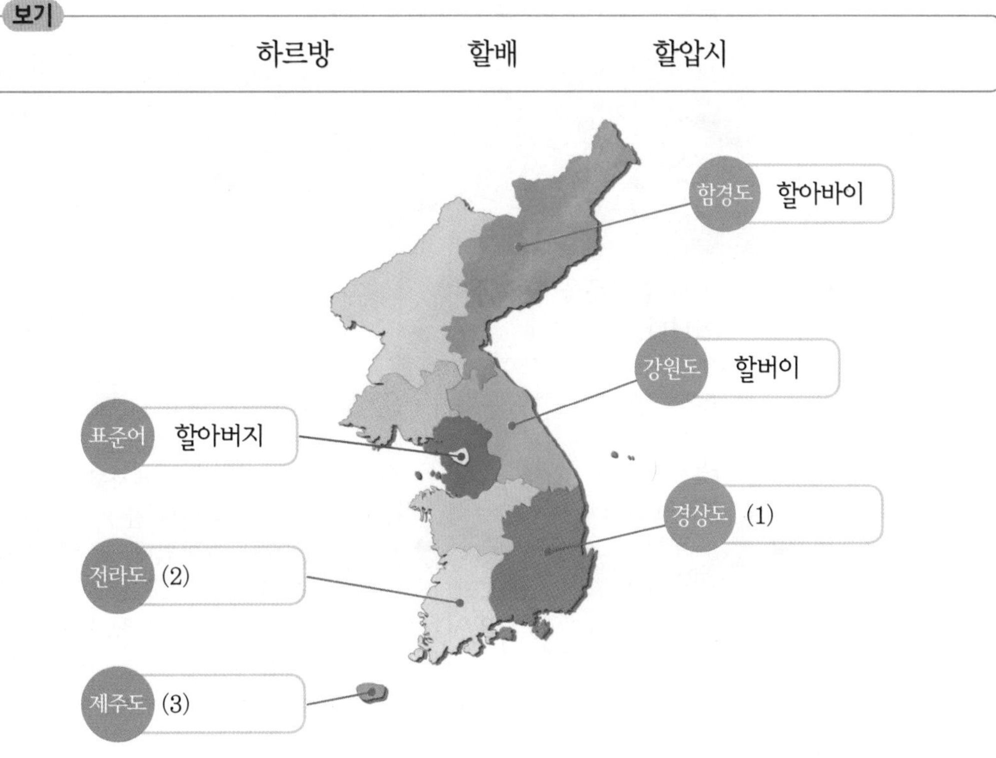

단원 마무리

기본 ……

> 독서 감상문을 쓰는 방법 알기

예 시후가 쓴 독서 감상문을 읽고 독서 감상문을 구성하는 내용 알기

책을 읽은 ❶ □□	학교 도서관에서 책을 고르다가 『세시풍속』이라는 책을 읽었습니다.
책 내용	옛날 사람들은 병을 옮기는 나쁜 귀신이 팥을 싫어한다고 믿었답니다. 그래서 동지에 팥으로 죽을 만들어 귀신이 못 오게 집 앞에 뿌렸답니다. 이 일에서 동지에 팥죽 먹는 풍습이 생겼답니다.
책을 읽고 생각하거나 느낀 점	계절의 변화 하나하나에 의미를 부여하고 삶을 즐겁게 보내려는 마음을 듬뿍 느꼈습니다.

예 시후가 쓴 독서 감상문에 알맞은 제목 붙이기

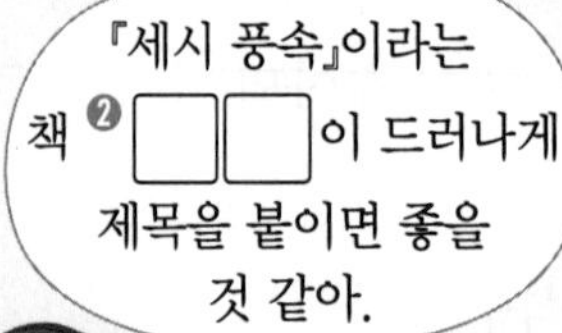
『세시 풍속』이라는 책 ❷ □□이 드러나게 제목을 붙이면 좋을 것 같아.

책을 읽고 생각한 점이 잘 드러나게 제목을 붙일 수도 있어.

독서 감상문의 형식이 돋보이는 제목을 쓸 수도 있어.

제목	예 「내가 몰랐던 동지」
그렇게 붙인 까닭	예 동지와 관련해 내가 몰랐던 내용을 새롭게 알 수 있었기 때문이다.

예 시후가 독서 감상문을 쓴 과정 짐작하기

빨간 부채
딸기
나무 이야기
해와 달
세시 풍속

독서 감상문을 쓸 책을 고릅니다.

→

책 내용을 떠올립니다.

→

인상 깊은 장면이나 내용을 정합니다.

→

팥죽을 만들어서 먹는 까닭이 있었구나.

인상 깊은❸ □□을/를 생각해 봅니다.

→

달마다 세시 풍속으로 여러 가지 행사를 했다니 참 재미있네.

책에 대한 생각이나 느낌을 정리합니다.

→

독서 감상문에 알맞은 제목을 붙입니다.

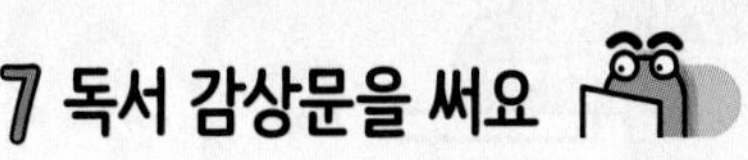

정답과 해설 ● 32쪽

7 단원

기본 ……

》글을 읽고 감동받은 부분에 대한 생각이나 느낌 쓰기

예 「어머니의 이슬 털이」를 읽고 감동받은 부분에 대한 생각이나 느낌 쓰기

이야기에서 감동받은 부분과 그 까닭 정리하기	
감동받은 부분	예 어머니께서 학교 가기 싫어한 아들을 꾸중하시지 않고, 아들을 위해 이슬을 털어 주시다가 옷을 흠뻑 적신 부분
감동받은 까닭	예 학교 가기 싫어하는 아들의 마음을 되돌리려고 노력하는 어머니의 ❹ □□이/가 느껴졌기 때문이다.

⬇

감동받은 부분에 대한 생각이나 느낌이 잘 드러나게 글 쓰기
예 이 글을 읽고 학교 가기 싫어하는 아들을 위해 이슬을 털어 주시는 어머니의 모습에 감동을 느꼈다. 나도 '아들'과 마찬가지로 아침에 일어나는 것이 힘들어서 학교에 가기 싫을 때가 있다. 아침에 잘 일어나지 못하는 나를 매번 깨워 주시는 우리 어머니의 마음도 학교 가기 싫어하는 아들의 마음을 되돌리려고 참된 사랑으로 보듬어 주시는 이 글의 어머니와 같은 마음일 것이다. 앞으로는 꼭 아침 일찍 스스로 일어나 학교 가는 아이가 되어야겠다고 다짐했다.

실천 ……

》글에 대한 생각이나 느낌을 여러 가지 형식으로 표현하기

예 글 ㉮~㉰에서 생각이나 느낌을 표현한 형식과 그 특징

	형식	특징
㉮	시	시로 표현하면 글에 대한 생각이나 느낌을 간단한 말과 재미있는 표현을 사용해 쓸 수 있습니다.
㉯	일기	일기로 표현하면 글에 대한 생각이나 느낌을 자신의 ❺ □□과/와 관련지어 쓸 수 있습니다.
㉰	편지	편지로 표현하면 글에 대한 생각이나 느낌을 누군가에게 말하듯이 쓸 수 있습니다.

예 「투발루에게 수영을 가르칠 걸 그랬어!」에 대한 생각이나 느낌을 어떤 형식으로 표현할지 이야기하기

로자가 투발루섬에서 지내며 행복해하는 모습이 인상 깊었어. 그 장면을 만화로 표현하면 오래 기억할 것 같아.

투발루섬을 떠나는 로자의 슬픈 마음이 안타깝게 느껴졌어. 그래서 로자를 위로하는 편지를 써서 내 생각을 전하고 싶어.

단원 평가

• 단원 평가 더 풀기 >> 평가 교재 38~43쪽

논술형

1 자신이 재미있게 읽은 책 제목과 그 책을 읽고 어떤 생각이나 느낌이 들었는지 쓰시오.

____

____

2~7 글을 읽고, 물음에 답하시오.

> ㉮ ㉠학교 도서관에서 책을 고르다가 『세시 풍속』이라는 책을 읽었습니다.
> ㉯ ㉡책은 계절의 차례대로 봄, 여름, 가을, 겨울의 세시 풍속을 소개했습니다. 지금 계절이 겨울이므로 겨울 부분부터 읽어 보았습니다. 겨울의 세시 풍속 가운데에서 인상 깊었던 것은 동지의 풍속입니다.
> ㉰ 『세시 풍속』을 읽고 나니 조상의 지혜를 더 잘 알 수 있었습니다. ㉢계절의 변화 하나하나에 의미를 부여하고 삶을 즐겁게 보내려는 마음을 듬뿍 느꼈습니다.

2 이 글의 종류는 무엇입니까? (　　)

① 시　② 만화　③ 이야기　④ 독서 감상문　⑤ 설명하는 글

3 글쓴이가 읽은 책 제목은 무엇인지 쓰시오.

(　　　　　　　　)

4 글쓴이가 책을 읽은 동기는 무엇입니까? (　　)

① 친구가 추천해 주어서
② 책 표지에 있는 그림이 예뻐서
③ 평소에 세시 풍속에 관심이 많아서
④ 학교 도서관에서 책을 고르다가 발견해서
⑤ 세시 풍속에 대해 알아보는 것이 숙제여서

5 ㉠~㉢ 중 책을 읽고 생각하거나 느낀 점이 드러난 문장의 기호를 쓰시오.

(　　　　　　　　)

6 이와 같은 독서 감상문을 쓰면 좋은 점으로 알맞은 것에 ○표를 하시오.

(1) 책을 잘 보관할 수 있다. (　　)
(2) 글을 읽고 느낀 재미나 감동을 혼자서만 간직할 수 있다. (　　)
(3) 책을 읽은 동기와 책 내용, 읽고 난 뒤의 생각이나 느낌 따위를 정리할 수 있다. (　　)

7 다음 방법으로 이 독서 감상문에 제목을 붙일 때, 가장 어울리는 제목은 무엇입니까? (　　)

> 책 제목이 드러나게 제목을 붙일 수 있다.

① 『세시 풍속』을 읽고
② 동지에 담긴 이야기
③ 봄, 여름, 가을, 겨울
④ 우리나라의 풍속 알기
⑤ 우리나라 조상의 지혜

중요

8 독서 감상문을 쓰는 차례대로 기호를 쓰시오.

> ㉮ 책 내용을 떠올린다.
> ㉯ 인상 깊은 까닭을 생각해 본다.
> ㉰ 독서 감상문을 쓸 책을 고른다.
> ㉱ 인상 깊은 장면이나 내용을 정한다.
> ㉲ 책에 대한 생각이나 느낌을 정리한다.
> ㉳ 독서 감상문에 알맞은 제목을 붙인다.

(　　) → ㉮ → ㉱ → (　　) → ㉲ → (　　)

9 독서 감상문을 고쳐 쓸 때에 해야 할 일을 한 가지 쓰시오.

( )

10~11 글을 읽고, 물음에 답하시오.

> ㉮ 나연이가 『꿈의 다이어리』라는 책을 읽고, 자신도 꿈에 대해 깊이 생각해 볼 수 있었다며 이 책을 적극 추천했다.
> ㉯ 이 책의 주인공인 하은이는 꿈이 많은 아이이다. 가수, 우주 비행사, 요리사와 같이 날마다 꿈이 바뀐다. 하지만 하은이는 꿈의 다이어리를 받고 난 뒤, 꿈을 이루려면 노력해야 한다는 사실을 깨닫게 된다.
> ㉰ 하지만 이 책을 읽고 꿈은 내가 살아가면서 목표를 두고 노력해야 하는 것이라는 사실을 깨달았다. 앞으로는 내가 좋아하고 즐길 수 있는 것을 발견해서 그것을 이루려고 더 노력해야겠다.

국어 활동

10 나연이가 글쓴이에게 적극 추천해 준 책 제목은 무엇인지 쓰시오.

( )

국어 활동

11 글 ㉮~㉰ 중 다음에 해당하는 내용의 기호를 쓰시오.

> 책을 읽고 생각한 앞으로의 다짐을 썼어요.

글 ( )

중요

12 글에서 감동받은 부분을 찾을 때 살펴볼 것을 세 가지 고르시오. (, ,)

① 일어난 일 ② 글의 길이
③ 글쓴이 이름 ④ 인물의 마음
⑤ 인물의 행동

13~14 글을 읽고, 물음에 답하시오.

> ㉮ "누구든 재미로 학교 다니는 사람은 없다."
> "그래도 나는 싫어."
> 어머니는 한 손엔 내 가방을 들고 또 한 손엔 지겟작대기를 들고 나보다 앞서 마당을 나섰다.
> ㉯ 어머니는 내게 가방을 넘겨준 다음 내가 가야 할 산길의 이슬을 털어 내기 시작했다. 어머니의 일 바지 자락이 이내 아침 이슬에 흥건히 젖었다. 어머니는 발로 이슬을 털고, 지겟작대기로 이슬을 털었다.
> ㉰ 그렇게 어머니와 아들이 무릎에서 발끝까지 옷을 흠뻑 적신 다음에야 신작로에 닿았다.

13 학교에 가기 싫어한 아들을 위해 어머니께서 하신 일은 무엇입니까? ( )

① 신작로까지 가방을 들어 주셨다.
② 지겟작대기로 매를 때리며 혼내셨다.
③ 학교에 가지 않아도 된다고 말씀하셨다.
④ 아들이 가야 할 산길의 이슬을 털어 주셨다.
⑤ 아들에게 학교에 가면 가방을 사 주겠다고 하셨다.

서술형

14 이 글에서 감동받은 부분과 그 까닭을 쓰시오.

15 독서 감상문을 쓸 책을 알맞게 고르지 못한 친구는 누구인지 쓰시오.

> 소미: 좋은 교훈을 얻은 책을 골랐어.
> 우성: 새롭게 안 내용이 많은 책을 골랐어.
> 지훈: 두께가 얇아서 빨리 읽을 수 있는 책을 골랐어.

( )

단원 평가

16~17 글을 읽고, 물음에 답하시오.

> 가 20○○년 11월 ○○일 날씨: 맑음
> 제목: 함께일 때 더 시원한 나무 그늘
> 나는 내 것이면 뭐든지 나 혼자 써도 된다고 생각했다. 그래서 나무 그늘도 혼자 쓰는 것이 당연하다고 여겼다. 내 것인데 다른 사람에게 왜 빌려주어야 한단 말인가? 하지만 지금 나는 그렇게 생각하지 않는다.
>
> 나 엄마를 냄새로 찾아낸 꽃담이에게
> 꽃담아, 안녕? 나는 얼마 전에 도서관에서 『초록 고양이』를 읽었어. 초록 고양이가 데려간 엄마를 네가 냄새로 찾아 다시 엄마와 만난다는 내용에서 감동을 받았어.

16 글 가와 나의 형식이 바르게 짝 지어진 것은 어느 것입니까? ( )

① 가 – 시, 나 – 편지
② 가 – 일기, 나 – 시
③ 가 – 일기, 나 – 편지
④ 가 – 편지, 나 – 만화
⑤ 가 – 편지, 나 – 일기

17 글 가와 나 중 생각이나 느낌을 누군가에게 말하듯이 쓴 글의 기호를 쓰시오.

글 ( )

18~19 글을 읽고, 물음에 답하시오.

> "우리도 이제 투발루를 떠나야 한단다."
> 아빠는 한숨을 푸욱 내쉬며 저녁노을로 붉어진 바다를 바라보았어.
> "여기를 떠나 어떻게 살지 걱정이구나."
> 엄마도 멍하니 바다만 바라보았어.
> "아직 우리 집은 물에 잠기지 않았잖아요. 난 여기가 좋단 말예요."
> "아빠 엄마도 너처럼 여기서 살고 싶단다. 하지만 바닷물이 자꾸 불어나서 곧 나라 전체가 물에 잠기게 될 거래. 어제는 마당까지 물이 들어왔잖아. 떠나기 싫지만 어쩔 수 없구나."
> 로자의 가족은 아주 슬픈 밤을 보냈지.

18 투발루를 떠나야 하는 로자네 가족의 마음을 두 가지 고르시오. (,)

① 안심이 되는 마음
② 부끄럽고 화가 나는 마음
③ 기쁘고 기대가 되는 마음
④ 슬프고 떠나고 싶지 않은 마음
⑤ 앞으로 어떻게 살지 걱정이 되는 마음

중요
19 로자에게 위로하는 말을 건네고 싶다면 어떤 형식으로 글을 쓰면 좋을지 가장 알맞은 것에 ○표를 하시오.

(1) 시 ( )
(2) 일기 ( )
(3) 편지 ( )
(4) 만화 ( )

20 독서 감상문에 들어갈 내용으로 알맞은 것끼리 선으로 이으시오.

(1)	책 표지의 도깨비 표정이 재미있어서 책을 선택했습니다.	• ①	책 내용
(2)	혹부리 할아버지는 도깨비 앞에서 노래를 불렀습니다.	• ②	책을 읽은 동기
(3)	책을 다 읽고 나니 욕심을 부리지 말아야겠다는 생각이 들었습니다.	• ③	책을 읽고 생각하거나 느낀 점

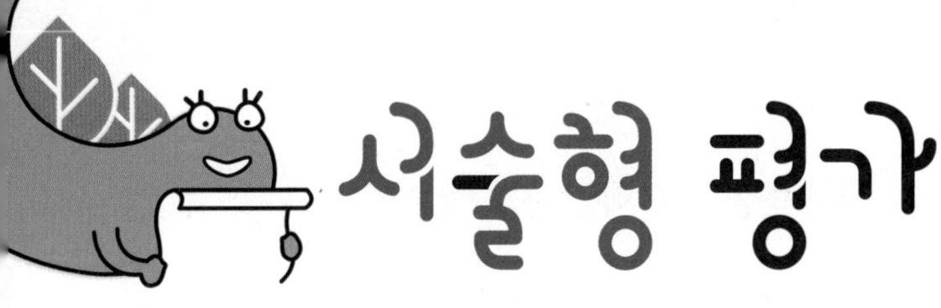

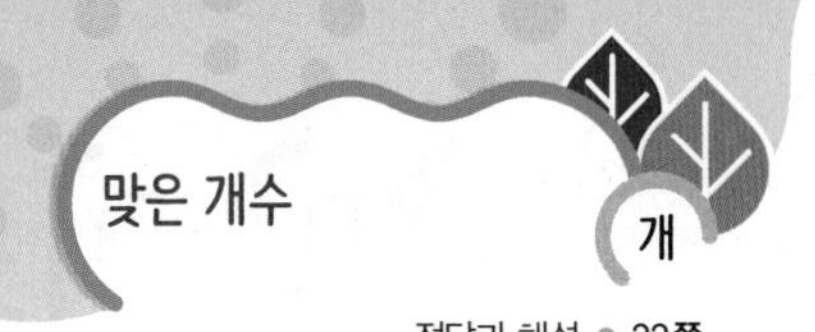

정답과 해설 ● 33쪽

7 단원

1 자신이 읽은 책에 대해 보기 의 빈칸에 들어갈 말을 넣어 한 문장으로 써 보시오.

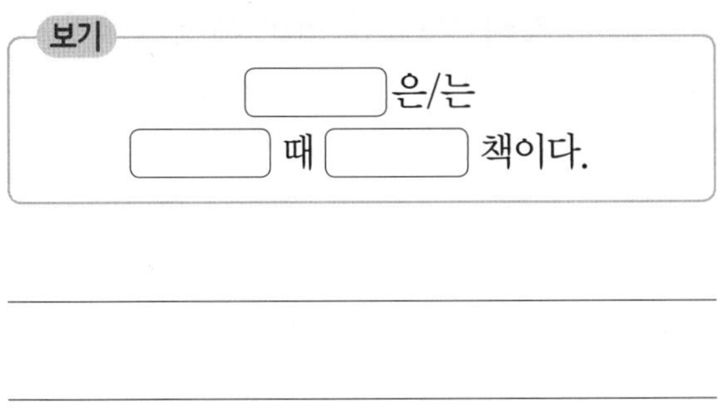

2 다음 독서 감상문의 제목은 어떤 방법으로 붙인 것인지 쓰시오.

> 『세시 풍속』을 읽고
>
> ㉮ 학교 도서관에서 책을 고르다가 『세시 풍속』이라는 책을 읽었습니다. 이 책은 우리 조상이 농사일로 고된 일상 속에서 빼먹지 않고 지켜 오던 일 년의 세시 풍속을 담은 책입니다.
>
> ㉯ 책은 계절의 차례대로 봄, 여름, 가을, 겨울의 세시 풍속을 소개했습니다. 지금 계절이 겨울이므로 겨울 부분부터 읽어 보았습니다. 겨울의 세시 풍속 가운데에서 인상 깊었던 것은 동지의 풍속입니다.
>
> ㉰ 『세시 풍속』을 읽고 나니 조상의 지혜를 더 잘 알 수 있었습니다. 계절의 변화 하나하나에 의미를 부여하고 삶을 즐겁게 보내려는 마음을 듬뿍 느꼈습니다.

3 독서 감상문을 쓸 책을 정할 때 어떤 책을 고르면 좋을지 한 가지 쓰시오.

4 다음 글을 읽고 감동받은 부분에 대한 자신의 생각이나 느낌을 쓰시오.

> 그렇게 어머니와 아들이 무릎에서 발끝까지 옷을 흠뻑 적신 다음에야 신작로에 닿았다.
>
> "자, 이제 이걸 신어라."
>
> 거기서 어머니는 품속에 넣어 온 새 양말과 새 신발을 내게 갈아 신겼다. 학교 가기 싫어하는 아들을 위해 아주 마음먹고 준비해 온 것 같았다.
>
> "앞으로는 매일 털어 주마. 그러니 이 길로 곧장 학교로 가. 중간에 다른 데로 새지 말고."
>
> 그 자리에서 울지는 않았지만, 왠지 눈물이 날 것 같았다.
>
> "아니, 내일부터 나오지 마. 나 혼자 갈 테니까."

5 다음 글을 읽고 자신의 생각이나 느낌을 어떤 형식으로 표현하고 싶은지 쓰시오.

> ㉮ 넓은 바다 한복판, 아홉 개의 작은 섬으로 이루어진 나라 투발루에 로자와 고양이 투발루가 살았어.
>
> ㉯ "싫어요, 아빠! 난 투발루랑 같이 갈 거예요." / 로자가 더 깊은 숲으로 들어가려 하자 아빠가 로자를 안아 올렸어.
>
> "아빠, 조금만 더 찾아봐요, 네? 아빠!"
>
> 하지만 아빠는 로자를 안고 비행장으로 급하게 걸어갔어. 비행기 탈 시간이 다 되었거든. 비행기가 요란한 소리를 내며 활주로를 달리기 시작했어.
>
> ㉰ 로자는 창밖으로 작아지는 투발루를 보며 후회하고 또 후회했지.

낱말 퀴즈

교과서 문장으로 확인하는 **핵심 낱말** 

● **다음 교과서 문장의 파란색 낱말 중에서 알맞은 것을 골라 인물들이 한 말을 완성하시오.**

- 이 책은 우리 조상이 농사일로 고된 일상 속에서 빼먹지 않고 지켜 오던 일 년의 세시 풍속을 담은 책입니다.
- 사람들은 이날부터 태양의 기운이 다시 살아난다고 생각했다고 합니다.
- "그냥 이렇게 자라다가 이다음 농사지을 거라고."
- 어머니의 옷도, 그 뒤를 따라간 내 옷도 흠뻑 젖었다.

우리 조상들은 주로 ❶________를 짓고 살았어.

이렇게 ❷________ 일을 매일같이 했다는 게 안 믿겨져.

옷이 ❸________ 젖었어.

밥을 먹고 ❹________을 회복해야지.

정답 | ❶ 농사 ❷ 고된 ❸ 흠뻑 ❹ 기운

역량 다르게 생각하기

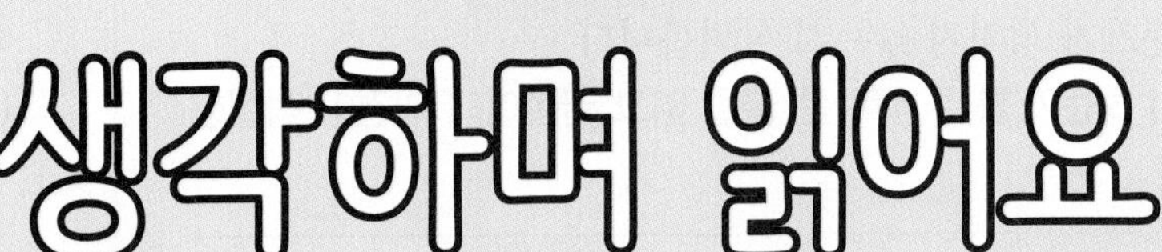

8 생각하며 읽어요

무엇을 배울까요?

준비

- 의견이 적절한지 판단해야 하는 까닭 알기

기본

- 글쓴이의 의견을 평가하는 방법 알기
- 글을 읽고 글쓴이의 의견 평가하기
- 자신의 의견이 드러나게 글 쓰기

실천

- 학교에서 일어난 일에 대한 의견 발표하기

1 의견이 적절한지 판단해야 하는 까닭

① 사람마다 생각이 다를 수 있기 때문에 그 가운데에서 더 나은 의견을 선택하기 위해서입니다.
② 적절하지 못한 의견을 따라 결정하면 잘못된 판단을 할 수 있습니다.
③ 잘못된 의견을 따르면 문제를 해결하지 못할 수 있습니다.
④ 뜻하지 않게 잘못된 결과가 나올 수 있습니다.

2 글쓴이의 의견을 평가하는 방법

① 글쓴이의 의견이 주제와 관련 있는지 살펴봅니다.
② 글쓴이의 의견과 뒷받침 내용이 관련 있는지 따져 봅니다.
③ 뒷받침 내용이 사실이고, 믿을 만한지 확인합니다.→ 뒷받침 내용의 출처가 믿을 만한지 확인해야 합니다.
④ 글쓴이의 의견이 문제 상황을 해결할 수 있는지 살펴보고, 글쓴이의 의견을 따랐을 때 문제가 생기지 않는지 살펴봅니다.

예 '문화재를 개방해야 하는가'를 주제로 쓴 글을 읽고 글쓴이의 의견이 적절한지 평가하기

글쓴이의 의견	문화재를 개방해야 한다.
글쓴이의 의견을 뒷받침하는 내용	• 옛 조상이 살았던 때를 생생하게 느낄 수 있다. • 여름 장마철에 생기는 문화재 훼손을 막을 수 있다. • 문화재를 개방하면 자신이 체험한 문화재를 보호하려고 노력하는 사람이 늘어날 것이다.
글쓴이의 의견 평가하기	예 글쓴이의 의견은 적절합니다. 뒷받침 내용으로 제시된 세 가지가 모두 사실이며 믿을 만하기 때문입니다. 또 그 의견을 선택했을 때 또 다른 문제 상황이 나타나지 않을 것이기 때문입니다.

3 자신의 의견이 드러나게 글 쓰기

① 주제와 관련한 자신의 경험을 떠올려 보고, 자신의 생각을 써 봅니다.
② 자신의 의견을 정하고, 의견을 뒷받침할 수 있는 내용을 찾아 정리합니다.
③ 자신의 의견이 잘 드러나게 글을 씁니다. → 관련 있는 책 읽기, 믿을 만한 누리집 찾아보기, 전문가에게 물어보기 등을 통해 찾습니다.
④ 쓴 글이 주제와 관련 있는지, 의견과 뒷받침 내용이 관련 있는지, 의견을 뒷받침하는 내용이 사실이고 믿을 만한지, 의견을 따랐을 때 문제가 생기지 않는지 평가해 봅니다.

4 학교에서 일어난 일에 대한 의견 발표하기

① 우리 학교를 즐겁고 행복한 학교로 만들려고 할 때 우리가 할 수 있는 일을 떠올려 봅니다.
② 우리 반 친구들의 의견을 모으고, 모둠별로 한 가지 의견을 고릅니다.
③ 모둠 구성원별로 역할을 나누어 의견을 뒷받침할 내용을 찾고 정리해 봅니다. 기록하는 사람, 모둠을 이끄는 사람, 누리집을 찾는 사람, 책 자료를 찾는 사람 등
④ 정리한 내용을 바탕으로 의견이 드러나는 글을 쓰고, 학급 누리집 게시판에 쓴 글을 올립니다.

핵심 확인문제

정답과 해설 ● 34쪽

1 의견이 적절한지 판단해야 하는 까닭은 사람마다 ☐☐ 이/가 다를 수 있기 때문에 그 가운데에서 더 나은 의견을 선택하기 위해서입니다.

2 글쓴이의 의견이 적절한지 평가하는 방법으로 알맞지 않은 것에 ×표를 하시오.

(1) 뒷받침 내용을 세 개 이상 썼는지 살펴본다. ( )

(2) 글쓴이의 의견이 주제와 관련 있는지 살펴본다. ( )

(3) 글쓴이의 의견을 따랐을 때 문제가 생기지 않는지 살펴본다. ( )

3 자신의 의견이 드러나게 글을 쓸 때는 의견을 뒷받침하는 내용이 사실이고 믿을 만한지 확인해 보아야 합니다.

(○ , ×)

4 모둠별로 의견이 드러나는 글을 쓸 때는 먼저 모둠별로 한 가지 의견을 고르고, 모둠 구성원별로 ☐☐ 을/를 나누어 의견을 뒷받침할 내용을 찾습니다.

준비 《 의견이 적절한지 판단해야 하는 까닭 알기

정답과 해설 ● 34쪽

의견과 까닭을 파악하며 읽기

당나귀를 팔러 간 아버지와 아이

❶ 햇볕이 내리쬐는 무척 더운 날이었어요. 아버지와 아이가 당나귀를 끌고 시장에 가고 있었어요. 아버지와 아이는 땀을 뻘뻘 흘렸어요. 그 모습을 본 농부가 비웃으며 말하였어요.

"쯧쯧, 당나귀를 타고 가면 될 걸 저렇게 미련해서야……." (미련해서야: 매우 어리석고 둔해서야)

농부의 말을 듣고 보니 정말 그렇지 않겠어요?

'맞아, 당나귀는 원래 짐을 싣거나 사람을 태우는 동물이잖아.'

아버지는 당장 아이를 당나귀에 태웠어요.

그렇게 한참을 가는데 한 노인이 ♥호통을 쳤어요.

"아버지는 걷게 하고 자기는 편하게 당나귀를 타고 가다니. 요즘 아이들이란 저렇게 ♥버릇이 없단 말이지!"

노인의 말을 듣고 보니 정말 그렇지 않겠어요?

아이는 얼른 당나귀에서 내리고 아버지를 태웠어요. 또 그렇게 한참을 가는데 이번에는 한 아낙이 깜짝 놀라며 혀를 찼어요.

"세상에! 이렇게 더운 날 어린아이는 걷게 하고 자기만 편하게 당나귀를 타고 가다니. 저런 사람이 아비라고 할 수 있나, 원! 나라면 아이도 함께 태울 텐데."

- **글의 종류:** 이야기
- **글의 내용:** 아버지와 아이가 당나귀를 시장에 팔려고 가는 길에 만난 사람들의 의견을 그대로 따르다 결국 당나귀를 잃게 되었습니다.

♥**호통** 몹시 화가 나서 크게 소리 지르거나 꾸짖음. 또는 그 소리.
예 할아버지께서는 집이 쩌렁쩌렁하게 울리도록 호통을 치셨습니다.

♥**버릇** 윗사람에 대하여 지켜야 할 예의.
예 어른에게 대들다니 참 버릇이 없구나.

● 인물의 의견 파악하기 ①

인물	의견
농부	당나귀를 타고 가야 한다.
노인	아이 대신 아버지가 당나귀를 타고 가야 한다.
아낙	아이와 아버지 둘 다 당나귀를 타고 가야 한다.

1 아버지와 아이는 당나귀를 끌고 어디에 가고 있습니까?

( )

교과서 문제

2 농부의 의견은 무엇입니까? ( )

① 당나귀를 쉬게 해야 한다.
② 당나귀를 타고 가야 한다.
③ 당나귀를 팔지 말아야 한다.
④ 당나귀를 자기에게 팔아야 한다.
⑤ 당나귀에게 먹이를 주어야 한다.

교과서 문제

3 아버지가 농부의 의견을 받아들인 까닭은 무엇인지 빈칸에 알맞은 내용을 찾아 쓰시오.

• 당나귀는 ____________________ 이기 때문이다.

핵심

4 당나귀를 타는 것에 대한 다음 인물의 의견은 무엇인지 선으로 이으시오.

(1) 노인 • • ① 아이와 아버지 둘 다 타고 가야 한다.

(2) 아낙 • • ② 아이 대신 아버지가 타고 가야 한다.

아낙의 말을 듣고 보니 정말 그런 것도 같았어요. 아버지는 아이도 당나귀에 태웠어요. 아버지와 아이를 태운 당나귀는 힘에 부친 듯 비틀비틀 걸음을 옮겼어요.

부친: 모자라거나 미치지 못한

시장에 거의 다다랐을 때, 그 모습을 본 청년이 말했어요.

"불쌍한 당나귀! 이 더운 날 두 명이나 태우고 가느라 힘이 다 빠졌네. 나라면 당나귀를 메고 갈 텐데."

청년의 말을 듣고 보니 그런 것 같았어요.

'그래, 이대로 가다가는 시장에 가기도 전에 당나귀가 지쳐 쓰러져 버릴 거야.'

둘은 당나귀에서 내렸어요. 그러고 나서 아버지는 당나귀의 앞발을, 아이는 뒷발을 각각 어깨에 올렸지요.

중심 내용 농부와 노인, 아낙과 청년은 아버지와 아이에게 당나귀를 타는 것에 대해 서로 다른 의견을 말해 주었고, 아버지와 아이는 다른 의견을 들을 때마다 그 의견대로 행동을 바꾸었다.

❷ 이제 외나무다리 하나만 건너면 시장이에요.

"으히힝." / 그때 당나귀가 ♥버둥거리는 바람에 두 사람은 그만 당나귀를 놓치고 말았답니다. 강에 빠진 당나귀는 물살에 떠내려가고 말았어요.

"다른 사람의 말만 듣다가 결국 귀한 당나귀를 잃고 말았구나!"

아버지와 아이는 뒤늦게 후회했지만 아무 소용이 없었답니다.

후회: 이전의 잘못을 깨치고 뉘우침.

중심 내용 아버지와 아이는 다른 사람의 말만 듣다가 결국 당나귀를 잃고 말았다.

♥버둥거리는 덩치가 큰 것이 매달리거나 자빠지거나 주저앉아서 팔다리를 내저으며 자꾸 움직이는.

교과서 핵심

● 인물의 의견 파악하기 ②

인물	의견
청년	당나귀를 메고 가야 한다.

● 의견이 적절한지 판단해야 하는 까닭

아버지와 아이의 행동	다른 사람이 말할 때마다 그것이 적절한지 그렇지 않은지 판단하지 않고 그대로 따랐다.
결과	귀한 당나귀를 잃고 말았다.

⬇

아버지와 아이는 다른 사람의 의견을 받아들이기 전에 그 의견이 적절한지 판단해 보아야 한다.

교과서 문제

5 이 글에서 알 수 있는 청년의 의견에 ○표를 하시오.

(1) 당나귀를 메고 가야 한다. ( )
(2) 당나귀를 나무에 매달아야 한다. ( )
(3) 당나귀가 혼자 걸어가도록 해야 한다. ( )

교과서 문제

6 다른 사람들의 의견을 들은 아버지와 아이는 어떻게 행동했습니까? ( )

① 누구의 의견도 따르지 않았다.
② 한 가지 의견을 선택하여 따랐다.
③ 어떤 의견이 좋은지 판단해 보았다.
④ 가장 지혜로워 보이는 사람의 의견을 따랐다.
⑤ 다른 사람들의 의견이 적절한지 그렇지 않은지 판단하지 않고 그대로 따랐다.

논술형

7 아버지와 아이의 행동이 적절하다고 생각하는지 그 까닭과 함께 쓰시오.

핵심

8 의견이 적절한지 판단해야 하는 까닭으로 알맞지 않은 것은 무엇입니까? ( )

① 사람마다 생각이 다르기 때문에
② 내 의견이 가장 정확하기 때문에
③ 잘못된 판단을 할 수 있기 때문에
④ 문제를 해결하지 못할 수 있기 때문에
⑤ 뜻하지 않게 잘못된 결과가 나올 수 있기 때문에

역량 제재

글쓴이의 의견을 평가하는 방법 알기

정답과 해설 ● 34쪽

8 단원

● 혜원, 민서, 준우가 쓴 글을 읽고 의견과 뒷받침 내용 정리하기

혜원 바람직한 독서 방법은 도서관의 편의 시설을 늘리는 것입니다. 휴게실을 많이 만들면 편안히 쉴 수 있습니다. 체육관이 생기면 운동을 자주 할 수 있습니다. 컴퓨터를 많이 설치하면 인터넷을 쉽게 이용할 수 있습니다. 이와 같이 올바른 독서 방법은 도서관의 편의 시설을 늘리는 것입니다.

민서 바람직한 독서 방법은 여러 분야(여러 갈래로 나누어진 범위나 부분)의 책을 읽는 것입니다. ㉠여러 분야의 책을 읽으면 ♥배경지식이 풍부해집니다. 풍부한 배경지식은 학교 공부를 하는 데 도움을 줍니다. ㉡한 분야의 책만 읽으면 시력이 나빠집니다. 제가 여러 분야의 책을 읽었을 때는 시력이 좋아졌는데 한 분야의 책만 읽었을 때는 시력이 나빠졌습니다. 따라서 여러 분야의 책을 읽는 것은 좋은 독서 방법입니다.

준우 바람직한 독서 방법은 자신이 좋아하는 책만 읽는 것입니다. 좋아하는 분야의 책을 읽으면 흥미를 느끼며 즐겁게 읽을 수 있습니다. 그 분야에 깊이 있는 지식을 쌓을 수 있습니다. 자신이 좋아하는 분야이기 때문에 책 내용을 더 쉽게 이해할 수 있습니다. 따라서 저는 이보다 더 바람직한 독서 방법은 없다고 생각합니다.

• **글의 특징:** '바람직한 독서 방법'을 주제로 혜원, 민서, 준우가 각각 자신의 의견을 썼습니다.

♥배경지식 어떤 일을 하거나 연구할 때, 이미 머릿속에 들어 있거나 기본적으로 필요한 지식.

교과서 핵심

● **혜원, 민서, 준우의 의견이 적절한지 평가하기**

의견이 주제와 관련 있는가?
예 혜원이의 의견은 '바람직한 독서 방법'이라는 주제와 관련이 없다.
뒷받침 내용이 믿을 만한가?
예 민서의 의견을 뒷받침하는 내용 중 '한 분야의 책만 읽으면 시력이 나빠진다'는 내용은 민서의 개인적인 경험이어서 믿을 만하지 않다.
의견을 따랐을 때 문제가 생기지 않는가?
예 준우의 의견대로 책을 읽을 경우에는 한 분야의 책만 읽게 되는 등 더 많은 문제가 생길 수 있다.

1 혜원이의 의견에 대해 알맞지 않게 말한 친구는 누구인지 쓰시오.

> 소미: 혜원이의 의견은 '바람직한 독서 방법'이라는 주제와 관련이 없어.
> 시완: 주제와 관련이 없더라도 뒷받침 내용이 믿을 만하므로 혜원이의 의견은 적절해.
> 지수: 바람직한 독서 방법이라면 책을 어떻게 읽는지와 관련이 있어야 하는데 그렇지 않아.

(　　　　　　)

2 민서의 의견을 뒷받침하는 내용 ㉠, ㉡ 중 믿을 만한 내용이 아닌 것의 기호를 쓰시오.

(　　　　　　)

역량

3 준우의 의견을 바르게 평가한 것에 모두 ○표를 하시오.

(1) 의견이 주제와 관련이 없다. (　　)

(2) 제시한 뒷받침 내용들이 의견과 관련이 있다. (　　)

(3) 의견을 따를 경우 여러 가지 문제가 생길 수 있다. (　　)

핵심

4 글쓴이의 의견이 적절한지 평가할 때 살펴볼 것으로 알맞지 않은 것은 무엇입니까? (　　)

① 의견이 주제와 관련 있는가?
② 의견과 뒷받침 내용이 관련 있는가?
③ 의견을 뒷받침 내용보다 길게 썼는가?
④ 뒷받침 내용이 사실이고, 믿을 만한가?
⑤ 의견을 따랐을 때 문제가 생기지 않는가?

정답과 해설 ● 34쪽

● '문화재를 개방해야 하는가'를 주제로 쓴 글에서 글쓴이의 의견이 적절한지 생각하기

문화재를 개방해야 합니다. 문화재를 직접 관람하면 옛 조상이 살았던 때를 생생하게 느낄 수 있습니다. 저는 가족과 함께 고인돌 유적지를 보러 갔습니다. 거대한 고인돌이 생생하게 기억에 남았습니다. 누리집에서 고인돌에 대한 정보를 찾아보았고, 학교 도서관에서 고인돌에 대한 책을 빌려 읽기도 했습니다.

또 문화재를 개방해야만 문화재 훼손을 막을 수 있습니다. 20○○년 7월 ○○일 신문 기사를 보니 고궁 가운데 한 곳인 ○○궁에 곰팡이가 ♥번식했다는 내용이 있었습니다. 장마인데 문을 닫고만 있어서 바람이 통하지 않아 곰팡이가 궁궐 안으로 퍼진 것입니다. 사람들이 드나들면서 바람이 통하게 하면 이와 같은 문제는 해결될 것입니다.

훼손: 헐거나 깨뜨려 못 쓰게 만듦.

문화재를 개방하면 자신이 체험한 문화재를 보호하려고 노력하는 사람이 늘어날 것입니다. 어디에 있는지도 모르는 유물이 아니라 우리 곁에 있는 문화재가 되어야 합니다. 우리가 함께 가꾸고 보존해 나간다고 생각한 뒤에 힘을 모으면 '살아 있는' 문화재가 될 것입니다.

> 글쓴이는 문화재를 개방해야 한다고 생각하는구나.
>
> 글쓴이의 의견을 뒷받침하는 내용이 제시되었어.
>
> 뒷받침 내용의 출처가 믿을 만한 곳이어야 해.
>
> 뒷받침하는 내용이 사실인지 살펴봐야 해.
>
> 문화재를 개방하는 것이 문제 해결에 도움이 될까?

• 글의 특징: '문화재를 개방해야 하는가'를 주제로 글쓴이가 자신의 의견을 썼습니다.

♥번식 수가 늘어서 많이 퍼짐.

● 글쓴이의 의견 평가하기 예

의견에 대한 생각	그렇게 생각한 까닭
적절하다고 생각한다.	뒷받침 내용으로 제시된 세 가지가 모두 사실이며 믿을 만하고, 그 의견을 선택했을 때 또 다른 문제 상황이 나타나지 않을 것이기 때문이다.
적절하지 않다고 생각한다.	많은 사람이 문화재를 관람하다 보면 어쩔 수 없이 훼손되기 마련이다. 한번 망가진 문화재는 돌이킬 수 없다.

교과서 문제

1 글쓴이의 의견은 무엇입니까? ( )

① 고인돌을 보호해야 한다.
② 문화재를 개방해야 한다.
③ 문화재 관람료를 올려야 한다.
④ 문화재에 대한 책을 많이 읽어야 한다.
⑤ 관람객에게 문화재 보호의 중요성을 교육해야 한다.

교과서 문제

2 글쓴이의 의견을 뒷받침하는 내용을 살펴보고, 빈칸에 알맞은 내용을 쓰시오.

• 옛 조상이 살았던 때를 생생하게 느낄 수 있다.
• 여름 장마철에 생기는 문화재 훼손을 막을 수 있다.
• ______

역량

3 다음은 글쓴이의 의견을 평가한 글입니다. 빈칸에 들어갈 알맞은 말에 ○표를 하시오.

> 글쓴이의 의견은 (적절합니다. , 적절하지 않습니다.) 이에 대한 뒷받침 내용으로 제시된 세 가지가 모두 사실이며 믿을 만하기 때문입니다. 또 그 의견을 선택했을 때 또 다른 문제 상황이 나타나지 않을 것이기 때문입니다.

핵심 논술형

4 글쓴이의 의견에 대한 내 생각과 그렇게 생각한 까닭을 쓰시오.

(1) 내 생각	(2) 그렇게 생각한 까닭

8 단원

● 편식과 관련한 자신의 생각 쓰기

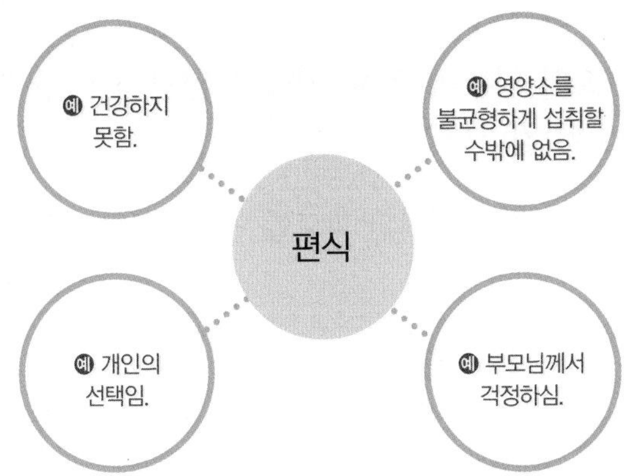
예 건강하지 못함.
예 영양소를 불균형하게 섭취할 수밖에 없음.
편식
예 개인의 선택임.
예 부모님께서 걱정하심.

● 편식과 관련한 자신의 의견을 간단히 말해 보기

편식을 하면 영양이 ♥불균형해져서 성장이 늦어질 수 있다고 해.

하지만 먹기 싫은 음식을 억지로 먹는 것은 바람직하지 않아.

● 자신의 의견을 뒷받침할 수 있는 내용 찾기

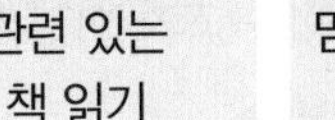

관련 있는 책 읽기 / 믿을 만한 누리집 찾아보기 / 전문가에게 물어보기

♥불균형(不 아닐 불, 均 고를 균, 衡 저울대 형) 어느 편으로 치우쳐 고르지 아니함.

교과서 핵심 ● 편식과 관련한 자신의 의견이 드러나게 글 쓰기

의견	예 편식해도 된다.
뒷받침 내용	예 좋아하는 음식 위주로 다양하게 먹어도 충분히 영양소를 섭취할 수 있다.

1 편식과 관련한 생각으로 어울리지 않는 것은 무엇입니까? ( )

① 개인의 선택임.
② 건강하지 못함.
③ 부모님께서 걱정하심.
④ 다양한 음식을 맛볼 수 있음.
⑤ 영양소를 불균형하게 섭취할 수밖에 없음.

2 편식과 관련한 자신의 의견을 뒷받침할 수 있는 내용을 찾는 방법으로 알맞은 것을 세 가지 고르시오. (, ,)

① 전문가에게 물어본다.
② 관련 있는 책을 읽는다.
③ 믿을 만한 누리집을 찾아본다.
④ 인기 있는 텔레비전 만화 영화를 본다.
⑤ 온라인 대화에서 친구들에게 물어본다.

핵심
3 편식과 관련한 자신의 의견에 ○표를 하고, 자신의 의견을 뒷받침할 수 있는 내용을 한 가지 쓰시오.

(1) 의견: (편식해도 된다 , 편식하면 안 된다).

(2) 뒷받침 내용: ______________________

____

4 친구들이 쓴 의견이 드러나는 글을 읽고 평가할 때 살펴볼 점으로 알맞지 않은 것은 무엇입니까? ( )

① 내 의견과 똑같은지 살펴본다.
② 주제와 관련 있는지 살펴본다.
③ 의견과 뒷받침 내용이 관련 있는지 살펴본다.
④ 의견을 뒷받침하는 내용이 사실인지 살펴본다.
⑤ 뒷받침하는 내용의 출처가 믿을 만한 곳인지 살펴본다.

실천

역량 활동

학교에서 일어난 일에 대한 의견 발표하기

정답과 해설 ● 35쪽

교과서 문제

1 다음 친구들의 생각을 살펴보고, 자신이 생각하는 즐겁고 행복한 학교는 어떤 학교인지 쓰시오.

즐겁고 행복한 학교는 친구들끼리 사이좋게 지내는 학교라고 생각해.

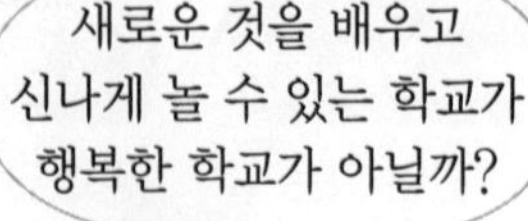

새로운 것을 배우고 신나게 놀 수 있는 학교가 행복한 학교가 아닐까?

____

____

2 우리 학교를 즐겁고 행복한 학교로 만들려고 할 때 우리가 할 수 있는 일로 알맞지 않은 것은 무엇입니까? ( )

① 바르게 인사하기
② 비속어 쓰지 않기
③ 함께 교실 청소하기
④ 하루에 한 가지씩 칭찬하기
⑤ 친구가 싫어하는 별명 부르기

역량 논술형

3 즐겁고 행복한 학교를 만들기에 가장 적절한 의견을 생각하여 그 까닭과 함께 쓰시오.

(1) 의견	
(2) 까닭	

4 모둠별로 다음 주제에 대한 의견을 고르고, 뒷받침 내용을 찾으려고 합니다. 모둠 구성원들이 나누어 맡을 역할로 알맞지 않은 것은 무엇입니까? ( )

> 즐겁고 행복한 학교를 만들려고 할 때 우리가 해야 할 일

① 전문가를 찾는 사람
② 책 자료를 찾는 사람
③ 누리집을 검색하는 사람
④ 면담 질문에 대답하는 사람
⑤ 모은 자료를 정리하는 사람

5 모둠별로 의견이 드러나는 글을 써서 학급 누리집 게시판에 올릴 때 주의할 점으로 알맞지 않은 것은 무엇입니까? ( )

① 맞춤법이나 띄어쓰기에 주의하며 쓴다.
② 의견과 관련이 깊은 뒷받침 내용을 쓴다.
③ 온라인에 글을 쓸 때 지켜야 할 예절을 떠올리며 쓴다.
④ 주제에 맞게 우리 모둠의 의견이 잘 드러나도록 쓴다.
⑤ 뒷받침하는 내용이 사실일 경우 출처는 밝히지 않는다.

6 즐겁고 행복한 학교 만들기 활동으로 무엇을 하면 좋을지 생각하여 다음 계획표를 완성하시오.

> 〈○○ 모둠 실천 계획표〉
> • 시간: 월요일~금요일 점심시간
> • 장소: 교실과 복도
> • 하는 일: ( )
> • 점검하기: 스스로 실천한 뒤 점검표에 동그라미 표시하기
> • 목표 달성: 한 달 동안 모둠원 전체가 지키기

기본 • 168쪽 글을 읽고 글쓴이의 의견 평가하기

● 광고 살펴보기

● 광고를 보고 생각한 내용을 쓴 다음 글 읽기

숲을 보호합시다

사람들은 숲에서 생활에 필요한 여러 가지 물건을 얻습니다. 이로 말미암아 숲이 파괴되고 생물들의 보금자리가 사라집니다. 우리는 이런 숲을 보호하고 생물들의 보금자리를 지켜 주어야 합니다. 그렇게 하려면 어떻게 해야 할까요?

첫째, 자원의 낭비를 막아야 합니다. 우리가 물건을 아껴 쓰고, 버리는 물건을 재활용하면 숲이 파괴되는 것을 줄일 수 있습니다.

둘째, 나무를 베어 낸 숲은 다시 가꾸어야 합니다. 한번 파괴된 숲은 저절로 복원되는 데 오랜 시간이 걸리지만, 사람들이 노력하면 조금 더 빨리 새로운 숲을 만들 수 있습니다.

복원: 원래대로 회복함.

셋째, 숲의 파괴를 최소화해야 합니다. 숲을 이용할 때에는 정해진 곳만 이용하고, 보호된 숲에서는 식물과 동물이 살아갈 수 있게 해야 합니다.

1 광고에서 사슴벌레는 무엇을 찾고 있는지 쓰시오.

( )

2 이 광고에서 말하고자 하는 것을 찾아 기호를 쓰시오.

> ㉠ 곤충 채집을 금지해야 한다.
> ㉡ 멸종 위기의 동물을 보호해야 한다.
> ㉢ 동식물들의 보금자리를 지켜 주어야 한다.

( )

3 「숲을 보호합시다」에서 글쓴이가 제시한 숲을 보호하는 방법이 아닌 것은 무엇입니까? ( )

① 물건을 아껴 쓴다.
② 숲의 파괴를 최소화한다.
③ 버리는 물건을 재활용한다.
④ 숲의 나무를 다양하게 사용한다.
⑤ 나무를 베어 낸 숲을 다시 가꾼다.

4 글쓴이의 의견이 적절한지 평가해 쓰시오.

정답과 해설 ● 36쪽

기본 • 169쪽 자신의 의견이 드러나게 글 쓰기

자유가 뭐예요?

• 글: 오스카 브르니피에 • 옮김: 양진희

엄마나 선생님, 경찰 들은 우리에게 하지 말아야 할 것들을 요구합니다.

"학교 복도에서는 뛰지 마라."

"아무 데서나 길을 건너서는 안 된다."

"함부로 휴지를 버려서는 안 된다."

어른들은 왜 아이들을 구속하고 자유를 방해할까요?

이런 간섭을 받을 때 아이들은 자유를 방해받는다고 느끼지만 사실은 여러 사람과 더불어 살면서 진정으로 자유롭기 위한 훈련을 받고 있는 것입니다. / 식당에서 아이들이 시끄럽게 뛰어다닐 때 식당의 다른 사람들은 편안하게 쉴 자유를 방해받습니다. 나의 자유를 누리기 위해서 남의 자유를 침해한다면(함부로 끼어들어 해를 끼친다면) 거꾸로 남도 자신의 자유를 위해서 나의 자유를 침해할 것입니다.

따라서 우리는 자신의 자유만 주장할 수 없습니다.

우리는 여러 사람과 함께 살고 있기 때문에 다른 사람의 자유를 위해서 자신의 자유를 조금 제한하고(일정한 정도를 정하거나 그 정도를 넘지 못하게 막고) 상대방을 존중해야 합니다. 이것을 깨닫게 된다면 우리는 자기 마음대로 하고 싶은 충동을 스스로 참고 절제할(정도에 넘지 않도록 알맞게 조절할) 것입니다. 이때 우리는 자율적으로 행동하는 사람이 되며 그때에야 비로소 사회 속에서 참된 자유를 누릴 수 있게 됩니다.

5 어른들이 아이들에게 하지 말아야 할 것들을 요구하는 까닭에 ○표를 하시오.

(1) 아이들의 자유를 방해하기 위해서 ( )

(2) 어른들만의 자유를 주장하기 위해서 ( )

(3) 여러 사람과 더불어 살면서 진정으로 자유롭기 위해서 ( )

6 다른 사람과 함께 살려면 어떻게 해야 할지 자신의 의견을 간단히 쓰시오.

____

____

기초 다지기 표준어 알기

7 다음 사진처럼 '위 끝이 뾰족하게 생긴 모자'를 가리키는 표준어는 무엇인지 쓰시오.

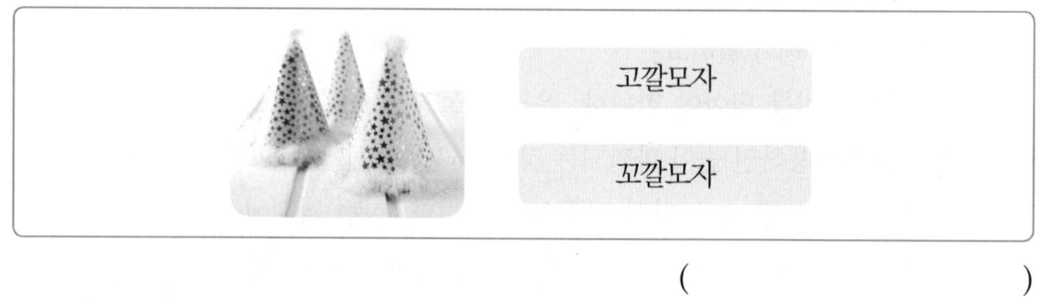

( )

8 다음 문장에서 표준어를 골라 ○표를 하시오.

(1) 어머니께서는 꽃밭 (가장자리 , 가생이)에 채송화를 가득 심으셨다.

(2) 목욕탕에서 형이 (등어리 , 등)을/를 밀어 주니 정말 개운했다.

단원 마무리

정답과 해설 ● 36쪽

준비 ……

》의견이 적절한지 판단해야 하는 까닭 알기

- 사람마다 생각이 다를 수 있어. 그 가운데에서 더 나은 의견을 선택하려는 거야.
- 적절하지 못한 의견을 따라 결정하면 잘못된 판단을 할 수 있어.
- 잘못된 ❶ □□을/를 따르면 문제를 해결하지 못할 수도 있어.
- 뜻하지 않게 잘못된 결과가 나올 수 있으니까 의견이 적절한지 꼭 판단해야 해.

기본 ……

》글쓴이의 의견을 평가하는 방법 알기

예 혜원, 민서, 준우가 쓴 글을 읽고 의견이 적절한지 평가하기

혜원이의 의견	민서의 의견	준우의 의견
바람직한 독서 방법은 도서관의 편의 시설을 늘리는 것이다.	바람직한 독서 방법은 여러 분야의 책을 읽는 것이다.	바람직한 독서 방법은 자신이 좋아하는 책만 읽는 것이다.
⬇	⬇	⬇
의견이 ❷ □□과/와 관련 있는가?	뒷받침 내용이 사실이고, 믿을 만한가?	의견을 따랐을 때 문제가 생기지 않는가?
예 바람직한 독서 방법은 책을 어떻게 읽는지와 관련이 있어야 하므로 혜원이의 의견은 주제와 관련이 없습니다.	예 민서의 의견을 뒷받침하는 내용 중 '한 분야의 책만 읽으면 시력이 나빠진다'는 내용은 민서의 개인적인 경험이어서 믿을 만하지 않습니다.	예 준우의 의견대로 책을 읽을 경우에는 한 분야의 책만 읽게 되어 다양한 사고를 할 수 없게 되는 등 더 많은 문제가 생길 수 있습니다.

기본 ……

》자신의 의견이 드러나게 글 쓰기

예 편식과 관련한 자신의 의견이 드러나게 글 쓰기

단계		
편식과 관련한 경험을 떠올려 보고, 자신의 생각 쓰기	예 편식 …… 건강하지 못함. …… 영양이 불균형해짐. …… 부모님께서 걱정하심.	
자신의 의견을 정하고, 의견을 뒷받침할 수 있는 내용 찾아보기	• 관련 있는 책을 읽어 봅니다. • 믿을 만한 누리집을 찾아봅니다. • ❸ □□□에게 물어봅니다.	
자신의 의견과 뒷받침 내용을 정리하여 의견이 드러나는 글 쓰기	의견	예 편식하면 안 된다.
	❹ □□□ 내용	예 편식하지 않고 골고루 먹으면 여러 가지 영양소를 균형 있게 섭취할 수 있어서 건강해진다.

• 단원 평가 더 풀기 >> 평가 교재 44~49쪽

1~4 글을 읽고, 물음에 답하시오.

> ㉮ "세상에! 이렇게 더운 날 어린아이는 걷게 하고 자기만 편하게 당나귀를 타고 가다니. 저런 사람이 아비라고 할 수 있나, 원! 나라면 아이도 함께 태울 텐데."
> 아낙의 말을 듣고 보니 정말 그런 것도 같았어요. 아버지는 아이도 당나귀에 태웠어요.
> ㉯ "불쌍한 당나귀! 이 더운 날 두 명이나 태우고 가느라 힘이 다 빠졌네. 나라면 당나귀를 메고 갈 텐데."
> 청년의 말을 듣고 보니 그런 것 같았어요.
> '그래, 이대로 가다가는 시장에 가기도 전에 당나귀가 지쳐 쓰러져 버릴 거야.'
> 둘은 당나귀에서 내렸어요. 그러고 나서 아버지는 당나귀의 앞발을, 아이는 뒷발을 각각 어깨에 올렸지요.
> 이제 외나무다리 하나만 건너면 시장이에요.
> "으히힝." / 그때 당나귀가 버둥거리는 바람에 두 사람은 그만 당나귀를 놓치고 말았답니다. 강에 빠진 당나귀는 물살에 떠내려가고 말았어요.

1 이 이야기에 등장하지 않는 인물은 누구입니까? ( )

① 아이 ② 아낙 ③ 청년
④ 아버지 ⑤ 할머니

2 아낙과 청년의 의견을 찾아 선으로 이으시오.

(1) 아낙 • • ① 아버지와 아이가 당나귀를 메고 가야 한다.

(2) 청년 • • ② 아버지와 아이 둘 다 당나귀를 타고 가야 한다.

3 다른 사람들의 의견을 들은 아버지와 아이는 어떻게 행동했는지 쓰시오.

( )

4 당나귀는 결국 어떻게 되었습니까? ( )

① 지쳐 쓰러졌다.
② 숲속에 버려졌다.
③ 아낙에게 팔려 갔다.
④ 시장에 무사히 도착했다.
⑤ 강에 빠져 물살에 떠내려갔다.

5 다른 사람의 의견이 적절한지 판단해야 하는 까닭이 아닌 것에 ×표를 하시오.

(1) 사람의 생각은 비슷하기 때문이다. ( )
(2) 잘못된 판단을 할 수 있기 때문이다. ( )
(3) 뜻하지 않게 잘못된 결과가 나올 수 있기 때문이다. ( )

6~7 글을 읽고, 물음에 답하시오.

> 바람직한 독서 방법은 도서관의 편의 시설을 늘리는 것입니다. 휴게실을 많이 만들면 편안히 쉴 수 있습니다. 체육관이 생기면 운동을 자주 할 수 있습니다. 컴퓨터를 많이 설치하면 인터넷을 쉽게 이용할 수 있습니다.

6 글쓴이는 '바람직한 독서 방법'을 하려면 어떻게 해야 한다고 했습니까? ( )

① 도서관을 많이 세워야 한다.
② 도서관의 휴게실을 줄여야 한다.
③ 책을 읽고 감상문을 꼭 써야 한다.
④ 도서관의 편의 시설을 늘려야 한다.
⑤ 하루에 여러 권의 책을 읽어야 한다.

중요
7 이 글을 읽고 글쓴이의 의견이 적절한지 평가하려면 먼저 무엇을 살펴봐야 하는지 빈칸에 알맞은 말을 쓰시오.

• 글쓴이의 의견이 ( )과/와 관련 있는지 살펴봐야 한다.

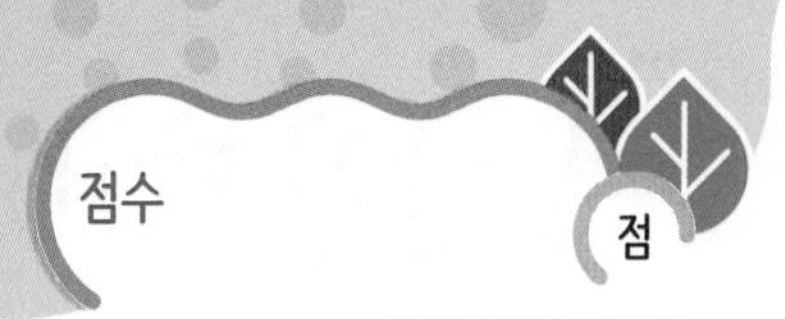

8~9 글을 읽고, 물음에 답하시오.

> 바람직한 독서 방법은 여러 분야의 책을 읽는 것입니다. ㉠여러 분야의 책을 읽으면 배경지식이 풍부해집니다. 풍부한 배경지식은 학교 공부를 하는 데 도움을 줍니다. ㉡한 분야의 책만 읽으면 시력이 나빠집니다. 제가 여러 분야의 책을 읽었을 때는 시력이 좋아졌는데 한 분야의 책만 읽었을 때는 시력이 나빠졌습니다. 따라서 여러 분야의 책을 읽는 것은 좋은 독서 방법입니다.

8 글쓴이의 의견은 무엇인지 쓰시오.

( )

9 글쓴이의 의견을 뒷받침하는 내용 ㉠, ㉡을 바르게 평가한 것은 어느 것입니까? ( )

① ㉠은 믿을 만한 내용이 아니다.
② ㉡은 믿을 만한 내용이 아니다.
③ ㉠, ㉡은 둘 다 믿을 만한 내용이다.
④ ㉠, ㉡은 둘 다 믿을 만한 내용이 아니다.
⑤ ㉠, ㉡은 둘 다 의견과 관련이 없는 내용이다.

10 뒷받침 내용이 믿을 만한지 알아보기 위한 방법으로 알맞지 않은 것은 무엇입니까? ( )

① 전문가에게 물어본다.
② 도서관에서 책을 찾아본다.
③ 개인적인 경험을 떠올려 본다.
④ 믿을 만한 누리집을 검색해 본다.
⑤ 출처가 분명한 전문 자료를 참고한다.

11~13 글을 읽고, 물음에 답하시오.

> ㉠바람직한 독서 방법은 자신이 좋아하는 책만 읽는 것입니다. 좋아하는 분야의 책을 읽으면 ㉡흥미를 느끼며 즐겁게 읽을 수 있습니다. 그 분야에 깊이 있는 지식을 쌓을 수 있습니다. ㉢자신이 좋아하는 분야이기 때문에 책 내용을 더 쉽게 이해할 수 있습니다.

11 ㉠~㉢을 의견과 뒷받침 내용으로 구분하여 각각 선으로 이으시오.

(1) ㉠ •
(2) ㉡ •
(3) ㉢ •

• ① 의견
• ② 뒷받침 내용

12 글쓴이의 의견이 적절한지 평가해 보았습니다. 빈칸에 알맞은 말에 ○표를 하시오.

> 글쓴이는 주제와 관련 있는 의견을 제시했고, 뒷받침 내용도 믿을 만하다. 하지만 자신이 좋아하는 분야의 책만 읽어야겠다고 생각하면 다른 분야의 책은 전혀 읽지 않을 것이기 때문에 이 의견은 (적절하다 , 적절하지 않다).

논술형

13 '바람직한 독서 방법'에 대한 자신의 의견을 간단히 쓰시오.

중요

14 글쓴이의 의견이 적절한지 평가하는 방법으로 알맞지 않은 것은 무엇입니까? ( )

① 뒷받침 내용이 믿을 만한지 확인한다.
② 글쓴이의 의견이 주제와 관련 있는지 살펴본다.
③ 뒷받침 내용을 최대한 많이 제시했는지 살펴본다.
④ 글쓴이의 의견과 뒷받침 내용이 관련 있는지 살펴본다.
⑤ 글쓴이의 의견을 따랐을 때 문제가 생기지 않는지 살펴본다.

8 단원

15~17 글을 읽고, 물음에 답하시오.

> 문화재를 개방해야 합니다. 문화재를 직접 관람하면 옛 조상이 살았던 때를 생생하게 느낄 수 있습니다. 저는 가족과 함께 고인돌 유적지를 보러 갔습니다. 거대한 고인돌이 생생하게 기억에 남았습니다. 누리집에서 고인돌에 대한 정보를 찾아보았고, 학교 도서관에서 고인돌에 대한 책을 빌려 읽기도 했습니다.

15 이 글은 '문화재를 개방해야 하는가'를 주제로 쓴 글입니다. 글쓴이의 의견을 쓰시오.

(　　　　　　　　　　　　　　　　)

16 글쓴이가 자신의 의견을 뒷받침하기 위해 제시한 내용은 무엇입니까? (　　)

① 관람료를 내지 않아도 된다.
② 문화재를 직접 만져 볼 수 있다.
③ 문화재를 안전하게 관리할 수 있다.
④ 우리의 문화재를 세계적으로 알릴 수 있다.
⑤ 옛 조상이 살았던 때를 생생하게 느낄 수 있다.

논술형

17 글쓴이의 의견이 적절하다고 판단했다면 그 까닭은 무엇이겠는지 쓰시오.

____

____

국어 활동

18 다음 글에 드러난 글쓴이의 의견을 찾아 기호를 쓰시오.

> 사람들은 숲에서 생활에 필요한 여러 가지 물건을 얻습니다. 이로 말미암아 숲이 파괴되고 생물들의 보금자리가 사라집니다. 우리는 이런 숲을 보호하고 생물들의 보금자리를 지켜 주어야 합니다.

㉠ 나무를 심어 숲을 더욱 늘려야 한다.
㉡ 숲을 보호하고 생물들의 보금자리를 지켜 주어야 한다.
㉢ 숲을 이용하여 생활에 필요한 여러 가지 물건을 얻어야 한다.

(　　　　　　　　　　)

중요

19 다음 의견을 뒷받침할 수 있는 내용으로 알맞은 것에 ○표를 하시오.

> 편식하면 안 된다.

(1) 영양이 불균형해져서 성장이 늦어질 수 있다. (　　)
(2) 좋아하는 음식 위주로 다양하게 먹어도 충분히 영양소를 섭취할 수 있다. (　　)
(3) 먹기 싫은 음식을 억지로 먹다가 오히려 스트레스를 받아 건강을 해칠 수 있다. (　　)

20 즐겁고 행복한 학교 만들기를 주제로 적절한 의견을 한 가지 떠올려 쓰시오.

(　　　　　　　　　　　　　　　　)

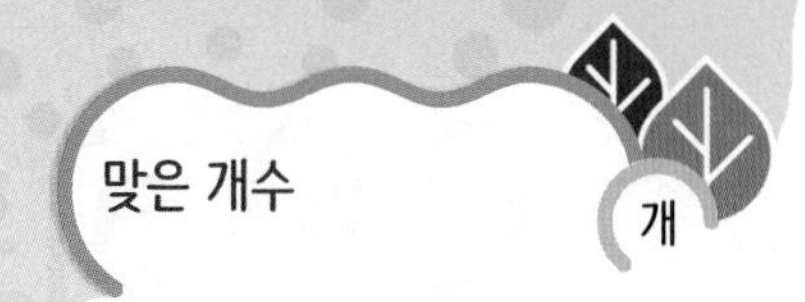

정답과 해설 ● 37쪽

8 단원

1 다른 사람의 의견이 적절한지 판단해야 하는 까닭을 한 가지 쓰시오.

2~3 글을 읽고, 물음에 답하시오.

바람직한 독서 방법은 자신이 좋아하는 책만 읽는 것입니다. 좋아하는 분야의 책을 읽으면 흥미를 느끼며 즐겁게 읽을 수 있습니다. 그 분야에 깊이 있는 지식을 쌓을 수 있습니다. 자신이 좋아하는 분야이기 때문에 책 내용을 더 쉽게 이해할 수 있습니다. 따라서 저는 이보다 더 바람직한 독서 방법은 없다고 생각합니다.

2 글쓴이의 의견을 쓰시오.

3 글쓴이의 의견이 적절한지 판단하여 그 까닭과 함께 쓰시오.

4~5 글을 읽고, 물음에 답하시오.

문화재를 개방해야 합니다. 문화재를 직접 관람하면 옛 조상이 살았던 때를 생생하게 느낄 수 있습니다. 저는 가족과 함께 고인돌 유적지를 보러 갔습니다. 거대한 고인돌이 생생하게 기억에 남았습니다. 누리집에서 고인돌에 대한 정보를 찾아보았고, 학교 도서관에서 고인돌에 대한 책을 빌려 읽기도 했습니다.

또 문화재를 개방해야만 문화재 훼손을 막을 수 있습니다. 20○○년 7월 ○○일 신문 기사를 보니 고궁 가운데 한 곳인 ○○궁에 곰팡이가 번식했다는 내용이 있었습니다. 장마인데 문을 닫고만 있어서 바람이 통하지 않아 곰팡이가 궁궐 안으로 퍼진 것입니다. 사람들이 드나들면서 바람이 통하게 하면 이와 같은 문제는 해결될 것입니다.

문화재를 개방하면 자신이 체험한 문화재를 보호하려고 노력하는 사람이 늘어날 것입니다. 어디에 있는지도 모르는 유물이 아니라 우리 곁에 있는 문화재가 되어야 합니다. 우리가 함께 가꾸고 보존해 나간다고 생각한 뒤에 힘을 모으면 '살아 있는' 문화재가 될 것입니다.

4 글쓴이의 의견과 뒷받침 내용을 정리하여 쓰시오.

(1) 의견	
(2) 뒷받침 내용	• 옛 조상이 살았던 때를 생생하게 느낄 수 있다. • •

5 글쓴이의 의견이 적절한지 생각해 보고, '문화재를 개방해야 하는가'에 대한 자신의 의견을 쓰시오.

낱말 퀴즈

교과서 문장으로 확인하는 핵심 낱말 

● 다음 교과서 문장의 파란색 낱말 중에서 알맞은 것을 골라 인물들이 한 말을 완성하시오.

- 적절하지 못한 의견을 따라 결정하면 잘못된 판단을 할 수 있어.
- 여러 분야의 책을 읽으면 배경지식이 풍부해집니다.
- 좋아하는 분야의 책을 읽으면 흥미를 느끼며 즐겁게 읽을 수 있습니다.
- 우리가 함께 가꾸고 보존해 나간다고 생각한 뒤에 힘을 모으면 '살아 있는' 문화재가 될 것입니다.

휘이이이잉 —

❶ ________도 없이 남극에서 함부로 움직이는 건 위험해.

어디로 갈지 잘 ❷ ________해야 해.

추운 날씨에 목숨을 ❸ ________하기 위해서는 체온 유지에 힘써야 해.

펭귄이 우리에게 ❹ ________를 느끼는 모양이야.

정답 | ❶ 배경지식 ❷ 판단 ❸ 보존 ❹ 흥미

9 감동을 나누며 읽어요

무엇을 배울까요?

준비

- 시를 읽고 경험 말하기

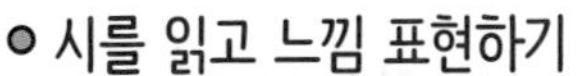

기본

- 시를 읽고 느낌 표현하기
- 이야기를 보고 내용에 대한 생각 나누기
- 이야기를 읽고 다른 사람에게 들려주기

실천

- 생각이나 느낌을 시와 그림으로 표현해 전시회 하기

1 시를 읽고 경험 말하기

① 시 제목을 보고 어떤 내용일지 짐작해 봅니다.
② 경험을 떠올리며 시를 읽어 봅니다.
③ 시에 나오는 장면을 떠올립니다.
④ 시 내용과 관련된 경험을 말해 봅니다.

2 시를 읽고 느낌 표현하기

느낌을 떠올리는 방법	• 시에 나오는 장면을 떠올려 봅니다. • 시에 나오는 인물이 되어 봅니다. • 시에 나오는 인물에게 묻고 싶은 물음을 만들어 봅니다. • 시에 나오는 인물과 자신의 경험을 비교해 봅니다.
느낌을 표현하는 방법	면담하기, 낭독하기, 노랫말 만들기, 역할극하기, 장면을 이야기로 들려주기, 그림으로 나타내기 등에서 자신이 정한 방법으로 느낌을 표현해 봅니다.

3 이야기를 보고 내용에 대한 생각 나누기

① 이야기에서 어떤 일이 일어났는지 살펴봅니다.
② 인물의 행동을 어떻게 생각하는지 자신의 생각을 말해 봅니다.
③ 이야기에 대한 생각을 글로 써 봅니다.

4 이야기를 읽고 다른 사람에게 들려주기

① 이야기에 나오는 인물의 특성을 알아봅니다.
② 상황과 인물의 특성에 알맞은 인물의 말과 행동을 생각해 봅니다.
③ 이야기의 장면을 정해 이야기를 실감 나게 표현해 봅니다.

예 「멸치 대왕의 꿈」을 읽고 다른 사람에게 들려주기

인물	상황에 알맞은 인물의 말	실감 나게 표현하기
멸치 대왕	"뭐라고? 너 이놈! 감히 그런 꿈풀이를 하다니. 괘씸하다!"	분노해 큰 목소리로 말합니다.

→ 인물의 특성을 살려 생생하게 표현하면 이야기가 더욱 실감 나게 들립니다.

5 생각이나 느낌을 시와 그림으로 표현해 전시회 하기

시를 골라 그림과 함께 꾸미기	• 마음에 드는 시를 골라 봅니다. • 시의 장면을 떠올려 생각이나 느낌을 써 봅니다. • 시를 옮겨 쓰고, 시의 장면에 어울리는 그림을 그려 봅니다.
시를 써서 그림과 함께 꾸미기	• 시로 표현할 생각이나 느낌을 떠올려 봅니다. • 생각이나 느낌을 시로 표현해 봅니다. • 자신이 쓴 시의 장면에 어울리는 그림을 그려 봅니다.

핵심 확인문제

정답과 해설 ● 38쪽

1 시를 읽고 경험을 말할 때에는 시 □□과/와 관련된 경험을 말해 봅니다.

2 시를 읽고 느낌을 떠올릴 때 시에 나오는 인물과 자신의 경험을 비교해 봅니다.
(○, ×)

3 이야기를 보고 내용에 대한 생각을 나눌 때에는 인물의 □□을/를 어떻게 생각하는지 자신의 생각을 말해 봅니다.

4 이야기를 읽고 다른 사람에게 들려줄 때에는 이야기에 나오는 □□의 특성을 알아봅니다.

5 생각이나 느낌을 시와 그림으로 표현할 때에는 시의 장면에 어울리는 그림을 그려야 합니다.
(○, ×)

준비 시를 읽고 경험 말하기

정답과 해설 ● 38쪽

9 단원

경험을 떠올리며 읽기

온통 비행기

김개미

내 스케치북에는 비행기가 날아.

필통에도 / 지우개에도 / 비행기가 날아.

♥조종석에는 언제나 / 내가 앉아 있어.

♥조수석에는 엄마도 앉고
동생도 앉고 / 송이도 앉아.
오늘은 우리 집 개가 앉았어.

난 비행기가 좋아. / 비행기를 구경하는 것도
비행기를 그리는 것도 / 비행기를 생각하는 것도.

커서 뭐가 되고 싶으냐고 묻지 마.
내 마음에는 비행기가 날아.

- **글의 종류:** 시
- **글의 내용:** 말하는 이가 자기는 조종석에 앉고, 조수석에는 가족이 앉아 비행기를 조종하는 상상을 하고 있습니다.

♥조종석 항공기에서 조종사가 앉는 자리.
♥조수석 운전석의 옆자리.

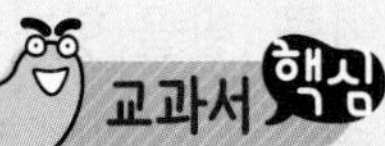

시를 읽고 경험 말하기 예

시의 장면	• 비행기를 그리는 아이의 모습이 떠오른다. • 비행기를 상상하며 웃음 짓는 얼굴이 떠오른다.
내 경험	• 동물을 좋아해 여러 동물을 그렸던 경험이 생각난다. • 자동차에 관심이 있어서 자동차 박람회를 구경해 본 경험이 떠오른다.

교과서 문제

1 이 시에서 말하는 이가 하고 싶은 일은 무엇인지 빈칸에 알맞은 말을 쓰시오.

• (   )을/를 좋아하는 일이다.

2 "커서 뭐가 되고 싶으냐고 묻지 마."라고 한 까닭을 두 가지 고르시오. (,   )

① 좋아하는 일이 없기 때문에
② 같은 질문을 자주 듣기 때문에
③ 엄마가 대답을 정해 주셨기 때문에
④ 아직 비행기를 순수하게 좋아하고 싶기 때문에
⑤ 물어볼 필요 없이 하고 싶은 일이 정해져 있기 때문에

교과서 문제

3 이 시를 읽고 떠오르는 장면으로 알맞지 않은 것은 무엇입니까? (   )

① 비행기를 그리는 모습
② 비행기를 구경하는 모습
③ 비행기를 조종하는 모습
④ 비행기 장난감이 망가진 모습
⑤ 비행기에 엄마를 태우고 나는 모습

핵심 논술형

4 이 시에서 말하는 이와 비슷한 자신의 경험을 써 보시오.

역량 제재

정답과 해설 ● 38쪽

경험을 떠올리며 읽기

지하 주차장

김현욱

지하 주차장으로
차 가지러 내려간 아빠
한참 만에
차 몰고 나와 한다는 말이

내려가고 내려가고 또 내려갔는데 글쎄, 계속 지하로 계단이 있는 거야! 그러다 아이쿠, 발을 헛디뎠는데 아아아…… 이상한 나라의 엘리스처럼 깊은 동굴 속으로 끝없이 떨어지지 않겠니? 정신을 차려 보니까 호빗이 사는 마을이었어. 호박처럼 생긴 집들이 ♥미로처럼 뒤엉켜 있는데 갑자기 흰머리 간달프가 나타나 말하더구나. 이 새 자동차가 네 자동차냐? 내가 말했지. 아닙니다, 제 자동차는 10년 다 된 고물(헐거나 낡은 물건) 자동차입니다. 오호, 정직한 사람이구나. 이 새 자동차를…….

에이, 아빠!
차 어디에 세워 놨는지 몰라서 그랬죠?
차 찾느라 / 온 지하 주차장 헤매고 다닌 거
다 알아요. / 피이!

- **글의 종류**: 시
- **글의 내용**: 아빠는 차를 지하 주차장 어디에 세워 놓았는지 잊어버려서 한참을 헤매다가 늦게 나온 것을 아이에게 들키고 싶지 않아서 말도 안 되는 이야기를 지어 냈습니다.

♥미로(迷 미혹할 미, 路 길 로) 어지럽게 갈래가 져서, 한번 들어가면 다시 빠져나오기 어려운 길.

교과서 핵심

○ 시를 읽고 느낌 표현하기 예

면담을 하고 떠올린 느낌 말하기
아빠의 처지에서 물음에 답해 보니 아이에게 실수를 들키고 싶지 않은 아빠의 속마음이 느껴졌다. 이 시는 아빠의 마음을 재미있게 표현한 것 같다.
노랫말을 만들고 떠올린 느낌 말하기
나는 노랫말을 지어 보니 아빠께서 빨리 나오시기를 기다리는 아이의 마음이 느껴졌다. 나도 비슷한 경험이 있어서 쉽게 공감할 수 있었다.

교과서 문제

1 차를 가지러 지하 주차장에 가신 아빠께 어떤 일이 일어났겠습니까?

(　　　　　　　　　　)

2 시를 읽고 느낌을 떠올리는 방법으로 알맞지 않은 것은 무엇입니까? (　　)

① 시에 나오는 인물이 되어 본다.
② 시를 지은 작가에 대해 알아본다.
③ 시에 나오는 장면을 떠올려 본다.
④ 시에 나오는 인물에게 묻고 싶은 물음을 만들어 본다.
⑤ 시에 나오는 인물에게 일어난 일과 비슷한 경험을 떠올려 본다.

교과서 문제

3 이 시 속 인물과 면담하며 느낌을 떠올릴 때 아빠에게 할 물음을 떠올려 쓰시오.

(　　　　　　　　　　)

핵심 역량

4 이 시를 읽고 떠올린 느낌을 말한 내용이 알맞은 사람을 쓰시오.

찬유: 나는 노랫말을 지어 보니 아빠께서 빨리 나오시지 않아서 슬펐던 아이의 마음이 느껴졌어.
민희: 아빠의 처지에서 물음에 답해 보니 아이에게 실수를 들키고 싶지 않은 아빠의 속마음이 느껴졌어.

(　　　　　　)

9 단원

● 일어난 일을 생각하며 「김밥」을 보기

▲ 1960년대 산골 마을에 살고 있는 동숙이는 아픈 아버지와 어머니, 오빠가 있다. 순자와 집에 가면서 동숙이는 집안 사정을 생각하지 않고 곧 있을 소풍에 달걀이 들어간 김밥을 싸 가고 싶어 한다.

▲ 어머니는 비싼 달걀이 들어간 김밥을 싸 달라며 투정을 부리는 동숙이를 혼내며 쑥개떡을 해 주겠다고 하신다. 동숙이는 쑥을 캐서 시장에 팔아서 달걀을 사려고 하지만 쑥은 팔리지 않는다.

▲ 동숙이는 꾀를 내어 선생님께서 도시락을 싸 오라고 했다고 어머니께 말씀드린다. 그 말을 들은 아버지는 병원비로 모아 둔 돈을 동숙이에게 주면서 달걀을 사 오라고 하시고, 동숙이는 달걀을 사고 집에 오면서 신난 마음에 뛰다가 달걀을 깨뜨린다.

▲ 소풍날, 동숙이는 선생님 도시락에만 김밥을 담고 자신은 쑥개떡을 먹는다. 그것을 본 순자가 김밥을 나눠 먹자고 하고, 사정을 알게 된 선생님께서는 배탈이 났다며 김밥을 동숙이에게 양보한다. 동숙이는 저녁에 집에 가서 주무시는 아버지 옆에 김밥을 둔다.

• 동영상의 특징: 이 이야기는 모두가 가난했던 1960년대 후반, 풍경이 아름다운 작은 산골 마을을 배경으로 펼쳐집니다. 신나는 소풍날, 아이들의 최고의 기쁨은 맛있는 '김밥'입니다. 특히나 달걀이 들어간 김밥은 정말로 귀한 음식이었습니다. 그 귀한 음식을 너무나 먹고 싶었던 한 소녀의 이야기입니다.

교과서 핵심

● 이야기에 대한 생각 나누기 예

동숙이의 행동에 대한 생각 나누기
아무리 달걀이 들어간 김밥을 먹고 싶어도 어머니께 투정을 부린 동숙이의 행동은 잘못된 행동이라고 생각한다.
어머니의 행동에 대한 생각 나누기
어머니는 집안 사정을 생각하지 않고 달걀이 들어간 김밥을 싸 달라는 동숙이를 나무라지만 그 마음도 편하지는 않으셨을 것 같다.

교과서 문제

1 동숙이는 소풍에 무엇을 가져가고 싶었습니까?

( )

교과서 문제

2 소풍날 선생님께서 배탈이 났다고 하신 까닭은 무엇입니까? ( )

① 김밥을 좋아하지 않아서
② 다른 아이가 김밥을 줘서
③ 동숙이가 준 김밥이 상해서
④ 동숙이가 준 김밥이 맛없어서
⑤ 동숙이에게 김밥을 주기 위해서

핵심

3 동숙이의 행동을 보고 생각을 바르게 말한 것을 찾아 ○표를 하시오.

(1) 김밥을 친구에게 나누어 준 동숙이는 마음이 따뜻한 아이인 것 같다. ( )
(2) 아무리 달걀이 들어간 김밥을 먹고 싶어도 어머니께 투정을 부린 동숙이의 행동은 잘못된 것 같다. ( )

논술형

4 이 이야기에서 어머니의 행동을 어떻게 생각하는지 쓰시오.

역량 제재

이야기를 읽고 다른 사람에게 들려주기

인물의 특성을 생각하며 읽기

멸치 대왕의 꿈

천미진

❶ 옛날 동쪽 바다에 멸치 대왕이 살고 있었어. 그런데 어느 날 아주 이상한 꿈을 꾸었지. 꿈속에서 멸치 대왕이 하늘을 오르락내리락, 구름 속을 왔다 갔다, 그러다가 갑자기 흰 눈이 펄펄 내리더니 추웠다가 더웠다가 하는 거야. 멸치 대왕은 무슨 꿈인지 몹시 궁금했어. 그래서 멸치 대왕은 넓적 가자미한테 꿈풀이를 잘한다는 망둥 할멈을 데려오라고 했지.

중심 내용 멸치 대왕이 아주 이상한 꿈을 꾸어서 넓적 가자미한테 꿈풀이를 잘한다는 망둥 할멈을 데려오라고 했다.

❷ 넓적 가자미는 너무너무 졸려서 정말 가기 싫었지만 대왕님의 명령이라 어쩔 수 없었지. 넓적 가자미는 하루, 이틀, 사흘, 나흘 여러 날이 걸려서 망둥 할멈이 살고 있는 서쪽 바다에 도착했어. 넓적 가자미는 망둥 할멈을 데리고 또다시 하루, 이틀, 사흘, 나흘 그렁저렁(그럭저럭) 여러 날이 걸려 동쪽 바다로 돌아왔단다. 멸치 대왕은 먹을 것을 잔뜩 준비하고, 꼴뚜기, 메기, 병어 ♥정승 들을 불렀지. 그리고 망둥 할멈을 반갑게 맞아들였어.

하지만 넓적 가자미한테는 알은척도 하지 않고 먹을 것도 주지 않자 넓적 가자미는 잔뜩 화가 나서 토라져 버렸어. 멸치 대왕이 망둥 할멈에게 꿈 이야기를 해 주자 망둥 할멈은 벌떡 일어나 절을 하면서 "대왕마마, 용이 될 꿈입니다."라고 말했어. 그러면서 하늘을 오르락내리락 구름 속을 왔다가 갔다가 하는 것은 용이 되어서 하늘을 날아다니는 것이고, 흰 눈이 내리면서 추웠다가 더웠다가 하는 것은 용이 되어 날씨를 마음대로 다스리게 되는 것이라고 풀이해 주었어. 망둥 할멈의 꿈풀이에 멸치 대왕은 기분이 좋아 덩실덩실 춤을 추었지.

중심 내용 망둥 할멈은 멸치 대왕에게 용이 될 꿈이라고 꿈풀이를 하였다.

- **글의 종류**: 이야기
- **글의 내용**: 멸치 대왕이 이상한 꿈을 꾸어서 꿈풀이를 잘하는 망둥 할멈을 데려온 넓적 가자미의 수고를 몰라주자, 넓적 가자미가 멸치 대왕에게 서운하여 꿈풀이를 나쁘게 해서 멸치 대왕이 화가 났습니다.

♥정승(政 정사 정, 丞 정승 승) 대신.

교과서 문제

1 멸치 대왕이 궁금하게 생각한 것은 무엇입니까? (　　)

① 자신의 꿈
② 하늘의 모습
③ 용이 되는 방법
④ 서쪽 바다의 소식
⑤ 망둥 할멈의 모습

핵심 서술형

2 다음 상황에 알맞은 망둥 할멈의 말을 생각하여 쓰시오.

멸치 대왕이 망둥 할멈을 반갑게 맞이했을 때

____

____

3 넓적 가자미는 망둥 할멈과 함께 돌아왔을 때 마음이 어떠했습니까?

(　　　　　　　　　　　　)

교과서 문제

4 이 이야기에서 짐작할 수 있는 망둥 할멈의 성격은 어떠합니까? (　　)

① 솔직하다.
② 속이 좁다.
③ 인정이 많다.
④ 기분이 쉽게 변한다.
⑤ 윗사람에게 아부를 잘한다.

정답과 해설 ● 39쪽

❸ 하지만 넓적 가자미는 멸치 대왕한테 용이 되는 꿈이 아니라 큰 변을 당하게 될, 아주 나쁜 꿈이라고 말했어. 그러면서 하늘을 오르락내리락한다는 것은 낚싯대에 걸린 것이고, 구름은 모락모락 숯불 연기이고, 또 흰 눈은 소금이고, 추웠다가 더웠다가 한다는 것은 잘 익으라고 뒤집었다 엎었다 하는 것이라고 멸치 대왕의 꿈을 풀이했어.

갑자기 생긴 재앙이나 괴이한 일

넓적 가자미의 꿈풀이를 듣던 멸치 대왕은 화가 나 얼굴이 점점 붉어졌지. 꿈풀이를 다 듣고 난 뒤 멸치 대왕은 너무나도 화가 나 넓적 가자미의 뺨을 때렸는데 어찌나 세게 때렸던지 넓적 가자미의 눈이 한쪽으로 찍 몰려가 붙어 버리고 말았던 거야. 그 모양을 보고 있던 꼴뚜기는 자기도 뺨을 맞을까 봐 겁이 나서 자기의 눈을 떼어서 엉덩이에 찰싹 붙여 버렸고, 망둥 할멈은 너무 놀라 눈이 툭 튀어나와 버렸지. 메기는 기가 막혀 너무 크게 웃다가 입이 쫙 찢어져 버렸고, 병어는 자기도 입이 찢어질까 봐 입을 꽉 움켜쥐고 웃다가 그만 입이 뾰쪽해지고 말았어.

중심 내용 넓적 가자미는 아주 나쁜 꿈이라는 꿈풀이를 했고, 멸치 대왕은 화가 나서 넓적 가자미의 뺨을 때렸다.

교과서 핵심

● 인물의 특성 알아보기

인물	성격
망둥 할멈	윗사람에게 아부를 잘한다.
멸치 대왕	화를 참지 못하고 기분이 쉽게 변한다.
넓적 가자미	속이 좁다.

● 이야기를 다른 사람에게 들려주기

인물	상황	인물의 말 생각하기	실감 나게 표현하기
망둥 할멈	멸치 대왕이 반갑게 맞음.	"반갑게 맞아 주시니 고마울 따름입니다."	감동받은 목소리로 공손하게 말한다.
멸치 대왕	넓적 가자미의 꿈풀이를 들음.	"감히 그런 꿈풀이를 하다니. 괘씸하다!"	분노해 큰 목소리로 말한다.
넓적 가자미	멸치 대왕에게 뺨을 맞음.	"멸치 대왕이 나한테 너무하는군."	울먹거리며 뺨을 부여잡고 말한다.

교과서 문제

5 멸치 대왕이 넓적 가자미의 꿈풀이를 듣고 어떤 말을 했겠습니까? (　　)

① 너에게 큰상을 줄 것이다.
② 하하하, 아주 마음에 든다.
③ 오, 아주 훌륭한 꿈풀이로다.
④ 너는 정말 꿈풀이를 잘하는구나.
⑤ 감히 그런 꿈풀이를 하다니. 괘씸하다!

핵심

6 5번 문제 답의 말을 실감 나게 표현하는 방법을 쓰시오.

(　　　　　　　　　　　　　　　　)

역량

7 넓적 가자미가 뺨을 맞았을 때 실감 나게 표현하는 방법으로 알맞은 것에 ○표를 하시오.

(1) 웃으며 상냥하게 말한다. (　　)
(2) 울먹거리며 뺨을 부여잡고 말한다. (　　)

교과서 문제

8 꼴뚜기의 눈이 엉덩이에 있는 까닭은 무엇입니까? (　　)

① 너무 놀랐기 때문에
② 눈을 가리고 있었기 때문에
③ 멸치 대왕에게 뺨을 맞았기 때문에
④ 넓적 가자미에게 눈을 맞았기 때문에
⑤ 자기도 뺨을 맞을까 봐 겁이 나서 자기 눈을 떼어서 엉덩이에 붙였기 때문에

정답과 해설 ● 39쪽

● 시와 그림으로 꾸민 작품으로 전시회를 하기

선택 활동 ❶	시를 골라 그림과 함께 꾸미기

- 마음에 드는 시를 골라 보세요.
- 시의 장면을 떠올려 생각이나 느낌을 써 보세요.
- 시를 옮겨 쓰고, 시의 장면에 어울리는 그림을 그려 보세요.

선택 활동 ❷	시를 써서 그림과 함께 꾸미기

- 시로 표현할 생각이나 느낌을 떠올려 보세요.
- 생각이나 느낌을 시로 표현해 보세요.
- 자신이 쓴 시의 장면에 어울리는 그림을 그려 보세요.

알맞은 장소를 골라 시와 그림으로 꾸민 작품을 전시하기

- 친구들의 작품을 감상합니다.
- 친구들의 작품을 살펴보고 칭찬할 점을 씁니다.

교과서 핵심

○ 선택 활동 ❶로 전시회 하기 예

마음에 드는 시 고르기

「놀이터」

⬇

시의 장면을 떠올려 생각이나 느낌 쓰기

「놀이터」라는 시에서 엄마 아빠가 안 계셔서 외로워하는 장면이 떠오른다. 나도 그런 경험이 있어 더 마음에 와닿았다.

시를 옮겨 쓰고, 시의 장면에 어울리는 그림을 그려서 전시하기

시를 옮겨 쓰고, 아이가 놀이터 그네에 고개를 숙이고 혼자 앉아 있는 모습을 그려서 전시한다.

교과서 문제

1 선택 활동 ❶을 하는 방법으로 알맞지 않은 것은 무엇입니까? ( )

① 시를 옮겨 쓴다.
② 마음에 드는 시를 고른다.
③ 생각이나 느낌이 잘 드러나게 꾸민다.
④ 시의 내용과 상관없이 그림을 그린다.
⑤ 시의 장면을 떠올려 생각이나 느낌을 써 본다.

핵심

2 선택 활동 ❶을 할 때 마음에 드는 시를 고르고, 자신의 생각이나 느낌을 쓰시오.

(1) 시 제목	
(2) 시를 읽고 든 생각이나 느낌	

3 다음은 어떤 활동을 하는 방법인지 빈칸에 알맞은 말을 각각 쓰시오.

- 시로 표현할 생각이나 느낌을 떠올려 보세요.
- 생각이나 느낌을 시로 표현해 보세요.
- 자신이 쓴 시의 장면에 어울리는 그림을 그려 보세요.

• (　　　　)을/를 써서 (　　　　) 과/와 함께 꾸미기

4 시와 그림으로 꾸민 친구들의 작품을 살펴보고 칭찬할 점을 말한 내용이 알맞지 않은 친구를 쓰시오.

정우: 쓴 시의 내용과 그림이 잘 어울렸다.
하윤: 시의 장면과 느낌을 생생하게 표현했다.
미영: 그림을 그리지 않고 시만 써서 친구의 생각이나 느낌을 잘 알 수 있었다.

(　　　　)

기본 • 182쪽 시를 읽고 느낌 표현하기

제기차기

김형경

제기를 찬다.
책상 앞에 묶였던 / 빈 마음들
훌훌 / 골목으로 몰려,
한 다발 / 하얀
바람을 차올린다.

한 발 차기 / 두 발 차기 / 신이 난 제기.

한껏 부푼 / 골목엔
터질 듯한 아우성.

제기가 숫숫 발을 끌어올리면
아이들 온 바람은 / 하늘까지 치솟는다.

제기가 오른다.
얼어붙은 골목 가득 숫숫대며
지금도 / 아이들 하얀 / 바람이 솟구친다.

1 이 시를 읽고 떠오르는 장면을 알맞게 말한 친구를 쓰시오.

> 아현: 골목에서 아이들이 제기를 차는 모습이 떠올라.
> 윤기: 아이들이 숨바꼭질을 하며 숨어 있는 모습이 떠올라.

( )

2 이 시를 읽고 떠오르는 느낌을 말한 것으로 알맞은 것은 무엇입니까? ( )

① 신난다.
② 무섭다.
③ 지루하다.
④ 쓸쓸하다.
⑤ 재미없다.

기본 • 184~185쪽 이야기를 읽고 다른 사람에게 들려주기

기찬 딸

김진완

㉮ 외할머니와 외할아버지는 기차를 타고 어디 먼 곳으로 가고 있었는데요, 아직 외할머니 배 속에 있던 엄마는 발가락을 꼼지락대다가 갑자기 세상 구경이 빨리 하고 싶어졌대요.

㉯ “조금만, 조금만 더!” 하는 아줌마들의 쉰 목소리 사이로 아저씨들도 ‘끙차’ 젖 먹던 힘까지 쥐어짰다는데요, 창피하고, 아프고, 춥고, 떨리는 거기서,

“으앙! 으아앙!” / 엄마가 드디어 울음을 터트렸다지 뭐예요!

“와하하! 나왔어!” / “공주여, 공주!”

3 이 글에서 일어난 일로 알맞은 것은 무엇입니까? ( )

① 기차가 갑자기 멈추었다.
② 아기가 기차에서 뛰어다녔다.
③ 기차 안에서 아기가 태어났다.
④ 외할머니가 기차를 타지 못했다.
⑤ 외할아버지 혼자 기차에서 내렸다.

㉰ "맞다! 예쁜 공주도 얻었으니, 얘기 아부지, 노래 한 곡 해 보더라고!" / "박수!" / 외할아버지는 그제야 헤벌쭉 웃으셨대요.

신바람이 난 외할아버지가 한 손을 척 들어 올리고는 노래 한 자락 하시는데요,

"쾌지나 칭칭 나네! 오늘 만난 벗님네야 쾌지나 칭칭 나네! 고맙고 고맙습니다."

외할아버지가 쾌지나 칭칭 쾌지나 칭칭 노래를 시작하자, 유랑 극단 사람들이 장구와 꽹과리를 치기 시작했어요.

"아리 아리랑 쓰리 쓰리랑 아라리가 났네! 아리랑 응응응 아라리가 났네!" / 모두 함께 노래하며 어깨춤을 덩실덩실 추었대요.

㉱ 아기는 아기대로 기분이 최고로 좋아서 장구 장단에 맞춰, 꼴딱 꼴꼴딱 쭉쭉 꼴꼴딱 맛나게 엄마 젖을 빨았지요.

엄마 이름은 여러 사람의 은혜를 입어 태어났다고 그 자리에서 바로 '다혜'라고 지어졌대요.

가난이야 설움이야 칙칙폭폭 칙칙폭폭 부아가 끓어올라도 우리 엄마 다혜 씨는 찬물 한 잔으로 가라앉힐 줄 알고요,

부아: 노엽거나 분한 마음

"세상에서 가장 용감한 사람은 기차 안에서 얼라를 낳은 느그 외할매다! 내는 그 할매 딸이고! 하하하!"

웃음소리도 우렁차지요.

"몸만 건강하모 희망은 있다!"

여장부예요. / 기찬, 기-차-안 딸이거든요.

이 이야기의 제목 「기찬 딸」에서 "기찬"은 '기차다(훌륭하다)'라는 뜻과 '기차 안'이라는 뜻을 모두 담고 있습니다.

4 글 ㉰에서 외할아버지의 모습을 실감 나게 표현한 것을 찾아 기호를 쓰시오.

> ㉠ 활짝 웃으며 어깨춤을 춘다.
> ㉡ 무뚝뚝한 표정으로 귀찮은 듯이 노래한다.

(　　　　　　)

5 아기의 이름을 '다혜'라고 지은 까닭은 무엇인지 빈칸에 알맞은 말을 쓰시오.

- 여러 사람의 (　　　　　) 을/를 입고 태어나서

6 다른 사람에게 들려주고 싶은 인상 깊은 장면과 그 까닭을 쓰시오.

____

____

____

기초 다지기 낱말을 바르게 쓰기

7 다음에서 파란색으로 쓰인 낱말을 바르게 고쳐 쓰시오.

(1) 나 만큼 너도 힘들겠다. → (　　　　　　　　)

(2) 해야 할 일을 차례 대로 적었다. → (　　　　　　　　)

(3) 우리 셋 뿐 아니라 거기 있던 다른 사람들도 모두 그렇게 생각했다.
→ (　　　　　　　　)

8 다음에서 밑줄 그은 부분의 띄어쓰기가 맞으면 ○표, 틀리면 ×표를 하시오.

(1) <u>우리만큼</u> 겨울을 사랑하는 아이들이 또 있을까? (　　)

(2) 친구는 <u>친구 대로</u> 내 말에 속이 상했나 보다. (　　)

(3) 사람들은 반찬을 <u>먹을만큼</u> 덜어서 먹었다. (　　)

기본

》시를 읽고 느낌 표현하기

예 「지하 주차장」에 나오는 인물과 면담하며 느낌을 떠올리기

누구와 면담할지 정하기	아빠
물음 만들기	• 지하 주차장에서 겪었다는 일이 정말입니까? • 어제 무슨 일이 있었기에 주차한 곳을 못 찾은 겁니까?
❶ □□하기	아빠의 처지에서 물음에 답해 보니 아이에게 실수를 들키고 싶지 않은 아빠의 속마음이 느껴졌습니다. 이 시는 아빠의 마음을 재미있게 표현한 것 같습니다.

기본

》이야기를 보고 내용에 대한 생각 나누기

예 「김밥」에서 동숙이와 엄마의 행동에 대한 생각 나누기

▲ 어머니는 비싼 달걀이 들어간 김밥을 싸 달라며 투정을 부리는 동숙이를 혼내며 쑥개떡을 해 주겠다고 하신다. 동숙이는 쑥을 캐서 시장에 팔아서 달걀을 사려고 하지만 쑥은 팔리지 않는다.

아무리 달걀이 들어간 ❷ □□을/를 먹고 싶어도 어머니께 투정을 부린 동숙이의 행동은 잘못된 행동이라고 생각해.

어머니는 집안 사정을 생각하지 않고 달걀이 들어간 김밥을 싸 달라는 동숙이를 나무라지만 그 마음도 편하지는 않으셨을 것 같아.

기본

》이야기를 읽고 다른 사람에게 들려주기

예 「멸치 대왕의 꿈」을 다른 사람에게 들려주기

인물	상황	인물의 말 생각하기	실감 나게 표현하기
❸ □□ 할멈	멸치 대왕이 반갑게 맞음.	"대왕님께서 저를 이렇게나 반갑게 맞아 주시니 고마울 따름입니다."	감동받은 목소리로 공손하게 말한다.
멸치 대왕	넓적 가자미의 꿈풀이를 들음.	"뭐라고? 너 이놈! 감히 그런 꿈풀이를 하다니. 괘씸하다!"	분노해 큰 목소리로 말한다.
넓적 가자미	멸치 대왕에게 뺨을 맞음.	"멸치 대왕이 나한테 너무하는군."	울먹거리며 뺨을 부여잡고 말한다.

단원 평가

• 단원 평가 더 풀기 ≫ 평가 교재 50~55쪽

1~3 시를 읽고, 물음에 답하시오.

> 내 스케치북에는 비행기가 날아.
>
> 필통에도 / 지우개에도 / 비행기가 날아.
>
> 조종석에는 언제나 / 내가 앉아 있어.
>
> 조수석에는 엄마도 앉고 / 동생도 앉고
> 송이도 앉아. / 오늘은 우리 집 개가 앉았어.
>
> 난 비행기가 좋아. / 비행기를 구경하는 것도
> 비행기를 그리는 것도
> 비행기를 생각하는 것도.
>
> 커서 뭐가 되고 싶으냐고 묻지 마.
> 내 마음에는 비행기가 날아.

1 시에서 말하는 이는 어떤 상상을 했는지 두 가지를 고르시오. (,)

① 자신이 비행기를 조립하는 상상
② 조종석에 자신이 앉아 있는 상상
③ 조수석에 가족이 앉아 있는 상상
④ 자신의 개가 비행기를 조종하는 상상
⑤ 자신이 고장 난 비행기를 고치는 상상

서술형

2 이 시를 읽고 떠오르는 장면은 무엇인지 쓰시오.

____

____

중요

3 이 시의 말하는 이와 비슷한 자신의 경험을 말한 것이 아닌 것을 찾아 기호를 쓰시오.

> ㉠ 비행기 사고가 났다는 뉴스를 본 적이 있어.
> ㉡ 책을 읽다가 다 못 읽은 부분이 궁금해 계속 머릿속에서 생각난 적이 있어.
> ㉢ 조립을 완성하지 못했던 장난감이 학교에 와서도 계속 생각이 났었던 적이 있어.

( )

4~7 시를 읽고, 물음에 답하시오.

> 이상한 나라의 앨리스처럼 깊은 동굴 속으로 끝없이 떨어지지 않겠니? 정신을 차려 보니까 호빗이 사는 마을이었어. 호박처럼 생긴 집들이 미로처럼 뒤엉켜 있는데 갑자기 흰머리 간달프가 나타나 말하더구나. 이 새 자동차가 네 자동차냐? 내가 말했지. 아닙니다, 제 자동차는 10년 다 된 고물 자동차입니다. 오호, 정직한 사람이구나. 이 새 자동차를…….
>
> 에이, 아빠!
> 차 어디에 세워 놨는지 몰라서 그랬죠?
> 차 찾느라 / 온 지하 주차장 헤매고 다닌 거
> 다 알아요. / 피이!

4 이 시에서 어떤 일이 일어났습니까? ( )

① 아빠께서 새 자동차를 사셨다.
② 아이가 아빠의 차 열쇠를 잃어버렸다.
③ 아이와 아빠가 함께 동화책을 읽었다.
④ 아빠께서 지하 주차장을 못 찾으셨다.
⑤ 아빠께서 차를 찾느라 지하 주차장을 헤매고 다니셨다.

5 시 속의 인물과 면담할 때 아빠에게 할 물음으로 알맞은 것에 ○표를 하시오.

(1) 아빠의 말을 듣고 어떤 마음이 들었습니까? ( )
(2) 어제 무슨 일이 있었기에 주차한 곳을 못 찾은 겁니까? ( )

6 다음은 이 시를 읽고 떠올린 느낌을 말한 것입니다. 빈칸에 알맞은 말을 쓰시오.

• 아빠의 처지에서 물음에 답해 보니
( )
아빠의 속마음이 느껴졌습니다.

정답과 해설 ● 40쪽

7 다음은 이 시를 읽고 느낌을 어떤 방법으로 표현한 것입니까? ( )

① 낭독하기
② 역할극하기
③ 노랫말 만들기
④ 그림으로 나타내기
⑤ 장면을 이야기로 들려주기

8~9 시를 읽고, 물음에 답하시오.

제기를 찬다.
책상 앞에 묶였던 / 빈 마음들
훌훌 / 골목으로 몰려,
한 다발 / 하얀
바람을 차올린다.

한 발 차기 / 두 발 차기
신이 난 제기.

국어 활동

8 이 시에서 아이들이 하는 것은 무엇입니까? ( )

① 공놀이를 한다.
② 제기를 만든다.
③ 골목 청소를 한다.
④ 골목에서 제기를 찬다.
⑤ 종이에 제기를 그린다.

국어 활동

9 이 시를 읽고 느낌을 표현하고 싶은 방법을 잘못 말한 친구를 쓰시오.

은진: 역할을 정해 인물과 면담할 거야.
나래: 인상 깊은 장면을 그림으로 그릴 거야.
준우: 아이들의 슬픈 마음을 노랫말로 만들 거야.

( )

10~13 이야기를 보고, 물음에 답하시오.

▲ 동숙이는 쑥을 캐서 시장에 팔아서 달걀을 사려고 하지만 쑥은 팔리지 않는다.

▲ 사정을 알게 된 선생님께서는 배탈이 났다며 김밥을 동숙이에게 양보한다.

10 이 이야기에서 일어난 일로 알맞은 것에 ○표를 하시오.

(1) 동숙이가 쑥을 심었다. ( )
(2) 동숙이가 쑥을 다 팔았다. ( )
(3) 선생님께서 동숙이에게 김밥을 주셨다. ( )

11 동숙이가 장에서 쑥을 파는 까닭은 무엇입니까? ( )

① 달걀을 사고 싶어서
② 떡을 사 먹고 싶어서
③ 학용품을 사고 싶어서
④ 엄마 대신 쑥을 팔아야 해서
⑤ 집에 쑥이 많이 남아 있어서

논술형

12 장면 ①을 보고 자신은 어떤 생각이 들었는지 쓰시오.

중요

13 장면 ②에서 선생님의 행동을 보고 생각을 바르게 말한 것에 ○표를 하시오.

(1) 김밥이 먹기 싫다며 동숙이에게 준 행동은 잘못된 행동이라고 생각해. ( )
(2) 동숙이가 김밥을 먹을 수 있게 배려해 주신 선생님의 마음이 따뜻하다고 생각해. ( )

단원 평가

14~16 글을 읽고, 물음에 답하시오.

> ㉮ 멸치 대왕이 망둥 할멈에게 꿈 이야기를 해 주자 망둥 할멈은 벌떡 일어나 절을 하면서 "대왕마마, 용이 될 꿈입니다."라고 말했어. 그러면서 하늘을 오르락내리락 구름 속을 왔다가 갔다가 하는 것은 용이 되어서 하늘을 날아다니는 것이고, 흰 눈이 내리면서 추웠다가 더웠다가 하는 것은 용이 되어 날씨를 마음대로 다스리게 되는 것이라고 풀이해 주었어.
>
> ㉯ 하지만 넙적 가자미는 멸치 대왕한테 용이 되는 꿈이 아니라 큰 변을 당하게 될, 아주 나쁜 꿈이라고 말했어. 그러면서 하늘을 오르락내리락한다는 것은 낚싯대에 걸린 것이고, 구름은 모락모락 숯불 연기이고, 또 흰 눈은 소금이고, 추웠다가 더웠다가 한다는 것은 잘 익으라고 뒤집었다 엎었다 하는 것이라고 멸치 대왕의 꿈을 풀이했어.

14 망둥 할멈과 넙적 가자미가 한 꿈풀이를 찾아 선으로 이으시오.

(1) 망둥 할멈 •   • ① 멸치 대왕이 용이 될 꿈이다.

(2) 넙적 가자미 •   • ② 멸치 대왕이 큰 변을 당하게 될 아주 나쁜 꿈이다.

15 멸치 대왕은 망둥 할멈의 꿈풀이를 듣고 어떤 말을 했을지 쓰시오.

(   )

16 15번 문제의 답을 어떤 목소리로 표현하면 좋겠습니까? (   )

① 미안한 목소리
② 걱정되는 목소리
③ 우는 듯한 목소리
④ 분노하여 큰 목소리
⑤ 기분이 좋아 큰 목소리

17~19 글을 읽고, 물음에 답하시오.

> 넙적 가자미의 꿈풀이를 듣던 멸치 대왕은 화가 나 얼굴이 점점 붉어졌지. 꿈풀이를 다 듣고 난 뒤 멸치 대왕은 너무나도 화가 나 넙적 가자미의 뺨을 때렸는데 어찌나 세게 때렸던지 넙적 가자미의 눈이 한쪽으로 찍 몰려가 붙어 버리고 말았던 거야.

17 멸치 대왕의 성격으로 알맞은 것은 무엇입니까? (   )

① 착하다.   ② 다정하다.
③ 순진하다.   ④ 정의롭다.
⑤ 화를 참지 못한다.

18 넙적 가자미의 모습으로 알맞은 것을 두 가지 고르시오. (,   )

① 홀쭉하다.   ② 넓적하다.
③ 길쭉하다.   ④ 입이 뾰족하다.
⑤ 눈이 한쪽 뺨에 몰렸다.

중요

19 이 장면을 실감 나게 표현한 것으로 알맞은 것을 찾아 기호를 쓰시오.

> ㉠ 멸치 대왕은 흐뭇한 표정으로 말한다.
> ㉡ 멸치 대왕은 침착한 목소리로 말한다.
> ㉢ 넙적 가자미는 울먹거리며 뺨을 부여잡고 말한다.

(   )

20 시를 골라 그림과 함께 꾸미는 방법입니다. 빈칸에 알맞은 말을 각각 쓰시오.

> 시의 내용과 어울리게 (1) (   )을/를 그리고, (2) (   )이/가 잘 드러나게 꾸민다.

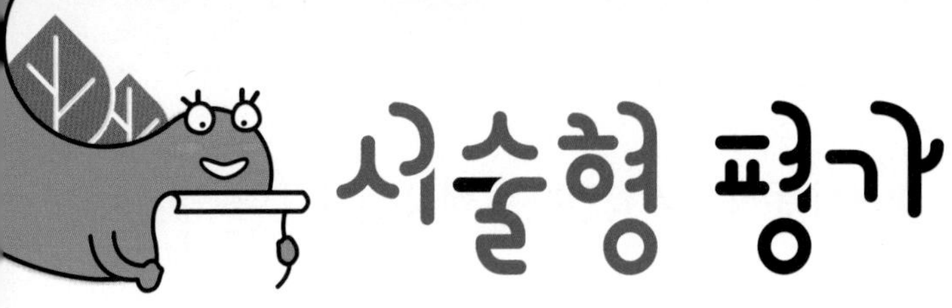

맞은 개수 개

정답과 해설 ● 41쪽

1~2 시를 읽고, 물음에 답하시오.

> 내 스케치북에는 비행기가 날아.
>
> 필통에도
> 지우개에도
> 비행기가 날아.
>
> 조종석에는 언제나
> 내가 앉아 있어.
>
> 조수석에는 엄마도 앉고
> 동생도 앉고 / 송이도 앉아.
> 오늘은 우리 집 개가 앉았어.
>
> 난 비행기가 좋아.
> 비행기를 구경하는 것도
> 비행기를 그리는 것도
> 비행기를 생각하는 것도.
>
> 커서 뭐가 되고 싶으냐고 묻지 마.
> 내 마음에는 비행기가 날아.

1 말하는 이가 하고 싶은 일은 무엇인지 쓰시오.

____

____

2 말하는 이처럼 자신의 머릿속에 온통 가득 찬 생각과 왜 그런 생각이 떠올랐는지 쓰시오.

____

____

3 다음 시에 대한 느낌을 어떤 방법으로 무엇을 표현하고 싶은지 쓰시오.

> 정신을 차려 보니까 호빗이 사는 마을이었어. 호박처럼 생긴 집들이 미로처럼 뒤엉켜 있는데 갑자기 흰머리 간달프가 나타나 말하더구나. 이 새 자동차가 네 자동차냐? 내가 말했지. 아닙니다, 제 자동차는 10년 다 된 고물 자동차입니다. 오호, 정직한 사람이구나. 이 새 자동차를…….
>
> 에이, 아빠!
> 차 어디에 세워 놨는지 몰라서 그랬죠?
> 차 찾느라 / 온 지하 주차장 헤매고 다닌 거
> 다 알아요. / 피이!

____

____

4 다음 이야기에서 멸치 대왕에게 푸대접을 받은 넓적 가자미는 어떤 말을 했을지 쓰고, 그 말을 어떻게 표현할지 쓰시오.

> 넓적 가자미는 망둥 할멈을 데리고 또다시 하루, 이틀, 사흘, 나흘 그렁저렁 여러 날이 걸려 동쪽 바다로 돌아왔단다. 멸치 대왕은 먹을 것을 잔뜩 준비하고, 꼴뚜기, 메기, 병어 정승 들을 불렀지. 그리고 망둥 할멈을 반갑게 맞아들였어.
> 하지만 넓적 가자미한테는 알은척도 하지 않고 먹을 것도 주지 않자 넓적 가자미는 잔뜩 화가 나서 토라져 버렸어.

(1) 인물의 말	
(2) 표현 방법	

교과서 문장으로 확인하는 핵심 낱말

● 다음 교과서 문장의 파란색 낱말 중에서 알맞은 것을 골라 인물들이 한 말을 완성하시오.

- 내 스케치북에는 비행기가 날아.
- 내 마음에는 비행기가 날아.
- 멸치 대왕은 무슨 꿈인지 몹시 궁금했어.
- 멸치 대왕은 먹을 것을 잔뜩 준비하고, 꼴뚜기, 메기, 병어 정승 들을 불렀지.

그동안 여행하면서 본 것들을 ❶__________에 그릴 거야.

기념품을 ❷__________ 샀더니 가방이 터질 것 같아.

안전하게 집으로 돌아오게 되어 ❸__________ 기뻐.

오랫동안 ❹__________를 탔더니 온몸이 쑤셔.

질 질

정답 | ❶ 스케치북 ❷ 잔뜩 ❸ 몹시 ❹ 비행기

4-2 교과서에 실린 작품

저작자 및 출처의 표시

국어

※『한끝 초등 국어』는 다음 저작물의 교과서 수록 부분을 재인용하여 만들었습니다.

단원	제재 이름	지은이	나온 곳	한끝 쪽수
1	「우리들」 광고지		『우리들』, 아토, 2016.	12쪽
	「우리들」	아토	『우리들』, 아토, 2016.	13쪽
	「오늘이」 광고지	이성강	『오늘이』, 디앤엠커뮤니케이션, 2003.	14쪽
	「오늘이」	이성강	『오늘이』, 디앤엠커뮤니케이션, 2003.	14쪽
2	안창호 선생이 아들에게 쓴 편지	오주영 엮음	『세상에서 가장 유명한 위인들의 편지』, 채우리, 2014.	29쪽
4	『꼴찌라도 괜찮아!』 표지	김중석	『꼴찌라도 괜찮아!』, 휴이넘, 2010.	67쪽
	「사라, 버스를 타다」	윌리엄 밀러 글, 박찬석 옮김, 존 워드 그림	『사라, 버스를 타다』, (주)사계절출판사, 2004.	68쪽
	「우진이는 정말 멋져!」	강정연 글, 김진화 그림	『콩닥콩닥 짝 바꾸는 날』, 시공주니어, 2009.	74쪽
	「젓가락 달인」	유타루 글, 김윤주 그림	『젓가락 달인』, 바람의아이들, 2014.	78쪽
6	「김만덕」	신현배	『5000년 한국 여성 위인전 1』, 홍진피앤엠, 2007.	116쪽
	「정약용」	김은미	『정약용』, (주)비룡소, 2010.	121쪽
	「헬렌 켈러」 (원제목: 「사흘만 볼 수 있다면 그리고 헬렌 켈러 이야기」)	신여명	『사흘만 볼 수 있다면 그리고 헬렌 켈러 이야기』, 두레아이들, 2013.	124쪽
7	「어머니의 이슬 털이」	이순원	『어머니의 이슬 털이』, 북극곰, 2013.	142쪽
	「투발루에게 수영을 가르칠 걸 그랬어!」	유다정 글, 박재현 그림	『투발루에게 수영을 가르칠 걸 그랬어!』, 미래아이, 2008.	149쪽
9	「온통 비행기」	김개미	『쉬는 시간에 똥 싸기 싫어』, 토토북, 2017.	181쪽
	「지하 주차장」	김현욱	『지각 중계석』, (주)문학동네, 2015.	182쪽
	「김밥」	한국교육방송공사	「TV로 보는 원작 동화: 김밥」, 한국교육방송공사, 2011.	183쪽
	「멸치 대왕의 꿈」	천미진	『멸치 대왕의 꿈』, 도서출판 (주)키즈엠, 2015.	184쪽

교과서에 실린 작품

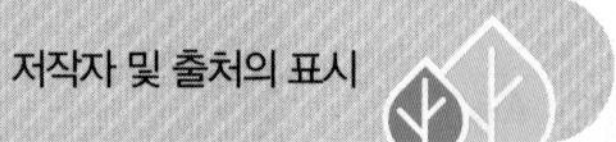

국어 활동

※『한끝 초등 국어』는 다음 저작물의 교과서 수록 부분을 재인용하여 만들었습니다.

단원	제재 이름	지은이	나온 곳	한끝 쪽수
1	「독도 수비대 강치」	경상북도문화콘텐츠진흥원 · (주)픽셀플레닛	「독도 수비대 강치」, 경상북도문화콘텐츠진흥원, 2017.	17쪽
	「임금님 귀는 당나귀 귀」	한국방송공사	「배추 도사 무 도사의 옛날 옛적에」 제1화, 한국방송공사, 1990.	17쪽
2	「좋은 사람과 사귀려면 좋은 인상을 주어라」	필립 체스터필드 글, 박은호 엮음	『아들아, 너는 미래를 이렇게 준비하렴』, 도서출판 글고은, 2006.	34쪽
4	「주인 잃은 옷」	원유순	『100년 후에도 읽고 싶은 한국 명작 동화 Ⅱ』, (주)예림당, 2015.	85쪽
	「비 오는 날」(원제목: 「초코파이」)	김자연	『두고두고 읽고 싶은 한국 대표 창작 동화 3』, (주)계림북스, 2006.	86쪽
5	「함께 사는 다문화, 왜 중요할까요?」	홍명진	『함께 사는 다문화 왜 중요할까요?』, 나무생각, 2012.	105쪽
6	「임금님을 공부시킨 책벌레」	마술연필	『우리 조상들은 얼마나 책을 좋아했을까?』, 보물창고, 2015.	129쪽
	「시인 허난설헌」(원제목: 「글방 동무」)	장성자	『초희의 글방 동무』, 도서출판 개암나무(주), 2014.	129쪽
	「중국에서 먼저 주목받은 『난설헌집』」	장성자	『초희의 글방 동무』, 도서출판 개암나무(주), 2014.	130쪽
7	「멋진 사냥꾼 잠자리」	안은영	『멋진 사냥꾼 잠자리』, 길벗어린이(주), 2005.	154쪽
8	1번 광고	남광민 · 양희원	「여기가 맞을 텐데…?」, 한국방송광고진흥공사, 2017.	171쪽
	「자유가 뭐예요?」	오스카 브르니피에 글, 양진희 옮김	『자유가 뭐예요?』, 상수리, 2008.	172쪽
9	「제기차기」	김형경	『고학년을 위한 동요 동시집』, 상서각, 2008.	187쪽
	「기찬 딸」	김진완	『기찬 딸』, 시공주니어, 2011.	187쪽

한 권으로 끝내기!

교과서 학습부터 **평가 대비**까지 **한 권으로 끝!**

국어 공부의 진리입니다.

한끝과 함께 언제, 어디서든 즐겁게 공부해!

한끝으로 끝내고, 이제부터 활짝 웃는 거야!

15개정 교육과정

한끝 정답과 해설

초등국어 4·2

visang

정답과 해설

4·2

초등 국어

정답과 해설 진도 교재

독서 단원 책을 읽고 생각을 나누어요

수행 평가 8쪽

1 (1) 예 샬롯의 거미줄 / 80일간의 세계 일주
(2) 예 로봇 시대 미래 직업 이야기 / 일곱 빛깔 독도 이야기
(3) 예 짝 바꾸는 날 / 빵점 아빠 백점 엄마
2 • 예 진짜 옹고집은 왜 고향으로 가지 못했을까?
• 예 내가 옹고집이라면 어떤 방법으로 가짜를 몰아냈을까?
3 (1) 예 꽃들에게 희망을
(2) 예 "그저 먹고 자라는 것만이 삶의 전부는 아닐 거야. 이런 삶과는 다른 무언가가 있을 게 분명해."
(3) 예 매일 반복되는 일상에서 꿈을 잃지 않고, 자신의 꿈을 위해 무언가 새로운 도전을 해 나간다는 뜻이 담겨 있는 것 같아서 감동적이었다.

1. 이어질 장면을 생각해요

핵심 확인 문제 10쪽

1 ○ 2 인상 3 차례
4 (2) ○ 5 몸짓

준비 만화 영화나 영화를 본 경험 말하기 11쪽

1 「니모를 찾아서」 2 (1) ② (2) ①
3 ㅇㄴ ㅈㄷㅇ
4 (1) 예 「머털 도사」 (2) 예 머털이의 스승 누덕 도사가 머털이를 절벽에서 훈련시키는 장면. 누덕 도사가 머털이에게 절벽과 절벽 사이의 폭이 좁은 길을 걸어가라고 하는데, 머털이가 주위가 낭떠러지인데 어떻게 가냐고 누덕 도사에게 소리치니까 누덕 도사가 길 주위를 낭떠러지가 아닌 풀밭이라고 생각하라고 한다.

1 그림 ❸에서 두 사람의 말에 아버지와 딸이 같이 본 만화 영화 제목이 「니모를 찾아서」라는 것을 알 수 있습니다. 딸은 아버지가 「니모를 찾아서」에 나오는 아빠 물고기와 비슷하다고 했습니다.

2 딸은 아빠 물고기가 니모를 많이 걱정한다고 생각을 하고, 아버지는 아빠 물고기가 니모를 무척 사랑한다고 생각합니다.

3 인상 깊게 본 만화 영화의 제목이 「안녕 자두야」이므로, 제목의 첫 자음자로 'ㅇㄴ ㅈㄷㅇ'을 써야 합니다.

보충 자료 '기억에 남는 만화 영화나 영화의 제목 알아맞히기' 놀이 방법
- 자신이 인상 깊게 본 만화 영화나 영화의 제목 글자들의 '첫 자음자'를 씁니다.
- 모둠 친구들 앞에서 자신이 본 만화 영화나 영화의 내용 가운데에서 대표할 만한 장면을 몸짓으로 표현합니다.
- 모둠 친구들은 만화 영화나 영화의 제목 글자들의 첫 자음자와 친구의 몸짓을 보고 만화 영화나 영화의 제목을 알아맞힙니다.

4 자신이 만화 영화나 영화를 본 경험을 떠올려 보고, 어떤 장면이 가장 기억에 남았는지 씁니다.

채점 기준 기억에 남는 만화 영화나 영화의 제목을 쓰고, 가장 기억에 남는 장면을 자세히 썼으면 정답으로 합니다.

보충 자료 만화 영화나 영화를 본 경험 말하기

제목	「머털 도사」
언제 보았나요?	여름 방학 때
누구와 함께 보았나요?	아버지, 형과 함께 보았다.
등장인물은 누구누구인가요?	머털이, 누덕 도사, 묘선, 떠리, 왕질악 도사
가장 기억에 남는 장면은 어떤 장면인가요?	머털이의 스승 누덕 도사가 머털이를 절벽에서 훈련시키는 장면. 누덕 도사가 머털이에게 절벽과 절벽 사이의 폭이 좁은 길을 걸어가라고 하는데, 머털이가 주위가 낭떠러지인데 어떻게 가냐고 누덕 도사에게 소리치니까 누덕 도사가 길 주위를 낭떠러지가 아닌 풀밭이라고 생각하라고 한다.
어떤 친구에게 소개해 주고 싶나요? 그 까닭은 무엇인가요?	내 짝에게 소개해 주고 싶다. 내 짝이 수영을 배우는데 물을 너무 무서워하기 때문이다.

기본 영화를 감상하는 방법 알기 12~13쪽

1 재현 2 ② 3 ⑤
4 예고편 5 실망하는 등
6 ② 7 ②
8 예 주인공에게 편지 쓰기

1 광고지 ❶에는 사이가 좋아 보이는 두 소녀가 꽃잎으로 무엇을 하고 있고, 광고지 ❷에는 두 소녀의 뒷모습이 보이는데 같은 곳을 보고 있습니다.

> **보충 자료** 왼쪽 영화 「우리들」 광고지에 있는 꽃은 봉숭아로 선과 지아는 봉숭아 꽃잎을 찧어서 손톱에 물을 들이고 있습니다.

2 '선', '지아', '보라', '윤'은 등장인물에 나타나 있으나 '다율'이라는 이름은 찾아볼 수 없습니다.

3 「우리들」에 나오는 등장인물을 알아보려면 「우리들」의 영화 안내 누리집에 들어가서 등장인물에 대한 설명을 읽어볼 수 있습니다.

4 영화의 제목, 광고지, 예고편 따위를 보고 내용을 미리 상상하며 영화를 감상할 수 있습니다.

5 맨 마지막까지 선택을 받지 못했을 때 어떤 마음일지 생각해 봅니다.

> **보충 자료 영화 「우리들」 줄거리**
> 아이들에게 따돌림을 받던 선은 여름 방학이 시작되는 날 전학 온 지아를 만난다. 지아는 선과 금세 친해진다. 방학 동안 서로의 집을 오가면서 행복한 시간을 보낸다. 색실 팔찌를 함께 끼고 봉숭아 물도 들이며 서로의 비밀도 공유했다. 그런데 개학날 아침, 지아는 선을 외면해 버렸다. 선은 다시 혼자가 되고 싶지 않았지만 상황은 자꾸 꼬여만 갔다. 지아는 이전 학교에서 따돌림을 당한 상처를 감춘 채 전학 왔기 때문에 왕따인 선의 친구가 되는 것이 두려웠다. 결국 선은 지아의 비밀을 폭로하면서 둘의 갈등은 증폭된다. 그러다가 지아는 다시 따돌림받는 학생이 되고, 선은 지아와 다시 놀고 싶어서 피구를 하는 날에 용기를 내어 지아의 편이 되어 준다.

6 지아와 선이 봉숭아 꽃물을 들이며 여름 방학을 함께 보내고 친한 사이가 되었습니다.

7 지호는 「우리들」에서 인상 깊은 장면을 말했습니다.

8 느낀 점을 주인공에게 편지를 쓰거나 시로 쓰거나 그림으로 나타낼 수 있습니다.

기본 만화 영화 감상하기 14쪽

1 예 뒷모습을 보이는 주인공 오늘이가 먼 길을 여행하는 것처럼 보인다. 아마 여행을 하면서 일어난 이야기일 것 같다.
2 ② 3 (1) ○
4 예 자신의 욕심을 버리고 남을 위해 희생하는 것은 쉬운 일이 아니기 때문이다.

1 광고지 속 주인공 오늘이에게 어떤 일이 일어날지 상상해 써 봅니다.

> **채점 기준** 「오늘이」에서 펼쳐질 이야기를 광고지의 그림과 어울리게 상상해서 썼으면 정답으로 합니다.

> **보충 자료 만화 영화 「오늘이」 광고지를 보고 펼쳐질 내용 상상하기 예**
> • 주인공 오늘이를 다른 등장인물들이 도와주어서 엄마를 찾아 가는 내용일 것 같습니다.
> • 오늘이가 원천강에서 살다가 나쁜 사람들을 만나서 멀리 떠나 모험을 하는 이야기일 것 같습니다.

2 열심히 책을 읽는 것으로 보아 매일이는 성실합니다.

3 처음 만난 인물들에게 스스럼없이 말을 거는 오늘이의 모습이 부럽기 때문에 오늘이의 행동을 본받고 싶을 것입니다.

4 갈라진 얼음 사이로 떨어지는 오늘이를 구한 이무기의 행동이 인상 깊은 까닭을 써 봅니다.

기본 만화 영화를 감상하고 사건을 생각하며 이어질 내용 쓰기 15쪽

1 (1) ① (2) ② 2 매일이
3 (1) 오늘이 (2) 용 4 주원

1 오늘이와 연꽃나무의 고민이 무엇인지 찾아봅니다.

2 행복이 무엇인지 알고 싶은 매일이는 책에서 벗어나 구름이와 행복한 시간을 보냈습니다.

3 이무기는 품고 있던 여의주를 모두 버리고 오늘이를 구해 주어 마침내 용이 되었습니다.

4 이어질 이야기에 새로운 인물이 등장해서 사건을 전개해도 좋습니다.

실천 만화 영화를 감상하고 이어질 내용을 역할극으로 나타내기 16쪽

1 ④ 2 ⑤ 3 (2) ×
4 예 적절한 표정, 몸짓, 말투로 정성을 다해 연기한다.

1 태윤이는 오늘이에게 웃음을 찾아 주고자 용이 된 이무기가 오늘이를 등에 태우고 여행을 떠난다는 내용을 썼습니다.

2 지호가 쓴「오늘이」의 이어질 이야기에 구름이는 등장하지 않습니다.

3 대본이 없는 상태에서 즉흥적으로 이어질 내용에 어울리는 대사를 만들어 가며 연기합니다.

4 자신이 맡은 역할을 충분히 이해해야 하고 적절한 표정, 몸짓, 말투로 연기합니다.

국어 활동 17쪽

1 예 강치가 불타는 얼음을 되찾아 독도를 지켜 낸 것처럼 우리나라 국민이 독도 수비대가 되어 독도를 지켜야겠다는 생각이 들었다.
2 ①
3 예 임금님의 귀를 직접 보고 싶어 하는 백성에게 임금님은 당당하게 자신의 귀를 보여 주었고, 사람들은 깜짝 놀랐지만 임금님의 솔직한 모습에 감동받았다.
4 (1) 으로서 (2) 으로써

1 강치가 아무르와 싸워서 불타는 얼음을 되찾은 장면을 보고 느낀 점을 써 봅니다.

2 임금님이 자고 일어났더니 귀가 커진 일이 가장 먼저 일어났습니다.

3 만화 영화의 줄거리를 떠올려 보고 앞으로 어떤 일이 일어날지 생각해 봅니다.

4 학급 회장은 신분 또는 자격을 나타내므로 '학급 회장으로서'와 같이 쓰고, 농사의 시작은 한곳에 머물러 살게 된 까닭이 되므로 '시작함으로써'와 같이 씁니다.

단원 마무리 18~19쪽

❶ 광고지 ❷ 대사 ❸ 이무기
❹ 중심인물

단원 평가 20~22쪽

1 아빠 물고기 2 ④ 3 영준
4 ⑤ 5 (3) ○
6 예 선이 지아와 둘도 없는 친구가 되는 이야기일 것 같다.
7 ⑤ 8 재호 9 ②
10 ⑤ 11 예 성실하다.
12 예 매일이가 책을 많이 쌓아 놓고 읽는 모습이 인상 깊다. 매일이가 책을 많이 읽는 것이 무척 부러웠고 책을 읽으면서 매일이가 행복했으면 하는 생각을 했다.
13 ② 14 ㉡
15 매일이, 연꽃나무, 구름이, 이무기
16 연꽃나무 17 ⑤ 18 ③
19 (3) ○ 20 ⑤

1 딸은 한꺼번에 너무 많이 물으시는 아버지의 모습이 「니모를 찾아서」에 나오는 아빠 물고기와 같다고 말했습니다.

2 딸은「니모를 찾아서」의 아빠 물고기가 니모를 사랑하기도 하지만 니모를 많이 걱정한다고 생각합니다.

3 영준이는 만화 영화나 영화를 본 경험이 아닌 극장에서 팝콘을 먹었을 때의 경험을 말했습니다.

4 등장인물인 선과 지아는 봉숭아 꽃잎을 찧어서 손톱에 물을 들였습니다.

5 인터넷에서 영화 안내 누리집을 찾아 그곳에서 등장인물에 대한 설명을 읽어 보면 됩니다.

6 선과 지아에게 어떤 일이 펼쳐질지 영화의 내용을 미리 상상해 써 봅니다.

채점 기준 선과 지아에게 펼쳐질 이야기를 광고지의 그림과 어울리게 상상해서 썼으면 정답으로 합니다.

7 영화를 본 시간이나 장소는 생각하지 않아도 됩니다. 광고지나 예고편 따위를 보고 내용을 미리 상상하는 방법도 있습니다.

8 피구를 하려고 편을 가를 때 선은 마지막까지 선택을 받지 못했습니다.

9 오늘이, 야아, 여의주가 원천강에서 행복하게 살았습니다.

10 야아와 다시 만난 오늘이가 행복하게 살게 된 것에서 원천강에 가려고 한 까닭을 알 수 있습니다.

11 열심히 책을 읽는 매일이의 행동에서 성실하다는 것을 알 수 있습니다.

12 가장 마음에 남는 장면을 골라 어떤 점이 인상 깊은지 그 까닭과 함께 씁니다.

> **채점 기준** 「오늘이」에서 인상 깊은 장면을 그 까닭과 함께 알맞게 썼으면 정답으로 합니다.

13 아무르와 싸워서 불타는 얼음을 되찾는 것에서 강치가 용기가 있다는 것을 알 수 있습니다.

14 만화 영화를 감상하며 등장인물의 수를 세어 볼 필요는 없습니다.

15 오늘이의 고민이 어떻게 해결되었는지 살펴봅니다.

16 연꽃나무는 꽃봉오리를 많이 가지고 있는데 이상하게도 하나만 꽃이 핀 까닭을 알고 싶어 합니다.

17 이무기가 품고 있던 여의주를 모두 버리고 용이 되었습니다. 이것은 고민이 아무런 노력을 하지 않고 해결된 것이 아니라 간절히 바라고 희생을 한 뒤에 해결된 것입니다.

18 이어질 이야기에 새로운 인물이 등장해서 사건을 전개할 수도 있으나 꼭 한 명의 새로운 인물을 등장시킬 필요는 없습니다.

19 용이 빛을 잃어버린 해에게 불을 뿜자 햇빛이 돌아오고 다시 식물들이 살아나 잔치를 벌이는 모습을 역할극으로 하고 싶다고 했습니다.

20 상황과 역할에 따라 대사와 행동을 자연스럽게 연기해야 합니다.

> **보충 자료** **역할극을 실감 나게 발표하기**
> - 자신이 맡은 역할을 충분히 이해해야 합니다.
> - 적절한 표정, 몸짓, 말투로 정성을 다해 연기해야 합니다.
> - 발표를 할 때에는 또박또박 정확하게 발음을 해서 듣는 사람들이 대사를 알아들을 수 있게 해야 합니다.
> - 다른 모둠이 발표할 때에는 조용히 봐 주어야 합니다.

서술형 평가 23쪽

1 예 선이 지아가 금을 밟지 않았다고 말하는 장면이 기억에 남는다. 나도 선처럼 용기를 내어 친구들에게 말하고 싶을 때가 있기 때문이다.

2 예 선에게
선아, 지금은 지아랑 잘 지내니? 지아가 너한테 속상하게 한 행동을 생각하면 무척 화가 나. 그렇지만 지아도 지금쯤 후회하고 있을 거야. 지아랑 다시 잘 지내기 바랄게. 그리고 마지막 피구 할 때처럼 친구들에게 너의 의견을 당당하게 말하기 바라. 항상 힘내기 바랄게. 안녕!

3 예 오늘이의 친구인 매일이의 병을 고치려고 치료법 책을 찾아야 하는 일이 생긴다.

4 예 오늘이가 매일이의 병을 고칠 수 있는 치료법 책을 찾아서 연꽃나무를 만났는데, 연꽃나무가 구름이도 다시 구름이 생겨서 고민한다고 말한다. 그래서 오늘이는 용이 된 이무기의 도움을 받아 구름이의 구름을 없애고, 매일이의 병을 고칠 치료법 책을 친구들과 같이 원천강에서 찾아 매일이를 살린다.

1 영화 내용 가운데 가장 인상 깊은 장면을 생각해 봅니다.

> **채점 기준** 「우리들」에서 가장 인상 깊은 장면을 그 까닭과 함께 알맞게 썼으면 정답으로 합니다.

2 영화의 내용을 떠올려 보고 등장인물에게 느낀 점을 편지 형식으로 써 봅니다.

> **채점 기준** 선, 지아, 보라 등 등장인물 가운데 한 명에게 편지 형식으로 느낀 점이 잘 드러나게 썼으면 정답으로 합니다.

3 오늘이의 고민이 해결된 뒤에 어떤 사건이 일어날지 상상해 씁니다.

> **채점 기준** 원천강으로 돌아온 오늘이에게 일어날 일을 등장인물들의 고민과 관련지어 자연스럽게 어울리도록 썼으면 정답으로 합니다.

4 오늘이에게 생긴 일을 오늘이가 어떻게 해결할지 자유롭게 써 봅니다.

> **채점 기준** 오늘이가 자신에게 생긴 일을 누구와 어떤 과정을 거쳐 해결해 나갔는지를 자세히 썼으면 정답으로 합니다.

2. 마음을 전하는 글을 써요

핵심 확인 문제 26쪽

1 표현 2 고맙습니다. 등
3 (1) ○ (3) ○ 4 읽는 5 ○

준비 마음을 드러내는 표현 찾기 27쪽

1 반 친구들 등 2 ④
3 (1) ③ (2) ① (3) ② 4 소민
5 예 내가 깜빡했어. 많이 속상했겠다.

1 맨 처음에 편지를 받는 사람이 나타나 있습니다.

2 태웅이는 친구들에게 자신의 고마운 마음을 전하려고 편지를 썼습니다.

3 ㉠에는 부끄러운 마음, ㉡에는 미안한 마음, ㉢에는 고마운 마음이 드러나 있습니다.

> **보충 자료** 태웅이가 쓴 편지에서 마음을 나타내는 낱말에는 '쑥스러워서', '미안한', '고마워' 따위가 있습니다.

4 친구들에게 미안하고 고마운 마음을 전하고 있는 태웅이에게 어떤 마음을 전하는 것이 어울릴지 생각해 봅니다.

5 친구가 쓴 글의 좋은 점을 말해 주지 못한 일에 대해 미안한 마음을 다른 말로 바꾸어 씁니다.

> **채점 기준** 서운한 마음을 말하는 친구에게 어떤 마음을 전하면 좋을지 생각하여 바꾸어 쓸 말을 알맞게 썼으면 정답으로 합니다.

기본 글쓴이가 전하려는 마음 알기 28쪽

1 ② 2 ④, ⑤ 3 ②
4 (1) 고마운 마음 (2) 고맙습니다. 등

1 받는 사람, 인사말, 쓴 날짜, 쓴 사람이 적혀 있는 것으로 보아 편지임을 알 수 있습니다.

> **정답 친해지기** 지우가 쓴 글의 특징
> • 읽는 사람이 정해진 글입니다.
> • 편지 형식으로 썼습니다.
> • 체험학습 때 있었던 일을 썼습니다.
> • 선생님께 고마운 마음을 전하려고 쓴 편지글입니다.

2 도자기를 만들 때 그릇 모양이 생각처럼 잘 만들어지지 않았고, 만든 도자기 역시 상상했던 모양과 달라서 당황스러웠습니다.

3 누가 누구에게 쓴 글인지, 무슨 일에 대해 썼는지, 마음을 전하려고 사용한 표현은 무엇인지, 글쓴이가 전하려는 마음은 무엇인지 확인해야 합니다.

4 지우는 마음에 드는 그릇을 만들도록 도와주신 선생님께 고마운 마음을 전하기 위해 '고맙습니다'라고 했습니다.

기본 마음을 전하는 글을 쓰는 방법 알기 29~30쪽

1 ③ 2 ①, ④
3 좋은 사람이 되기 위해 힘쓸 것 등
4 ③ 5 ④, ⑤ 6 ②
7 ㉠, ㉢ 8 ①

1 글쓴이는 미국 국회 의원들을 만나기 위해 홍콩에 와 있다고 했습니다.

2 아들이 팔을 다친 것을 걱정하는 마음과 한 학년 올라간 것을 축하하는 마음을 전하고 있습니다.

3 글쓴이는 아들에게 스스로 좋은 사람이 되기 위해 힘쓰기를 당부하고 있습니다.

4 ①, ②에는 축하하는 마음, ④에는 다친 일을 걱정하는 마음, ⑤에는 당부하는 마음이 담겨 있습니다.

5 좋은 사람들의 이야기가 담겨 있어 본받을 수 있는 책, 공부에 필요한 지식을 얻기 위한 책을 택하라고 하였습니다.

6 글쓴이는 아들에게 좋은 친구를 가려 사귀어야 한다고 편지에 썼습니다.

7 아들에게 당부하는 마음을 전하려고 "열심히 견디거라", "꾸준히 읽어라"와 같은 표현을 사용했습니다.

8 쓰는 사람의 마음이 아닌 읽는 사람의 마음을 고려해 써야 합니다.

기본 마음을 전하는 글 쓰기 31쪽

1 (1) 미안한 마음 (2) 축하하는 마음
(3) 위로하는 마음 (4) 그리운 마음
2 ②
3 (1) 예 친구 (2) 예 미안한 마음
(3) 예 친구가 싫어하는 별명을 부르며 놀린 일
(4) 예 정말 미안해. 다시는 안 그럴게.
4 ⑤

1 각 그림의 상황을 살펴보고 어떤 마음을 전해야 할지 생각해 봅니다.

2 축하하는 마음을 나타내는 표현으로는 '축하해'가 어울립니다.

3 마음을 전하고 싶은 사람에게 전하려는 마음, 마음을 잘 나타낼 수 있는 표현을 생각해 봅니다.

채점 기준 마음을 전할 사람, 전하려는 마음, 있었던 일, 마음을 나타내는 표현을 모두 알맞게 썼으면 정답으로 합니다.

4 읽는 사람이 답장을 써 주기를 바라는 마음을 담아 글을 쓴다면 읽는 사람이 부담스러울 수 있습니다.

실천 마음을 담아 붙임쪽지 쓰기 32~33쪽

1 ③ 2 ④
3 마음을 담은 쪽지를 붙였다. 등 4 ③
5 예 생일잔치를 해서 친구를 초대함.
6 ⑤ 7 영은 8 읽는 사람

1 재환이는 편지에 자신의 가족을 소개하고 새로 만난 이웃들에게 인사를 했습니다.

2 재환이 가족은 엄마, 아빠, 동생 그리고 재환이 이렇게 넷이라고 하였습니다.

3 승강기를 탄 이웃 사람들은 재환이의 편지를 보고 마음을 담은 쪽지를 붙였습니다.

4 재환이도, 쪽지를 써서 붙인 이웃도 모두 훈훈한 마음이 한가득했다고 하였습니다.

5 학급 친구들이 관심을 보일 만한 내용을 소식으로 정하는 것이 좋습니다.

6 교실 알림판에 쪽지를 붙일 때에는 친구가 쓴 글을 가리지 않도록 합니다.

7 '축하해', '축하'와 같이 간단하게 쓰는 것보다는 자신의 마음을 담은 구체적인 말로 씁니다. 그리고 친구가 붙인 글 옆이나 아래에 답장을 붙이도록 합니다.

8 학급 온라인 게시판에서 댓글을 쓸 때에는 읽는 사람의 처지를 생각하며 써야 합니다.

국어 활동 34~35쪽

1 편지(글) 2 (1) 딸들 (2) 사랑하는 등
3 ② 4 (3) ○ 5 ㉢
6 좋은 인상 7 ②
8 (1) 막따 (2) 발끼도
9 (1) 북찌 (2) 말끼도 (3) 물꼬

1 엄마가 딸들에게 보내는 편지(글)입니다.

2 '언제나 사랑한다.'라는 표현을 사용하여 엄마가 딸들을 사랑하는 마음을 전하고 있습니다.

3 엄마가 자기들을 사랑하고 자랑스러워한다는 것을 알고 행복할 것입니다.

4 상대를 기쁘게 해 주고 싶은 마음이 사람을 사귀는 데 가장 기본이라고 하였습니다.

5 친구를 사귈 때 친구의 한 면만 보고 그 사람 전체를 평가하지 말기를 당부하고 있습니다.

6 상대에게 좋은 인상을 줄 수 있는 방법을 알려 주고 있습니다.

7 대화를 할 때 흐름과 상관없는 자기 이야기를 하지 않도록 주의하라고 했습니다.

8 '맑다'는 [막따]로 발음하는데, 겹받침 'ㄺ'이 자음자와 만나면 [ㄱ]만 소리 납니다. '밝기도'는 [발끼도]로 발음하는데, 겹받침 'ㄺ' 다음에 자음자 'ㄱ'이 오면 겹받침 'ㄺ'은 [ㄹ]로 소리 납니다.

9 '붉지'는 [북찌]로 소리 나고 '맑기도', '묽고'는 [말끼도], [물꼬]로 소리 납니다.

단원 마무리 36~37쪽

❶ 미안한 ❷ 표현 ❸ 아들
❹ 축하하는

단원 평가 38~40쪽

1 고마운 마음 등
2 ①
3 ②, ③, ⑤
4 예 힘차게 달리는 것보다 느리게 걷는 것이 더 보람 있었어.
5 ⑤
6 ③
7 (3) ×
8 사랑하는 마음 등
9 ③
10 ㉠, ㉣
11 • 걱정되는구나. • 축하한다.
12 하준
13 (1) 마음 (2) 표현
14 ⑤
15 ③
16 축하해! 등
17 ②
18 ②
19 예 환영합니다! 이렇게 먼저 인사해 줘서 고마워요. 좋은 친구가 되었으면 좋겠네요.
20 (1) ○

1 남자아이는 전시 해설사 선생님 덕분에 많은 것을 알게 되었다고 하였으므로 고마운 마음을 전할 것입니다.

2 태웅이는 반 친구들에게 고마운 마음을 말로 전하고 싶었지만 쑥스러워서 편지를 쓰게 되었다고 하였습니다.

3 '쑥스러워서', '미안한', '고마워'에 태웅이의 마음이 나타납니다.

4 반 친구들이 태웅이에게 마음을 전하는 어떤 말을 했을지 생각해 씁니다.

채점 기준 고마운 마음을 전하는 태웅이의 편지를 읽고 어떤 말로 마음을 전하면 좋을지 알맞게 썼으면 정답으로 합니다.

5 지우는 지난 체험학습에서 도자기를 만들 때 선생님과 있었던 일에 대해 썼습니다.

6 지우가 선생님께 고마운 마음을 전하려고 글을 쓰게 되었다고 했습니다.

7 지우가 선생님께 고마운 마음을 '고맙습니다'라는 표현을 사용하여 편지 형식으로 전했습니다.

8 엄마가 딸들에게, 딸들을 사랑하는 마음을 전하고 있습니다.

9 아내의 편지에 아들이 넘어져 팔을 다쳤다는 소식이 들어 있어 매우 걱정된다고 했습니다.

10 글쓴이는 아들이 팔을 다친 일을 걱정하고 있고, 한 학년 올라가게 된 일을 축하하고 기뻐하고 있습니다.

11 "걱정되는구나."라는 표현을 사용하여 다친 일을 걱정하는 마음, "축하한다."라는 표현을 사용하여 한 학년 올라간 일을 축하하는 마음을 전했습니다.

12 안부를 물으며 아들의 마음을 고려해 썼습니다.

정답 친해지기 **안창호 선생이 아들에게 마음을 전하는 글을 쓴 방법**
- 아버지가 아들과 관련된 일을 떠올리며 쓴 것입니다.
- "축하한다", "기쁘구나"와 같은 표현으로 글쓴이의 마음을 드러내었습니다.
- "열심히 견디거라", "꾸준히 읽어라"와 같은 표현으로 아들에게 당부했습니다.
- 아들의 마음을 고려해서 썼습니다.

13 글에서 전하려는 마음을 생각하고, 마음을 잘 나타낼 수 있는 표현을 사용해 읽는 사람의 마음을 고려해 씁니다.

14 글쓴이는 상대에게 좋은 인상을 주기 위해 어떻게 해야 하는지 말하고 있습니다.

15 친구가 달리기 대회에서 상을 받은 일에 대해서 축하하는 마음을 전하는 것이 알맞습니다.

16 축하하는 마음을 전하기 위해 '축하해' 따위의 표현을 사용할 수 있습니다.

17 이사 온 재환이는 이웃 사람들에게 인사를 하려고 승강기 안에 편지를 붙였습니다.

18 이웃 사람들이 편지를 보고 마음을 담은 쪽지를 붙였다고 하였습니다.

19 쪽지를 읽을 재환이의 마음을 생각하며 배려하는 글쓰기를 해야 합니다.

채점 기준 이사를 와서 인사를 하려고 편지를 쓴 재환이의 마음을 생각하며 재환이에게 마음을 담은 쪽지를 썼으면 정답으로 합니다.

20 읽는 사람의 처지를 생각하며 댓글을 써야 하고, 온라인 게시판이라고 해서 거짓말을 하면 안 됩니다.

서술형 평가 41쪽

1 힘껏 달리고 싶었을 텐데 나 때문에 참았을 것 같아서 미안한 마음이 들어.
2 ⓔ 지난 체험학습에서 도자기 만드는 것을 도와주신 선생님께 고마운 마음을 전하고 있다.
3 ⓔ 아들이 스스로 좋은 사람이 되기 위해 힘쓰기를 당부했다.
4 ⓔ 진실하고 깨끗해야 한다.
5 ⓔ 얼마 전에 다쳐서 보건 선생님께 치료를 받은 적이 있다. 그때 참 고마웠는데 고맙다는 말씀을 제대로 못 드렸다. 그래서 고마운 마음을 편지로 쓰고 싶다.

1 마지막 부분에 미안한 마음이 들었다고 나타나 있습니다.

채점 기준 '힘껏 달리고 싶었을 텐데 나 때문에 참았을 것 같아서 미안한 마음이 들어.'를 잘 찾아 썼으면 정답으로 합니다.

2 글쓴이는 지난 체험학습에서 있었던 일에 대해 선생님께 고마운 마음을 전하고 있습니다.

채점 기준 지난 체험학습에서 도자기 만드는 것을 도와주신 선생님께 고마운 마음을 전하고 있다는 내용을 썼으면 정답으로 합니다.

3 글쓴이는 아들이 좋은 사람이 되기 위해 힘쓰기를 당부하면서 좋은 사람이 되는 조건을 썼습니다.

채점 기준 스스로 좋은 사람이 되기 위해 힘쓰기를 당부하는 마음을 전했다는 내용을 썼으면 정답으로 합니다.

4 마지막 부분에 좋은 사람이 되기 위한 방법이 나타나 있습니다.

채점 기준 진실하고 깨끗해야 하고 좋은 친구를 가려 사귀어야 한다는 내용을 썼으면 정답으로 합니다.

5 고마운 마음, 미안한 마음, 축하하는 마음, 위로하는 마음 따위와 같은 마음을 전하고 싶은 상대가 있는지 생각해 봅니다.

채점 기준 자신에게 있었던 일을 떠올려, 누구에게 어떤 마음을 어떤 형식으로 전하고 싶은지 자세히 썼으면 정답으로 합니다.

3. 바르고 공손하게

진도 교재

핵심 확인 문제 44쪽

1 눈　**2** 높임말　**3** 대화명
4 ×　**5** 공익

준비 대화 예절 생각하기 45~46쪽

1 (1) 바우 (2) 박 서방　**2** ⑤
3 (1) ② (2) ①　**4** 말투
5 (1) ② (2) ①　**6** ②
7 ⓔ 미안해. 다음부터는 네 이름으로 부를게.
8 ⓔ 상대에게 사과하고 조심해서 말하겠다고 한다.

1 윗마을 양반은 박 노인을 '바우'라고 부르고, 아랫마을 양반은 박 노인을 '박 서방'이라고 불렀습니다.

2 아랫마을 양반이 '박 서방'이라고 부르자 자신을 더 존중해 주는 느낌이 들었기 때문에 박 노인은 아랫마을 양반에게 좋은 고기를 더 많이 주었습니다.

3 두 양반의 말을 들은 박 노인의 기분을 생각하여 표정을 짐작해 봅니다.

정답 친해지기 두 양반의 말을 들은 박 노인의 기분

윗마을 양반의 말을 들었을 때	'바우야'라고 부르며 자신을 존중하지 않은 윗마을 양반의 말을 듣고 기분이 좋지 않았을 것입니다.
아랫마을 양반의 말을 들었을 때	'박 서방'이라고 부르며 자신을 존중한 아랫마을 양반의 말을 듣고 기분이 좋았을 것입니다.

4 두 양반의 말투에 따라 박 노인의 태도가 다른 것으로 보아 알 수 있습니다.

5 영철이는 큰 소리로 민수의 별명을 부르며 인사했고, 채은이는 민수의 이름을 바르게 부르며 밝게 인사했습니다.

6 영철이가 한 말을 듣고 민수는 아침부터 듣기 싫은 별명을 부른다고 말했으므로 기분이 나빴을 것입니다.

7 민수가 별명이 싫다며 웃으며 말해 주었으므로 영철이는 사과할 것입니다.

채점 기준 영철이가 민수의 말을 듣고 어떻게 답했을지 알맞게 썼으면 정답으로 합니다.

정답 친해지기 대화 예절 생각하기

상대가 한 말에 자신의 기분이 상했을 때	민수는 영철이에게 기분이 상한 까닭을 잘 설명하고 기분이 좋게 말해 주기를 요청합니다.
자신이 한 말 때문에 상대가 기분이 상했을 때	영철이는 민수에게 사과하고 조심해서 말하겠다고 합니다.

8 기분이 상했다면 상대에게 사과하고, 조심해서 말하겠다고 해 주는 것이 좋습니다.

기본 대화 예절을 지키며 대화하는 방법 알기 47~50쪽

1 내가 **2** 우주 **3** 남자아이
4 ⑤
5 예 "고맙습니다."라고 마음을 직접적으로 표현해야 한다.
6 신유 **7** 인사 **8** ⑤
9 "고맙습니다."라고 말한다. 등 **10** ③
11 기분이 나쁘다. / 속상하다. 등
12 ③
13 예 학교 갈 때 승강기에서 만난 이웃 아저씨께 "안녕하세요?"라고 인사했더니 예의 바르다고 칭찬해 주셨다.
14 (1) ② (2) ① (3) ③
15 예 무시당하는 기분이었다.
16 (1) 예 미안해. 네 말이 끝날 때까지 기다릴게.
(2) 예 기분을 상하게 해서 미안해. 이제 그만할게.
(3) 예 그래, 다른 친구부터 하고 나서 할게.
17 친구와 사이가 더 좋아진다. 등

1 어른 앞에서 '내가'라고 말하는 것은 대화 예절에 맞지 않습니다.

2 친구에게는 '제가'라는 표현은 사용하지 않고 어른께 사용합니다.

3 남자아이가 "고맙습니다." 하고 바르게 인사하였습니다.

4 웃어른께 "수고하셨어요."라고 말씀드리는 것은 대화 예절에 어긋납니다.

5 "고맙습니다."와 같이 직접적으로 고마운 마음을 표현하는 것이 대화 예절에 맞습니다.

채점 기준 어떤 말을 해야 되는 상황인지 알고, 고맙다는 내용을 높임말로 바르게 썼으면 정답으로 합니다.

6 신유가 자신의 생일잔치에 친구들을 초대한 상황입니다.

7 친구들은 신유 어머니께 대충 인사하고 집 안으로 뛰어들어 갔습니다.

8 신유 어머니의 얼굴을 바라보며 바르게 인사하고 소란스럽게 떠들지 않습니다.

오답 피하기
① 친구네 집에 놀러 갔을 때에는 친구 부모님께 인사를 잘하고 소란스럽게 떠들지 않습니다.
② 인사할 때에는 상대의 눈을 마주치며 인사를 해야 합니다.
③ 신유보다 신유 어머니께 먼저 인사를 해야 합니다.
④ "안녕하세요?"와 같이 인사말을 하면서 고개를 숙여 인사를 해야 합니다.

9 음식을 준비해 주신 어른께 고마운 마음을 전하는 말을 해야 합니다.

정답 친해지기 신유 친구들이 예절을 잘 지키지 않은 부분

장소	예절을 잘 지키지 않은 부분
식탁	신유 어머니께 음식을 준비해 주셔서 고맙다는 말을 하지 않았습니다.

10 친구들은 신유 방에 있는 많은 책을 보고 그것으로 짐작한 내용을 귓속말로 주고받았습니다.

11 신유는 친구들이 자기만 빼고 비밀 이야기를 하는 것 같아 기분이 나쁘고, 자기만 따돌리는 것 같아 속상하다고 말했습니다.

12 친구가 앞에 있는데 귓속말을 하는 것은 바른 예절이 아닙니다.

13 웃어른, 친구와 대화할 때 예절을 잘 지킨 경험을 떠올려 씁니다.

채점 기준 대화할 때 예절을 잘 지켰던 자신의 경험을 썼으면 정답으로 합니다.

14 토끼가 말하는 도중에 사슴이 끼어들었고, 거북은 토끼에게 거친 말을 했습니다. 사자는 남이 하는 말은 듣지 않고 자기만 발표하겠다고 했습니다.

15 사슴 역할을 한 친구가 끼어들어 할 말을 다 하지 못했으므로 무시당하는 기분이 들었을 것입니다.

16 상대의 기분이 상하지 않게 예의 바르게 고쳐 씁니다.

정답 친해지기 동물들이 지켜야 할 대화 예절

사슴	토끼가 말하는 도중에 끼어들지 않습니다.
거북	토끼에게 거친 말을 하지 않습니다.
사자	남이 하는 말도 잘 듣습니다.

17 친구와 예절을 지키며 대화를 주고받으면 친구에게 배려받는 것 같은 기분이 들기 때문에 친구와 사이가 더 좋아질 것입니다.

기본 예절을 지키며 회의하기 51~53쪽

1 사회자 2 ③ 3 (1) ② (2) ①
4 친구들과 사이좋게 지내자.
5 듣기 싫은 별명으로 부르지 말자.
6 ④
7 꼭 손을 들어 말할 기회를 얻고 나서 발표해야 한다. 등
8 ②, ③ 9 ①
10 다른 사람 의견을 잘 듣지 않았다. 등
11 (1) 경청 (2) 끼어들지 (3) 높임말 (4) 말할 기회
12 듣기 싫은 별명으로 부르지 말자.

1 사회자는 지금부터 제8회 학급 회의를 시작한다고 회의 시작을 알렸습니다.

2 사회자는 회의 주제를 정하려고 합니다.

3 경희와 찬민이가 말한 회의 주제에 대한 의견과 그 까닭을 찾아봅니다.

4 오늘 회의 주제는 다수결의 원칙에 따라 "친구들과 사이좋게 지내자."로 정하겠다고 사회자가 한 말에 나타나 있습니다.

5 기분이 나빠지면 서로 사이좋게 지내기 어렵다는 까닭을 들어 "듣기 싫은 별명으로 부르지 말자."는 의견을 말했습니다.

6 찬우가 희정이가 말하는 도중에 끼어들었기 때문에 발표를 멈추었습니다.

7 사회자는 찬우에게 다른 사람이 의견을 발표할 때 끼어드는 것은 잘못이라면서 다음부터는 꼭 손을 들어 말할 기회를 얻고 나서 발표해 달라고 말했습니다.

8 경희는 말할 기회를 얻지 않고 말했고 회의 시간임에도 높임말을 사용하지 않았습니다.

9 상대에게 거친 말을 사용했다며 사회자가 주의를 준다고 나타나 있습니다.

10 다른 사람 의견을 잘 듣지 않은 찬민이는 의견을 제대로 말하지 못했습니다. 찬민이는 다른 사람 의견을 경청해야 합니다.

채점 기준 회의할 때 지켜야 할 예절을 알고 찬민이가 다른 사람 의견을 잘 듣지 않았다는 내용을 썼으면 정답으로 합니다.

11 회의 시간에 필요한 예절을 생각해 빈칸에 알맞은 말을 써 봅니다.

12 표결 결과 "듣기 싫은 별명으로 부르지 말자."가 29명 가운데에서 20명이 찬성해서 실천 내용으로 결정됐습니다.

기본 온라인 대화를 할 때 지켜야 할 예절 알기 54~55쪽

1 ④
2 예 자신을 잘 표현하는 대화명이 좋을 것 같다. / 내 얼굴이라고 할 수 있으므로 나쁜 말은 사용하지 않는 것이 좋을 것 같다.
3 ⑤ 4 그림말 5 민주
6 뜻을 알 수 없는 표현을 사용하지 않는다. 등
7 (2) ○ 8 ④

1 영철이가 대화명을 이름이 아닌 다른 것을 사용했기 때문입니다.

2 자신을 잘 표현하는 대화명을 사용하고 반갑게 인사하는 것이 온라인 대화 예절입니다.

채점 기준 어떤 대화명을 사용할지 알맞은 까닭을 들어 자신의 생각을 잘 썼으면 정답으로 합니다.

3 지나치게 줄여서 만든 말은 무슨 뜻인지 몰라서 오해가 생기거나 대화를 어렵게 만듭니다.

오답 피하기
① 줄임 말을 지나치게 쓰면 바르지 않은 문장이 됩니다.
② 줄임 말을 지나치게 쓰면 무슨 뜻인지 몰라서 오해가 생길 수 있습니다.
③ 줄임 말을 지나치게 쓰면 무슨 뜻인지 몰라서 대화가 어려워질 수 있습니다.
④ 줄임 말을 지나치게 쓰면 아름다운 우리말을 해치게 될 수 있습니다.

4 온라인 대화에서 많이 사용하고 있는 그림말에 대한 설명입니다.

5 뜻을 모르는데도 재미있어 보인다고 사용하려고 합니다.

6 온라인 대화를 할 때 뜻을 몰라도 사람들이 사용하면 같이 사용하기 때문에 일어나는 일로, 뜻을 알 수 없는 표현은 사용하지 않도록 합니다.

7 온라인 대화에서는 상대의 얼굴이 보이지 않으므로 자기 위주로만 말을 하게 될 수 있습니다.

8 상대의 얼굴이 보이지 않더라도 대화 전에 인사를 하고 끝날 때에도 인사합니다.

실천 대화 예절을 표어로 만들기 56쪽

1 ② **2** 말조심 **3** 책
4 (1) 예 친구가 듣기 싫어하는 말을 해서 친구의 기분을 상하게 한 적이 있다.
(2) 예 내가 한 거친 말 내게 올 거친 말

1 표에서 조사한 대상으로 공익 광고 영상 「너의 목소리가 들려」가 나타나 있습니다.

2 보이지 않는다고 나쁜 말을 해서는 안 된다는 내용을 조사하고 온라인 대화를 할 때에도 말조심을 해야겠다고 느꼈습니다.

3 진우는 책을 보고 대화할 때 지켜야 할 예절에 대해 알게 된 내용을 말하였습니다.

4 대화 예절과 관련 있는 경험을 떠올려 대화 예절에 대해 알려 줄 수 있는 표어를 만들어 봅니다.

채점 기준 대화 예절과 관련 있는 경험을 잘 쓰고, 그것에 어울리는 표어를 만들어 썼으면 정답으로 합니다.

국어 활동 57쪽

1 (1) ○ (3) ○ (5) ○ **2** (2) ○
3 예 그래, 괜찮아. 다음에는 더 조심하면 좋겠어.
4 ⑤

1 다른 사람에게 말할 때에는 시간, 장소에 맞게 말하고 다른 사람의 말을 들을 때에는 적절히 반응하며 듣습니다.

2 어른께는 바른 높임말을 사용하여 말합니다.

3 미안해하며 사과하는 친구에게 듣는 사람의 마음을 헤아려 말합니다.

4 다른 사람이 인터넷에 올린 정보를 인용할 때에는 반드시 출처를 밝혀야 합니다.

단원 마무리 58~59쪽

❶ 말투 ❷ 귓속말 ❸ 경청
❹ 그림말

단원 평가 60~62쪽

1 아랫마을 양반 **2** ④, ⑤
3 예 그 말을 들었을 때 자신이 기분이 나쁜 까닭을 말하고 앞으로 그런 말을 하지 말라고 정중하게 부탁한다.
4 (3) ○ **5** 신유 어머니 **6** ⑤
7 신유 어머니 얼굴을 바라보며 바른 자세로 인사한다. 등
8 친구의 말을 끝까지 듣는다. 등
9 ⑤ **10** ⑤
11 친구들과 사이좋게 지내려면 실천해야 할 일 등
12 고운 말을 사용하자. 등
13 ③ **14** ②
15 서로 존중받는 분위기에서 편하게 회의에 참여할 수 있다. 등
16 ②, ⑤ **17** 화난 기분 등
18 예 줄임 말을 지나치게 쓰지 않는다. / 그림말을 적절하게 사용한다.
19 ⑤ **20** (2) ×

1 박 노인은 아랫마을 양반이 자신을 더 존중해 준다는 느낌이 들어서 고기를 더 많이 주었습니다.

정답 친해지기 두 양반을 대하는 박 노인의 태도

윗마을 양반을 대할 때	윗마을 양반의 말에 건성으로 대답하며 아랫마을 양반보다 고기를 적게 주었습니다.
아랫마을 양반을 대할 때	아랫마을 양반의 말에 웃으면서 대답하며 윗마을 양반보다 고기를 많이 주었습니다.

2 ④는 말만 잘하면 어려운 일이나 불가능해 보이는 일도 해결할 수 있다는 말, ⑤는 자기가 남에게 말이나 행동을 좋게 하여야 남도 자기에게 좋게 한다는 말입니다.

3 상대에게 그런 말을 하지 말라고 차분하게 말하는 방법도 있습니다.

채점 기준 상대가 한 말에 자신의 기분이 상했을 때 할 말로 어울리는 내용을 썼으면 정답으로 합니다.

4 어른 앞에서는 '제가'라는 표현이 예절에 맞기 때문에 아들은 '아버지, 제가 수저를 놓을게요.'라고 고쳐 말해야 합니다.

5 신유 어머니께서 신유 친구들을 반갑게 맞아 주셨습니다.

6 신유 친구들은 신유 어머니께 인사를 제대로 하지 않고 집 안으로 급하게 들어갔습니다.

7 인사를 할 때에는 눈을 마주치며 인사를 하는 것이 예절을 잘 지키는 것입니다.

8 말하는 도중에 끼어드는 것은 예의를 지키지 않은 것입니다. 상대의 이야기를 다 들어 주고 나서 말을 하면 상대의 기분이 상하지 않을 것입니다.

9 다른 사람에게 말할 때 듣는 사람의 기분을 고려하며 말해야 합니다.

10 상대의 미안한 마음을 헤아려 예절을 지키며 말한 것을 찾습니다.

11 사회자는 다수결로 정한 회의 주제를 말해 주고 친구들과 사이좋게 지내려면 실천해야 할 일을 발표해 달라고 했습니다.

12 친구들이 나쁜 말을 주고받으면 사이가 안 좋아지는 것을 자주 봤기 때문에 "고운 말을 사용하자."라고 말했습니다.

13 경희와 희정이가 사회자에게 '주의'를 받은 행동을 찾아봅니다.

정답 친해지기 경희와 희정이가 회의할 때 지켜야 할 예절
- 거친 말을 사용하지 않습니다.
- 의견을 말할 때에는 손을 들어 말할 기회를 얻고 발표합니다.
- 회의와 같은 공식적인 상황에서는 높임말을 사용합니다.

14 회의할 때는 모든 사람의 의견을 주의 깊게 들어야 합니다.

15 예절을 지키며 회의하기 때문에 회의가 원활하게 진행될 수도 있습니다.

16 'ㅇㅈ', 'ㅋㅋㅋ'이 줄임 말에 해당합니다.

17 그림말은 기분을 잘 표현해 줍니다. 그림말의 모양을 보고 어떤 기분을 나타낼지 생각해 봅니다.

18 줄임 말과 그림말을 지나치게 사용했습니다.

채점 기준 줄임 말과 그림말을 적절하게 사용한다는 내용을 썼으면 정답으로 합니다.

19 뜻을 모르는 표현을 사람들이 사용하면 같이 사용하려는 문제가 나타나 있습니다.

20 '서로 도우며 싹트는 우정'은 대화 예절과 관련 있는 표어로 보기 어렵습니다. 협동과 관련 있는 표어라고 볼 수 있습니다.

서술형 평가 63쪽

1 예 친구의 이름을 바르게 불러 준다.
2 친구들끼리 자기만 빼고 귓속말로 비밀 이야기를 하는 것 같기 때문이다. 등
3 친구 앞에서 귓속말을 하지 않아야 한다. 등
4 다른 사람이 발표할 때 끼어들지 않는다. / 의견을 말할 때에는 손을 들어 말할 기회를 얻고 발표한다. 등
5 예 다른 사람의 말을 잘 들으려면 다른 사람을 더 존중하는 태도를 지닌다. / 남의 의견을 비난하지 않는다.
6 예 기분이 불쾌했다. 나는 중요한 일인데 상대는 장난을 하는 것 같았기 때문이다.

1 친구가 듣기 싫어하는 별명을 부르지 말고 이름을 바르게 불러 주어야 합니다.

> **채점 기준** 영철이가 친구의 별명을 부른 것이 잘못된 대화 예절임을 알고 친구의 이름을 부른다는 내용으로 썼으면 정답으로 합니다.

정답 친해지기 **친구들의 인사말을 들은 민수의 기분**

영철	듣기 싫은 별명을 부른 영철이의 인사말을 듣고 기분이 나빴을 것입니다.
채은	자신의 이름을 밝은 목소리로 바르게 부른 채은이의 인사말을 듣고 기분이 좋았을 것입니다.

2 신유는 자기만 빼고 친구들이 귓속말로 비밀 이야기를 한다고 생각했습니다.

> **채점 기준** 친구들이 신유 앞에서 귓속말을 하고 있는 상황임을 알고 귓속말을 해서라는 내용으로 썼으면 정답으로 합니다.

정답 친해지기 **신유 친구들이 예절을 잘 지키지 않은 부분**

장소	예절을 잘 지키지 않은 부분
신유 방	친구 앞에서 귓속말을 했습니다.

3 친구 앞에서 귓속말을 하지 않습니다.

> **채점 기준** 신유 친구들이 잘못한 점을 알고 귓속말을 하지 않는다는 내용으로 썼으면 정답으로 합니다.

4 사회자는 다른 사람이 의견을 발표할 때 끼어드는 것은 잘못이라며 찬우에게 손을 들어 말할 기회를 얻고 나서 발표하라고 말했습니다.

> **채점 기준** 찬우가 끼어들어 말하고 말할 기회를 얻지 않고 말한 것이 잘못임을 알고 회의할 때 바른 예절을 잘 썼으면 정답으로 합니다.

5 회의 시간에는 다른 사람의 말을 귀 기울여 듣고, 남의 의견을 비난하지 않아야 합니다.

> **채점 기준** 회의할 때 예절을 더 잘 지키는 방법을 알맞게 생각하여 썼으면 정답으로 합니다.

6 온라인 대화에서 그림말은 기분을 더 잘 표현해 줄 수도 있지만 너무 많이 사용하면 장난스러운 대화가 될 수도 있습니다.

> **채점 기준** 온라인 대화를 할 때 그림말을 받은 경험을 떠올려 그때 느낌과 그렇게 느낀 까닭을 잘 썼으면 정답으로 합니다.

4. 이야기 속 세상

핵심 확인 문제 66쪽

1 인물, 사건, 배경 2 언제
3 성격 4 ○ 5 표지

준비 이야기를 읽어 본 경험 말하기 67쪽

1 「바보 온달과 평강 공주」 2 ⑤
3 (1) 예 「황금 감나무」
(2) 예 까마귀가 동생을 금 산으로 데려다주는 장면이 가장 인상 깊었다.
(3) 예 베트남 이야기인데 우리나라의 「흥부 놀부」 이야기와 비슷해서 재미있었다.
4 서하

1 이야기의 내용으로 보아 「바보 온달과 평강 공주」 이야기에 해당합니다.

2 장면에 대한 다른 사람의 생각이나 느낌이 아닌 자신의 생각이나 느낌이 어떠한지 정리해야 합니다.

정답 친해지기 **이야기 내용을 정리할 때 생각할 내용**
- 이야기 제목은 무엇인가요?
- 나오는 인물은 누구누구인가요?
- 언제 어디에서 일어난 일인가요?
- 어떤 일이 일어났나요?
- 장면에 대한 생각이나 느낌은 어떠한가요?

3 자신이 읽었던 이야기에서 인상 깊은 장면을 떠올리며 장면에 대한 생각이나 느낌을 정리해 써 봅니다.

> **채점 기준** 자신이 읽은 이야기 제목, 인상 깊은 장면, 장면에 대한 생각이나 느낌을 빠짐없이 잘 썼으면 정답으로 합니다.

4 이야기의 줄거리만 강조하지 말고 기억에 남는 장면이나 사건, 기억에 남는 까닭이나 자신의 생각 등을 소개할 수 있습니다.

정답 친해지기 **이야기를 읽어 본 경험 말하기**
- 재미있게 읽었거나 기억에 남는 이야기를 떠올립니다.
- 인상 깊은 장면을 떠올리며 이야기의 내용(이야기 제목, 인상 깊은 장면, 장면에 대한 생각이나 느낌)을 정리하여 발표합니다.

기본 인물, 사건, 배경을 생각하며 이야기 읽기

68~73쪽

1 버스 안　2 (1) ③ (2) ① (3) ②
3 ②　4 어느 날 아침
5 (1) 버스 안 (2) 사라가 버스 앞자리에 앉았다. 등
6 ②
7 뒷자리로 돌아갈 이유가 없었기 때문에 등
8 ②, ④　9 흑인　10 ⑤
11 (1) ② (2) ①　12 미국
13 경찰서　14 ③, ④　15 ⑤
16 사라는 잘못한 게 없다. 등
17 (1) ① (2) ②　18 ④
19 예 사라에게 또 나쁜 일이 생기지 않도록 하기 위해서이다. / 백인과 흑인을 차별하는 법이 잘못되었다는 것을 알리기 위해서이다.
20 ②　21 ④　22 ④
23 법
24 예 백인과 흑인 모두 자유롭게 앉을 수 있다.

1 이야기가 펼쳐지는 장소가 버스 안입니다.

2 이야기의 재료가 되는 인물, 사건, 배경을 이야기의 구성 요소라고 합니다.

3 사라와 사라의 어머니는 이 이야기에 나오는 사람으로 인물에 해당합니다.

4 시간적 배경이 어느 날 아침입니다.

5 사라가 어디에서 어떤 일을 했는지 찾아 씁니다. 사라는 버스 안 앞쪽 끝까지 가서 운전사 옆자리에 앉았습니다.

6 흑인은 늘 뒷자리에 앉았기 때문에 사람들은 사라에게 버스 뒷자리로 가라고 했습니다.

7 사라는 마음속으로 '뒷자리로 돌아갈 아무런 이유가 없어!'라고 말했다고 나타나 있습니다.

8 사라가 한 말과 행동으로 보아, 당당하고 용기가 있음을 알 수 있습니다.

9 버스 뒷자리에 앉아야 하는 흑인을 가리킵니다.

10 경찰관은 사라에게 뒷자리에 앉으라고 말했지만 사라가 말을 듣지 않자 사라를 경찰서로 데리고 갔습니다.

11 ㉡을 말한 사람은 사라가 잘못한 게 없다고 생각하고 있고, ㉢을 말한 사람은 사라가 잘못했다고 생각합니다.

12 흑인과 백인의 인종 차별이 있었던 미국에서 일어난 일입니다.

13 경찰관이 어머니께 전화하고, 사라가 앉아 있었다는 내용을 통해 경찰서에 있음을 알 수 있습니다.

14 경찰서에서 신문 기자가 사라의 사진을 찍어 갔고, 많은 사람이 사라를 보러 왔습니다.

15 경찰서에서 어머니를 만났으므로 어머니께 신문 기자가 사진을 찍은 일을 자랑하고 싶지는 않았을 것입니다.

16 죄송하다고 하는 사라에게 어머니는 괜찮다며 사라는 아무것도 잘못한 게 없다고 말해 주었습니다.

17 글 ❹는 그날 밤, 사라의 방에서 일어난 일이고, 글 ❺는 이튿날 아침, 버스 정류장 앞에서 일어난 일입니다.

18 모든 법이 다 좋은 것은 아니며, 법은 언젠가는 바뀐다고 말씀해 주셨습니다.

19 경찰서에 가게 된 일을 겪은 사라와 어머니는 버스를 타지 않고 걸어가기로 했습니다.

채점 기준 사라와 어머니가 버스를 타지 않고 걸은 까닭을 알맞게 썼으면 정답으로 합니다.

20 사라가 신문에 실려 유명해져서 사람들이 사라를 보고 수군거렸으며, 남자아이가 사인을 해 달라고 했습니다.

21 사람들이 사라를 뒤따라 걸어가자 사라는 마음이 뿌듯했다고 나타나 있습니다.

22 흑인들은 사라가 겪은 일로 인해 법이 잘못됐다는 것을 알리고 싶었던 것입니다.

23 흑인들이 버스를 타지 않자 법이 바뀌게 되어 사라는 버스 앞자리에 앉을 수 있게 되었습니다.

24 법이 바뀌기 전에는 흑인은 버스 앞자리에 앉을 수 없었습니다.

채점 기준 흑인과 백인 모두 앉을 수 있게 됐다는 내용으로 썼으면 정답으로 합니다.

진도 교재

기본 인물의 성격을 짐작하며 이야기 읽기 74~77쪽

1 (1) 수업 시작 전 등 (2) 교실 2 ①
3 ② 4 (1) 말 / 행동 (2) 행동 / 말
5 ③ 6 (1) ② (2) ①
7 창훈이는 미안하다는 소리 대신 혀만 쏙 내밀고는 휙 도망가 버렸다. 등
8 ①, ⑤ 9 소심하다. / 내성적이다. 등
10 (2) ○ 11 ㉢ 12 ④
13 은정 14 ⑤
15 참 멋진 아이이다. 등 16 ①

1 '교실에 들어서니', '선생님이 오기 전까지'라는 말을 통해 수업 시작 전에 교실에서 일어난 일이라는 것을 알 수 있습니다.

2 '나'와 윤아는 선생님이 오기 전까지 공기놀이를 하기로 했습니다.

3 우진이의 칭찬을 듣고 헤벌쭉 웃는 윤아가 참 얄미웠다고 한 말로 보아 '나'는 샘이 많은 성격인 것 같습니다.

4 이야기에서 인물이 한 말이나 행동으로 인물의 성격을 짐작할 수 있습니다.

5 장난꾸러기 창훈이가 다른 아이들이랑 장난치며 뛰다가 공기놀이를 하던 윤아와 부딪치는 바람에 일어난 일입니다.

6 윤아는 공기 알을 못 잡은 게 억울한 마음, '나'는 공기 알이 사물함 밑으로 굴러 들어가서 걱정되는 마음에 창훈이에게 소리쳤습니다.

7 장난스럽고 배려심이 없는 창훈이의 성격을 짐작할 수 있는 말이나 행동을 찾아봅니다.

> **채점 기준** 창훈이의 장난스럽고 배려심이 없는 성격이 드러나는 행동을 잘 찾아 썼으면 정답으로 합니다.

8 벌레가 손에 닿는 것을 걱정하는 말을 한 것으로 보아 조심성이 많고 깔끔한 성격인 것 같습니다.

9 '벌레'라는 말에 손을 얼른 뺀 행동에서 소심하고 내성적인 '나'의 성격을 짐작할 수 있습니다.

10 우진이가 기다란 자를 가지고 사물함 밑에서 공기 알을 빼 주었습니다.

11 공기 알을 주면서 핀을 가지겠냐고 묻는 우진이의 말에서 다정다감한 성격을 짐작할 수 있습니다.

12 윤아가 핀을 건네는 우진이의 성의를 무시하고 더럽다며 면박을 주었습니다.

13 우진이가 창훈이한테 '나'와 윤아에게 사과하라고 말한 것을 보면 우진이의 성격은 의로운 것 같습니다.

14 창훈이가 애교를 부리는 것을 보면 장난을 좋아하는 것 같습니다.

15 우진이는 생각하면 할수록 참 멋진 아이라고 나타나 있습니다.

16 우진이를 어떻게 안 좋아할 수 있겠냐고 한 문장에서 우진이에 대한 '내' 생각을 알 수 있습니다.

기본 사건의 흐름을 생각하며 이야기 읽기 78~83쪽

1 예 '젓가락 대회'가 열리는 것을 보니 젓가락질을 잘하는 인물이 나올 것 같다.
2 또랑또랑한, 김해 김씨 3 ⑤
4 (1) ② (2) ① 5 ④
6 ⑤ 7 용기가 났다. 등
8 ③ 9 (1) ① (2) ②
10 예 주은이는 채소 가게 안에서 나무젓가락으로 강낭콩을 집는 연습을 했다.
11 손 12 ④ 13 ②
14 (1) 풍습 (2) 문화 15 (3) ○
16 예 자신과 다른 문화를 지닌 사람을 쉽게 이해하지 못했던 우봉이의 행동을 보며 나와 다른 문화도 이해하려고 노력하는 태도를 길러야겠다고 생각했다.
17 ④ 18 (1) 차례 (2) 성격 (3) 행동
19 ㉢, ㉠, ㉤, ㉡, ㉣
20 예 우봉이가 결승전에 나가지 못했을 것이다.
21 (1) ② (2) ①
22 예 친구를 이길 생각만 하는 젓가락 달인보다 더 좋은 것은 따로 있다던 할아버지 말씀과 상품권을 타서 젓가락과 머리핀을 사고 싶다던 주은이의 일기가 생각났기 때문이다.
23 예 인정이 많고 사려 깊다.
24 ㉢

1 이야기를 읽을 때 그림을 먼저 보고 내용을 짐작해 볼 수 있습니다.

2 성은 김해 김씨이고 이름은 주은이라며 잘 부탁한다고 또랑또랑 말했다고 나타나 있습니다.

3 우봉이는 전학 온 주은이와 짝이 되었습니다.

4 글 ❶에서는 선생님과 주은, 글 ❷에서는 할아버지와 만나거나 함께했습니다.

5 우봉이는 젓가락 달인이 되려고 할아버지의 도움을 받아 바둑알로 젓가락질 연습을 계속했다고 나타나 있습니다.

6 젓가락 달인이 되려고 할아버지와 계속 연습하는 것으로 보아 우봉이는 승부욕이 강하고 적극적인 성격입니다.

7 할아버지는 우봉이에게 용기를 주는 말씀을 하셨습니다.

8 엄마의 두부를 사 오라는 심부름을 하기 위해서 우봉이는 할아버지와 집을 나섰습니다.

9 채소와 야채, 가게와 점포가 뜻이 비슷한 낱말입니다.

10 주은이는 나무젓가락으로 강낭콩을 들었다 놓았다 하고 있었다고 나타나 있습니다.

11 우봉이가 주은이 어머니께서 손으로 음식 드시는 것을 보게 되었습니다.

12 주은이 어머니는 목소리는 컸으나 주은이처럼 화난 것은 아니라고 나타나 있습니다.

13 우봉이네 가족이 손으로 음식 먹는 것에 대해 이야기했습니다.

14 할아버지는 손으로 음식 먹는 것이 그 나라 풍습이고 문화라고 하셨습니다.

15 손으로 밥을 먹는 것은 나쁜 것이고, 야만인이나 원시인이라고 말하는 것으로 보아 융통성이 없는 성격을 짐작할 수 있습니다.

16 손으로 음식 먹는 것에 대해 우봉이가 한 말을 읽고 자신은 어떻게 생각하는지 씁니다.

> **채점 기준** 우봉이가 손으로 음식 먹는 것에 대해 한 말을 읽고 자신은 어떻게 생각하는지 알맞게 썼으면 정답으로 합니다.

17 우봉이는 결승전을 앞두고 긴장이 돼서 오줌이 쫄쫄 나왔다고 했습니다.

18 사건이 일어난 차례, 인물의 성격에 따라 인물의 행동이 어떻게 달라지는지 살펴보고, 인물의 행동에 따라 이어질 이야기를 예측하며 읽습니다.

19 우봉이가 젓가락질 연습을 열심히 해서 주은이와 젓가락 달인 결승전에서 겨루게 되었습니다.

20 우봉이가 게으른 성격이었다면 젓가락질 연습을 게을리 해서 결승전에 나가서 주은이와 겨루게 되는 일은 일어나지 않았을 것입니다.

21 '구리구리 딱따구리 권법 파이팅!', '김해 김씨 김주은, 쏙쏙 족집게 수법 짱!'이라고 한 친구들이 응원하는 말에서 알 수 있습니다.

22 우봉이는 할아버지 말씀과 주은이의 일기가 떠올라서 머뭇거리게 되었습니다.

> **채점 기준** 우봉이가 할아버지 말씀과 주은이 일기가 생각나서 머뭇거렸다는 내용으로 썼으면 정답으로 합니다.

23 우봉이가 한 행동으로 보아 인정이 많고 사려 깊은 성격인 것 같습니다.

24 우봉이의 성격에 따라 우봉이가 어떻게 행동했을지 바르게 예측한 것을 찾습니다.

실천 이야기를 꾸며 책 만들기 84쪽

1 (1) 「사라, 버스를 타다」
(2) 「우진이는 정말 멋져!」
(3) 「젓가락 달인」
2 (1) ② (2) ①
3 예 승연이가 우진이가 내민 나비 모양 머리핀을 고맙다고 말하며 받아서 우진이와 더욱 친한 친구가 될 수 있을 것이다.
4 (1) 예 「혹부리 영감」
(2) 예 혹부리 영감
(3) 예 착하지만 겁이 많고 소극적인 성격이다.
(4) 예 정직하고 적극적인 성격으로 바꾸고 싶다.
5 지민 6 ⑤

1 친구들은 각각 「사라, 버스를 타다」, 「우진이는 정말 멋져!」, 「젓가락 달인」 이야기를 떠올렸습니다.

2 영지는 사라를 소심한 성격으로, 민수는 승연이를 솔직한 성격으로 바꿔 보려고 합니다.

3 승연이가 솔직한 성격이라면 사건의 흐름이 어떻게 변할지 상상하여 써 봅니다.

> **채점 기준** 「우진이는 정말 멋져!」에서 승연이가 솔직한 성격일 때 사건의 흐름을 잘 짐작하여 썼으면 정답으로 합니다.

4 읽은 이야기 중에 새로 꾸미고 싶은 이야기를 떠올려 인물의 원래 성격과 새로운 성격을 생각하여 씁니다.

5 인물, 사건, 배경이 서로 어울리게 바꾸어야 합니다.

6 책 표지에는 책 제목이나 지은이, 출판사를 씁니다. 원래 이야기의 전체 내용을 실을 필요는 없습니다.

국어 활동 (85~87쪽)

1 ① 2 ㉡, ㉢, ㉠ 3 ②
4 ④, ⑤
5 예 아버지를 창피해하지 않고 아버지와 함께 자전거를 타고 집으로 갈 것이다.
6 ① 7 ㉤, ㉡, ㉠, ㉢, ㉣
8 (1) 키우다, 보살피다 (2) 무덥다, 후텁지근하다

1 북녘땅은 등장하는 인물로 볼 수 없습니다.

2 글 ㉮는 옷감 파는 집, 글 ㉰는 한복 만드는 집, 글 ㉲는 북녘땅이 보이는 들판에서 일어난 일입니다.

3 할아버지는 북녘땅이 보이는 곳까지만 갈 수 있었습니다.

4 글 ㉰에서 영란이가 아버지 자전거를 타고 학교 다니는 게 싫어진 까닭을 찾을 수 있습니다.

5 인물의 성격에 따라 인물의 행동이 어떻게 달라질지 생각해 써 봅니다.

6 말끔하게 옷을 입었다는 내용은 없습니다.

7 영란이가 언제 어디에서 무슨 일을 했는지 떠올려 봅니다.

8 '가꾸다, 키우다, 보살피다'가 서로 뜻이 비슷한 낱말, '뜨겁다, 무덥다, 후텁지근하다'가 서로 뜻이 비슷한 낱말입니다.

단원 마무리 (88~89쪽)

❶ 배경 ❷ 샘 ❸ 젓가락질
❹ 인물

단원 평가 (90~92쪽)

1 예 「황금 감나무」에서 욕심 많은 형이 황금을 더 많이 가지려고 욕심을 부리다가 오히려 벌을 받게 되는 부분이 재미있었다.
2 배경 3 (1) ① (2) ②
4 ⑤ 5 (1) 그날 밤 (2) (사라의) 방
6 ② 7 세모시 옷감 / 나
8 ④, ⑤ 9 ⑤ 10 창훈
11 조심성이 많다. / 깔끔하다. 등
12 ⑤ 13 ①
14 예 나도 의로운 성격이라 우진이처럼 행동했을 것이다. 잘못한 친구가 아무리 나랑 친하더라도 친구가 잘못을 했으면 바로잡아야 한다고 생각한다.
15 ⑤ 16 ③, ⑤
17 우봉이와 주은이가 젓가락 달인 결승전에서 겨루게 되었다. 등
18 (1) ② (2) ①
19 예 영란이가 아버지를 알은체 안 하고 뒷문으로 몰래 돌아 나왔다.
20 ⑤

1 재미있게 읽었거나 기억에 남는 이야기의 제목을 떠올려 보고 어떤 점이 재미있거나 기억에 남았는지 써 봅니다.

> **채점 기준** 자신이 읽은 이야기에서 재미있거나 기억에 남았던 내용을 잘 썼으면 정답으로 합니다.

2 ㉠'어느 날 아침'은 이야기가 펼쳐지는 시간적 배경에 해당합니다.

3 사라가 버스 앞자리에 앉게 되었는데 그 일로 경찰서에 잡혀갔습니다.

4 너희 같은 사람은 버스에서 뒷자리에 앉도록 법으로 정해져 있으니 뒷자리로 돌아가라고 말했습니다.

5 그날 밤, 사라의 방에서 사라와 어머니가 대화를 나누고 있습니다.

6 사라의 어머니는 법은 언젠가는 바뀐다며 사라를 위로하였습니다.

7 이야기에서 어떤 일을 겪는 사람이나 사물을 '인물'이라고 합니다.

8 이야기에서 인물이 한 말이나 행동을 살펴보고 인물의 성격을 짐작합니다.

9 창훈이가 뛰다가 윤아와 부딪치는 바람에 공기 알이 사물함 밑으로 굴러 들어갔습니다.

10 창훈이가 자기 때문에 윤아와 부딪쳐 공기 알이 사물함 밑으로 들어갔는데도 미안하다는 말도 없이 혀만 내밀고 도망갔습니다.

11 벌레가 손에 닿는 것을 걱정하는 말을 한 것으로 보아 조심성이 많고 깔끔한 성격일 것입니다.

12 우진이는 윤아와 '나'를 밀친 창훈이에게 사과하라고 말했습니다.

13 우진이가 창훈이한테 '나'와 윤아에게 사과하라고 한 말과 행동을 보면 의로운 성격이라는 것을 짐작할 수 있습니다.

14 자신의 성격과 우진이의 성격을 비교해 보고, 자신은 어떻게 행동했을지 생각해 씁니다.

채점 기준 친구가 잘못한 일을 보고 자신이라면 어떻게 행동했을지 생각하여 잘 썼으면 정답으로 합니다.

15 글 ㉮~㉰에서 우봉이가 주은이 어머니를 만난 장면은 나오지 않습니다.

16 우봉이는 할아버지와 바둑알로 젓가락 연습을 했고, 밥을 먹을 때도 젓가락 연습이 되는 반찬만 골라 먹었습니다.

17 우봉이가 젓가락질을 열심히 연습한 결과, 우봉이는 젓가락 달인 결승전에서 주은이와 겨루게 되었습니다.

18 우봉이의 성격에 따라 사건의 결과가 어떻게 달라질지 예측해 봅니다.

19 영란이가 뒷문으로 몰래 돌아 나온 게 영 마음에 걸렸다고 한 것에서 앞에 있었던 사건을 짐작해 볼 수 있습니다.

20 자신이 읽은 책 원래 제목과 새롭게 꾸며 만든 이야기책 제목을 다르게 정할 수도 있습니다.

서술형 평가 93쪽

1 ⓔ 사라는 자신이 옳다고 생각한 바를 굽히지 않았다. 사라는 용감한 아이인 것 같다. / 미국에서는 사람을 피부색에 따라 차별하는 일이 있었다는 사실이 놀라웠다. / 다른 사람을 피부색이나 성별, 외모로 차별하면 안 되겠다는 생각을 했다.

2 ⓔ 창훈이가 애교를 부리는 것을 보면 장난을 좋아하는 것 같다.

3 ⓔ 우봉이는 시장에서 손으로 음식을 드시는 주은이 어머니를 보고 야만인이 하는 행동이라고 생각해서 주은이와 눈이 마주칠까 봐 다른 사람 뒤로 얼른 숨었다.

4 ⓔ 우봉이가 주은이 어머니께 인사를 하고 주은이 어머니께서 드시던 음식을 같이 손으로 먹어 보았을 것이다. / 주은이에게 어머니께 화를 내거나 어머니를 창피해하면 안 된다고 말해 주었을 것이다.

1 이야기를 읽고 인물, 사건, 배경에 대해 자신이 생각한 내용을 써 봅니다.

채점 기준 이야기의 인물, 사건, 배경을 잘 파악하여 이야기의 구성 요소에 대해 생각한 내용을 잘 썼으면 정답으로 합니다.

2 창훈이가 우진이에게 한 번만 봐 달라고 애교를 부리는 말과 행동에서 장난을 좋아하는 성격을 짐작할 수 있습니다.

채점 기준 창훈이가 한 말과 행동에서 성격을 잘 파악하여 장난을 좋아한다는 내용으로 성격을 썼으면 정답으로 합니다.

3 우봉이는 손으로 음식 먹는 것을 야만인이 하는 행동이라고 생각해서 주은이가 못 보게 다른 사람 뒤에 몸을 숨긴 것입니다.

채점 기준 우봉이의 융통성 없는 성격 때문에 주은이 어머니의 행동을 더럽다고 생각하여 다른 사람 뒤로 숨은 것을 알고 그 내용을 썼으면 정답으로 합니다.

4 우봉이가 손으로 음식 먹는 것에 대해 편견이 없다면 다른 사람 뒤에 몸을 숨기지 않았을 것입니다.

채점 기준 우봉이가 개방적인 성격이었다면 주은이 어머니가 하신 행동에 대해 어떻게 생각하고 행동했을지 알맞게 썼으면 정답으로 합니다.

5. 의견이 드러나게 글을 써요

핵심 확인 문제 96쪽

1 (1) 예지는 (2) 친절합니다. 2 (1) ○
3 ○ 4 의견 5 누가

준비 문장의 짜임에 맞게 말하기 97~98쪽

1 ⑤ 2 (1) ① (2) ②
3 ⑤ 4 어떠하다 5 ①
6 ①, ④
7 예 호수처럼 푸르다. / 높고 푸르다.
8 예준

1 주어진 문장에서 '누가'에 해당하는 말은 '늙은 농부는'입니다.

보충 자료 '누가/무엇이'는 보통 '이/가, 은/는'에 해당합니다. '무엇이다/어찌하다/어떠하다'는 '무엇이'를 설명하는 부분입니다.

2 (1) '세 아들은(누가)'과 '밭으로 달려갔습니다(어찌하다)', (2) '아버지께서 밭에 묻어 두신 보물은(무엇이)'과 '주렁주렁 열린 포도송이였습니다(무엇이다)'와 같이 두 부분으로 나눌 수 있습니다.

3 '누가/무엇이' 다음에는 '무엇이다/어찌하다/어떠하다' 등의 말이 와서 '누가/무엇이'를 설명해 줍니다.

보충 자료 '누가/무엇이' 다음에는 '무엇이다/어찌하다/어떠하다'라는 말이 올 수 있습니다. '달리다, 먹는다'는 '어찌하다'에 해당하는 말이고, '빨갛다, 둥글다'는 '어떠하다'에 해당하는 말입니다.

4 '누가/무엇이'에 해당하는 부분과 '무엇이다/어찌하다/어떠하다'에 해당하는 두 부분으로 문장을 나눌 수 있습니다.

보충 자료 '누가/무엇이+어찌하다'에서 '어찌하다'는 '달리다, 먹는다'와 같이 움직임을 나타내는 말이고, '누가/무엇이+어떠하다'에서 '어떠하다'는 '빨갛다, 둥글다'와 같이 '누가/무엇이'의 성질이나 상태를 나타내는 말입니다.

5 ①은 '무엇이다'에 해당합니다.

6 ②와 ③은 '누가+무엇이다', ⑤는 '누가+어찌하다'의 짜임에 해당합니다.

7 '가을 하늘이' 다음에 자연스럽게 연결되는 말을 생각해 씁니다.

채점 기준 문장의 짜임을 생각하여 '가을 하늘이'에 어울리는 말을 썼으면 정답으로 합니다.

정답 친해지기 **문장 카드로 문장의 짜임 놀이 하기**
① 문장 카드를 준비합니다.
② 모둠에서 가위바위보로 놀이 차례를 정합니다.
③ 첫 번째 사람이 '누가/무엇이'에 해당하는 말을 카드에 적어 제시합니다.
④ 나머지 사람들은 첫 번째 사람의 문장 카드에 '누가/무엇이'에 어울리는 말을 차례로 적습니다.
⑤ 만든 문장들이 모두 자연스러운지 검토합니다.
⑥ 두 번째 사람이 새로운 문장 카드를 제시하며 놀이를 계속합니다.

8 문장의 짜임을 알고 문장을 두 부분으로 끊어 읽으면 이해하기가 쉽습니다.

보충 자료 글을 쓸 때에는 '누가/무엇이' 부분과 뒷부분이 자연스럽게 연결되는지 생각하며 글을 씁니다. 그리고 글을 읽을 때에는 문장을 두 부분으로 끊어 읽으면 이해하기가 좀 더 쉽습니다.

기본 문장을 생각하며 의견 표현하기 99~100쪽

1 ⑤ 2 ⑤ 3 ③
4 (1) 목화 장수들이 (2) 고양이를 샀다.
5 (1) ② (2) ① 6 ④
7 (1) 고양이의 성한 다리를 맡았던 목화 장수 세 명이 물어야 한다. 등
(2) 다리에 불이 붙은 고양이가 광으로 도망칠 때는 성한 다리로 도망쳤기 때문이다. 등
8 목화 장수들은 등

1 목화를 보관한 광에 쥐가 많아 목화를 어지럽히기도 하고 오줌을 싸기도 했기 때문에 광에 있는 쥐를 쫓기 위해서 고양이를 샀습니다.

2 공동 책임을 지기 위하여 고양이의 다리 하나씩을 각자 몫으로 정했습니다.

3 다리에 불이 붙은 고양이가 목화 더미 위에서 구르는 바람에 목화 더미에 불이 붙고 말았습니다. 순식간에 목화 더미에 불이 번져 광 속의 목화가 몽땅 타 버렸습니다.

4 '목화 장수들이'가 '누가'에 해당하고, '고양이를 샀다.'가 '어찌하다'에 해당합니다.

> **보충 자료** 문장을 두 부분으로 나누는 활동을 하는 까닭은 긴 글을 읽어도 내용을 쉽게 파악하는 데 도움을 주기 때문입니다.

5 고양이의 성한 다리를 맡았던 목화 장수와 고양이의 아픈 다리를 맡았던 목화 장수는 서로 불이 난 책임을 미루고 있습니다.

6 ④는 고양이의 성한 다리를 맡았던 세 사람이 5번의 답과 같이 생각한 까닭이고, ⑤는 고양이의 아픈 다리를 맡았던 사람이 5번의 답과 같이 생각한 까닭입니다.

7 자신이 사또라면 어떤 판결을 내렸을지 쓰고 판결에 대한 까닭도 함께 써 봅니다.

> **채점 기준** 목홧값을 누가 물어야 하는지에 대한 판결과 그 까닭을 알맞게 썼으면 정답으로 합니다.

8 '누가'에 해당하는 말이 필요합니다. '네 사람은', '목화 장수 네 명은' 등의 말이 올 수 있습니다.

기본 자신의 의견을 제시하는 글 쓰기 101~102쪽

1 ⑤ 2 ㉢ 3 (2) ○
4 ②, ③, ⑤ 5 ⑤
6 (1) 건설해야 한다. 등 (2) 폭우 등
7 진솔 8 ②

1 효은이는 상수리에 댐을 건설하려는 계획을 취소해 주기를 부탁하기 위해서 이 편지를 썼습니다.

2 이 글을 쓰게 된 문제 상황이 나타난 부분을 찾습니다.

3 효은이는 댐 건설을 반대한다는 의견을 전하기 위해 편지를 썼습니다.

4 효은이가 댐 건설을 반대하기 위해 든 세 가지의 까닭을 찾아봅니다.

> **정답 친해지기 의견을 뒷받침하는 까닭**
> 의견을 뒷받침하는 까닭을 들지 않고 자신의 의견만 제시하면 설득력이 부족하게 됩니다. 그러므로 의견을 제시할 때는 꼭 의견을 뒷받침하는 까닭을 써야 합니다.

5 이 편지에서는 댐 건설 기관 담당자가 상수리에 댐을 건설해야 하는 까닭을 설명하고 있습니다. ⑤가 문제 상황입니다.

6 댐 건설 기관 담당자는 댐 건설에 찬성하는 입장입니다. 댐 건설 기관 담당자는 여름철에 폭우로 생기는 문제를 막기 위해서 상수리에 댐을 건설해야 한다고 했습니다.

7 의견에 알맞은 까닭을 들어야 합니다. 우성이는 댐 건설을 찬성하는 의견을 말했는데 그렇게 생각한 까닭이 의견과 어울리지 않습니다.

8 의견을 제시하는 글은 문제 상황이 자세히 드러나야 합니다.

실천 의견을 제시하는 글을 쓰고 친구들과 의견 나누기 103쪽

1 ② 2 ⑤
3 예 지구 환경 살리기 4 ③

1 학급 신문의 주제를 정하는 것이 학급 신문을 만들 때 가장 먼저 할 일입니다.

2 신문을 만든 장소는 중요하지 않습니다. 만든 날짜나 만든 사람 등이 들어가면 좋습니다.

3 자신이 만들고 싶은 학급 신문의 주제로 어떤 것이 좋을지 생각해 씁니다.

4 의견에 알맞은 까닭이라면 여러 개를 써도 됩니다.

> **정답 친해지기 의견을 제시하는 글의 검토 기준**
> • 문제 상황을 제시했는지 확인합니다.
> • 의견과 의견을 뒷받침할 내용이 잘 드러났는지 확인합니다.
> • 읽는 사람을 생각하며 예의 바르게 글을 썼는지 확인합니다.
> • 읽는 사람이 들어줄 수 있는 의견을 썼는지 확인합니다.
> • 연결이 자연스러운 문장을 썼는지 확인합니다.

국어 활동 104~105쪽

1 바늘 도둑이 소도둑 된다.
2 (1) 바늘 도둑이 (2) 소도둑 된다.
3 바나나는
4 (1) 긴 것은, 기차이다. (2) 기차는, 빠르다.
5 (2) ○ **6** ②
7 예 그들을 나와 다른 사람이 아닌 도움을 주고 받는 대상으로 받아들인다. 그래야 모두가 행복해질 수 있기 때문이다.
8 ③

1 어떤 속담에 대한 설명인지 생각합니다.

2 문장의 짜임에 맞게 두 부분으로 나누어 봅니다.

3 '바나나는'이 '무엇이'에 해당하고, '길다.'는 '어떠하다'에 해당합니다.

4 '긴 것은+기차이다', '기차는+빠르다.'와 같이 문장을 두 부분으로 나눌 수 있습니다.

보충 자료 문장은 '누가/무엇이'에 해당하는 부분과 '무엇이다/어찌하다/어떠하다'에 해당하는 부분으로 나눌 수 있습니다.

5 나와 다른 사람을 특별 대우할 것이 아니라 평범한 이웃이나 친구와 같이 대하라고 했습니다.

6 운동 선수는 도움을 필요로 하거나 어려움에 처한 사람이라고 보기 어렵습니다.

7 다문화 사회에서 우리가 해야 할 일을 의견으로 정하고 그 까닭도 씁니다.

8 방언은 표준어와는 다른, 어떤 지역이나 지방에서만 쓰는 언어입니다. 할매는 할머니의 방언입니다.

정답 친해지기 방언과 표준어

방언	표준어
올갱이	다슬기
부치기	부침개
오마니	어머니
콩주름	콩나물

단원 마무리 106~107쪽

❶ 누가 ❷ 친절한 ❸ 어찌하다
❹ 까닭 ❺ 의견

단원 평가 108~110쪽

1 (1) ○ **2** ④ **3** ①
4 친절합니다.
5 목화를 보관한 광에 쥐가 많아 목화를 어지럽히기도 하고 오줌을 싸기도 했기 때문이다. 등
6 ① **7** (1) ② (2) ①
8 ⑤
9 (1) 목화 장수들은
(2) 사또에게 판결을 부탁했다.
10 ④
11 상수리에 댐을 건설하려는 계획을 취소해 주기를 부탁하기 위해서이다. 등
12 댐을 건설해야 한다
13 (1) 의견 (2) 의견을 뒷받침하는 까닭
14 상수리에 댐을 건설해야 한다. 등
15 ⑤ **16** ④ **17** ㉡, ㉢
18 꽃밭에 쓰레기를 버리지 말자. 등
19 (3) ○ **20** 학급 신문의 주제를 정한다. 등

1 '늙은 농부는'이 '누가'에, '세 아들에게 밭에 보물이 있다고 말해 주었습니다.'가 '어찌하다'에 해당합니다.

2 '아버지께서 밭에 묻어 두신 보물은+주렁주렁 열린 포도송이였습니다.'는 '무엇이+무엇이다'의 짜임으로 나눌 수 있습니다.

3 '어떠하다'는 '무엇이'의 성질이나 상태를 나타냅니다. ①'달리다'는 '어찌하다'에 해당하는 말입니다.

4 앞 문장의 뒷부분이 바로 다음 문장에 이어지고 있습니다. '친절한 예지는'에서 빈칸에 알맞은 말을 알 수 있습니다.

5 목화를 보관한 광에 쥐가 많아 목화를 어지럽히고 오줌을 싸자 쥐를 잡으려고 목화 장수들은 궁리 끝에 고양이를 기르기로 했습니다.

채점 기준 목화 장수 네 사람이 왜 고양이를 기르려고 했는지 파악하여 썼으면 정답으로 합니다.

6 목화 장수들이 고양이를 산 일이 주요 사건입니다. '누가'에 '목화 장수들이', '어찌하다'에 '고양이를 샀다.'가 해당합니다.

7 '목화 장수들은+고양이 때문에 큰 손해를 입어 투덜거렸다.'라고 두 부분으로 나눌 수 있습니다.

8 불이 붙은 고양이가 광으로 도망칠 때는 성한 세 다리로 도망쳤으니 광에 불이 난 것은 다른 목화 장수들이 맡았던 세 다리 때문이라고 생각했습니다.

9 '목화 장수들은+사또에게 판결을 부탁했다.'로 나눌 수 있습니다.

10 '무엇이/누가'에 해당하는 부분과 '무엇이다/어찌하다/어떠하다'에 해당하는 부분으로 나누어야 합니다.

11 마지막 부분에서 편지를 쓴 까닭을 알 수 있습니다. 효은이는 마을에 댐을 건설하기로 한 계획을 취소해 주기를 부탁하기 위해 편지를 썼습니다.

> **채점 기준** 효은이가 무슨 말을 하고 싶어서 편지를 쓰게 된 것인지 파악하여 썼으면 정답으로 합니다.

12 효은이는 댐 건설 기관 담당자들이 홍수를 막으려면 마을에 댐을 건설해야 한다고 한 것을 문제 상황으로 제시하였습니다.

13 ㉠은 글쓴이의 '의견'에 해당하고, ㉡은 '의견을 뒷받침하는 까닭'입니다.

14 글쓴이는 상수리 주변에 사는 주민들이 홍수로 겪는 정신적 · 물질적 피해가 늘어나고 있기 때문에 댐을 건설해야 한다는 의견입니다.

15 글쓴이는 댐을 건설하면 폭우로 생기는 문제를 막을 수 있다는 까닭을 들었습니다.

16 의견을 제시하는 글에는 의견을 제시해야 하는 문제 상황과 자신의 의견, 의견을 뒷받침하는 까닭을 꼭 써야 합니다.

17 문제를 해결하기 위해 자신의 의견을 제시할 수 있습니다. ㉠은 문제 상황이라고 볼 수 없습니다.

18 주어진 그림에는 꽃밭에 쓰레기가 버려져 있는 문제 상황이 나타나 있습니다.

19 다문화 사회에서 다문화로 인한 갈등을 해결하기 위해 우리가 해야 할 일을 바르게 제시한 것을 찾습니다.

20 어떤 주제로 학급 신문을 만들지를 가장 먼저 계획해야 합니다.

> **정답 친해지기** **학급 신문 만드는 순서**
> 학급 신문의 주제 정하기 → 학급 신문의 이름 정하기 → 자신의 의견을 뒷받침할 자료 찾기 → 자신의 의견과 의견을 뒷받침하는 까닭 쓰기 → 각자가 적은 종이를 모둠별로 학급 신문에 붙이기 → 학급 신문 완성하기

서술형 평가 111쪽

1 예 문장을 두 부분으로 나눠서 앞뒤 연결이 자연스러운지 생각하면서 글을 쓸 수 있어.

2 이번 불은 순전히 고양이의 아픈 다리에 불이 잘 붙는 산초기름을 발라 준 저 사람 때문이다. 그러니 목홧값은 고양이의 아픈 다리를 맡았던 사람이 물어야 한다. 등

3 예 목화 장수들은 고양이 때문에 큰 손해를 입어 투덜거렸다.

4 예 글 가의 글쓴이는 상수리에 댐을 건설하는 것을 반대한다는 의견이고, 글 나의 글쓴이는 상수리에 댐을 건설해야 한다는 의견이다.

5 예 나는 댐 건설에 찬성한다. 왜냐하면 관광지로도 이용할 수 있기 때문이다.

1 문장의 뒷부분을 살피면서 앞부분을 보면 어색한 문장을 자연스럽게 고칠 수도 있습니다.

> **채점 기준** 문장을 두 부분으로 나눴을 때의 좋은 점이나 뒷부분을 살피면서 앞부분을 보면 어색한 문장을 자연스럽게 고칠 수 있다는 내용 등으로 썼으면 정답으로 합니다.

2 고양이의 성한 다리를 맡았던 목화 장수 세 명은 고양이의 아픈 다리에 산초기름을 발라 준 목화 장수의 잘못으로 불이 났다고 생각합니다.

> **채점 기준** 아픈 다리에 불이 잘 붙는 산초기름을 발라 주었기 때문이라는 내용으로 썼으면 정답으로 합니다.

3 목화 장수들이 어찌했는지를 생각하며 문장의 짜임에 맞게 요약하여 씁니다.

> **채점 기준** '누가+어찌하다'의 짜임으로 글의 내용을 요약해 썼으면 정답으로 합니다.

4 상수리에 댐을 건설하는 것에 대해 글 가의 글쓴이는 반대하고 있고, 글 나의 글쓴이는 찬성하고 있습니다.

> **채점 기준** 글 가와 나의 의견을 비교하는 내용으로 썼으면 정답으로 합니다.

5 댐 건설에 찬성하거나 반대하는 의견을 정하고, 그렇게 생각하는 까닭도 씁니다.

> **채점 기준** 댐 건설에 대한 자신의 의견을 찬성 또는 반대로 정해 그에 알맞은 까닭을 썼으면 정답으로 합니다.

6. 본받고 싶은 인물을 찾아봐요

핵심 확인 문제 114쪽

1 전기문 2 까닭 3 ○
4 시대 상황 5 생각

준비 본받고 싶은 인물 소개하기 115쪽

1 역사 2 (1) ×
3 (1) 주시경 (2) 헬렌 켈러
4 주시경 (선생님)
5 ②, ③, ④ 6 예 독립운동을 한 안중근

1 그림 ❷에서 여자아이가 전기문이 있는 '역사' 책꽂이로 가 보자고 한 말에서 알 수 있습니다.

2 인물이 한 일과 인물이 살았던 시대가 궁금하다고 하였습니다.

> **보충 자료** 전기문에는 인물이 살았던 시대 상황, 인물이 한 일 따위가 역사적 사실에 근거해 기록되어 있습니다.

3 인물이 한 일과 시대 상황을 생각해 보고, 알맞은 인물의 이름을 씁니다.

> **보충 자료** 전기문에 나오는 인물이 살았던 시대는 어떠했고, 자신이 인물과 같은 상황에 처했다면 어찌했을지 생각해 봅니다.

4 주시경이 살았던 시대 상황과 한 일에 대해 말하고 있습니다.

5 본받고 싶은 인물을 소개할 때에는 본받고 싶은 까닭, 인물이 살았던 시대 상황, 인물이 한 일을 중심으로 말하면 좋습니다.

> **보충 자료 본받고 싶은 인물 소개하기**
> - 전기문은 인물의 삶을 사실대로 기록한 글입니다.
> - 전기문에 나오는 인물이 살았던 시대나 인물이 처한 상황이 어떠했을지 생각합니다.
> - 본받고 싶은 인물을 소개할 때에는 본받고 싶은 까닭, 인물이 살았던 시대 상황, 인물이 한 일 따위를 생각해 말합니다.

6 전기문을 읽고 자신이 본받고 싶은 인물은 누구인지 생각해 씁니다.

기본 전기문의 특성 알기 116~120쪽

1 ③ 2 ④ 3 (1) ① (2) ②
4 사실 5 객줏집 6 ③
7 ①, ②, ⑤ 8 ③ 9 ⑤
10 예 어렵게 사는 사람을 생각하고 항상 감사하며 검소하게 사는 모습을 본받고 싶다.
11 ①, ④ 12 세영 13 ③
14 ⑤ 15 ⑤
16 예 자신이 가진 것을 나누고 베푸는 삶을 중요하게 생각한다.
17 김만덕 18 ③, ⑤ 19 ㉢
20 이웃과 더불어 살며 나누고 베푸는 따뜻한 마음 등

1 이 글은 김만덕이 살았던 시대 상황, 김만덕이 한 일 등이 사실에 근거해 기록된 전기문입니다.

2 김만덕은 자신은 어쩔 수 없이 기생이 되었기 때문에 양민의 신분으로 되돌려 달라고 부탁했습니다.

3 김만덕이 열두 살이 되던 해, 스물세 살이 되던 해에 있었던 일을 찾아봅니다.

4 전기문은 인물의 삶을 사실에 근거해 쓴 글입니다.

5 자유의 몸이 된 김만덕은 제주도의 포구에 객줏집을 열었습니다.

6 김만덕은 제주도의 특산물을 육지의 상인들에게 팔았습니다.

7 김만덕은 세 가지 원칙을 지키며 장사를 했습니다.

8 신용을 지키고 정직한 거래를 한 것으로 보아 정직을 중요하게 생각했습니다.

9 김만덕은 부자가 되었지만 더 절약하고 검소한 생활을 했습니다.

10 김만덕은 하늘의 은혜에 감사하며 검소하게 살아야 한다고 생각합니다.

> **채점 기준** ㉠을 읽고 김만덕에게 본받고 싶은 점을 알맞게 썼으면 정답으로 합니다.

11 1790년부터 4년 동안 흉년이 계속되었고, 이듬해에는 수확을 앞두고 태풍이 몰려왔습니다.

12 전기문은 인물의 삶을 사실에 근거해서 쓴 글입니다. 또, 전기문에는 인물이 살았던 시대 상황이 잘 나타나 있고, 인물의 가치관을 짐작할 수 있습니다.

13 정조 임금은 굶어 죽을 위기에 처한 제주도 사람을 살리기 위해 곡식 이만 석을 보내라고 했습니다.

14 갑자기 태풍이 불어닥쳐 배가 모두 바닷속으로 가라앉아 버렸기 때문입니다.

15 김만덕은 전 재산을 내놓아 곡식을 사들여서 굶주린 사람들에게 나누어 주었습니다.

16 전기문에서는 인물이 한 일로 인물의 가치관을 파악할 수 있습니다.

> **채점 기준** 김만덕이 한 일에서 가치관을 파악하여 알맞게 썼으면 정답으로 합니다.

17 제주도 사람들이 말하고 있는 사람은 김만덕입니다. 김만덕이 전 재산을 내놓아 굶주린 사람들을 구한 얘기를 하고 있습니다.

18 김만덕은 임금의 용안을 뵙는 것과 금강산 구경이 소원이라고 말했습니다.

19 양민의 신분으로는 임금을 만날 수 없었다는 말에서 인물이 살았던 시대에는 신분 차별이 있었다는 것을 알 수 있습니다.

20 글의 마지막 문장에 김만덕의 삶의 모습이 나타나 있습니다.

기본 전기문의 특성을 생각하며 읽기 121~123쪽

1 (1) 1762년 (2) 경기도 남양주(에 있는 마재)
2 ⑤
3 (백성이 잘 사는 데 도움이 되는) 실학
4 ㉡ 5 ⑤ 6 도르래
7 ⑤ 8 암행어사 9 『목민심서』
10 ③, ⑤ 11 (1) ×
12 예 백성의 어려운 삶을 지켜보면서 백성에게 도움이 되려고 맡은 일을 열심히 했다.

1 정약용은 1762년 지금의 경기도 남양주에 있는 마재에서 태어났습니다.

2 백성은 이른 아침부터 해가 떨어질 때까지 한시도 쉬지 않고 일했지만 늘 배불리 먹지 못했다고 했습니다.

3 정약용은 사람이 바르게 사는 도리를 따지는 성리학을 주로 공부했으나 이익의 책을 보고 나서 백성이 잘 사는 데 도움이 되는 실학에 관심을 가지게 되었습니다.

4 정약용은 1762년에 태어났고, 열다섯 살 때 아버지를 따라 한양으로 가서 학문을 익혔고, 1792년에는 아버지가 돌아가셔서 시묘살이를 했습니다.

5 성을 쌓을 때 가장 큰 문제는 크고 무거운 돌을 옮기는 일이라고 생각한 정약용은 돌을 옮길 방법을 찾았습니다.

6 거중기는 도르래의 원리를 이용해 작은 힘으로도 무거운 물건을 들 수 있도록 만든 기계입니다.

7 거중기 덕분에 백성은 성을 짓는 일에 자주 나오지 않아도 되어 마음 편히 농사를 지을 수 있었다고 나타나 있습니다.

8 정약용이 서른한 살과 서른세 살 때 한 일을 각각 찾아봅니다.

9 정약용은 57세가 되던 1818년에 『목민심서』라는 책을 펴냈다고 나타나 있습니다.

10 『목민심서』라는 책에는 지방 관리가 어떤 마음을 지녀야 하는지에 대한 정약용의 생각이 자세히 담겨 있습니다.

11 인물의 가치관은 인물의 생각이 드러난 곳을 찾아보거나, 인물이 한 일 또는 인물이 한 일의 까닭을 찾아보면 파악할 수 있습니다.

12 이 글 전체를 읽고 짐작할 수 있는 정약용의 가치관을 생각해 씁니다.

> **채점 기준** 정약용의 가치관을 알맞게 썼으면 정답으로 합니다.

> **보충 자료** 정약용은 백성이 잘 사는 데 도움이 되는 실학을 공부해 거중기를 발명하고, 암행어사로 활약해 백성의 어려움을 덜어 주었습니다. 그리고 지방 관리가 어떤 마음가짐으로 일해야 하는지를 담은 『목민심서』를 펴냈습니다. 정약용이 한 일과 한 일의 까닭을 통해 가치관을 짐작할 수 있습니다.

기본 본받을 점을 생각하며 전기문 읽기 124~127쪽

1 1882년 2월 (열아홉 달 때) 2 ⑤
3 헬렌이 아무런 반응도 보이지 않았기 때문이다. 등
4 ①, ④ 5 ⑤
6 앤 설리번 선생님 7 (1) ×
8 손 9 ⑤ 10 ③, ⑤
11 배우고 싶다는 뜨거운 마음이 생겼다. 등
12 ⑤ 13 ④ 14 ③
15 ①, ⑤
16 예 자신도 장애 때문에 배우는 것이 힘든데도, 남을 도와주는 것이 기쁘다고 말하는 모습을 본받고 싶다. / 장애를 극복하기 위해 포기하지 않고 노력한 점을 본받고 싶다.

1 1882년 2월, 태어난 지 열아홉 달밖에 되지 않은 헬렌이 열병에 걸려 좀처럼 낫지 않았습니다.

2 헬렌은 눈을 뜨고 있으면서도 빛을 피하지 않았고, 눈 가까이에서 손을 흔들어도 눈을 전혀 깜박이지 않았습니다.

3 헬렌의 엄마는 헬렌이 소리를 듣지 못한다는 것을 깨닫고 충격을 받았습니다.

4 헬렌은 열병을 앓은 후 보지도 듣지도 못하게 되었습니다.

5 헬렌은 제멋대로였고 성격이 난폭해져서 집안 식구들을 괴롭혔습니다.

6 헬렌 켈러의 생애에서 가장 중요한 날로, 헬렌의 운명을 바꾸어 놓은 앤 설리번 선생님을 만났습니다.

7 낯선 사람인 것을 알고 안기려 하지 않고 몸을 빼려고 했지만 잠시 후 손으로 만지기 시작했습니다.

8 헬렌의 손이 곧 눈이라는 것을 알아차리고, 손을 통해 헬렌에게 새로운 세계를 열어 주어야겠다고 생각했을 것입니다.

9 앤 선생님은 헬렌에게 낱말과 사물의 관계를 실감 나게 알려 주고 싶었습니다.

10 앤 선생님이 손바닥에 써 주는 글자가 물을 나타내는 낱말이고, 세상의 모든 것은 각각 이름을 가지고 있다는 것을 깨닫게 되었기 때문입니다.

11 헬렌은 사물들이 이름을 가지고 있다는 것을 알게 되면서 배우고 싶다는 뜨거운 마음이 생겼다고 하였습니다.

12 하루 종일 글을 써서 글자를 익혔고, 결국 글자를 통해 다른 사람에게 자기 생각을 전할 수 있게 되었습니다.

13 헬렌은 노르웨이의 한 소녀가 입으로 말하는 법을 배웠다는 소식을 듣고 자신도 배우기 위해 노력했습니다.

14 뜻대로 말이 되지 않아 어려움을 많이 겪었지만 자신도 마침내 말을 할 수 있을 것이라는 희망을 버리지 않고 끊임없이 노력했습니다.

15 토미가 학교에 다닐 수 있도록 도와 달라는 글을 보냈고, 모금에 참여했습니다.

16 헬렌이 장애를 극복하기 위해 노력한 점, 자신도 장애가 있지만 어려운 사람을 돕기 위해 노력하는 모습 등에서 본받을 점을 찾을 수 있습니다.

채점 기준 글을 읽고 헬렌에게서 본받을 점을 알맞게 썼으면 정답으로 합니다.

실천 자신의 미래 모습 발표하기 128쪽

1 ③ 2 ②, ⑤
3 나라를 사랑하는 마음 등
4 예 과학자 / 예 미래에는 지구의 환경 오염으로 오존층이 파괴되어 기후가 변하고 사람들의 건강이 나빠질 것이다. 그래서 과학자가 되어 새로운 대체 에너지를 개발해 환경 오염을 줄이고 지구 환경을 살리고 싶다.

1 유관순이 살았던 시대 상황, 어려움, 어려움을 이겨내려는 노력, 본받고 싶은 것이 나타나 있습니다.

2 그림에서 유관순이 어려움을 이겨 내려고 어떤 노력을 했는지 찾아봅니다.

3 그림에서 유관순은 백여 년이 지난 지금까지도 우리에게 나라를 사랑하는 마음을 일깨워 주고 있다고 했습니다.

4 미래에 자신은 어떤 모습일지, 어떤 업적을 남길지 상상해 씁니다.

> **채점 기준** 미래에 되고 싶은 것을 쓰고, 왜 그렇게 생각하는지 알맞게 썼으면 정답으로 합니다.

국어 활동 129~130쪽

1 간신배들에 맞서 바른 뜻을 굽히지 않다가 정적들의 모함을 받아서 등
2 ④, ⑤ 3 이달 (선비) 4 (3) ○
5 ③, ④ 6 ②
7 예 불행한 삶 속에서도 꾸준히 시를 짓고, 명나라에까지 뛰어난 시인이라는 칭찬을 들은 허난설헌을 칭찬하고 싶다.

1 바른 뜻을 굽히지 않은 유희춘은 정적들의 모함으로 유배를 갔습니다.

2 글을 읽고 유희춘이 한 일을 찾아봅니다.

3 초희의 오라버니는 초희에게 이달 선비를 만나게 해 주었습니다.

4 누구나 시를 쓸 수 있다고 말해 준 사람은 없었다고 했고, 이달 선비도 여자는 배울 필요가 없다고 말할까 봐 겁이 났다고 했습니다.

5 초희는 마음껏 책을 읽고 시를 지을 수 있으며, 스승님과 오라버니와 동무가 된다는 것을 믿을 수 없었습니다.

6 허난설헌은 불행한 삶 속에서도 꾸준히 시를 지어 훌륭한 시인이 되었습니다.

7 허난설헌의 업적에 대해 어떤 생각이 드는지 정리해 씁니다.

단원 마무리 131쪽

❶ 주시경 ❷ 훈민정음 ❸ 가치관
❹ 거중기

단원 평가 132~134쪽

1 ④ 2 ⑤
3 예 주시경 선생님을 본받고 싶다. 주시경 선생님은 우리나라 최초로 국어 문법의 틀을 세우셨다.
4 ④ 5 ① 6 ①
7 나눔 등
8 이미 편찬된 책들의 오류를 바로잡고 새로이 찍어 냈습니다.
9 ㉠, ㉣ 10 ①, ②
11 지방 관리가 마음가짐을 바르게 가지도록 하기 위해서이다. / 백성이 어렵게 살지 않도록 하기 위해서이다. 등
12 (3) ○ 13 (2) × 14 ⑤
15 ⑤ 16 퍼킨스학교 17 ④
18 현지 19 ⑤
20 예 환경 오염이 심해져서 공기를 사 마셔야 한다.

1 전기문은 인물의 삶을 사실대로 기록한 글입니다.

2 세종 대왕에 대한 설명으로, 훈민정음을 만든 까닭이 나타나 있습니다.

3 자신이 읽었던 전기문에 나오는 인물을 떠올려 보고, 본받고 싶은 인물을 정해 그 인물이 한 일을 씁니다.

> **채점 기준** 자신이 본받고 싶은 인물을 쓰고, 인물이 한 일을 소개하는 글을 알맞게 썼으면 정답으로 합니다.

4 전기문에는 인물이 살았던 시대 상황, 인물이 한 일, 가치관이 나타나 있습니다.

5 김만덕은 1739년에 제주도의 가난한 선비 집안에서 태어났다고 나타나 있습니다.

6 김만덕은 조선 시대의 인물로 양반과 양민에 대한 신분 차별이 있던 시대였습니다.

7 김만덕은 자신이 가진 것을 나누고 베푸는 삶을 중요하게 생각했습니다.

8 유희춘은 선조의 전폭적인 지원 아래 이미 편찬된 책들의 오류를 바로잡고 새로이 찍어 냈습니다.

9 '서른한 살 되던 해', '서른세 살 때'라는 말로 정약용이 한 일의 차례를 알 수 있습니다.

10 정약용은 서른한 살 되던 해에 거중기를 발명했고, 서른세 살 때에는 암행어사가 되었습니다.

11 정약용은 지방 관리가 나쁜 짓을 일삼으면 백성은 어렵게 살 수밖에 없다는 것과 어릴 때 아버지 옆에서 보았던 백성의 어려운 삶도 머릿속을 떠나지 않았다고 했습니다.

> **채점 기준** 지방 관리가 바른 마음가짐을 갖게 하기 위해서나 백성에게 도움이 되는 일을 하기 위해서라는 내용으로 썼으면 정답으로 합니다.

> **보충 자료 정약용이 『목민심서』를 펴낸 까닭**
> - 임금이 아무리 나라를 잘 다스려도 지방 관리가 나쁜 짓을 일삼으면 백성은 어렵게 살 수밖에 없다는 것을 깨닫고 지방 관리가 어떤 마음을 가져야 하는지 말하고 싶었기 때문입니다.
> - 어릴 때 아버지 옆에서 보았던 백성의 어려운 삶이 머릿속을 떠나지 않았기 때문입니다.

12 가치관은 인물이 한 일이나 인물이 한 일의 까닭을 생각해 보면 알 수 있습니다. 정약용이 『목민심서』를 쓴 것에서 정약용의 가치관을 알 수 있습니다.

13 초희(허난설헌)가 살았던 조선 시대는 신분 차별과 남녀 차별이 있었던 시대입니다.

14 헬렌은 뜻대로 말이 되지 않아 어려움을 많이 겪었지만 말을 할 수 있을 것이라는 희망을 버리지 않았고, 새나 장난감, 개에게도 말을 할 정도로 끊임없이 노력했습니다.

15 토미는 보지도 듣지도 말하지도 못하는 아이로, 부모님도 안 계시고 가난한 아이여서 학교에 갈 수도 없었습니다.

16 헬렌은 토미를 돕기 위해 여러 사람과 신문사에 토미가 학교에 다닐 수 있도록 도와 달라는 글을 보냈습니다.

17 헬렌은 토미가 학교에 다닐 수 있도록 돕는 일을 하면서 남을 도우면 큰 기쁨을 누릴 수 있다는 깨달음을 얻었습니다.

18 이 글에는 주로 헬렌이 자신과 같은 장애를 가진 토미를 돕는 모습이 나타나 있습니다.

19 유관순의 삶을 통해 나라를 사랑하는 마음을 본받을 수 있다는 것을 정리한 것입니다.

20 자신이 앞으로 어떻게 변화된 미래의 모습에서 살아갈지 상상해 봅니다.

서술형 평가

135쪽

1 자신이 가진 전 재산을 들여 육지에서 곡식을 사서 굶주린 제주도 사람들에게 나누어 주었다. 등
2 예 나눔을 가치 있게 생각한다.
3 이른 아침부터 해가 떨어질 때까지 한시도 쉬지 않고 일했지만 늘 배불리 먹지 못했다. 등
4 헬렌의 손에 쏟아지는 물을 나타내는 낱말이 'water'이고, 세상의 모든 것은 각각 이름을 가지고 있다는 것을 알려 주고 싶었다. 등
5 예 장애를 극복하기 위해 노력하는 모습을 본받고 싶다. / 장애가 있지만 포기하지 않고 노력하여 다른 사람에게 자기 생각을 전할 수 있게 된 것을 본받아야겠다.

1 제주도 사람들이 굶어 죽을 위기에 처했을 때 김만덕이 한 일을 알아봅니다.

> **채점 기준** 제주도 사람들을 살리기 위해 전 재산을 들여 육지에서 곡식을 사서 나누어 주었다는 내용으로 썼으면 정답으로 합니다.

> **보충 자료** 김만덕이 살았던 시대 상황은 1790년부터 제주도에 4년 동안 흉년이 들었고, 이듬해 수확을 앞두고 태풍이 몰려와서 큰 피해를 입었습니다.

2 김만덕이 한 일에서 자신이 가진 것을 나누고 베푸는 삶을 중요하게 생각했음을 알 수 있습니다.

> **채점 기준** 김만덕이 한 일을 통해 알 수 있는 가치관을 썼으면 정답으로 합니다.

3 정약용이 어릴 때 가까이서 지켜본 백성의 삶은 어떠했는지 찾아 씁니다.

> **채점 기준** 인물이 살았던 시대의 백성들이 어떻게 살았는지 알맞게 썼으면 정답으로 합니다.

4 앤 선생님은 헬렌에게 낱말과 사물의 관계를 알려 주고 싶었습니다.

> **채점 기준** 낱말과 사물의 관계를 알려 주고 싶었다는 내용 등으로 썼으면 정답으로 합니다.

5 헬렌 켈러의 행동을 보고 어떤 점을 본받을 수 있을지 생각해 봅니다.

> **채점 기준** 장애를 극복한 헬렌에게서 본받을 점을 알맞게 썼으면 정답으로 합니다.

7. 독서 감상문을 써요

핵심 확인 문제 138쪽

1 동기 2 × 3 느낌
4 (3) × 5 ○

준비 읽은 책에 대한 생각이나 느낌 말하기 139쪽

1 책 2 수민
3 (1) 예 『금도끼 은도끼』
(2) 예 연못에서 산신령이 나타나는 부분에서 큰 재미를 느꼈다. 산신령이 정직한 나무꾼에게 상으로 도끼 세 개를 모두 주는 장면이 인상 깊었기 때문이다. 나도 앞으로 정직한 사람이 되어야겠다고 생각했다.
4 ③
5 이순신 위인전, 예 힘들, 예 용기를 주는

1 친구들은 자신이 재미있게 읽은 책 제목과 책에 대한 생각이나 느낌을 이야기하고 있습니다.

2 서진이와 주영이는 책에서 감동받았던 장면이나 인상 깊은 장면을 말했으나 수민이는 책 내용만 말했습니다.

3 자신이 재미있게 읽은 책 제목이 무엇인지 쓰고, 그 책에서 재미있었거나 인상 깊었던 장면을 생각해 봅니다.

> **채점 기준** 자신이 재미있게 읽은 책 제목과 그 책에 대한 생각이나 느낌을 알맞게 썼으면 정답으로 합니다.

4 적은 수의 군사로 많은 적을 물리치고, 거북 모양의 유명한 배를 만든 분은 '이순신 장군'입니다.

5 『이순신 위인전』을 한 문장으로 어떤 책이라고 설명할 수 있을지 생각해 씁니다.

기본 독서 감상문을 쓰는 방법 알기 140~141쪽

1 동지 2 (1) ㉠ (2) ㉡ (3) ㉢
3 예 『세시 풍속』을 읽고 / 내가 몰랐던 동지
4 (3) × 5 ③ 6 생각이나 느낌
7 ②

1 시후는 겨울의 세시 풍속 가운데에서 '동지'의 풍속이 가장 인상 깊었다고 했습니다.

2 ㉠은 책을 읽은 동기, ㉡은 책 내용, ㉢은 책을 읽고 생각하거나 느낀 점에 해당합니다.

3 책 제목이 드러나게 붙이거나 책을 읽고 생각한 점이 잘 드러나게 붙일 수 있습니다.

4 독서 감상문을 쓸 때에는 책 전체 내용이 아니라 책에서 인상 깊게 읽은 부분을 중심으로 씁니다.

> **정답 친해지기** **독서 감상문을 쓰면 좋은 점**
> - 감명 깊게 읽은 부분이나 인상 깊은 장면을 기억할 수 있습니다.
> - 읽은 책 내용을 다시 한번 생각할 수 있습니다.
> - 책을 읽은 동기와 책 내용, 읽고 난 뒤의 생각이나 느낌 따위를 정리할 수 있습니다.
> - 글을 읽고 느낀 재미나 감동을 다른 사람과 함께 나눌 수 있습니다.

5 시후는 독서 감상문을 쓰기 위해 먼저 독서 감상문을 쓸 책을 고르고 있습니다.

6 책에서 인상 깊은 장면과 그 까닭을 생각한 후에는 책에 대한 생각이나 느낌을 정리합니다.

7 책 내용을 정리할 때에는 인상 깊은 부분을 떠올리고, 생각이나 느낌을 나타낼 수 있는 부분을 간략하게 씁니다.

기본 글을 읽고 감동받은 부분에 대한 생각이나 느낌 쓰기 142~144쪽

1 ⑤ 2 ⑤ 3 (2) ○
4 ㉢ 5 ①, ③ 6 ②
7 ⑤
8 이슬을 털며 아들 앞에 서서 산길을 걸었다. 등
9 새 양말, 새 신발 10 ②
11 예 어머니께서 이슬받이를 모두 지난 뒤에 품속에서 새 양말과 새 신발을 꺼내 주시는 부분에서 감동받았다. 자신은 물에 젖어도 상관없지만 아들에게는 새 양말과 새 신발을 신기고 싶은 어머니의 사랑이 느껴졌기 때문이다.
12 ㉢

1 배가 아프다, 머리가 아프다, 어제는 비가 와서, 어제는 눈이 와서, 오늘은 무서운 선생님 시간에 준비물을 제대로 갖추지 못해서 학교에 가기 싫다는 갖은 핑계를 댔습니다.

2 학교에 왜 안 가느냐고 하는 어머니의 물음에 '나'는 공부와 학교 가는 것이 재미가 없다고 말했습니다.

3 어머니는 학교에 가기 싫어하는 '나'를 학교에 보내려고 달래고 있습니다.

4 내 경험이나 생각이 글 내용과 비슷해 공감할 수 있는 부분에서 감동을 느낄 수 있습니다.

5 어머니께서 한 번도 '나'를 때린 적이 없어서, 지겟작대기를 들고 서 있는 어머니의 모습이 조금은 낯설고 무섭다고 했습니다.

6 어머니께서는 "누구든 재미로 학교 다니는 사람은 없다."고 말씀하셨습니다.

7 '나'는 어머니가 '내'가 학교에 가기 싫어하니 중간에 학교로 가지 않고 다른 길로 샐까 봐 신작로까지 데려다주는 것으로 생각했습니다.

8 어머니는 아들이 가야 할 산길의 이슬을 발과 지겟작대기로 털었습니다.

9 신작로에서 어머니는 품속에 넣어 온 새 양말과 새 신발을 '내'게 갈아 신겨 주셨습니다.

10 '나'는 학교 가기 싫어하는 자신을 위해 이슬을 털어주시고 새 양말과 새 신발을 준비해 오신 어머니께 죄송한 마음이 들었을 것입니다.

11 감동받은 부분에 대한 자신의 생각이나 느낌이 잘 드러나게 까닭을 씁니다.

12 생각이나 느낌을 자세하게 써야 합니다.

기본 글을 읽고 독서 감상문 쓰기 145쪽

1 ②
2 (1) 예 『아낌없이 주는 나무』
(2) 예 이 책을 읽고 진짜 행복이란 무엇인지 생각해 보게 되었고, 이 책을 다른 친구들에게도 알리고 싶기 때문이다.
3 ④　　4 (4) ×

1 친구들이 많이 읽은 책이 아닌 내가 관심 있는 내용이 있는 책을 골라야 합니다.

2 독서 감상문을 쓸 책을 떠올려 보고, 독서 감상문에 쓰고 싶은 내용과 그 까닭도 생각해 봅니다.

3 독서 감상문에는 책을 읽은 까닭, 책 내용, 인상 깊은 장면에 대한 생각이나 느낌, 앞으로의 다짐 등을 쓸 수 있습니다.

4 친구의 생각이나 느낌이 잘 드러나 있는지 살펴보아야 합니다.

실천 글에 대한 생각이나 느낌을 여러 가지 형식으로 표현하기 146~153쪽

1 『아름다운 꼴찌』　　2 시
3 해인　　4 ①, ⑤
5 예 아들을 사랑하는 아버지의 마음이다.
6 욕심쟁이 영감, 일기　　7 ②
8 총각　　9 ④　　10 ④
11 냄새　　12 ④
13 (1) ○ (2) ○　　14 투발루　　15 ④
16 바닷물　　17 서진
18 지구가 더워져서 빙하가 녹아내리고 있기 때문이다. 등
19 ⑤　　20 ③, ⑤　　21 ①
22 투발루의 물건　　23 ⑤
24 수영　　25 ①　　26 (1) ○
27 ①　　28 ②, ⑤
29 예 로자가 투발루를 찾으려고 야자나무 숲으로 숨이 턱에 차오르도록 달리는 장면이 인상 깊었다. 나도 우리 집 강아지를 잠시 잃어버렸을 때 애타게 찾았던 기억이 있어서 이 장면에서 로자의 마음에 더 공감이 간다.
30 투발루에게 수영을 가르치지 않은 것 등
31 ④　　32 편지
33 (1) 예 만화
(2) 예 투발루와 로자가 헤어질 때 아쉬워하는 마음을 만화로 표현하면 오래 기억할 것 같다.

1 『아름다운 꼴찌』를 읽고 쓴 시입니다.

2 『아름다운 꼴찌』에 대한 생각이나 느낌을 시 형식으로 표현한 글입니다.

3 생각이나 느낌을 '시' 형식으로 표현하면 간단한 말로 재미있게 표현할 수 있습니다.

4 글쓴이는 꼴찌만 아니면 되고 등수만 중요한 줄 알았는데, 꼴찌를 해도 좋고 등수보다 중요한 더 큰 것이 있다는 것을 알았습니다.

5 『아름다운 꼴찌』에는 아들을 사랑하는 아버지의 마음이 잘 드러나 있습니다.

> **채점 기준** 책의 줄거리를 보고 '아들을 사랑하는 아버지의 마음', '아들을 위하는 아버지의 마음' 등으로 적절하게 짐작하여 썼으면 정답으로 합니다.

6 이야기 속 인물인 욕심쟁이 영감의 일기로 생각과 느낌을 표현한 글입니다.

7 책에 대한 생각이나 느낌을 일기 형식으로 표현하면 자신의 경험과 관련지어 쓸 수 있습니다.

8 총각이 어리석은 욕심쟁이 영감을 일깨워 주었고, 욕심쟁이 영감은 총각에게 고마운 마음을 전하고 싶다고 했습니다.

9 예전에 욕심쟁이 영감은 자기 것이면 뭐든지 자기 혼자 써도 된다고 생각했고 나무 그늘도 혼자 쓰는 것이 당연하다고 여겼지만, 지금은 자기가 가진 것을 이웃들과 나눌 줄 아는 사람이 되었습니다.

10 이 글은 책에 대한 생각이나 느낌을 편지 형식으로 쓴 글입니다.

11 꽃담이가 엄마를 냄새로 찾아 다시 엄마와 만난다는 내용에서 감동을 받았다고 했습니다.

12 편지의 끝부분에 부모님에게 좀 더 많은 관심을 가져야겠다는 다짐이 나타나 있습니다.

13 생각이나 느낌을 여러 가지 형식으로 표현하면 읽는 사람이 재미있게 읽을 수 있고, 자신의 생각이나 느낌을 제대로 표현할 수 있습니다.

14 로자와 고양이 투발루는 아홉 개의 작은 섬으로 이루어진 나라 투발루에서 살았습니다.

15 로자와 투발루는 밥도 같이 먹고, 잠도 같이 자고, 노래도 같이 불렀지만, 투발루가 물을 너무너무 싫어해서 로자만 바다에서 수영을 했습니다. 하지만 따로따로 놀다가도 돌아오는 길에는 꼭 만났다고 했습니다.

16 바닷물이 불어나서 물이 로자네 마당까지 들이닥쳐서 엄마와 로자가 걱정하고 있습니다.

17 로자와 투발루가 싸웠기 때문이 아니라, 투발루가 물을 너무너무 싫어했기 때문에 로자가 바다로 가면 투발루는 야자나무 숲으로 들어가 따로따로 놀았습니다.

18 로자의 아빠는 지구가 더워져서 빙하가 녹아내리고 있어 바닷물이 불어나는 것이라고 하셨습니다.

19 바닷물이 자꾸 불어나서 곧 나라 전체가 물에 잠기게 될 것이기 때문에 로자네 가족은 어쩔 수 없이 투발루섬을 떠나야 했습니다.

20 로자네 가족은 투발루섬을 떠나 어떻게 살지 걱정했고, 투발루섬을 떠나기 싫어 아주 슬픈 밤을 보냈다고 했습니다.

21 시 형식을 사용하면 간단한 말로 생각이나 느낌을 표현할 수 있습니다.

22 로자는 투발루가 좋아하는 담요, 밥그릇, 놀이 공, 장난감 쥐 등 투발루의 물건을 모두 챙기고 나서 자기 것을 챙겼습니다.

23 아빠는 다른 나라에 가면 지금보다 훨씬 힘들게 살 것이니 투발루를 할아버지한테 맡기고 가자고 하셨습니다.

24 로자는 투발루가 수영을 못하기 때문에 물이 불어나면 물에 빠져 죽을 것이라고 생각했고, 투발루를 꼭 데려가야 한다고 애원했습니다.

25 로자는 여러 가지 추억이 있는 투발루섬을 영원히 기억하기 위해서 투발루를 데리고 투발루섬을 하루 종일 돌아다녔습니다.

26 '투발루를 떠나는 날' 일어난 일입니다.

27 로자와 함께 나갔던 투발루가 어디에도 보이지 않았습니다.

28 로자의 말과 행동을 통해 투발루를 빨리 찾고 싶은 마음, 투발루를 데려가지 못할까 봐 걱정되는 마음 등을 짐작할 수 있습니다.

29 글을 읽고 인상 깊게 읽은 부분에서 떠오른 생각이나 느낌을 씁니다.

30 로자가 투발루에게 수영을 가르칠 걸 그랬다고 한 말에서 알 수 있습니다.

31 로자는 투발루에서 투발루와 함께 살고 싶다며 간절히 빌었습니다.

32 생각이나 느낌을 누군가에게 말하듯이 쓰기에 가장 알맞은 형식은 '편지'입니다.

33 시, 일기, 만화, 편지 등 다양한 형식을 사용하여 자신의 생각이나 느낌을 표현할 수 있습니다.

> **채점 기준** 시, 일기, 만화, 편지 등 어떤 형식으로 자신의 생각이나 느낌을 표현하고 싶은지 까닭과 함께 썼으면 정답으로 합니다.

국어 활동 154~155쪽

1 (1) ③ (2) ④ (3) ② (4) ①
2 잠자리 **3** ㉠ **4** ③
5 예 잠자리 애벌레가 잠자리가 되는 과정에 대하여 쓰고 싶다. 내가 몰랐던 사실을 친구들에게 알려 주고 싶기 때문이다.
6 (1) 할배 (2) 할압시 (3) 하르방

1 독서 감상문에 들어갈 내용을 생각해 봅니다.

2 잠자리의 눈, 잠자리가 좋아하는 먹이, 잠자리가 사냥하는 방법 등을 설명하고 있습니다.

3 잠자리는 고개를 돌리지 않고도 앞, 뒤, 옆, 위, 아래 어디든 볼 수 있다고 했습니다.

4 잠자리 애벌레는 실지렁이나 장구벌레, 올챙이나 물고기를 잡아먹는다고 했습니다.

5 글에서 인상 깊게 읽었던 부분이 무엇이었는지 떠올려 봅니다.

6 '할아버지'를 경상도에서는 '할배', 전라도에서는 '할압시', 제주도에서는 '하르방'이라고 부릅니다. 이렇게 어느 한 지방에서만 쓰는, 표준어가 아닌 말을 '방언'이라고 합니다.

단원 마무리 156~157쪽

❶ 동기 ❷ 제목 ❸ 까닭
❹ 마음 ❺ 경험

단원 평가 158~160쪽

1 예 『금도끼 은도끼』에서 산신령이 정직한 나무꾼에게 상으로 도끼 세 개를 모두 주는 장면이 인상 깊었다. 나도 앞으로 정직한 사람이 되어야겠다고 생각했다. **2** ④
3 『세시 풍속』 **4** ④ **5** ㉢
6 (3) ○ **7** ① **8** ㉰, ㉯, ㉳
9 제목이 잘 어울리는지 확인한다. 등
10 『꿈의 다이어리』 **11** ㉰
12 ①, ④, ⑤ **13** ④
14 예 어머니께서 아들을 위해 이슬을 털어 주시다가 옷을 흠뻑 적신 모습에서 감동을 받았다. 학교 가기 싫어하는 아들의 마음을 되돌리려고 노력하는 어머니의 마음이 느껴졌기 때문이다.
15 지훈 **16** ③ **17** ㉯
18 ④, ⑤ **19** (3) ○
20 (1) ② (2) ① (3) ③

1 자신이 재미있게 읽은 책을 떠올려 보고, 책에 대한 생각이나 느낌을 정리해서 씁니다.

> **채점 기준** 자신이 재미있게 읽은 책 제목과 그 책을 읽고 든 생각이나 느낌을 떠올려 알맞게 썼으면 정답으로 합니다.

2 책을 읽은 동기, 책 내용, 책을 읽고 생각하거나 느낀 점을 쓴 독서 감상문입니다.

3 글쓴이는 『세시 풍속』이라는 책을 읽고 독서 감상문을 썼습니다.

4 글쓴이는 학교 도서관에서 책을 고르다가 『세시 풍속』이라는 책을 읽었습니다.

5 ㉢에 책을 읽고 생각하거나 느낀 점이 드러나 있습니다.

6 읽은 책 내용을 다시 한번 생각할 수 있고, 글을 읽고 느낀 재미나 감동을 다른 사람과 함께 나눌 수도 있습니다.

7 책 제목인 『세시 풍속』이 드러나게 제목을 붙인 것을 찾습니다.

8 독서 감상문을 쓸 책을 고르고, 책 내용을 떠올린 다음 인상 깊은 장면이나 내용을 정하고, 인상 깊은 까닭을 생각해 봅니다. 그다음 책에 대한 생각이나 느낌을 정리한 후, 알맞은 제목을 붙입니다.

9 제목이 잘 어울리는지, 생각이나 느낌이 책 내용과 잘 어울리는지 확인합니다.

10 글 ㉮에 나연이가 적극 추천해 준 책 제목이 나타나 있습니다.

11 글 ㉮에 친구가 추천해서 책을 읽었다는 동기, 글 ㉯에 책에서 글쓴이가 관심 있었던 내용, 글 ㉰에 책을 읽고 생각한 앞으로의 다짐을 썼습니다.

12 감동받은 부분을 찾을 때에는 일어난 일, 인물의 행동, 인물의 마음 따위에서 자신이 인상 깊게 느끼는 부분이 있는지 생각해 봅니다.

13 어머니는 아들의 옷에 이슬이 묻지 않도록 발과 지겟작대기로 이슬을 털며 아들 앞에 서서 산길을 걸었습니다.

14 글에서 감동받은 부분을 찾아 그렇게 느낀 까닭도 함께 씁니다.

채점 기준 글에서 감동받은 부분을 찾고, 그 부분에서 감동을 받은 까닭을 적절하게 썼으면 정답으로 합니다.

15 독서 감상문을 쓸 책을 정할 때에는 기억에 남는 내용이 있거나 남에게 알리고 싶은 생각이 들었던 책을 고르는 것이 좋습니다.

16 글 ㉮는 책 속 인물이 되어 일기로 생각이나 느낌을 썼고, 글 ㉯는 책 속 주인공에게 편지를 썼습니다.

17 글 ㉮와 같이 일기 형식으로 쓰면 책에 대한 생각이나 느낌을 자신의 경험과 관련지어 쓸 수 있습니다.

18 로자네 가족은 투발루를 떠나 어떻게 살지 걱정했고, 아주 슬픈 밤을 보냈다고 했습니다.

19 편지의 형식으로 표현하면 생각이나 느낌을 누군가에게 말하듯이 쓸 수 있습니다.

20 (1)은 책을 읽은 동기, (2)는 책 내용, (3)은 책을 읽고 생각하거나 느낀 점에 해당합니다.

서술형 평가

161쪽

1 예 『피노키오』는 거짓말을 했을 때 생각나는 책이다.
2 예 책 제목이 드러나게 제목을 붙였다.
3 예 읽으면서 여러 가지 생각을 한 책을 고른다. / 새롭게 안 내용이 많은 책을 고른다.
4 예 마지막에 아들이 다음부터 혼자 학교에 가겠다고 하는 장면에서 감동을 느꼈다. 아들이 어머니께 죄송한 마음을 느낀 것 같기 때문이다.
5 예 만화를 이용해서 투발루와 로자가 헤어질 때 아쉬워하는 마음을 나타내고 싶다.

1 자신이 읽은 책을 떠올려 그 책에 대해 한 문장으로 설명해 봅니다.

채점 기준 자신이 읽은 책을 한 권 골라 보기 와 같이 한 문장으로 썼으면 정답으로 합니다.

2 책 제목이 드러나게 붙이거나 책을 읽고 생각한 점이 잘 드러나게 제목을 붙이는 방법 등이 있습니다.

채점 기준 책 제목인 『세시 풍속』이 드러나게 붙였다는 내용을 썼으면 정답으로 합니다.

3 교훈을 얻은 책이나 내가 관심 있는 내용이 있는 책을 고를 수도 있습니다.

채점 기준 읽으면서 여러 가지 생각을 한 책, 새롭게 안 내용이 많은 책, 관심 있는 내용이 있는 책, 책 속 인물의 생각이 내 생각과 비슷한 책, 좋은 교훈을 얻은 책, 기억에 남는 내용이 있는 책, 남에게 알리고 싶은 생각이 들었던 책 등을 고른다는 내용을 한 가지 썼으면 정답으로 합니다.

4 글을 읽고 감동받은 부분을 찾아 그 부분에 대한 생각이나 느낌을 정리해서 씁니다.

채점 기준 글에서 감동받은 부분에 대한 자신의 생각이나 느낌이 잘 드러나게 썼으면 정답으로 합니다.

5 인상 깊은 장면에 대한 생각이나 느낌을 어떤 형식으로 표현하고 싶은지 생각해 씁니다.

채점 기준 고양이 투발루와 헤어지며 후회하는 로자의 모습을 보고, 글에 대한 생각이나 느낌을 어떤 형식으로 표현하면 좋을지 자신의 생각을 적절하게 썼으면 정답으로 합니다.

8. 생각하며 읽어요

핵심 확인 문제 164쪽

1 생각 2 (1) × 3 ○
4 역할

준비 의견이 적절한지 판단해야 하는 까닭 알기 165~166쪽

1 시장 2 ②
3 원래 짐을 싣거나 사람을 태우는 동물 등
4 (1) ② (2) ① 5 (1) ○ 6 ⑤
7 예 적절하지 않다. 다른 사람의 의견을 받아들이기 전에 그 의견이 적절한지 판단해 보지 않았기 때문이다. 8 ②

1 아버지와 아이는 당나귀를 팔기 위해 당나귀를 끌고 시장에 가고 있습니다.

2 농부는 "쯧쯧, 당나귀를 타고 가면 될 걸 저렇게 미련해서야……."라고 말했습니다.

3 아버지는 농부의 말을 듣고 당나귀는 원래 짐을 싣거나 사람을 태우는 동물이라는 것을 깨닫고 아이를 당나귀에 태웠습니다.

4 노인은 아이 대신 아버지가 당나귀를 타고 가야 한다는 의견이고, 아낙은 아이와 아버지가 당나귀를 함께 타고 가야 한다는 의견입니다.

5 청년은 두 명이나 태우고 가는 당나귀가 불쌍하다면서 당나귀를 메고 가야 한다는 의견을 말했습니다.

6 아버지와 아이는 다른 사람들의 의견이 적절한지 판단해 보지 않고 무조건 받아들였습니다.

7 아버지와 아이가 다른 사람이 말할 때마다 그대로 따른 행동이 적절한지 자신의 생각을 씁니다.

> **채점 기준** 아버지와 아이가 다른 사람이 말할 때마다 그것이 적절한지 판단하지 않고 그대로 따른 행동에 대해 어떻게 생각하는지 자신의 생각과 까닭을 솔직하게 썼으면 정답으로 합니다.

8 사람마다 생각이 다를 수 있으므로 그 가운데에서 더 나은 의견을 선택해야 합니다.

기본 글쓴이의 의견을 평가하는 방법 알기 167쪽

1 시완 2 ㉡ 3 (2) ○ (3) ○
4 ③

1 주제와 관련 없는 의견은 뒷받침 내용이 믿을 만하다고 해도 적절하다고 볼 수 없습니다.

2 한 분야의 책만 읽으면 시력이 나빠진다는 것은 민서의 개인적인 경험이므로 믿을 만한 내용이라고 볼 수 없습니다.

> **보충 자료** 뒷받침 내용이 믿을 만한지 알아보는 방법
> • 책을 찾아봅니다.
> • 인터넷을 검색해 정보를 얻습니다.
> • 전문가에게 물어봅니다.

3 준우의 의견은 주제와 관련 있고 뒷받침 내용도 믿을 만하지만, 한 분야의 책만 읽게 되는 등 더 많은 문제가 생길 수 있습니다.

> **정답 친해지기** 준우의 의견을 따랐을 때 생길 수 있는 문제 예
> • 한 분야의 책만 읽게 됩니다.
> • 한 가지 문제만 생각해 다양한 사고를 할 수 없습니다.
> • 좋아하는 책이 없을 경우에는 책을 읽지 않아야 한다고 생각할 수 있습니다.
> • 자신이 좋아하는 분야의 책만 읽어야겠다고 생각하면 다른 분야의 책은 전혀 읽지 않을 것이고, 관심 없는 분야는 전혀 알 수 없게 될 것입니다.

4 의견이 주제와 관련 있는지, 뒷받침 내용이 의견과 관련 있으며 사실이고 믿을 만한지, 의견을 따랐을 때 문제가 생기지 않는지 등을 살펴봅니다.

기본 글을 읽고 글쓴이의 의견 평가하기 168쪽

1 ②
2 자신이 체험한 문화재를 보호하려고 노력하는 사람이 늘어날 것이다. 등
3 적절합니다.
4 (1) 예 적절하지 않다고 생각한다.
(2) 예 문화재는 한번 훼손되면 복원하기 어렵기 때문에 절대 개방해서는 안 된다고 생각한다.

1 글쓴이는 문화재를 개방해야 한다는 의견으로 글을 썼습니다.

2 글쓴이는 문화재를 개방하면 자신이 체험한 문화재를 보호하려고 노력하는 사람이 늘어날 것이라는 내용으로 의견을 뒷받침했습니다.

보충 자료 **글쓴이의 의견과 뒷받침 내용 정리하기**

의견	문화재를 개방해야 한다.
뒷받침 내용	• 옛 조상이 살았던 때를 생생하게 느낄 수 있다. • 여름 장마철에 생기는 문화재 훼손을 막을 수 있다. • 자신이 체험한 문화재를 보호하려고 노력하는 사람이 늘어날 것이다.

3 뒷받침 내용이 사실이고, 믿을 만하며 글쓴이의 의견을 선택했을 때 또 다른 문제 상황이 나타나지 않을 것이기 때문에 글쓴이의 의견이 적절하다고 평가했습니다.

4 글쓴이의 의견을 평가할 때 살펴볼 점을 차례로 살피고 글쓴이의 의견을 평가해 봅니다.

채점 기준 '문화재를 개방해야 한다'는 의견이 적절한지, 적절하지 않은지 자신의 생각을 쓰고, 그렇게 생각한 까닭을 알맞게 썼으면 정답으로 합니다.

기본 자신의 의견이 드러나게 글 쓰기 169쪽

1 ④ 2 ①, ②, ③
3 (1) 예 편식하면 안 된다.
(2) 예 편식하지 않고 골고루 먹으면 여러 가지 영양소를 균형 있게 섭취할 수 있어서 건강해진다.
4 ①

1 편식은 어떤 특정한 음식만을 가려서 즐겨 먹는 것으로, 편식을 하게 되면 다양한 음식을 맛볼 수 없습니다.

2 의견을 뒷받침하는 내용의 출처가 믿을 만한 곳이어야 합니다.

정답 친해지기 **자신의 의견을 뒷받침할 수 있는 내용을 찾는 방법**
• 관련 있는 책을 찾습니다.
• 믿을 만한 누리집을 찾아봅니다.
• 전문가에게 물어봅니다.

3 어떠한 뒷받침 내용이 들어가면 좋을지 생각해 보고, 뒷받침 내용이 믿을 만한지 다시 한번 살펴봅니다.

4 친구들의 글에 덧붙이거나 수정해야 할 곳을 말해 주면 글을 쓸 때 도움이 됩니다.

실천 학교에서 일어난 일에 대한 의견 발표하기 170쪽

1 예 친구들과 사이좋게 어울려 놀 수 있는 학교이다.
2 ⑤
3 (1) 예 비속어 쓰지 않기
(2) 예 말싸움을 하다가 다른 큰 싸움으로 번지는 경우가 많기 때문이다.
4 ④ 5 ⑤
6 예 쓰레기 줍기

1 즐겁고 행복한 학교에 대한 생각은 각자 다를 수 있습니다. 자신이 생각하는 즐겁고 행복한 학교의 모습을 떠올려 봅니다.

2 친구가 싫어하는 별명을 부르면 친구와 사이가 나빠질 수 있으므로 친구가 싫어하는 별명을 부르는 것은 우리 학교를 즐겁고 행복한 학교로 만들기 위한 일이 아닙니다.

3 어떤 일을 실천해야 우리 학교가 즐겁고 행복한 학교가 될 수 있을지 생각해 봅니다.

채점 기준 즐겁고 행복한 학교를 만들기에 알맞은 의견을 한 가지 쓰고, 그 의견이 적절하다고 생각하는 까닭을 어울리게 썼으면 정답으로 합니다.

4 면담은 모둠 구성원이 아니라 전문가에게 요청해야 합니다.

정답 친해지기 기록하는 사람, 모둠을 이끄는 사람, 누리집을 찾는 사람, 책 자료를 찾는 사람, 전문가를 찾고 면담을 요청하는 사람, 친구들이 모은 자료를 정리하는 사람 등 역할을 나누어 의견을 뒷받침할 내용을 찾을 수 있습니다.

5 뒷받침 내용이 사실에 근거한 경우에는 출처를 더 확실히 밝혀야 합니다.

6 즐겁고 행복한 학교를 만들기 위해 어떤 노력을 할 수 있을지 생각해 봅니다.

정답과 해설

국어 활동 171~172쪽

1 자신의 집 / 보금자리 등
2 ㉢
3 ④
4 예 글쓴이의 의견은 적절하다. 의견을 뒷받침하는 내용들이 사실이고 믿을 만하며, 의견을 따랐을 때 다른 문제가 생기지 않을 것이기 때문이다.
5 (3) ○
6 예 자기 마음대로만 행동하려 하지 말고, 상대방을 존중하는 마음을 가져야 한다.
7 고깔모자
8 (1) 가장자리 (2) 등

1 사슴벌레는 '우리 집'이 적힌 지도를 들고 집을 찾고 있습니다.

2 이제는 우리가 동식물들의 보금자리를 지켜 줄 때라고 했습니다.

3 글쓴이는 숲을 보호하기 위해 자원의 낭비를 막아야 하고, 나무를 베어 낸 숲을 다시 가꾸어야 하며, 숲의 파괴를 최소화해야 한다고 했습니다.

4 글쓴이의 의견이 적절한지 평가하는 방법을 떠올려 판단해 봅니다.

5 간섭을 받을 때 아이들은 자유를 방해받는다고 느끼지만, 사실은 여러 사람과 더불어 살면서 진정으로 자유롭기 위한 훈련을 받고 있는 것이라고 했습니다.

6 여러 사람과 함께 살아가는 사회 속에서 참된 자유를 누리려면 어떻게 해야 할지 생각해 봅니다.

7 '꼬깔'은 '고깔'의 방언으로, '끝이 뾰족하게 생긴 모자'를 가리키는 표준어는 '고깔모자'입니다.

8 '가생이'와 '등어리'는 각각 '가장자리', '등'의 방언입니다.

단원 마무리 173쪽

❶ 의견 ❷ 주제 ❸ 전문가
❹ 뒷받침

단원 평가 174~176쪽

1 ⑤
2 (1) ② (2) ①
3 다른 사람이 말할 때마다 그대로 따랐다. 등
4 ⑤
5 (1) ×
6 ④
7 주제
8 바람직한 독서 방법은 여러 분야의 책을 읽는 것이다. 등
9 ②
10 ③
11 (1) ① (2) ② (3) ②
12 적절하지 않다
13 예 바람직한 독서 방법은 관련 있는 책들을 이어서 읽어 나가는 것이다. 같은 주제에 대해 쓴 다양한 책을 비교해 가며 읽으면 배경지식이 풍부해질 것이다.
14 ③
15 문화재를 개방해야 한다. 등
16 ⑤
17 예 문화재는 예전에 살았던 사람들의 모습이 담긴 것이기 때문에 관람객이 직접 체험해야 더 가치 있기 때문이다.
18 ㉡
19 (1) ○
20 예 비속어 쓰지 않기

1 글에서 할머니는 등장하지 않습니다. 아이, 아버지, 아낙, 청년이 등장합니다.

2 아낙과 청년이 각각 아버지와 아이에게 말한 의견을 찾아봅니다.

3 아버지와 아이는 다른 사람이 의견을 말할 때마다 그 의견이 적절한지 그렇지 않은지 판단해 보지 않고 그대로 따랐습니다.

4 아버지와 아이는 다른 사람의 말만 듣다가 결국 귀한 당나귀를 잃고 말았습니다.

5 사람마다 생각이 다를 수 있기 때문에 그 가운데에서 더 나은 의견을 선택해야 합니다.

보충 자료 의견이 적절한지 판단해야 하는 까닭
- 사람마다 생각이 다를 수 있기 때문에 그 가운데에서 더 나은 의견을 선택하기 위해서입니다.
- 적절하지 못한 의견을 따라 결정하면 잘못된 판단을 할 수 있습니다.
- 잘못된 의견을 따르면 문제를 해결하지 못할 수 있습니다.
- 뜻하지 않게 잘못된 결과가 나올 수 있습니다.

6 바람직한 독서 방법은 도서관의 편의 시설을 늘리는 것이라고 했습니다.

7 글쓴이의 의견을 평가할 때에는 먼저 글쓴이의 의견이 주제와 관련 있는지 살펴봐야 합니다.

8 바람직한 독서 방법은 여러 분야의 책을 읽는 것이라고 했습니다.

9 한 분야의 책만 읽으면 시력이 나빠진다는 내용은 글쓴이의 개인적인 경험으로 믿을 만한 내용이 아닙니다.

10 개인적인 경험은 사람마다 다를 수 있기 때문에 믿을 만한 정보라고 볼 수 없습니다.

11 ㉠은 글쓴이의 의견에 해당하고, ㉡, ㉢은 그 의견을 뒷받침하는 내용에 해당합니다.

12 글쓴이의 의견을 따르면 더 많은 문제가 생길 수 있기 때문에 적절하지 않다고 평가한 것입니다.

13 바람직한 독서를 하려면 책을 어떻게 읽어야 하는지 자신의 의견을 간단히 써 봅니다.

> **채점 기준** 주제 '바람직한 독서 방법'과 관련 있는 의견을 알맞게 제시하였으면 정답으로 합니다.

14 뒷받침 내용의 개수보다는 뒷받침 내용이 의견과 관련 있는지, 사실이고 믿을 만한 내용인지를 살펴봐야 합니다.

15 글쓴이는 문화재를 개방해야 한다고 했습니다.

16 문화재를 개방해서 문화재를 직접 관람하면 옛 조상이 살았던 때를 생생하게 느낄 수 있다고 했습니다.

17 주제와의 관련성, 의견과 뒷받침 내용의 관련성, 뒷받침 내용의 사실 여부 따위를 확인하고 글쓴이의 의견이 적절하다고 생각하는 까닭이 무엇일지 씁니다.

> **채점 기준** '문화재를 개방해야 한다'는 의견이 적절하다고 생각한 까닭을 어울리게 썼으면 정답으로 합니다.

18 사람들이 숲에서 생활에 필요한 여러 가지 물건을 얻느라 숲이 파괴되고 생물들의 보금자리가 사라지고 있다고 했습니다.

19 (2), (3)은 '편식해도 된다'는 의견을 뒷받침하는 내용입니다.

20 우리 학교를 즐겁고 행복한 학교로 만들려고 할 때 우리가 할 수 있는 일을 떠올려 봅니다.

서술형 평가 177쪽

1 예 적절하지 못한 의견을 따라 결정하면 잘못된 판단을 할 수 있기 때문이다.
2 바람직한 독서 방법은 자신이 좋아하는 책만 읽는 것이다. 등
3 예 적절하지 않다. 자신이 좋아하는 분야의 책만 읽어야겠다고 생각하면 다른 분야의 책은 전혀 읽지 않을 것이기 때문이다.
4 (1) 예 문화재를 개방해야 한다.
(2) • 예 여름 장마철에 생기는 문화재 훼손을 막을 수 있다. / • 예 자신이 체험한 문화재를 보호하려고 노력하는 사람이 늘어날 것이다.
5 예 문화재를 개방해야 한다. 문화재는 우리가 알고 가꾸어 나가며 후손에게 전해 주어야 할 소중한 민족의 자산이기 때문이다.

1 사람마다 생각이 다르고, 잘못된 의견을 따르면 문제를 해결하지 못할 수 있습니다. 또, 뜻하지 않게 잘못된 결과가 나올 수 있습니다.

> **채점 기준** 의견이 적절한지 판단해야 하는 까닭 한 가지를 알맞게 썼으면 정답으로 합니다.

2 글쓴이는 바람직한 독서 방법은 자신이 좋아하는 책만 읽는 것이라고 했습니다.

> **채점 기준** "바람직한 독서 방법은 자신이 좋아하는 책만 읽는 것이다."를 바르게 썼으면 정답으로 합니다.

3 글쓴이의 의견이 적절한지 평가하는 방법을 떠올려 글쓴이의 의견을 평가해 봅니다.

> **채점 기준** 글쓴이의 의견이 적절한지, 적절하지 않은지 자신의 생각을 쓰고, 그 까닭도 알맞게 썼으면 정답으로 합니다.

4 문화재를 개방해야 한다는 의견을 뒷받침하는 내용으로 세 가지를 제시했습니다.

> **채점 기준** 글쓴이의 의견과 글쓴이가 제시한 뒷받침 내용들을 모두 바르게 정리하여 썼으면 정답으로 합니다.

5 주제와 관련하여 자신의 의견을 정리하여 봅니다.

> **채점 기준** '문화재를 개방해야 하는가'를 주제로 자신의 의견을 솔직하게 썼으면 정답으로 합니다.

9. 감동을 나누며 읽어요

핵심 확인 문제 180쪽

1 내용　2 ○　3 행동
4 인물　5 ○

준비 시를 읽고 경험 말하기 181쪽

1 비행기　2 ④, ⑤　3 ④
4 예 동물을 좋아해 여러 동물을 그렸던 경험이 생각난다. / 자동차에 관심이 있어서 자동차 박람회를 구경해 본 경험이 떠오른다.

1 말하는 이는 온통 비행기 생각만 하고 있고, 비행기를 좋아하는 일을 하고 싶어 합니다.

2 아직은 비행기를 순수하게 좋아하고 싶거나 물어볼 필요 없이 하고 싶은 일이 정해져 있기 때문에 커서 뭐가 되고 싶은지 묻지 말라고 한 것입니다.

3 말하는 이는 온통 비행기에 관한 생각만 하고 있습니다. 비행기 장난감이 망가진 내용은 나타나 있지 않습니다.

4 시에서 말하는 이처럼 자신이 관심을 기울이는 일을 떠올려 봅니다.

채점 기준 시에서 말하는 이의 경험을 잘 파악하여 비슷한 경험으로 썼으면 정답으로 합니다.

기본 시를 읽고 느낌 표현하기 182쪽

1 차를 어디에 두었는지 기억나지 않아 이리저리 찾아다니셨을 것이다. 등
2 ②
3 예 지하 주차장에서 겪었다는 일이 정말입니까?
4 민희

1 지하 주차장으로 차를 가지러 내려간 아빠가 한참 만에 차를 몰고 나오셨습니다.

2 시를 지은 작가에 대해 알아보는 것은 시를 읽고 느낌을 떠올리는 방법으로 알맞지 않습니다.

3 지하 주차장으로 차를 가지러 내려간 아빠가 차를 찾는 데 오래 걸린 게 미안해서 아이에게 허무맹랑한 이야기를 꾸며서 말하였습니다.

정답 친해지기 인물에게 할 물음 생각하기 예

아빠	• 지하 주차장에서 겪었다는 일이 정말입니까? • 어제 무슨 일이 있었기에 주차한 곳을 못 찾은 겁니까?
아이	• 아빠의 말을 듣고 어떤 마음이 들었습니까? • 아빠가 한참 동안 나타나지 않았을 때 어떤 마음이 들었습니까?

4 지하 주차장에서 아빠께서 빨리 나오시지 않아 슬펐던 아이의 마음이 나타나 있지는 않습니다.

기본 이야기를 보고 내용에 대한 생각 나누기 183쪽

1 달걀이 들어간 김밥　2 ⑤
3 (2) ○
4 예 어머니는 집안 사정을 생각하지 않고 달걀이 들어간 김밥을 싸 달라는 동숙이를 나무라지만 그 마음도 편하지는 않으셨을 것이다.

1 동숙이는 소풍에 달걀이 들어간 김밥을 가져가고 싶어 했습니다.

2 동숙이가 김밥을 자신 것만 싸고, 동숙이는 쑥개떡을 먹는 것을 본 선생님께서는 동숙이가 안쓰러워서 동숙이에게 자신의 김밥을 주려고 배탈이 났다고 하셨습니다.

3 동숙이는 달걀이 들어간 김밥을 친구에게 나누어 주지 않았습니다. 친구에게 김밥을 나누어 준 것은 순자입니다.

4 집안 사정이 어려워 동숙이에게 달걀이 들어간 김밥을 싸 주지 못하는 어머니의 마음을 헤아려 자신의 생각을 써 봅니다.

채점 기준 어머니의 행동을 잘 파악하여 어머니의 행동에 대한 자신의 생각을 잘 썼으면 정답으로 합니다.

기본 이야기를 읽고 다른 사람에게 들려주기 184~185쪽

1 ①
2 예 "대왕님께서 저를 이렇게나 반갑게 맞아 주시니 고마울 따름입니다."
3 잔뜩 화가 나서 토라져 버렸다. 등
4 ⑤ 5 ⑤
6 예 분노해 큰 목소리로 말한다.
7 (2) ○ 8 ⑤

1 멸치 대왕은 자신이 꾼 아주 이상한 꿈이 무슨 꿈인지 궁금했습니다.

2 망둥 할멈의 특성과 상황에 어울리는 말을 생각해 보고 씁니다.

채점 기준 멸치 대왕을 대하는 망둥 할멈의 태도가 잘 드러나는 말을 썼으면 정답으로 합니다.

3 멸치 대왕은 망둥 할멈을 반갑게 맞아들였지만 넓적 가자미한테는 알은척도 하지 않고 먹을 것도 주지 않아서 잔뜩 화가 나서 토라져 버렸습니다.

4 멸치 대왕의 꿈을 좋게 풀이한 것으로 보아서 아부를 잘하는 성격인 것 같습니다.

5 멸치 대왕은 자신이 죽는다는 넓적 가자미의 꿈풀이를 듣고 화가 났습니다. 화가 난 마음에 어울리는 말을 찾아봅니다.

6 멸치 대왕이 화가 나서 하는 말이므로 분노해 큰 목소리로 말하면 실감 나게 표현할 수 있습니다.

7 아파서 뺨을 부여잡고 말하는 것이 어울립니다.

8 겁이 나서 꼴뚜기가 자기 눈을 떼어서 엉덩이에 붙였기 때문입니다.

실천 생각이나 느낌을 시와 그림으로 표현해 전시회 하기 186쪽

1 ④
2 (1) 예 「놀이터」
(2) 예 시에서 말하는 이가 느꼈을 외로움에 공감이 간다.
3 시, 그림 4 미영

1 시의 내용과 어울리게 그림을 그리는 게 좋습니다.

2 자신이 읽은 시 가운데에서 마음에 드는 시를 떠올려 제목과 그 시를 읽고 든 생각이나 느낌을 써 봅니다.

3 생각이나 느낌을 시로 생생하게 표현하고, 자신이 쓴 시의 장면에 어울리는 그림을 그려 꾸미는 활동을 하는 방법입니다.

4 전시회 할 작품을 꾸밀 때에는 시와 그림으로 표현합니다.

국어 활동 187~188쪽

1 아현 2 ① 3 ③
4 ㉠ 5 은혜
6 예 아기가 태어나서 신바람이 난 외할아버지가 노래를 시작하자, 유랑 극단 사람들이 장구와 꽹과리를 치는 장면이 인상 깊다. 사람들이 남의 일도 자기 일처럼 기뻐하며 함께 축하하는 모습이 보기 좋았기 때문이다.
7 (1) 나만큼 (2) 차례대로 (3) 셋뿐
8 (1) ○ (2) × (3) ×

1 아이들은 골목에서 제기를 차고 있습니다.

2 아이들이 제기를 차며 신나고 즐거워 하는 마음이 느껴집니다.

3 기차 안에서 외할머니의 배 속에 있던 엄마가 태어났습니다.

4 외할아버지는 신바람이 나서 노래 한 자락을 했습니다.

5 아기 이름은 여러 사람의 은혜를 입고 태어났다고 그 자리에서 바로 '다혜'라고 지어졌습니다.

6 이야기에서 인상 깊은 장면을 떠올려 봅니다.

7 '만큼', '대로', '뿐'은 앞에 오는 다른 낱말과 함께 쓰는 낱말입니다. '차례대로'와 같이 사람이나 사물의 이름을 나타내는 낱말이나 '셋뿐'과 같이 수를 나타내는 낱말 뒤에서는 붙여 씁니다.

8 '대로'는 앞에 오는 다른 낱말과 함께 쓰는 낱말이기 때문에 '친구대로'와 같이 붙여 써야 합니다. 그리고 형태가 바뀌는 낱말 가운데에서 '-는/-을/-던'과 같이 '-ㄴ/-ㄹ'로 끝나는 말 뒤에서는 띄어 씁니다.

단원 마무리

189쪽

❶ 면담 ❷ 김밥 ❸ 망둥

단원 평가

190~192쪽

1 ②, ③
2 예 말하는 이가 비행기를 그리는 모습이 떠오른다.
3 ㉠ 4 ⑤ 5 (2) ○
6 아이에게 실수를 들키고 싶지 않은 등
7 ② 8 ④ 9 준우
10 (3) ○ 11 ①
12 예 동숙이는 쑥을 팔아서 달걀을 사고 싶은데 아무도 쑥을 사 주지 않아서 속상할 것 같다.
13 (2) ○ 14 (1) ① (2) ②
15 예 "오, 아주 훌륭한 꿈풀이로다. 하하하, 아주 마음에 든다."
16 ⑤ 17 ⑤ 18 ②, ⑤
19 ㉢ 20 (1) 그림 (2) 생각이나 느낌 등

1 말하는 이는 조종석에 자신이 앉아 있고, 조수석에 가족이 앉아 있는 상상을 했습니다.

2 시에 나오는 장면이나 기억에 남는 장면을 떠올려 씁니다.

> **채점 기준** 시의 내용에 어울리는 장면을 잘 떠올려 썼으면 정답으로 합니다.

3 시에서 말하는 이처럼 자신의 머릿속에 어떤 생각이 온통 가득 찼던 경험을 말하지 않은 것을 찾습니다.

4 지하 주차장으로 차를 가지러 가신 아빠께서 차를 찾지 못해 헤매고 다니셨습니다.

5 아빠의 말을 듣고 어떤 마음이 들었는지 묻는 물음은 시에 나오는 '아이'에게 할 물음으로 알맞습니다.

6 이 시에는 아빠의 어떤 속마음이 표현되어 있는지 생각해 씁니다.

7 시에 나오는 인물들이 되어 역할극을 하며 느낌을 표현하는 그림입니다.

8 아이들이 골목에서 제기를 차고 있습니다.

9 아이들이 제기를 차며 신나는 마음이 느껴집니다.

10 동숙이는 쑥을 캐서 시장에서 팔았지만 쑥은 팔리지 않았습니다.

11 동숙이는 달걀을 사려고 장에서 쑥을 팔았습니다.

12 달걀을 사려고 장에서 쑥을 파는데 아무도 그것을 사 주지 않았을 때 동숙이의 마음을 생각해 봅니다.

> **채점 기준** 쑥을 팔아 달걀을 사려고 하지만 쑥이 팔리지 않아 속상해 하는 동숙이의 모습을 보고 자신의 생각을 잘 썼으면 정답으로 합니다.

13 선생님께서는 김밥을 못 먹고 있는 동숙이가 안쓰러워서 배탈이 났다며 동숙이에게 자신의 김밥을 주려고 하셨습니다.

14 망둥 할멈은 멸치 대왕이 용이 될 꿈이라고 했지만, 넓적 가자미는 큰 변을 당할 아주 나쁜 꿈이라고 풀이했습니다.

15 용이 될 꿈이라는 망둥 할멈의 꿈풀이에 기분이 좋은 멸치 대왕이 할 말을 생각해 봅니다.

16 멸치 대왕은 망둥 할멈이 꿈풀이를 좋게 하여 기분이 좋을 것입니다.

17 멸치 대왕이 화가 나서 넓적 가자미의 뺨을 때렸다는 부분에서 화를 참지 못하는 성격임을 짐작할 수 있습니다.

18 넓적 가자미의 눈이 한쪽으로 찍 몰려가 붙었다고 하였습니다.

보충 자료 「멸치 대왕의 꿈」에 나오는 인물의 특성

인물	모습	행동	성격
망둥 할멈	등이 굽고 눈이 툭 튀어 나왔다.	멸치 대왕의 꿈풀이를 좋게 한다.	윗사람에게 아부를 잘한다.
멸치 대왕	몸이 말랐고 길쭉하다.	넓적 가자미의 뺨을 때린다.	화를 참지 못하고 기분이 쉽게 변한다.
넓적 가자미	넓적하다. / 눈이 한쪽 뺨에 몰렸다.	삐쳐서 멸치 대왕의 꿈풀이를 나쁘게 한다.	속이 좁다.

19 멸치 대왕은 화가 나서 얼굴이 붉어지고 넓적 가자미의 뺨을 세게 때렸다고 했으므로 멸치 대왕이 분노해 큰 목소리로 말하는 것이 어울립니다.

20 자신이 마음에 드는 시를 골라 시의 장면을 떠올려 생각이나 느낌을 쓰고, 시의 장면에 어울리는 그림을 그려야 합니다.

서술형 평가 193쪽

1 예 많은 생각을 하지 않고 비행기를 좋아하는 것이다.

2 예 가족 여행, 겨울 방학 때 가족 여행을 가기로 했는데 기대가 되어서 가족 여행이 떠올랐다.

3 예 만화를 이용해 시에 나오는 장면을 더 재미있게 표현하고 싶다. / 노래를 이용해 아이가 아빠를 기다리는 마음을 생생하게 표현하고 싶다.

4 (1) 예 "내가 고생해서 망둥 할멈을 데리고 왔는데, 나를 이런 식으로 대접해?" (2) 예 불만스러운 표정과 화가 난 목소리로 말한다.

1 말하는 이는 비행기를 구경하는 것도, 그리는 것도, 생각하는 것도 좋다고 했고, 커서 뭐가 되고 싶으냐고 묻지 말라면서 자기 마음에는 비행기가 날고 있다고 한 것으로 보아 비행기와 관련된 일을 하고 싶을 것입니다.

> **채점 기준** 비행기와 관련된 일 따위를 하고 싶다는 내용을 알맞게 썼으면 정답으로 합니다.

2 자신의 머릿속에 가득 찬 생각을 떠올려 그 생각이 떠오른 까닭을 씁니다.

> **채점 기준** 자신이 관심을 기울이고 있는 일을 떠올려 자세히 썼으면 정답으로 합니다.

3 시를 읽고 느낌을 표현하는 방법을 선택해서 그 방법으로 무엇을 표현하고 싶은지 씁니다.

> **채점 기준** 시를 읽고 느낌을 어떤 방법으로, 무엇을 표현하고 싶은지 자세히 썼으면 정답으로 합니다.

4 이야기의 상황과 인물의 특성에 알맞게 넓적 가자미가 어떤 말을 했을지 생각해 씁니다.

> **채점 기준** 멸치 대왕에게 푸대접을 받은 넓적 가자미의 말과 그 말을 어떻게 실감 나게 표현할지 알맞게 썼으면 정답으로 합니다.

1. 이어질 장면을 생각해요

단원 평가 1회 2~3쪽

1 「니모를 찾아서」 2 ④
3 ④
4 예 피구를 하려고 편을 나눌 때 선의 표정이 점점 변해 가는 것이 가장 인상 깊었다.
5 ㉣→㉢→㉤ 6 예 용감하다.
7 매일이 8 ⑤ 9 ⑤
10 ⑤

1 두 사람은 「니모를 찾아서」라는 만화 영화에 나오는 아빠 물고기에 대한 이야기를 하고 있습니다.

2 아버지는 아빠 물고기가 니모를 무척 사랑한다고 생각합니다.

3 선은 친구들이 편을 나눌 때 자기 이름이 언제 불릴까 기대했다가 자신의 이름을 불러주지 않자 실망스러웠을 것입니다.

4 영화 「우리들」의 장면 ❶~❸ 가운데 가장 기억에 남거나, 비슷한 경험이 있어서 인상 깊은 장면을 써 봅니다.

채점 기준 장면 ❶~❸ 가운데 가장 인상 깊은 장면을 떠올려 잘 썼으면 정답으로 합니다.

5 「오늘이」에서 등장인물이 누구를 만나고 어떤 일을 겪는지 순서대로 정리합니다.

6 강치가 아무르와 싸워서 불타는 얼음을 되찾은 것에서 강치가 용감한 성격임을 짐작할 수 있습니다.

7 매일이는 행복이 무엇인지 알고 싶었습니다.

8 연꽃나무는 많은 꽃봉오리 가운데 하나만 꽃이 핀 까닭을 알고 싶어 했습니다.

9 이무기는 위험에 빠진 오늘이를 구하려고 품고 있던 여의주를 모두 버려서 마침내 용이 될 수 있었습니다.

10 다른 모둠이 발표할 때에는 조용히 집중해서 보고, 잘한 부분은 칭찬합니다. 그리고 발표를 할 때에는 또박또박 정확하게 발음을 해서 듣는 사람이 대사를 알아들을 수 있게 해야 합니다.

단원 평가 2회 4~5쪽

1 (만화 영화) 「니모를 찾아서」에 나오는 아빠 물고기 2 ④ 3 ④
4 ②
5 예 오늘이가 처음 본 등장인물들에게 물어보는 모습을 본받고 싶다. 처음 만난 인물들에게 스스럼없이 말을 거는 모습이 부러웠기 때문이다.
6 ④ 7 책 8 ②
9 정우
10 예 적절한 표정, 몸짓, 말투로 정성을 다해 연기한다.

1 딸은 아버지가 「니모를 찾아서」에 나오는 아빠 물고기 같다고 하였습니다.

2 딸은 만화 영화에 나오는 아빠 물고기가 니모를 사랑하기도 하지만 니모를 많이 걱정한다고 생각하였습니다.

3 영화를 보고 느낀 생각이나 느낌은 사람마다 다를 수 있습니다.

4 오늘이는 원천강으로 돌아가는 길에 매일이를 만났는데, 매일이는 행복을 찾겠다며 책만 읽었습니다.

5 등장인물이 만화 영화에서 어떤 행동을 했는지 떠올려 본받고 싶은 행동을 찾습니다.

채점 기준 등장인물의 행동 가운데 본받고 싶은 행동을 까닭을 들어 알맞게 썼으면 정답으로 합니다.

6 이무기는 여의주를 많이 가졌는데도 용이 되지 못한 까닭을 모르는 것이 고민입니다.

7 행복을 찾기 위해 책만 읽던 매일이는 책에서 벗어나면서 구름이와 행복한 시간을 보냅니다.

8 만화 영화의 뒷이야기를 상상해 쓸 때, 이야기는 다양한 내용으로 끝을 맺을 수 있습니다.

9 노인은 임금님의 귀가 길어졌다는 것을 말하지 못하고 끙끙 앓다가 병이 들었고, 죽기 전에 아무도 없는 대나무 숲에 가서야 "임금님 귀는 당나귀 귀."라고 말했습니다.

10 자신이 맡은 역할을 이해하고 실감 나게 연기할 수 있도록 연습합니다.

서술형 평가 6쪽

1 예 딸은 아빠 물고기가 니모를 많이 걱정한다고 생각하고, 아버지는 아빠 물고기가 니모를 무척 사랑한다고 생각한다.

2 예 두 친구가 손톱에 봉숭아물을 들이며 우정을 쌓는 내용일 것 같다.

3 예 자신의 욕심을 버리고 남을 위해 희생하는 것은 쉬운 일이 아닌데 그렇게 한 것이 대단하다고 생각한다.

4 예 오늘이를 중심인물로 하여, 오늘이가 친구인 매일이의 병을 고치려고 치료법 책을 찾아야 하는 내용으로 쓰고 싶다.

5 예 야아, 오늘이, 용이 된 이무기의 역할이 필요하다.

1 만화 영화 「니모를 찾아서」에서 본 아빠 물고기에 대한 아버지와 딸의 생각은 서로 다릅니다.

채점 기준	점수
아빠 물고기에 대해 딸은 니모를 많이 걱정한다는 내용, 아버지는 니모를 무척 사랑한다는 내용을 모두 알맞게 쓴 경우	6점

2 두 소녀와 봉숭아꽃이 있는 광고지를 통해 어떤 내용이 펼쳐질지 짐작해 봅니다.

채점 기준	점수
영화 「우리들」의 광고지를 보고 펼쳐질 내용을 어울리게 상상하여 쓴 경우	6점

3 이무기가 한 행동에 대한 자신의 생각이나 느낌을 자유롭게 써 봅니다.

채점 기준	점수
이무기가 자신을 희생하여 오늘이를 구한 장면을 보고 느낀 점을 알맞게 쓴 경우	6점

4 어떤 인물에게 어떤 사건이 벌어질지 자유롭게 상상하되, 만화 영화 「오늘이」의 내용과 자연스럽게 이어지도록 씁니다.

채점 기준	점수
누구를 중심인물로 하여 어떤 일이 생길지 「오늘이」의 이어질 이야기를 어울리게 쓴 경우	6점

보충 자료 **만화 영화를 감상하고 사건을 생각하며 이어질 내용 쓰기**

- 중심인물의 고민이 어떻게 해결되는지 살펴보면서 이어질 이야기를 상상해 봅니다.
- 이어질 이야기에 새로운 인물이 등장해서 사건을 전개할 수도 있습니다.

5 야아가 죽자 용이 된 이무기가 오늘이의 웃음을 찾아 주려고 오늘이를 등에 태우고 여행을 떠난다는 내용입니다.

채점 기준	점수
태윤이가 쓴 내용에 나오는 야아, 오늘이, 용이 된 이무기를 쓴 경우	6점

평가 교재

수행 평가 7쪽

1 예 오늘이는 야아, 여의주와 원천강에서 행복하게 살았다. 어느 날, 수상한 사람들이 나타나 오늘이를 데려가다가 화살로 야아를 쏜 뒤 원천강은 얼어붙었다. 오늘이는 원천강으로 돌아가는 길에 책만 읽는 매일이, 꽃이 한 송이만 핀 연꽃나무, 비와 구름을 벗어나고 싶은 구름이, 많은 여의주를 가졌지만 용이 되지 못한 이무기를 만난다. 이무기는 갈라진 얼음 사이로 떨어지는 오늘이를 구하고 마침내 용이 된다. 구름이는 연꽃을 꺾어서 매일이에게 주고, 둘은 행복한 시간을 갖는다. 그리고 오늘이는 원천강으로 돌아와 야아와 다시 행복하게 산다.

2 (1) 예 이무기 / 오늘이

(2) 예 오늘이를 구하기 위해 여의주를 버린 장면 / 원천강으로 다시 돌아와 야아를 만나는 장면

(3) 예 자신의 욕심을 버리고 남을 위해 희생해야 꿈을 이룰 수 있다는 것을 깨달았다. / 어려움을 이겨 내며 끝까지 포기하지 않는 모습이 감동적이었다.

1 각 장면에서 일어난 일을 떠올려 전체 내용을 간추려 정리합니다.

채점 기준	점수
❶~❾의 장면에 어울리는 내용을 일이 일어난 차례를 생각하며 알맞게 쓴 경우	20점

2 오늘이, 야아, 매일이, 연꽃나무, 구름이, 이무기가 한 일을 떠올려 보고, 그 가운데에서 등장인물 하나를 골라 인상 깊은 장면과 그 까닭을 씁니다.

채점 기준	점수
인상 깊은 인물과 인상 깊은 장면, 인상 깊은 까닭을 모두 알맞게 쓴 경우	10점
(1)과 (2)만 바르게 쓴 경우	5점

2. 마음을 전하는 글을 써요

단원 평가 1회 8~9쪽

1 고마운 마음 2 ④
3 선생님께 고마운 마음을 전하기 위해서이다. 등
4 ⑤
5 예 힘이 솟고 행복감을 느낀단다. / 언제나 사랑한다.
6 아들 필립 7 ①, ③ 8 ①
9 예 나는 새 신발을 사 주신 어머니께 고마운 마음을 전하고 싶다.
10 예 훈훈한 마음을 느꼈을 것이다.

1 친구들에게 고마운 마음을 전하고 싶었지만 말로 하는 것이 쑥스러워서 편지로 쓰게 되었습니다.

2 달리기에 자신이 없어 부끄러워하는 모습이 나타나 있습니다.

3 선생님께 고마운 마음을 전하려고 편지를 쓰게 되었다고 했습니다.

4 편지는 읽는 사람이 정해져 있습니다.

> **보충 자료** **편지 형식**
> 받는 사람 – 첫인사 – 전하고 싶은 말 – 끝인사 – 쓴 날짜 – 쓴 사람

5 엄마가 딸들에게 마음을 전하는 글로, 딸들을 사랑하는 마음을 전하고 있습니다.

6 안창호 선생이 아들 필립에게 쓴 편지입니다.

7 아들이 팔을 다친 것을 걱정하는 마음과 한 학년 올라간 것을 축하하는 마음을 전하고 있습니다.

8 친구가 싫어하는 별명을 부르며 놀린 것에 대해 사과하는 상황입니다.

9 가족, 선생님, 친구, 소방관 등 주변 사람들에게 전하고 싶은 마음이 있는지 떠올려 봅니다.

> **채점 기준** 누구에게 어떤 마음을 전하고 싶은지 자세히 썼으면 정답으로 합니다.

10 재환이가 쓴 편지를 읽고 훈훈한 마음이 들었을 것이고, 이사 온 재환이를 진심으로 환영하는 마음일 것입니다.

단원 평가 2회 10~11쪽

1 (1) ② (2) ①
2 예 나도 함께 뛸 수 있어서 참 행복했어.
3 고맙습니다.
4 좋은 사람이 되기 위해 힘쓰기를 당부하고 있다. 등 5 ②, ⑤ 6 ⑤
7 (2) ○ 8 ⑤
9 예 이사 와서 이웃에게 인사하려고
10 ③

1 친구들이 자기 때문에 힘껏 달리지 못한 것에 대해 미안한 마음을, 친구들이 같이 달려 주고 응원해 준 것에 대해 고마운 마음을 느꼈습니다.

2 태웅이가 쓴 편지를 받은 친구들도 태웅이와 함께 뛰어서 좋았다는 마음을 전할 것입니다.

> **채점 기준** 고맙고 미안한 마음을 전하고 있는 태웅이에게 전할 마음과 그 마음을 드러내는 표현을 알맞게 썼으면 정답으로 합니다.

3 그릇 만드는 것을 도와주신 선생님께 고마운 마음을 전하고 있습니다.

4 아들에게 좋은 사람이 되기 위해 힘쓰기를 당부하고 있는 내용입니다.

5 좋은 사람이 되려면 진실하고 깨끗해야 한다고 하였습니다. 또 좋은 친구를 가려 사귀는 것이 좋은 사람이 되는 첫 번째 조건이라고 하였습니다.

6 손으로 직접 쓴 편지는 정성스럽게 느껴지지만 마음을 전하는 글을 쓸 때 항상 직접 손으로 편지를 써야 하는 것은 아닙니다.

7 상대에게 좋은 인상을 주는 사람이 되기를 바라며 그 방법을 알려 주고 있습니다.

8 병원에 입원한 친구에게 위로하는 마음을 전해야 하는 상황입니다.

보충 자료 **마음을 전하는 글을 쓰는 데 필요한 내용 정리하기 예**

마음을 전할 사람	친구
전하려는 마음	위로하는 마음
있었던 일	친구가 아파서 병원에 입원한 일
마음을 나타내는 표현	괜찮아? 얼른 낫기를 바랄게.

9 재환이는 새로 이사 와서 이웃들에게 인사를 하려고 편지를 써서 승강기 안에 붙였습니다.

10 이사를 와서 이웃들과 친하게 지내고 싶어 하는 내용의 편지를 보고 이웃 사람들은 반갑고 훈훈한 마음이 들었을 것입니다.

서술형 평가 12쪽

1 예 내가 깜빡했어. 많이 속상했겠다. / 미안해. 그 생각을 못 했어.
2 예 지우가 선생님께 고마운 마음을 전하고 있다.
3 예 그릇 만들기를 어려워하는 지우가 따라 해 볼 수 있도록 직접 시범을 보여 주셨다.
4 예 "열심히 견디거라", "꾸준히 읽어라"와 같은 표현으로 당부했다.
5 예 반가워요! 저도 12층에 살아요. 좋은 친구가 되었으면 좋겠어요.

1 자기가 쓴 글의 좋은 점을 말해 주지 않은 것을 서운해하는 친구의 마음을 헤아려서 말할 수 있습니다.

채점 기준	점수
자기가 쓴 글의 좋은 점을 말해 주지 않아 서운해하는 친구에게 어떤 말로 마음을 표현하면 좋을지 알맞게 쓴 경우	6점

2 지우가 선생님께 고마운 마음을 전하려고 글을 쓰게 되었다고 하였습니다.

채점 기준	점수
지우가 선생님께 고마운 마음을 전하고 있다는 내용을 알맞게 쓴 경우	6점

3 선생님께서는 어찌할 바를 모르고 곤란해하는 지우의 모습을 보시고 직접 찾아와 어떻게 모양을 내는지 시범을 보여 주셨습니다.

채점 기준	점수
그릇 만들기가 어려워 어찌할 바를 모르고 있는 지우를 보고 선생님이 직접 찾아와 도와주셨다는 내용 등을 알맞게 쓴 경우	6점

4 좋은 사람이 되기 위해 힘쓰기를 당부하려고 "열심히 견디거라", "꾸준히 읽어라"와 같은 표현을 사용하였습니다.

채점 기준	점수
"열심히 견디거라", "꾸준히 읽어라"와 같은 표현을 사용하여 당부하는 마음을 전했다는 내용을 알맞게 쓴 경우	6점

5 읽을 사람의 마음을 헤아려서 새로 이사 온 재환이에게 환영의 쪽지를 쓸 수 있습니다.

채점 기준	점수
이사를 와서 자기 소식을 알리고 인사하고 있는 편지에 붙여 줄 쪽지 내용을 생각하여 마음을 담아 글을 잘 쓴 경우	6점

평가 교재

수행 평가 13쪽

1 (1) 편지 (2) 당부
2 • 예 좋은 친구를 가려 사귀어야 한다.
• 예 좋은 책을 골라 꾸준히 읽어라.
3 예 아버지께서 하신 말씀을 깊이 새기겠습니다. 먼 곳에서 안부를 전해 들으니 기쁘기도 하고 아버지의 건강이 걱정되기도 합니다. 아버지의 당부가 제 흐트러진 마음을 잡아주는 뿌리 같습니다. 부디 아버지께서도 건강히 하시는 일 마무리하고 돌아오시기 바랍니다. 먼 곳에서 마음으로나마 힘을 보태겠습니다. 감사합니다.

1 이 글은 아버지가 아들에게 당부하고 싶은 마음을 전하는 편지(글)입니다.

채점 기준	점수
(1)에 '편지', (2)에 '당부'를 모두 찾아 바르게 쓴 경우	10점
(1)과 (2) 중 한 가지만 바르게 쓴 경우	5점

2 좋은 사람이 되려면 좋은 친구를 가려 사귀어야 하고, 좋은 책을 골라 꾸준히 읽어야 한다는 당부를 전하고 있습니다.

채점 기준	점수
좋은 친구를 가려 사귀고 좋은 책을 골라 꾸준히 읽으라는 내용을 모두 찾아 쓴 경우	10점
좋은 친구를 가려 사귀라거나 좋은 책을 골라 꾸준히 읽으라는 내용 중 한 가지만 찾아 쓴 경우	5점

3 아버지께서 말씀하신 당부를 보고 아들이 어떤 마음을 느꼈을지 생각해 보고, 아버지께 전하고 싶은 마음을 간단히 글로 씁니다.

채점 기준	점수
편지를 받은 아들이 아버지에게 전할 마음이 잘 드러나게 쓴 경우	10점
편지를 받은 아들이 아버지에게 전할 마음이 드러나게 대체로 잘 썼으나 미흡한 부분이 있는 경우	5점

3. 바르고 공손하게

단원 평가 1회 14~15쪽

1 (1)② (2)① 2 ⑤ 3 여자아이
4 예 어른 앞에서는 여자아이처럼 '제가'로 표현해야 예절에 맞기 때문이다.
5 ①, ② 6 강찬우 7 ⑤
8 처음 봐서 뜻을 모르기 때문이다. 등
9 ㉣
10 예 내가 한 거친 말 내게 올 거친 말

1 윗마을 양반은 자신이 신분이 높다고 박 노인을 함부로 '바우야'라고 불렀고, 아랫마을 양반은 나이가 많은 박 노인을 존중하며 '박 서방'이라고 대접하면서 불렀습니다.

2 아랫마을 양반이 자신을 '박 서방'이라고 부르며 더 존중해 주는 느낌이 들었기 때문에 고기를 더 많이 주었습니다.

3 남자아이는 '내가', 여자아이는 '제가'라고 말했습니다.

4 어른 앞에서는 '내가'가 아니라 '제가'라고 표현해야 합니다.

> **채점 기준** '내가'라는 표현이 틀리고, '제가'라는 표현이 맞다는 것을 알고 비슷한 내용으로 썼으면 정답으로 합니다.

5 상대를 바라보며 말해야 하고, 목소리 크기는 상황에 맞게 조절해야 합니다. 그리고 듣는 사람의 기분을 고려하며 말합니다.

6 강찬우가 회의 예절에 어긋나게 말하고 있습니다.

7 강찬우는 이희정이 말하는데 끼어들었습니다. 다른 사람이 발표할 때 끼어들지 않습니다.

8 온라인 대화에서 줄임 말을 처음 볼 경우 뜻을 이해하지 못할 수 있습니다.

9 줄임 말을 지나치게 쓰면 상대가 잘 알아들을 수 없고, 예절이 없는 것처럼 여겨질 수도 있습니다.

10 대화 예절과 관련하여 표어 형식으로 말을 만들어 봅니다.

단원 평가 2회 16~17쪽

1 (1)② (2)①
2 예 미안해. 다음부터는 네 이름으로 부를게.
3 ④
4 신유 어머니 얼굴을 바라보며 바른 자세로 인사한다. 등 5 ④ 6 ⑤
7 ②, ④ 8 대화명 9 ③
10 예 공익 광고를 보고 얼굴을 보며 할 수 없는 말은 인터넷에서도 하지 말아야 한다는 것을 알았다.

1 영철이는 듣기 싫은 별명을 불렀고, 채은이는 이름을 바르게 불렀습니다.

2 영철이가 어떻게 말할지 생각해 봅니다.

3 신유 친구들은 신유 어머니께 대충 인사하였습니다.

4 인사할 때에는 눈을 마주치며 인사를 해야 하고, 어른께는 바른 자세로 인사합니다.

5 사슴이 토끼가 말하는 도중에 끼어들었습니다.

6 남자아이는 어머니와 이웃집 어른을 모두 높여서 말해야 합니다.

7 경희와 희정이는 회의와 같은 공식적인 상황에서 높임말을 사용하지 않았고, 말할 기회를 얻지 않고 말했습니다.

8 온라인 대화를 할 때에는 적절한 대화명을 사용하는 것이 좋습니다.

> **정답 친해지기** **온라인 대화를 할 때 지켜야 할 예절**
> - 바른 말을 사용해야 합니다.
> - 상대가 보이지 않더라도 대화 전에 인사를 하고 끝날 때에도 인사합니다.
> - 얼굴이 보이지 않는다고 해서 함부로 말하지 않습니다.
> - 상대를 존중하고 예의를 지킵니다.
> - 그림말을 지나치게 사용하지 않습니다.

9 그림말은 상대가 잘 이해할 수 있을 정도로만 적절하게 사용합니다.

10 대화 예절에 대해 알아본 내용을 씁니다.

> **채점 기준** 대화할 때 지켜야 할 예절에 대해 알아본 내용을 잘 썼으면 정답으로 합니다.

서술형 평가 18쪽

1 예 "그렇게 부르지 마."라고 했을 것이다.
2 예 웃어른께 "수고하셨어요."라고 말씀드리는 것은 예절에 어긋난다.
3 예 신유 어머니께 음식을 준비해 주셔서 고맙다는 말을 하지 않았다.
4 예 그래, 다른 친구부터 하고 나서 할게.
5 예 다른 사람 의견을 경청한다.
6 예 자신이 할 말만 하고 대화방에서 나가 버렸다.

1 친구가 듣기 싫어하는 별명으로 불렀을 때 어떻게 말하는 것이 좋을지 생각하여 씁니다.

채점 기준	점수
듣기 싫은 별명을 들었을 때 할 수 있는 말을 알맞게 쓴 경우	5점

2 웃어른께는 "수고하셨어요."와 같은 표현을 사용하지 않습니다.

채점 기준	점수
"수고하셨어요."라는 말을 어른께 쓰면 안 된다는 것을 알고 비슷한 내용으로 쓴 경우	5점

3 친구네 집에 가서 음식을 준비해 주신 친구 어머니께 고맙다는 말도 없이 음식부터 먹었습니다.

채점 기준	점수
신유 친구들이 음식을 준비해 주신 신유 어머니께 고맙다는 말을 하지 않았다는 내용으로 쓴 경우	5점

4 사자는 자기 말만 하고 있습니다.

채점 기준	점수
혼자만 발표하려는 행동이 잘못된 것임을 알고, ㉠의 말을 예의 바른 내용으로 잘 바꾸어 쓴 경우	5점

5 찬민이는 학급 회의에서 다른 사람 의견을 잘 듣지 않아 회의 내용을 잘 모르고 있습니다.

채점 기준	점수
찬민이가 학급 회의에서 친구들이 한 말을 잘 기억하지 못한 것에서 친구들 의견을 잘 듣지 않은 것을 알고 경청해야 된다는 내용으로 쓴 경우	5점

정답 친해지기 **회의하면서 지켜야 할 예절**
- 다른 사람이 발표할 때 끼어들지 않습니다.
- 회의와 같은 공식적인 상황에서는 높임말을 사용합니다.
- 의견을 말할 때에는 말할 기회를 얻고 발표합니다.
- 다른 사람 의견을 경청합니다.

6 온라인 대화는 얼굴이 보이지 않는다고 해서 예의를 지키지 않는 경우가 많으므로 주의해야 합니다.

채점 기준	점수
온라인 대화에서 나타난 문제를 파악하여 할 이야기가 끝나지 않았는데 온라인 대화방에서 나갔다는 내용으로 쓴 경우	5점

수행 평가 19쪽

1 예 고맙습니다. / 감사합니다.
2 (1) 예 친구 앞에서 귓속말을 했다.
(2) 예 친구 앞에서 귓속말을 하지 않고 들리게 말한다.
3 (1) 예 말하는 도중에 끼어들어 말했다. / 다른 사람의 말이 끝나기 전에 끼어들었다.
(2) 예 미안해. 네 말이 끝날 때까지 기다릴게. / 미안해. 너 먼저 말해.

1 여자아이가 자전거를 끌고 승강기를 타려는데 어른이 승강기 문이 닫히지 않게 버튼을 눌러 주었습니다. 승강기 버튼을 눌러 주신 어른께 고마운 마음을 전해야 합니다.

채점 기준	점수
고마운 일이 있을 때 고마운 마음을 표현해야 되는 것을 알고 "고맙습니다.", "감사합니다."라는 내용으로 쓴 경우	10점

2 신유 친구들은 신유 앞에서 귓속말을 하였습니다. 친구들이 자신을 앞에 두고 귓속말을 하면 따돌리는 것 같아 기분이 상할 수 있습니다. 친구 앞에서 귓속말을 하지 않습니다.

채점 기준	점수
(1)에 친구 앞에서 귓속말을 했다는 내용을 쓰고 (2)에 친구 앞에서 귓속말을 하지 않는다는 내용을 쓴 경우	10점
(1)과 (2) 중 한 가지만 바르게 쓴 경우	5점

3 대화를 할 때에는 상대의 말이 끝나기 전에 끼어들면 안 됩니다.

채점 기준	점수
(1)에 말을 끝까지 듣지 않고 끼어들어 말했다는 내용을 쓰고 (2)에 사과하면서 상대에게 말을 계속하라는 내용으로 쓴 경우	10점
(1)과 (2) 중 한 가지만 바르게 쓴 경우	5점

4. 이야기 속 세상

단원 평가 1회 20~21쪽

1 (4) × 2 버스 안 등 3 ⑤
4 ① 5 (1) 나무 (2) 주발
6 ①, ⑤ 7 적극적이다. 등
8 ④
9 예 우봉이가 시장에서 주은이 어머니께서 손으로 음식 드시는 것을 우연히 보게 되었다.
10 (3) ×

1 인상 깊은 장면에 대한 자신의 생각을 말하는 게 좋습니다.

2 이 글의 공간적 배경은 사라가 타고 있는 버스 안입니다.

3 사라는 뒷자리로 가라는 아주머니와 운전사의 말에도 뒷자리로 돌아갈 이유가 없다고 생각해서 따르지 않았습니다.

4 자기가 옳다고 생각하는 일을 굽히지 않고 밀고 나가는 것으로 보아 용감하고 당당한 성격임을 알 수 있습니다.

5 나무 울타리 밑에서 '나'는 주발을 만났습니다. 배경과 사건을 구분하여 씁니다.

6 벌레가 있을까 봐 사물함 밑으로 손을 넣기 싫다는 윤아가 한 말에서 조심성이 많고 깔끔한 성격을 짐작할 수 있습니다.

7 우진이가 적극적으로 나서서 행동한다는 것을 알 수 있습니다.

8 우봉이는 주은이 어머니가 카오리아오를 손으로 먹는 것을 보고 메스꺼워했습니다.

9 우봉이가 간 곳과 우봉이가 만나거나 함께한 사람 그리고 우봉이에게 일어난 일을 살펴보고 정리하여 씁니다.

> **채점 기준** 우봉이에게 일어난 일을 잘 파악하여 시장에서 주은이 어머니께서 손으로 음식 드시는 것을 봤다는 내용으로 썼으면 정답으로 합니다.

10 이야기 제목은 원래 이야기 제목과 똑같이 쓸 수도 있고 다르게 정할 수도 있습니다.

단원 평가 2회 22~23쪽

1 예 「황금 감나무」에서 까마귀가 동생을 금 산으로 데려다주는 장면
2 ③
3 사라의 어머니, 사라 4 ④
5 ②, ④ 6 ④ 7 ②
8 융통성이 없다. 등 9 ④
10 예 「혹부리 영감」에서 혹부리 영감의 성격을 정직하고 적극적인 성격으로 바꾸고 싶다.

1 자신이 읽은 이야기에서 재미있게 읽은 장면, 기억에 남는 장면을 씁니다.

2 이야기가 펼쳐지는 장소인 공간적 배경은 사라의 방입니다.

3 사라의 어머니가 사라를 위로한 것이 이 이야기에서 일어난 일입니다.

4 창훈이가 다른 아이들이랑 장난치며 뛰다가 윤아와 부딪치는 바람에 공기 알이 사물함 밑으로 굴러 들어간 것입니다.

5 창훈이가 미안하다는 말도 안 하고 혀만 내밀고 도망가는 행동에서 장난스럽고 배려심이 없음을 알 수 있습니다.

6 우봉이네 가족은 손으로 음식 먹는 것에 대해 이야기하고 있습니다.

7 할아버지는 손으로 음식 먹는 것에 대해 그 나라의 풍습이고 문화라며 나쁘다거나 야만인이라고 해서는 안 되고, 이해해야 한다는 입장입니다.

8 우봉이는 손으로 밥을 먹는 것을 야만인이나 원시인의 행동으로 생각하고 있습니다. 우봉이가 한 말에서 우봉이가 편견을 가지고 있고 융통성이 없는 성격임을 알 수 있습니다.

9 이야기에서 영란이에게 있었던 일을 차례대로 정리해 봅니다.

10 자신이 읽은 이야기를 떠올려 인물의 성격을 어떻게 바꾸고 싶은지 씁니다.

> **채점 기준** 자신이 읽은 이야기를 쓰고 인물의 성격을 어떻게 바꾸고 싶은지 구체적으로 썼으면 정답으로 합니다.

서술형 평가

24쪽

1 예 흑인들이 버스를 타지 않았기 때문이다.
2 예 흑인들이 버스를 타지 않아 사람들이 마침내 법을 바꾸고, 사라는 어머니와 버스에 올라 앉았다.
3 예 애교를 부리는 것을 보면 장난을 좋아하는 것 같다.
4 예 젓가락왕을 가리는 자리에서 주은이에게 져 주기 싫어하면서도 젓가락질에 집중하지 못하고 고민한다.
5 예 우봉이가 젓가락질에 집중하지 못해서 주은이에게 질 것 같다.

1 흑인들이 계속해서 버스를 타지 않아 버스 회사와 시장은 당황하였습니다.

채점 기준	점수
버스 회사가 당황한 까닭을 잘 파악하여 흑인들이 버스를 타지 않았다는 내용으로 쓴 경우	6점

2 법이 바뀌고 사라와 어머니가 버스에 타는 내용이 나타나 있습니다.

채점 기준	점수
이야기에서 일어난 일을 잘 파악하여 법을 바꾸고 사라와 어머니가 버스를 탔다는 내용으로 쓴 경우	6점

3 창훈이가 우진이에게 웃기기 작전을 쓰며 애교를 부리는 것으로 보아 장난을 좋아하는 성격임을 짐작할 수 있습니다.

채점 기준	점수
창훈이가 한 말과 행동에서 장난을 좋아하는 성격을 잘 파악하여 쓴 경우	6점

4 우봉이는 지고 싶지 않았지만 사려 깊고 인정 많은 성격으로 인해 할아버지 말씀과 주은이 일기를 생각하면서 집중을 하지 못하고 있습니다.

채점 기준	점수
우봉이의 사려 깊고 인정 많은 성격으로 인해 젓가락왕을 가리는 자리에서 고민했다는 내용을 쓴 경우	6점

5 젓가락왕을 가리는 대회에 집중하지 못한 우봉이가 지거나, 이겨도 주은이에게 미안해하는 결과를 생각해 볼 수 있습니다.

채점 기준	점수
우봉이가 젓가락질에 집중하지 못하고 고민해서 어떤 일이 일어날지 잘 짐작하여 쓴 경우	6점

수행 평가

25쪽

1 (1) 나(승연), 윤아, 우진 등
(2) 수업 시작 전, 교실 등
(3) '나'(승연)와 윤아가 공기놀이하는데 우진이가 와서 윤아를 칭찬해서 '내'(승연)가 공기놀이를 그만하려고 했다가 우진이가 같이 하자고 해서 함께 하기로 했다. 등
2 소심하다. / 샘이 많다. 등
3 예 윤아를 칭찬하는 우진이에게 나도 공기놀이를 잘한다고 말했을 것이다.

1 이야기에서 어떤 일을 겪는 사람, 이야기가 펼쳐지는 시간과 장소, 이야기에서 일어나는 일을 살펴보고 씁니다.

채점 기준	점수
이야기의 인물, 배경, 사건을 잘 파악하여 (1)에 인물, (2)에 배경, (3)에 사건의 내용을 잘 쓴 경우	10점
(1)~(3) 중 두 가지를 바르게 쓴 경우	5점
(1)~(3) 중 한 가지를 바르게 쓴 경우	2점

정답 친해지기 **인물, 배경, 사건 알아보기**
- 인물, 배경, 사건을 이야기의 구성 요소라고 합니다.
- 인물은 이야기에서 어떤 일을 겪는 사람이나 사물입니다.
- 배경은 이야기가 펼쳐지는 시간과 장소입니다.
- 사건은 이야기에서 일어나는 일입니다.
- 인물, 사건, 배경이 어울려야 한 편의 이야기가 만들어집니다.

2 '나'는 우진이 앞에서 자꾸 실수하고, 우진이가 윤아를 칭찬하자 윤아를 얄미워하면서 공기놀이를 그만한다고 했습니다. 소심하고 샘이 많은 성격을 짐작할 수 있습니다.

채점 기준	점수
'내'가 한 말과 행동에서 소심하고 샘이 많은 성격을 잘 짐작하여 쓴 경우	10점

정답 친해지기 **인물의 성격을 짐작하는 방법**
- 인물이 한 말을 살펴봅니다.
- 인물이 한 행동을 살펴봅니다.

3 적극적인 성격에 어울리는 행동을 떠올려 봅니다.

채점 기준	점수
'내'가 적극적인 성격이라면 우진이가 윤아를 칭찬하는 상황에서 어떻게 행동했을지 잘 짐작하여 쓴 경우	10점

5. 의견이 드러나게 글을 써요

단원 평가 1회 26~27쪽

1 (1)② (2)① 2 ② 3 ②
4 누가 5 (1) 빈 수레가 (2) 요란하다.
6 반대한다. 등
7 ③, ④ 8 ㉯ 9 (3) ○
10 예 편식을 하면 안 된다. 편식을 하면 몸이 균형 있게 자라지 않을 수 있기 때문이다.

1 문장의 짜임을 생각하며 '누가'와 '어떠하다'에 맞게 선을 잇습니다.

2 문장의 뒷부분이 다음 문장의 앞부분에 연결되도록 빈칸에 들어갈 알맞은 말을 떠올려 봅니다.

3 목화를 보관하는 광에 쥐가 많아 목화를 어지럽히기도 하고 오줌을 싸기도 해서 고양이를 사기로 결정했습니다.

4 '목화 장수들이', '목화 장수들은'은 '누가'에 해당합니다. 나머지는 '어찌하다'에 해당합니다.

5 글의 내용에 해당하는 속담을 '무엇이+어떠하다'의 짜임으로 나누어 봅니다.

6 효은이는 댐을 건설하는 것에 반대한다는 의견을 밝히고 있습니다.

7 효은이는 숲에 사는 동물들이 살 곳을 잃으며 만강의 물고기들을 다시는 볼 수 없게 된다는 까닭을 들었습니다.

8 글 ㉯는 상수리에 댐을 건설해야 하는 까닭에 대해 이야기하고 있으므로, 제시된 의견은 글 ㉯의 의견입니다.

9 글 ㉮와 ㉯는 의견을 뒷받침하는 까닭에 해당합니다.

10 건강과 관련된 자신의 의견과 의견을 뒷받침하는 까닭을 함께 씁니다.

> **채점 기준** 주제에 알맞은 의견과 까닭을 썼으면 정답으로 합니다.

단원 평가 2회 28~29쪽

1 윤재 2 ①
3 (1) 목화 장수들은 (2) 사또에게 판결을 부탁했다.
4 고양이의 아픈 다리를 맡았던 사람
5 ⑤
6 예 목홧값은 고양이의 성한 다리를 맡았던 목화 장수 세 사람이 물어야 한다.
7 상수리에 댐을 건설해야 한다. 등
8 ③ 9 ③ 10 ⑤

1 '아버지께서 밭에 묻어 두신 보물은'(무엇이), '주렁주렁 열린 포도송이였습니다.'(무엇이다)로 짜인 문장입니다.

2 문장의 짜임을 안다고 해서 어려운 낱말이 있는 긴 문장을 빠르게 쓸 수 있는 것은 아닙니다.

3 '누가'에 해당하는 '목화 장수들은'과 '어찌하다'에 해당하는 '사또에게 판결을 부탁했다.'로 나눌 수 있습니다.

4 고양이의 아픈 다리를 맡았던 사람은 불이 붙은 고양이가 광으로 도망칠 때는 성한 세 다리로 도망쳤으므로 광에 불이 난 것은 고양이의 성한 다리를 맡았던 사람들 때문이라고 했습니다.

5 불이 잘 붙는 산초기름을 고양이에게 발라 주었기 때문에 불이 난 것에 책임이 있다고 했습니다.

6 고양이의 성한 다리를 맡았던 목화 장수 세 사람과 고양이의 아픈 다리를 맡았던 목화 장수 중 누구의 의견이 더 타당한지 생각해서 판결을 해 봅니다.

> **채점 기준** 목화 장수들의 의견을 살펴 목홧값을 누가 내야 하는지 자신의 의견을 썼으면 정답으로 합니다.

7 상수리 주변에 사는 주민들이 홍수로 겪는 피해가 늘어나고 있다는 문제 상황을 제시하며 자신의 의견을 말하고 있습니다.

8 댐 건설로 인해 여름철 폭우로 생기는 문제를 막을 수 있다고 했습니다.

9 읽는 사람을 생각하며 예의 바르게 써야 합니다.

10 '일회용품을 쓰지 말자.'는 의견에 어울리는 까닭을 찾아봅니다.

서술형 평가 30쪽

1 ⓔ 광 속의 목화가 몽땅 타 버린 일에 대해 서로 탓하고 있기 때문이다.
2 ⓔ 목화 장수들이 고양이를 샀다.
3 ⓔ 목홧값은 고양이의 성한 다리를 맡았던 목화 장수 세 사람이 물어야 한다. 왜냐하면 불이 붙은 고양이가 광으로 도망칠 때는 성한 다리로 도망쳤기 때문이다.
4 ⓔ ㉮, 학교 화단에 쓰레기가 많이 버려져 있다.
5 ⓔ 화단 옆에 쓰레기통을 놓아야겠다.
6 ⓔ 왜냐하면 쓰레기통이 옆에 있으면 친구들이 더 이상 화단에 쓰레기를 버리지 않을 것이기 때문이다.

1 세 사람은 고양이의 아픈 다리를 맡았던 사람에게 목홧값을 물어내라고 하고, 나머지 한 사람은 이를 억울해하며 절대 목홧값을 물어 줄 수 없다며 싸움을 벌였습니다.

채점 기준	점수
서로 책임을 미루고 있기 때문이라는 내용으로 쓴 경우	5점

2 글 ㉮는 목화 장수들이 쥐를 잡기 위해 고양이를 샀다는 내용입니다. 목화 장수들은 목화를 보관하고 있는 광에 쥐가 많아 고양이를 산 것입니다.

채점 기준	점수
'누가 + 어찌하다'의 짜임에 맞게 쓴 경우	5점

3 목홧값을 누가 물어야 하는지에 대한 자신의 의견을 정하고 의견에 알맞은 까닭을 써 봅니다.

채점 기준	점수
목홧값을 누가 물어야 하는지에 대한 자신의 의견과 그 까닭을 알맞게 쓴 경우	5점

4 두 개의 상황 중 한 가지를 선택하고, 선택한 상황에 어떤 문제가 있는지 살펴봅니다.

채점 기준	점수
자신이 선택한 상황에 어떤 문제가 있는지 알맞게 쓴 경우	5점

5 문제 상황을 어떻게 해결할 수 있을지 자유롭게 써 봅니다.

채점 기준	점수
문제 상황을 해결하기 위한 의견을 알맞게 제시한 경우	5점

6 자신의 의견에 알맞은 까닭을 써 봅니다.

채점 기준	점수
의견을 제시한 까닭이 알맞은 경우	5점

평가 교재

수행 평가 31쪽

1 (1) 상수리에 댐을 건설하는 것에 반대한다. 등
(2) 상수리에 댐을 건설해야 한다. 등
2 ⓔ 상수리에 댐을 건설해야 합니다. 댐이 만들어지면 상수리 마을 사람들이 고향을 떠나야 하는 문제가 있겠지만, 해마다 홍수 피해를 입는 더 많은 사람들의 아픔을 생각해야 합니다.

만강 하류에 살고 있는 사람들은 상수리 주민보다 훨씬 더 많습니다. 그리고 매년 여름에 홍수로 생기는 피해는 어마어마합니다. 집이 물에 잠겨 겪는 어려움은 물론이고 사람의 목숨까지 잃을 위험에 처해 있습니다.

또 상수리에 댐을 건설하면 물의 양이 많아져서 새로운 물고기들이 더 많이 살 수도 있습니다. 그리고 댐 주변을 보호구역으로 지정하면 지금보다 자연을 더 보호할 수도 있습니다.

다만 상수리 마을 주민이 겪게 될 어려움이 문제이긴 합니다. 그렇지만 상수리 마을 사람들이 다른 곳으로 옮겨가 편안하게 살 수 있도록 정부에서 도와준다면 충분히 해결할 수 있을 것입니다. 그러므로 상수리 마을에 댐을 건설해서 홍수로 인한 피해를 막아야 합니다.

1 글 ㉮의 글쓴이는 상수리 마을을 지키고 싶은 입장이고, 글 ㉯의 글쓴이는 홍수로 인한 피해를 막아야 한다는 입장입니다.

채점 기준	점수
글 ㉮와 ㉯의 글쓴이가 제시하는 의견을 모두 알맞게 파악하여 쓴 경우	10점
글 ㉮와 ㉯의 글쓴이가 제시하는 의견이 한 가지만 알맞은 경우	5점

2 댐 건설에 대한 찬성 또는 반대의 의견을 정하고, 의견을 뒷받침하는 까닭을 두세 가지 생각하여 글을 씁니다.

채점 기준	점수
의견을 제시하는 글을 쓰는 방법에 맞게 의견을 제시하는 글을 쓴 경우	20점

6. 본받고 싶은 인물을 찾아봐요

단원 평가 1회 32~33쪽

1 ②, ⑤ 2 예 인물을 본받고 싶은 까닭
3 ④ 4 ⑤
5 이미 편찬된 책들의 오류를 바로잡고 새로이 찍어 냈다. 등 6 ⑤
7 예 백성에게 도움이 되려고 맡은 일을 열심히 했다.
8 입으로 말하는 법 등
9 예 뜻대로 말이 되지 않아 어려움을 많이 겪었지만 포기하지 않고 끊임없이 노력한 점을 본받아야겠다.
10 유관순

1 친구들은 각각 전기문에 나오는 인물이 남달리 한 일과 인물이 살았던 시대와 지금이 어떻게 다른지를 궁금해하고 있습니다.

2 인물을 소개할 때에는 본받고 싶은 까닭, 인물이 살았던 시대 상황, 인물이 한 일 등을 중심으로 말합니다.

3 조선 시대는 양반과 양민에 대한 신분 차별이 있던 시대였습니다. 누구나 양반이 될 수 있었던 것은 아닙니다.

4 전기문은 인물의 삶을 사실에 근거해 쓴 글입니다. 시대 상황과 인물의 삶, 가치관, 한 일을 알 수 있습니다.

5 전기문에는 인물이 한 일이 나타나 있습니다. 유희춘이 어떤 일을 했는지 찾아 씁니다.

6 백성은 성을 짓는 일에 자주 나오지 않아도 되어 마음 편히 농사를 지을 수 있게 되었다고 하였습니다.

7 정약용이 한 일에서 짐작할 수 있는 인물의 가치관을 써 봅니다.

8 헬렌은 자신과 같이 시각·청각·언어 장애를 가진 노르웨이의 한 소녀가 입으로 말하는 법을 배웠다는 소식을 들었습니다.

9 헬렌이 말을 하기 위해 희망을 버리지 않고 끊임없이 노력한 모습을 본받을 수 있습니다.

채점 기준 글의 내용을 바탕으로 헬렌 켈러에게서 본받을 점을 알맞게 썼으면 정답으로 합니다.

10 유관순은 일제 강점기에 나라를 되찾고자 독립 만세 운동을 했습니다.

단원 평가 2회 34~35쪽

1 세종 대왕 2 ② 3 ④
4 자신이 가진 것을 나누고 베푸는 삶 등
5 ㉡ 6 ④
7 뛰어난 시인이 되었다. 등
8 ⑤ 9 유미
10 예 저는 과학자가 되어 있을 것입니다. 그렇게 생각한 까닭은 과학자가 되어 새로운 대체 에너지를 개발하여 환경 오염을 줄이고 지구 환경을 살리고 싶기 때문입니다.

1 한자가 어려워 자신의 생각을 표현하지 못하는 백성을 위해서 훈민정음을 만든 분은 세종 대왕입니다.

2 주시경 선생님이 좋아하는 책이 무엇인지는 대화 내용에서 확인할 수 없습니다.

3 이 글은 전기문으로, 김만덕은 실제 인물이며 김만덕이 한 일도 실제로 있었던 일입니다.

4 김만덕은 나눔을 가치 있게 생각하며, 자신이 가진 것을 나누고 베푸는 삶을 중요하게 생각합니다.

5 인물의 가치관을 짐작하기 위해서는 인물의 생각이 드러난 곳이나 인물이 한 일의 까닭을 찾아봅니다.

6 정약용은 백성들에게 도움이 되기 위해 지방 관리가 가져야 할 마음가짐을 정리한 책인 『목민심서』를 펴냈습니다.

7 초희(허난설헌)는 훗날 뛰어난 시인이라는 평가를 받았습니다.

8 토미가 퍼킨스학교에 다닐 수 있도록 도와 달라는 글을 여러 사람과 신문사에 보냈습니다.

9 자신도 장애를 가지고 있지만 같은 장애를 가진 아이를 돕는 것에서 본받을 점을 찾을 수 있습니다.

10 미래의 자기 모습을 상상해서 써 봅니다.

채점 기준 미래의 자기 모습을 상상하여 그렇게 생각한 까닭과 함께 썼으면 정답으로 합니다.

서술형 평가 36쪽

1 예 백성은 이른 아침부터 해가 떨어질 때까지 한시도 쉬지 않고 일했지만 배불리 먹지 못하는 상황이었다.
2 (1) 예 경기도 남양주에 있는 마재에서 태어났다.
(2) 예 아버지를 따라 한양으로 가서 많은 사람을 만나 학문을 배우고 익혔다.
3 예 자신도 장애 때문에 배우는 것이 힘든데도 장애를 가진 다른 아이를 돕는 데 앞장서는 모습을 본받고 싶다.
4 예 환경 오염으로 지구 환경이 파괴되어 대체 에너지 개발이 필요해진다.
5 예 대체 에너지 개발에 성공한 위대한 과학자로 세상에 알려지고 싶다.

1 정약용이 살았던 시대의 백성은 열심히 일해도 힘들게 생활하였고, 어린 정약용은 이런 상황을 이상하게 여겼습니다.

채점 기준	점수
백성이 어려운 삶을 살고 있었다는 내용으로 쓴 경우	6점

2 시간의 흐름을 알 수 있는 말에 따라 인물이 살아온 과정을 차례대로 정리해 봅니다.

채점 기준	점수
1762년과 정약용이 열다섯 살 때의 일을 정리하여 잘 쓴 경우	6점

정답 친해지기 **전기문의 특성**
- 전기문은 인물의 삶을 사실에 근거해 쓴 글입니다.
- 전기문에는 인물이 살았던 시대 상황이 나타납니다.
- 전기문에는 인물이 한 일과 인물의 가치관이 나타납니다.

3 헬렌은 자신도 장애를 가지고 있지만 자신과 같은 처지인 토미를 돕기 위해 여러 사람과 신문사에 글을 보내고, 모금에도 참여하였습니다.

채점 기준	점수
글의 내용을 통해 헬렌 켈러에게서 본받을 점을 쓴 경우	6점

4 20년 뒤에 어떤 상황에 처하게 될지 자유롭게 상상해 써 봅니다.

채점 기준	점수
보기 의 내용과 같이 20년 뒤의 상황을 상상하여 쓴 경우	6점

5 미래에 자신이 하고 싶은 일과 이루고 싶은 업적을 상상해 써 봅니다.

채점 기준	점수
4번 문제에서 답한 상황에서 자신이 하고 싶은 일을 상상해 쓴 경우	6점

평가 교재

수행 평가 37쪽

1 나라에 성을 짓는 일이 생기면 백성이 성을 쌓는 일을 했다. / 임금이 신하에게 명령을 내리면 따른다.
2 힘을 덜 들이고 크고 무거운 돌을 옮길 수 있는 거중기를 만들었다. 등
3 (1) 예 백성에게 도움이 되도록 맡은 일을 열심히 해야 한다.
(2) 예 백성을 사랑하는 마음, 학문에 대한 끝없는 열정은 우리가 본받을 점이다.

1 정약용이 살았던 조선 시대에는 신하는 임금의 명령을 따랐고, 나라의 큰 공사가 있을 때는 백성이 그 일에 동원되었습니다.

채점 기준	점수
글의 내용에서 알 수 있는 시대 상황을 쓴 경우	10점

2 정약용은 수원 화성을 지을 당시에 거중기를 만들어 나라 살림도 아끼고 백성의 수고도 덜 수 있게 했습니다.

채점 기준	점수
글의 내용에서 알 수 있는 정약용이 한 일을 요약하여 쓴 경우	10점

3 정약용은 백성이 잘 사는 데 도움이 되는 실학에 관심이 있었는데, 거중기를 만든 것도 백성의 삶을 편안하게 해 주기 위한 것이었습니다.

채점 기준	점수
정약용의 가치관과 본받을 점을 모두 쓴 경우	10점
정약용의 가치관과 본받을 점 중 한 가지만 알맞게 쓴 경우	5점

보충 자료 전기문이 다른 이야기 글과 구별되는 점은 실제 인물의 삶을 사실에 근거해 기록한 글이라는 점입니다. 인물의 가치관을 파악하면 인물에게서 본받고 싶은 점을 잘 찾을 수 있습니다.

7. 독서 감상문을 써요

단원 평가 1회 38~39쪽

1 예 피노키오 2 (1) ㉠ (2) ㉡ (3) ㉢
3 소진 4 ③ 5 ㉯
6 ④
7 예 어머니께서 품속에서 아들의 새 양말과 새 신발을 꺼내시는 장면에서 감동을 받았다.
8 ④
9 지구가 더워져서 빙하가 녹아내리고 있기 때문에 등
10 ②

1 거짓말을 했을 때 생각나는 책으로 어울리는 책을 썼으면 정답으로 합니다.

2 독서 감상문을 구성하고 있는 내용을 파악해 봅니다.

3 『세시 풍속』이라는 책 제목이 드러나게 독서 감상문의 제목을 붙일 수 있습니다.

4 가장 먼저 독서 감상문을 쓸 책을 골라야 합니다.

5 글 ㉮는 책 내용을 중심으로 썼고, 글 ㉯는 책 내용과 관련해 생각한 점을 중심으로 썼습니다.

6 아들이 젖지 않은 깨끗한 양말과 신발을 신고 학교에 갈 수 있도록 준비해 오신 것입니다.

7 일어난 일, 인물의 행동, 인물의 마음 따위에서 자신이 인상 깊게 느끼는 부분이 있는지 생각해 봅니다.

채점 기준 이야기를 읽고 어느 부분에서 감동을 느꼈는지 알맞게 썼으면 정답으로 합니다.

8 독서 감상문은 자신이 읽은 책 내용, 책을 읽고 생각하거나 느낀 점 등을 쓰는 글입니다.

9 아빠는 지구가 더워져서 빙하가 녹아내리고 있어서 바닷물이 불어나는 거라고 말씀하셨습니다.

10 편지 형식으로 쓰면 인물에게 하고 싶은 말을 말하듯이 쓸 수 있습니다.

보충 자료 **글에 대한 생각이나 느낌을 여러 가지 형식으로 표현하기**

시	간단한 말과 재미있는 표현을 사용해 쓸 수 있습니다.
일기	자신의 경험과 관련지어 쓸 수 있습니다.
편지	생각이나 느낌을 누군가에게 말하듯이 쓸 수 있습니다.

단원 평가 2회 40~41쪽

1 예 『이순신 위인전』에서 적은 수의 군사로 많은 적을 물리친 장면이 가장 인상 깊었어.
2 ② 3 ①, ④, ⑤ 4 ㉣
5 감동 6 ⑤ 7 소현
8 ㉡ 9 ① 10 시

1 읽은 책 제목을 쓰고, 책에서 인상 깊었던 장면이 무엇인지 정리해서 써 봅니다.

채점 기준 자신이 재미있게 읽은 책에서 가장 인상 깊은 장면을 떠올려 썼으면 정답으로 합니다.

2 독서 감상문을 쓰면 감명 깊게 읽은 부분이나 인상 깊은 장면을 기억할 수 있지만, 책 내용을 모두 기억할 수 있는 것은 아닙니다.

3 책 제목과 책을 읽은 동기, 책에서 인상 깊었던 부분에 대해 쓰여 있습니다.

4 생각이나 느낌을 쓸 때에는 생각이나 느낌에 대한 까닭을 함께 씁니다.

5 친구들은 글에서 감동받은 부분을 찾는 방법에 대해 이야기를 나누고 있습니다.

6 어머니는 '나'보다 앞서가면서 내가 가야 할 산길의 이슬을 털어 내셨습니다.

7 소현이는 글에서 감동받은 부분을 말하고 있고, 태환이는 글에 나오는 인물과 비슷한 경험을 한 내용을 말하고 있습니다.

8 독서 감상문을 쓸 때에는 책 내용을 그대로 옮겨 쓰지 말고, 인상 깊게 읽은 부분과 자신의 생각이나 느낌이 잘 드러나게 써야 합니다.

정답 친해지기 **친구들의 독서 감상문을 읽고 잘된 점이나 고칠 점을 이야기할 때 살펴볼 점**
- 내용에 알맞은 제목을 붙였나요?
- 인상 깊게 읽은 부분이 나타났나요?
- 자신의 생각이나 느낌이 드러났나요?
- 내용을 잘 전할 수 있는 형식인가요?

9 잠자리가 사는 장소에 대한 것은 알 수 없습니다.

10 시로 표현하면 생각이나 느낌을 간단한 말과 재미있는 표현을 사용해 쓸 수 있습니다.

서술형 평가 42쪽

1 (1) 예 『이순신 위인전』
(2) 예 • 나라를 구한 영웅의 이야기입니다.
• 적은 수의 군사로 많은 적을 물리쳤습니다.
• 거북 모양의 유명한 배를 만들었습니다.

2 예 『이순신 위인전』은 힘들 때 용기를 주는 책이다.

3 (1) 예 『세시 풍속』을 읽고 / (2) 예 책 제목이 드러나게 붙이면 좋을 것 같아서이다.

4 예 어머니는 내게 가방을 넘겨준 다음 내가 가야 할 산길의 이슬을 털어 내기 시작했다. 어머니의 일 바지 자락이 이내 아침 이슬에 흥건히 젖었다. / 예 아들의 옷에 이슬이 묻지 않도록 이슬을 털며 산길을 가는 어머니의 모습에서 어머니의 사랑을 느꼈기 때문이다.

5 (1) 예 『지구와 달』
(2) 예 내가 궁금했던 달에 대한 여러 가지 내용을 알려 주고 있기 때문이다. 내가 몰랐던 사실을 친구들에게도 알려 주고 싶다.

1 책 제목을 알아맞힐 수 있는 설명을 간단하게 써 봅니다.

채점 기준	점수
자신이 읽은 책 제목을 한 가지 쓰고, 그 책에 대한 설명을 알맞게 쓴 경우	6점
책 제목은 썼으나 그 책에 대한 설명을 알맞게 쓰지 못한 경우	2점

2 보기 의 형식에 맞춰 책에 대한 생각을 써 봅니다.

채점 기준	점수
1번 문제에서 고른 책을 한 문장으로 알맞게 쓴 경우	6점

3 읽은 책 제목과 독서 감상문의 내용을 고려하여 제목을 붙여 봅니다.

채점 기준	점수
독서 감상문의 내용과 어울리는 제목을 붙였으며, 그 제목을 붙인 까닭을 알맞게 쓴 경우	6점
독서 감상문의 내용과 어울리는 제목을 붙였으나 그 제목을 붙인 까닭을 알맞게 쓰지 못한 경우	2점

4 글에서 감동받은 부분을 찾고, 그 까닭을 써 봅니다.

채점 기준	점수
감동받은 부분에 밑줄을 긋고, 그 부분에서 감동받은 까닭을 적절하게 쓴 경우	6점
감동받은 부분을 찾았으나 그 까닭을 적절하게 쓰지 못한 경우	2점

5 읽은 책 중에서 독서 감상문을 쓰고 싶은 책을 고르고, 그 책을 고른 까닭을 써 봅니다.

채점 기준	점수
독서 감상문을 쓰고 싶은 책 제목을 쓰고, 그 책을 고른 까닭을 적절하게 쓴 경우	6점
책 제목은 썼으나 그 책을 고른 까닭을 적절하게 쓰지 못한 경우	2점

수행 평가 43쪽

1 예 학교에 가는 아들의 바지가 젖을까 봐 앞에서 이슬을 털어 주기 위해서 앞장서서 걸었다.

2 예 자신을 사랑하는 어머니의 마음이 느껴져서 눈물이 날 것처럼 고마웠을 것이다.

3 예 이 글을 읽고 학교 가기 싫어하는 아들을 위해 이슬을 털어 주시고 품속에서 새 양말과 새 신발을 꺼내 주시는 어머니의 모습에 감동을 느꼈다. 나도 '아들'과 마찬가지로 아침에 일어나는 것이 힘들어서 학교에 가기 싫을 때가 있다. 아침에 잘 일어나지 못하는 나를 매번 깨워 주시는 우리 어머니의 마음도 학교 가기 싫어하는 아들의 마음을 되돌리려고 참된 사랑으로 보듬어 주시는 이 글의 어머니와 같은 마음일 것이다. 앞으로는 꼭 아침 일찍 스스로 일어나 학교 가는 아이가 되어야겠다고 다짐했다.

1 어머니는 아들을 위해 지겟작대기로 풀잎에 맺힌 이슬을 털며 이슬받이를 걸었습니다.

채점 기준	점수
아들을 위해 이슬을 털어 주기 위해서라는 내용을 넣어 답을 쓴 경우	10점

2 어머니는 자신의 옷과 신발이 젖는 것은 신경 쓰지 않고 아들을 위해 새 양말과 신발을 품에 넣어 왔습니다.

채점 기준	점수
아들의 마음을 알맞게 짐작하여 쓴 경우	10점

3 글에서 일어난 일, 인물의 행동, 인물의 마음 따위에서 자신이 인상 깊게 느끼는 부분이 있었는지 생각해 보고, 자신의 생각이나 느낌이 잘 드러나게 글을 씁니다.

채점 기준	점수
감동받은 부분에 대한 자신의 생각이나 느낌이 잘 드러나게 글을 쓴 경우	10점
감동받은 부분에 대한 자신의 생각이나 느낌을 간단하게 쓴 경우	4점

평가 교재

8. 생각하며 읽어요

단원 평가 1회 44~45쪽

1 ⑤
2 예 적절하지 않다. 다른 사람의 의견을 받아들이기 전에 그 의견이 적절한지 판단해 보지 않았기 때문이다.
3 바람직한 독서 방법은 도서관의 편의 시설을 늘리는 것이다. 등
4 향숙
5 (1) 주제 (2) 의견 (3) 사실 (4) 문제
6 문화재를 개방해야 합니다. 등
7 ④
8 ④
9 (1) 예 편식해도 된다. (2) 예 좋아하는 음식 위주로 다양하게 먹어도 충분히 영양소를 섭취할 수 있다.
10 ④

1 농부와 노인의 의견을 그대로 받아들였습니다.

2 아버지와 아이는 다른 사람이 말할 때마다 그것이 적절한지 판단하지도 않고 그대로 따랐습니다.

> **채점 기준** 아버지와 아이가 다른 사람의 의견을 판단하지 않고 그대로 따른 행동이 적절하다고 생각하는지 판단하여 그 까닭과 함께 썼으면 정답으로 합니다.

3 바람직한 독서 방법은 도서관의 편의 시설을 늘리는 것이라고 했습니다.

4 이 글이 어색한 이유는 의견이 주제와 관련이 없기 때문이므로, 이에 대해 정확히 판단하지 못한 친구를 찾습니다.

5 글쓴이의 의견이 적절한지 평가하는 기준 네 가지에 맞게 알맞은 낱말을 넣어 봅니다.

6 글쓴이는 문화재를 개방해야 한다는 의견에 대한 뒷받침 내용을 제시하고 있습니다.

7 ④는 문화재를 개방했을 때 생길 문제점에 대해 이야기한 것으로 글쓴이의 의견이 적절하지 않다고 보는 입장입니다.

8 글쓴이는 숲을 보호하고 생물들의 보금자리를 지켜 주어야 한다고 했습니다.

9 편식과 관련한 자신의 의견과 그 의견을 뒷받침하는 내용을 정리해서 써 봅니다.

10 놀러 가기 전에 부모님께 허락을 받는 것은 학교 생활과 관련이 없습니다.

단원 평가 2회 46~47쪽

1 ⑤
2 세미
3 (1) ② (2) ①
4 준우
5 한 분야의 책만 읽으면 시력이 나빠진다. 등
6 적절하다
7 예 글쓴이의 의견이 주제와 관련 있는지 살펴본다. / 의견을 뒷받침한 내용이 사실이고, 믿을 만한지 살펴본다.
8 ㉢
9 ②
10 ①

1 아버지와 아이는 청년의 말을 듣고 '그래, 이대로 가다가는 시장에 가기도 전에 당나귀가 지쳐 쓰러져 버릴 거야.'라고 생각했습니다.

2 아버지와 아이는 다른 사람의 의견이 적절한지 판단하지도 않고 그대로 따랐다가 당나귀를 잃었습니다.

3 민서는 바람직한 독서 방법은 여러 분야의 책을 읽는 것이라고 했고, 준우는 자신이 좋아하는 책만 읽는 것이라고 했습니다.

4 바람직한 독서 방법은 자신이 좋아하는 책만 읽는 것이라는 준우의 의견에 대한 평가입니다.

5 한 분야의 책만 읽으면 시력이 나빠진다는 내용은 민서의 개인적인 경험이므로 믿을 만하지 않습니다.

6 '문화재를 개방해야 한다'는 글쓴이의 의견이 적절하다고 생각한 것입니다.

7 의견과 뒷받침 내용이 관련 있는지, 의견을 따랐을 때 문제가 생기지 않는지 등도 살펴보아야 합니다.

> **채점 기준** 글쓴이의 의견이 적절한지 평가하는 방법 중 한 가지를 알맞게 썼으면 정답으로 합니다.

8 자신의 의견을 뒷받침할 수 있는 내용을 찾는 방법으로는 관련 있는 책 읽기, 누리집에서 관련 내용을 찾아보기, 전문가에게 직접 물어보기 등이 있습니다.

9 우리는 여러 사람과 함께 살고 있기 때문에 다른 사람의 자유를 위해서 자신의 자유를 조금 제한해야 합니다.

10 모둠별로 한 가지 의견을 정하고, 모둠의 의견이 잘 드러나게 써야 합니다.

서술형 평가 48쪽

1 적절하지 못한 의견을 따라 결정하면 잘못된 판단을 할 수 있기 때문이다. 등
2 (1) 예, 예 학교에서 공부할 내용을 미리 책으로 공부하면 학교 공부에 도움이 된다.
(2) 아니오, 예 민서의 개인적인 경험이라고 생각한다.
3 예 한 분야의 책만 읽게 된다. / 한 가지 문제만 생각해 다양한 사고를 할 수 없다.
4 예 문화재는 한번 훼손되면 복원하기 어렵기 때문에 절대 개방해서는 안 된다고 생각한다.
5 (1) 예 비속어 쓰지 않기
(2) 예 말싸움을 하다가 다른 큰 싸움으로 번지는 경우가 많기 때문이다.

1 사람마다 생각이 다를 수 있고 뜻하지 않게 잘못된 결과가 나올 수 있기 때문에 의견이 적절한지 판단해야 합니다.

채점 기준	점수
의견이 적절한지 판단해야 하는 까닭 한 가지를 바르게 쓴 경우	6점

2 '바람직한 독서 방법은 여러 분야의 책을 읽는 것이다.'라는 의견을 뒷받침하는 각각의 내용이 믿을 만한 내용인지 판단해 봅니다.

채점 기준	점수
의견을 뒷받침하는 내용 ㉠, ㉡을 모두 바르게 평가한 경우	6점
의견을 뒷받침하는 내용 ㉠, ㉡ 중 한 가지만 바르게 평가한 경우	3점

3 글쓴이의 의견대로 자신이 좋아하는 책만 읽을 경우에 어떤 문제가 생길지 생각해 봅니다.

채점 기준	점수
한 분야의 책만 읽게 된다. / 한 가지 문제만 생각해 다양한 사고를 할 수 없다. / 좋아하는 책이 없을 경우에는 책을 읽지 않아도 된다고 생각할 수 있다. 등 글쓴이의 의견을 따랐을 때 생길 문제점을 알맞게 생각해 쓴 경우	6점

4 문화재를 개방해서는 안 된다는 입장에서 그 까닭을 생각해 써 봅니다.

채점 기준	점수
'문화재를 개방해야 한다'는 의견이 적절하지 않은 까닭을 알맞게 생각해 쓴 경우	6점

5 주제에 대한 자신의 의견과 그렇게 생각한 까닭을 써 봅니다.

채점 기준	점수
즐겁고 행복한 학교 만들기에 적절한 의견을 쓰고, 그 까닭을 적절하게 쓴 경우	6점
의견을 썼으나 그 까닭을 적절하게 쓰지 못한 경우	2점

평가 교재

수행 평가 49쪽

1 (1) 예 문화재를 개방해야 한다.
(2) 예 옛 조상이 살았던 때를 생생하게 느낄 수 있다. / 예 여름 장마철에 생기는 문화재 훼손을 막을 수 있다. / 예 자신이 체험한 문화재를 보호하려고 노력하는 사람이 늘어날 것이다.
2 예 글쓴이의 의견은 적절하다. 문화재는 예전에 살았던 사람들의 모습이 담긴 것이기 때문에 관람객이 직접 체험해야 더 가치 있고 직접 보호하려는 마음도 생겨날 것이기 때문이다.
3 예 문화재 보호의 중요성을 교육해야 한다. 학생들에게 우리 문화재의 중요성과 보호 방법을 알려 주면 문화재 훼손을 막을 수 있을 것이다. 그리고 문화재를 관람하기 전에 관람 예절 교육을 받게 하면 문화재를 함부로 다루는 일이 줄어들 것이다.

1 글쓴이는 문화재를 개방해야 한다는 의견에 대한 뒷받침 내용으로 세 가지를 제시했습니다.

채점 기준	점수
의견과 뒷받침 내용을 모두 바르게 정리해 쓴 경우	10점
네 가지 중 세 가지만 바르게 쓴 경우	7점
네 가지 중 두 가지만 바르게 쓴 경우	5점
네 가지 중 한 가지만 바르게 쓴 경우	2점

2 글쓴이의 의견이 적절한지 판단해 봅니다.

채점 기준	점수
글쓴이의 의견이 적절한지 평가하여 쓰고, 그 까닭을 알맞게 쓴 경우	10점
글쓴이의 의견이 적절한지 평가하여 썼지만 그 까닭을 알맞게 쓰지 못한 경우	3점

3 문화재를 보호하기 위해 우리가 할 수 있는 일을 생각하여 자신의 의견과 뒷받침 내용을 씁니다.

채점 기준	점수
문화재 보호 방법에 대한 자신의 의견을 쓰고, 의견과 관련 있는 뒷받침 내용을 적절하게 제시한 경우	10점

9. 감동을 나누며 읽어요

단원 평가 1회 50~51쪽

1 ①
2 예 자동차에 관심이 있어서 자동차 박람회를 구경해 본 경험이 떠오른다. / 동물을 좋아해 여러 동물을 그렸던 경험이 생각난다.
3 ④ 4 ① 5 혜인
6 (1) ○ 7 (1) ㉡ (2) ㉠ 8 ④
9 ⑤ 10 ㉣

1 말하는 이가 비행기 책을 사는 장면은 시를 읽고 떠오르는 장면으로 어울리지 않습니다.

2 시에서 말하는 이처럼 자신이 좋아하는 것을 떠올리거나 관심을 기울이는 것을 써 봅니다.

> **채점 기준** 자신이 관심을 기울이는 것을 떠올려 자세히 썼으면 정답으로 합니다.

3 지하 주차장으로 차를 가지러 간 아빠가 차를 찾지 못해 헤매고 다녔습니다.

4 같은 제목의 시를 찾아보는 것은 시의 느낌을 떠올리는 데 도움이 되지 않습니다.

> **보충 자료** 「지하 주차장」을 읽고 느낌을 떠올리는 방법 이야기하기
> - 시의 장면을 떠올리며 시를 낭독해 보면 느낌이 잘 살아납니다.
> - 아버지와 아이가 되어 역할놀이를 해 보면 그 마음이 잘 느껴집니다.
> - 시 속의 인물과 면담해 보면 느낌을 잘 떠올릴 수 있습니다.
> - 시에 나오는 인물에게 묻고 싶은 물음을 만들어 보면 도움이 됩니다.
> - 시에서 인물에게 일어난 일과 비슷한 경험을 떠올려 보면 느낌을 잘 떠올릴 수 있습니다.

5 제기를 차느라 왁자지껄한 골목의 풍경과 신나게 제기를 차는 아이들의 모습이 떠오릅니다.

6 동숙이는 먹고 싶었던 김밥을 준 친구가 고마웠을 것입니다.

7 망둥 할멈은 멸치 대왕의 꿈을 용이 될 꿈이라고 풀이했지만, 넙적 가자미는 큰 변을 당할 아주 나쁜 꿈이라고 풀이하였습니다.

8 망둥 할멈의 꿈풀이를 들은 멸치 대왕은 기분이 좋아 덩실덩실 춤을 추었으므로, 꿈풀이를 마음에 들어 하는 말을 찾습니다.

9 큰 변을 당할 꿈이라는 꿈풀이를 들은 멸치 대왕은 넙적 가자미에게 화가 나 얼굴이 붉어졌다고 하였습니다.

10 시의 내용과 어울리게 그림을 그리고, 생각이나 느낌이 잘 드러나게 꾸밉니다.

단원 평가 2회 52~53쪽

1 비행기 조종석에 앉아 있다. 등
2 예 물어볼 필요 없이 정해져 있기 때문이다. / 아직은 순수하게 비행기를 좋아하고 싶기 때문이다.
3 ⑤ 4 ④ 5 (2) ○ (3) ○
6 ㉢ 7 ③ 8 ④
9 ㉯ 10 ③

1 말하는 이는 언제나 조종석에 앉아 있다고 하였으므로, 상상 속에서 비행기 조종을 하고 있을 것입니다.

2 시에서 말하는 이가 좋아하는 것이 무엇인지 살펴보고, 왜 커서 뭐가 되고 싶은지 묻지 말라고 했을지 생각해 봅니다.

> **채점 기준** 물어볼 필요 없이 정해져 있기 때문이라는 등의 내용을 알맞게 썼으면 정답으로 합니다.

3 좋아하는 것이 자신의 머릿속에 온통 가득 찼던 경험, 자신이 관심을 기울이는 것 등을 떠올릴 수 있습니다.

4 지하 주차장으로 차를 가지러 가신 아빠는 차를 찾지 못해 헤매고 다니셨습니다.

5 (1)은 시의 장면이나 시 속 인물의 마음과는 관련이 없는 내용을 말하였습니다.

6 동숙이가 넘어져서 달걀이 깨지는 바람에 그토록 먹고 싶었던 달걀이 들어간 김밥을 먹지 못하게 된 상황입니다.

7 꼴뚜기는 넙적 가자미가 맞는 것을 보고는 자기도 뺨을 맞을까 봐 겁이 나서 자기의 눈을 떼어 엉덩이에 찰싹 붙여 버렸습니다.

8 화를 참지 못하고 넓적 가자미의 빰을 때린 행동 등을 볼 때 멸치 대왕의 특성에 대한 설명임을 알 수 있습니다.

9 가와 나 가운데 인상 깊은 까닭과 관련된 장면이 어느 것인지 살펴봅니다.

10 '시를 써서 그림과 함께 꾸미기' 활동은 자신의 생각이나 느낌을 시로 표현해 보는 활동입니다.

서술형 평가 54쪽

1 예 말하는 이가 비행기를 조종하고 있는 모습과 그 옆 조수석에 개가 앉아 있는 모습이 떠오른다.
2 예 아빠, 어제 무슨 일이 있었기에 주차한 곳을 못 찾은 겁니까?
3 예 아무리 달걀이 들어간 김밥을 먹고 싶어도 어머니께 투정을 부린 동숙이의 행동은 잘못된 행동이라고 생각한다.
4 예 꿈의 내용이 몹시 궁금해서 꿈풀이를 부탁하기 위해서이다.
5 예 "내가 고생해서 망둥 할멈을 데리고 왔는데, 나를 이런 식으로 대접해?"

1 시의 내용과 관련된 장면을 떠올려 봅니다.

채점 기준	점수
시의 내용과 관련된 장면을 알맞게 쓴 경우	6점

2 아빠와 아이 가운데 누구에게 어떤 질문을 할지 생각해 봅니다.

채점 기준	점수
아빠와 아이 가운데 누구에게 어떤 질문을 할지 알맞게 쓴 경우	6점

3 달걀을 먹고 싶어 투정을 부린 동숙이의 행동에 대한 자신의 생각을 씁니다.

채점 기준	점수
달걀이 들어간 김밥이 먹고 싶어 투정을 부린 동숙이의 행동에 대한 자신의 생각을 알맞게 쓴 경우	6점

4 멸치 대왕은 이상한 꿈을 꾼 뒤로 꿈의 내용이 궁금해서 꿈풀이를 잘한다는 망둥 할멈을 데려오라고 했습니다.

채점 기준	점수
꿈풀이를 부탁하기 위해서라는 내용을 쓴 경우	6점

5 넓적 가자미는 멸치 대왕의 태도에 화가 나고 기분이 나쁠 것입니다.

채점 기준	점수
화가 나고 토라진 넓적 가자미의 마음에 어울리는 말을 쓴 경우	6점

수행 평가 55쪽

1 예 지하 주차장에서 차를 어디에 세워 놓았는지 잊어버려서 한참을 찾다가 왔다.
2 예 아빠가 차를 어디에 세워 놓았는지 잊어버려서 아이에게 우스운 말로 핑계를 대는 내용이 재미있었다. / 아빠의 말을 들으며 재미있어하는 아이의 표정이 떠올라 인상적이었다.
3 예 어디 갔니?

두리번두리번
여기 봐도 없고 저기 봐도 없다.
아끼던 로봇 장난감
어디로 가고 보이지 않는다.

달나라로 날아갔니?
지구를 폭파하러 온 외계인을 무찌르러 갔니?
임무를 마쳤으면 얼른 돌아와
어디 갔니? 오비!

1 지하 주차장으로 차를 가지러 간 아빠가 한참이 지나서야 돌아와 변명을 하자 아이가 아빠에게 핀잔을 주고 있습니다.

채점 기준	점수
지하 주차장에서 차를 어디에 세워 놨는지 몰라서 헤매고 다녔다는 내용을 알맞게 쓴 경우	5점

2 시에 등장하는 인물의 말이나 행동을 떠올려 보고 재미있거나 기억에 남는 점을 중심으로 자신의 느낌을 씁니다.

채점 기준	점수
시를 읽고 생각하거나 느낀 점을 자세히 쓴 경우	10점

3 물건이 없어져서 찾았던 경험 따위를 떠올려 재미있게 시로 표현해 봅니다.

채점 기준	점수
물건을 어디에 두었는지 몰라 찾았던 경험을 떠올려 시로 알맞게 표현한 경우	15점
물건을 어디에 두었는지 몰라 찾았던 경험을 바탕으로 시를 대체로 잘 썼으나 미흡한 부분이 있는 경우	5점

중간 평가 56~58쪽

1 「니모를 찾아서」 2 딸
3 (2) ○ (3) ○ 4 ④
5 연꽃을 꺾어서 등 6 ①
7 편지(글) 8 축하하는 마음
9 ③, ⑤ 10 ④ 11 ⑤
12 예 신유 어머니께 "음식을 준비해 주셔서 고맙습니다."라고 말한다.
13 ⑤ 14 ⑤
15 대화가 잘 안될 것이다. 등
16 ⑤ 17 ③
18 장난스럽다. / 배려심이 없다. 등
19 예 "싫어. 그러다가 벌레라도 손에 닿으면 어떡해?"
20 ①

1 두 사람은 만화 영화 「니모를 찾아서」에서 본 내용에 대해 이야기를 나누고 있습니다.

2 아빠 물고기에 대해 딸은 니모를 많이 걱정한다고 생각하고 있습니다.

3 영화를 보고 느낀 점을 글로 쓸 수도 있고, 친구들과 나눌 수도 있습니다.

4 원천강으로 가야 하는데 가는 길을 모르는 것입니다.

5 꽃봉오리를 많이 갖고도 하나만 꽃이 핀 까닭을 몰랐는데 연꽃이 꺾어지자마자 다른 꽃들이 피어났습니다.

6 선생님께 고마운 마음을 전하고 있는 편지입니다.

7 받는 사람과 보내는 사람이 나타나 있는 글입니다.

8 아들이 한 학년 올라가게 된 것을 축하하는 마음이 나타나 있습니다.

9 아들이 팔을 다친 일을 걱정하고, 한 학년 올라간 것을 축하하고 있습니다.

10 상을 받은 것을 축하하는 마음을 전해야 합니다.

11 고맙다는 말도 하지 않고 음식을 먹었습니다.

12 어른께서 준비해 주신 음식을 먹거나 고마운 일이 있을 때에는 "고맙습니다."라고 말해야 합니다.

> **채점 기준** 신유 어머니께 음식을 준비해 주셔서 고맙다는 내용을 썼으면 정답으로 합니다.

13 듣는 사람의 마음을 배려하여 말하도록 합니다.

14 대화명이 이름이 아니었기 때문에 누군지 알아보지 못한 것입니다.

15 항상 새로운 말의 뜻을 배워야 하거나 무슨 뜻인지 몰라서 오해가 생기거나 대화가 어려울 것입니다.

16 버스에서 백인들이 앉는 자리는 앞자리이고 흑인인 사라는 뒷자리에 앉아야 했습니다.

17 이야기에서 어떤 일을 겪는 사람이나 사물이 인물입니다.

18 자신이 잘못해 놓고도 사과도 하지 않고 혀만 내밀고 도망가는 행동에서 알 수 있습니다.

19 벌레가 닿을지 몰라 손을 넣지 않겠다는 말에서 깔끔한 성격을 짐작할 수 있습니다.

> **채점 기준** 벌레가 손에 닿을까 봐 손을 넣지 않겠다는 말과 비슷한 내용으로 썼으면 정답으로 합니다.

20 '벌레'라는 말에 사물함 밑에 넣었던 손을 얼른 빼는 행동에서 소심한 성격을 짐작할 수 있습니다.

중간 이후 기말 평가 59~61쪽

1 ⑤
2 고양이의 아픈 다리에 불이 잘 붙는 산초기름을 발랐기 때문이다. 등
3 (기차는) [빠르다.]
4 상수리에 댐을 건설하는 것을 반대한다. 등
5 (3) ×
6 자신이 가진 전 재산을 들여 육지에서 곡식을 사 오게 하여 굶주린 제주도 사람들을 살렸다. 등
7 ① 8 『목민심서』 9 ④, ⑤
10 백성에게 도움이 되기 위해 맡은 일을 열심히 해야 한다고 생각한다. 등
11 『세시 풍속』 12 ④
13 ㉡, ㉠, ㉤, ㉢, ㉣ 14 ①
15 바람직한 독서 방법은 자신이 좋아하는 책만 읽는 것이다. 등 16 ②, ⑤
17 문화재를 개방해야 한다.
18 적절하지 않다 19 (3) ○
20 지효

1 고양이의 아픈 다리를 맡았던 사람이 목홧값을 물어야 한다는 것이 고양이의 성한 다리를 맡았던 세 목화 장수들의 의견입니다.

2 고양이의 아픈 다리에 불이 잘 붙는 산초기름을 발랐기 때문에 잘못했다고 말하고 있습니다.

3 문장의 짜임에 맞게 나누어 봅니다.

4 글쓴이는 상수리에 댐을 건설하는 것을 반대하고 있습니다.

5 마을 어른들이 고향을 떠나야 한다는 까닭을 들었습니다.

6 제주도 사람들을 굶어 죽지 않게 하기 위해 전 재산을 들여 곡식을 사서 나누어 주었습니다.

> **채점 기준** 전 재산을 들여 제주도 사람들을 구했다는 내용으로 썼으면 정답으로 합니다.

7 김만덕이 한 일로 보아 나눔을 가치 있게 생각한다는 것을 알 수 있습니다.

8 정약용은 1818년 『목민심서』라는 책을 펴냈습니다.

9 임금이 아무리 나라를 잘 다스려도 지방 관리가 나쁜 짓을 일삼으면 백성은 어렵게 살 수밖에 없습니다.

10 백성에게 도움이 되는 삶을 살려고 했습니다.

> **채점 기준** 정약용이 한 일을 통해 알 수 있는 가치관을 알맞게 썼으면 정답으로 합니다.

11 『세시 풍속』이라는 책을 읽고 쓴 독서 감상문입니다.

12 책을 읽은 동기가 나타난 부분입니다.

13 먼저 책을 고르고 내용을 떠올린 뒤에 인상 깊은 내용과 그 까닭을 생각한 후 책에 대한 생각이나 느낌을 정리하고 제목을 붙입니다.

14 제목의 길이로 책을 고르는 것은 알맞은 방법이라 할 수 없습니다.

15 자신이 좋아하는 책만 읽는 것이 바람직한 독서 방법이라는 의견이 나타난 글입니다.

16 자신이 좋아하는 분야의 책만 읽어야겠다고 생각하면 다른 분야의 책은 전혀 읽지 않을 것입니다.

17 글쓴이는 문화재를 개방해야 한다고 했습니다.

18 문화재를 개방했을 때 생길 문제점을 제시하였습니다.

19 넓적 가자미는 멸치 대왕의 꿈을 나쁘게 풀이하였고, 넓적 가자미의 꿈풀이를 듣던 멸치 대왕은 화가 나 얼굴이 점점 붉어졌다고 하였습니다.

20 꿈풀이를 듣고 멸치 대왕은 화가 났으므로 이를 잘 표현한 친구를 찾습니다.

전 범위 기말 평가 62~64쪽

1 ①
2 예 책을 읽으면서 매일이가 행복했으면 좋겠다.
3 ③
4 그리운 마음 등 5 ①
6 예 기분을 상하게 해서 미안해. 이제 그만할게.
7 ⑤ 8 ③ 9 더럽다. 등
10 (1) 발 없는 말이 (2) 천 리 간다.
11 댐 12 ⑤
13 입으로 말하는 법 / 말하기
14 ⑤ 15 ③
16 아들의 새 양말과 새 신발 등
17 예 어머니께서 품속에 넣어 온 새 양말과 새 신발을 아들에게 갈아 신기신 장면에서 감동받았다. 아들에게 좋은 것만 주고 싶은 어머니의 마음이 느껴졌기 때문이다.
18 ⑤ 19 판단 등
20 예 시에 나오는 장면을 떠올려 그림으로 그리고 싶다.

1 오늘이는 원천강으로 돌아가는 길에 매일이를 만났는데, 매일이는 행복을 찾겠다며 책만 읽었습니다.

2 행복을 찾기 위해 열심히 책을 읽는 매일이를 보고 어떤 생각이 들었는지 써 봅니다.

3 자신의 글의 좋은 점을 말해 주지 않은 것을 서운해하고 있는 친구의 마음을 생각하며 마음을 표현해야 합니다.

4 여자아이는 함께 놀던 친구를 그리워하며 친구를 떠올리고 있습니다.

5 거북은 토끼에게 거친 말을 사용해서 말하고 있습니다.

6 듣는 사람의 마음을 생각하여 예의 바르게 고쳐 씁니다.

> **채점 기준** 거친 말을 하지 않고 사과하는 내용으로 썼으면 정답으로 합니다.

7 다른 사람의 말은 집중해서 끝까지 들어야 하고, 적절히 반응하며 듣습니다.

8 할아버지는 다른 나라의 문화를 이해하고 받아들이고 있습니다.

9 우봉이는 할아버지 말씀에도 더럽다고 생각하였습니다.

10 문장의 짜임에 맞게 문장을 나누어 봅니다.

11 댐을 건설하면 좋은 점을 들어 댐을 건설해야 한다는 의견을 말하고 있습니다.

12 댐을 건설하면 폭우로 생기는 문제를 막을 수 있다고 하였습니다.

13 헬렌은 노르웨이의 한 소녀가 입으로 말하는 법을 배웠다는 소식을 듣고 자신도 입으로 말하는 법을 배우게 해 달라고 선생님을 졸랐습니다.

14 말하기를 배우는 것이 너무 힘들었지만 포기하지 않고 끊임없이 노력한 점을 본받을 수 있습니다.

15 어머니께서는 아들의 옷에 이슬이 묻지 않도록 발과 지겟작대기로 이슬을 털며 앞장서서 산길을 걸었습니다.

16 어머니는 품속에 넣어 온 새 양말과 새 신발을 아들에게 갈아 신기셨습니다.

17 이야기에서 일어난 일, 인물의 행동, 인물의 마음 따위에서 자신이 인상 깊게 느끼는 부분이 있는지 찾아봅니다.

> **채점 기준** 어머니께서 '나'를 위해 이슬을 털어 주신 부분, 품속에 넣어 온 새 양말과 새 신발을 '내'게 갈아 신기신 부분 등 이야기에서 감동받은 부분을 찾아 그 까닭과 함께 썼으면 정답으로 합니다.

18 아낙은 아버지 혼자 당나귀를 타고 가는 것을 보고 자신이라면 아이도 함께 태울 것이라고 말했습니다.

19 아버지와 아이는 다른 사람의 의견이 적절한지 판단하지 않고 무조건 받아들였습니다.

20 낭독하기, 노랫말 만들기, 역할극하기, 그림으로 나타내기 따위의 방법이 있습니다.

MEMO

MEMO

한·끝·시·리·즈 교과서 학습부터 평가 대비까지 한 권으로 끝! 국어 공부의 진리입니다.

대표전화 1544-0554
주소 경기도 과천시 과천대로2길 54

비상 누리집에서 더 많은 정보를 확인해 보세요.

http://book.visang.com/

15개정 교육과정

한끝

평가 교재

초등 국어 4·2

단원 평가 대비	중간·기말 평가 대비
•단원 평가 2회 •서술형 평가 •수행 평가	•중간 평가 •기말 평가(중간 이후) •기말 평가(전 범위)

 책 속의 가접 별책 (특허 제 0557442호)

평가 교재'는 본책에서 쉽게 분리할 수 있도록 제작되었으므로 유통 과정에서 분리될 수 있으나 파본이 아닌 정상제품입니다.

visang

우리는 남다른 상상과 혁신으로
교육 문화의 새로운 전형을 만들어
모든 이의 행복한 경험과 성장에 기여한다

한끝 평가 교재

4·2

초등 국어

단원 평가

중간·기말 평가

단원 평가 1회

1. 이어질 장면을 생각해요

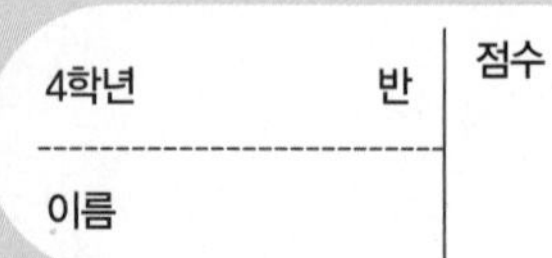
4학년 반
이름
점수

1~2 그림을 보고, 물음에 답하시오.

한꺼번에 너무 많이 물으시는데요? 꼭 「니모를 찾아서」에 나오는 아빠 물고기 같아요.
딸
아버지
지난번에 같이 본 만화 영화 「니모를 찾아서」에 나오는 아빠 물고기처럼 너를 무척 사랑한다는 말이지?
사랑하기도 하지만 걱정이 많다는 뜻이에요.

1 두 사람이 본 만화 영화의 제목을 쓰시오.

( )

2 아버지는 만화 영화에 나오는 아빠 물고기를 어떻게 생각합니까? ( )

① 걱정이 많다.
② 친구가 없다.
③ 아이에게 관심이 없다.
④ 니모를 무척 사랑한다.
⑤ 늦게까지 노는 것을 좋아한다.

3~4 장면을 보고, 물음에 답하시오.

❶	체육 시간에 피구를 하려고 편을 가르는데 선은 맨 마지막까지 선택을 받지 못한다.
❷	언제나 혼자인 외톨이 선은 여름 방학을 시작하는 날, 전학생인 지아를 만나 친구가 된다.
❸	지아와 선은 봉숭아 꽃물을 들이며 여름 방학을 함께 보내고 순식간에 세상 누구보다 친한 사이가 된다.

3 ❶에서 이름이 불리지 않았을 때 선의 마음은 어떠했겠습니까? ( )

① 신나는 마음
② 뿌듯한 마음
③ 고마운 마음
④ 실망하는 마음
⑤ 자랑스러운 마음

서술형

4 ❶~❸에서 인상 깊은 장면을 떠올려 쓰시오.

____

____

5 다음은 만화 영화 「오늘이」의 내용입니다. 일이 일어난 차례를 생각하여 순서대로 기호를 쓰시오.

㉠ 야아와 다시 만난 오늘이는 행복하게 산다.
㉡ 오늘이, 야아, 여의주가 원천강에서 행복하게 산다.
㉢ 오늘이는 원천강으로 돌아가는 길에 여의주를 많이 가지고도 용이 되지 못한 이무기를 만난다.
㉣ 수상한 뱃사람들이 야아 몰래 오늘이를 데려가다가 화살로 야아를 쏜 뒤에 원천강이 얼어붙는다.
㉤ 이무기는 갈라진 얼음 사이로 떨어지는 오늘이를 구해 마침내 용이 되고, 용이 불을 뿜어 원천강이 빛을 되찾는다.

㉡→( )→( )→( )→㉠

국어 활동

6 다음 만화 영화 「독도 수비대 강치」에서 짐작할 수 있는 강치의 성격을 쓰시오.

강치가 아무르와 싸워서 불타는 얼음을 되찾음.

( )

7~9 표의 내용을 보고, 물음에 답하시오.

등장 인물	고민	사건과 해결
오늘이	원천강으로 가야 하는데 가는 길을 모른다.	매일이, 연꽃나무, 구름이, 이무기를 만나 원천강으로 가게 된다.
매일이	행복이 무엇인지 알고 싶다.	책에서 벗어나 구름이와 행복한 시간을 보낸다.
연꽃 나무	꽃봉오리를 많이 가지고 있는데, 이상하게도 하나만 꽃이 핀 까닭을 알고 싶다.	연꽃이 꺾어지자마자 송이송이 다른 꽃들이 피기 시작했다.
이무기	여의주를 많이 가졌는데도 용이 되지 못한 까닭을 모른다.	위험에 빠진 오늘이를 구하려고 품고 있던 여의주를 모두 버려 마침내 용이 되었다.

7 행복이 무엇인지 알고 싶다는 고민을 가진 인물은 누구인지 쓰시오.

( )

8 연꽃나무의 고민은 무엇입니까? ( )

① 꽃이 너무 많이 핀 것
② 오늘이와 친해지고 싶은 것
③ 사람들이 연꽃을 함부로 꺾는 것
④ 원천강으로 가는 길을 모르는 것
⑤ 꽃봉오리를 많이 가지고 있는데, 하나만 꽃이 핀 것

9 이무기는 어떻게 해서 용이 되었습니까? ( )

① 여의주를 깨끗하게 닦아서
② 원천강에서 여의주를 찾아서
③ 책에서 용이 되는 방법을 찾아서
④ 오늘이에게 여의주를 선물 받아서
⑤ 위험에 빠진 오늘이를 구하려고 품고 있던 여의주를 모두 버려서

10 만화 영화를 감상하고 이어질 내용을 역할극으로 나타낼 때 주의할 점이 아닌 것은 어느 것입니까? ( )

① 발표할 때에는 또박또박 정확하게 발음을 한다.
② 자신이 맡은 역할을 충분히 이해하고 연습한다.
③ 적절한 표정, 몸짓, 말투로 정성을 다해 연기한다.
④ 역할을 정하고, 어울리는 대사를 만들어 가며 연기한다.
⑤ 다른 모둠이 발표할 때에는 실수하는 부분을 찾으며 본다.

단원 평가 2회

1. 이어질 장면을 생각해요

4학년 　　반　　 이름　　　　 점수

1~2 그림을 보고, 물음에 답하시오.

한꺼번에 너무 많이 물으시는데요? 꼭 「니모를 찾아서」에 나오는 아빠 물고기 같아요.
딸
아버지
지난번에 같이 본 만화 영화 「니모를 찾아서」에 나오는 아빠 물고기처럼 너를 무척 사랑한다는 말이지?
사랑하기도 하지만 걱정이 많다는 뜻이에요.

1 딸은 아버지가 무엇과 같다고 하였는지 쓰시오.

(　　　　　　　　　　　　)

2 딸은 만화 영화에 나오는 아빠 물고기를 어떻게 생각하고 있습니까? (　)

① 못하는 것이 없다.
② 노는 것을 좋아한다.
③ 혼자 있고 싶어 한다.
④ 니모를 많이 걱정한다.
⑤ 니모를 사랑하지 않는다.

3 영화를 감상하는 방법으로 알맞지 <u>않은</u> 것은 어느 것입니까? (　)

① 인상 깊은 장면을 생각한다.
② 기억에 남는 대사를 생각한다.
③ 영화 내용을 떠올려 보고 느낀 점을 글로 쓴다.
④ 영화를 보고 느낀 점은 항상 친구와 같은지 확인한다.
⑤ 제목, 광고지, 예고편 따위를 보고 내용을 미리 상상한다.

4~5 장면을 보고, 물음에 답하시오.

①
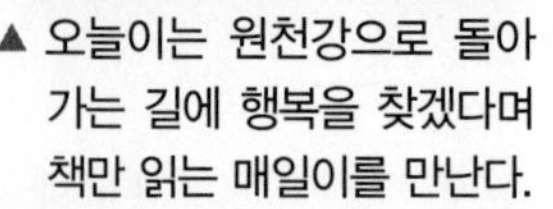

▲ 오늘이는 원천강으로 돌아가는 길에 행복을 찾겠다며 책만 읽는 매일이를 만난다.

②

▲ 꽃봉오리를 많이 가졌지만 꽃이 한 송이밖에 피지 않는 연꽃나무를 만난다.

③

▲ 구름이는 연꽃을 꺾어서 매일이에게 주고, 둘은 행복한 시간을 보낸다.

④

▲ 야아와 다시 만난 오늘이는 행복하게 산다.

4 오늘이가 원천강으로 돌아가는 길에 만난 등장인물 중, 다음에서 설명하는 것은 누구입니까? (　)

> 행복을 찾겠다며 책만 읽었다.

① 야아　　② 매일이
③ 구름이　　④ 이무기
⑤ 연꽃나무

논술형

5 이 만화 영화에 나오는 등장인물이 한 행동 가운데에서 본받고 싶은 행동을 찾고, 본받고 싶은 까닭을 쓰시오.

6~8 표의 내용을 보고, 물음에 답하시오.

등장 인물	고민	사건과 해결
오늘이	원천강으로 가야 하는데 가는 길을 모른다.	매일이, 연꽃나무, 구름이, 이무기를 만나 원천강으로 가게 된다.
매일이	행복이 무엇인지 알고 싶다.	책에서 벗어나 구름이와 행복한 시간을 보낸다.
연꽃나무	꽃봉오리를 많이 가지고 있는데, 이상하게도 하나만 꽃이 핀 까닭을 알고 싶다.	연꽃이 꺾어지자마자 송이송이 다른 꽃들이 피기 시작했다.
이무기	여의주를 많이 가졌는데도 용이 되지 못한 까닭을 모른다.	위험에 빠진 오늘이를 구하려고 품고 있던 여의주를 모두 버려 마침내 용이 되었다.

6 이무기의 고민은 무엇입니까? ( )

① 꽃이 피지 않는 것
② 책을 많이 읽어야 하는 것
③ 행복이 무엇인지 모르는 것
④ 용이 되지 못한 까닭을 모르는 것
⑤ 원천강으로 가야 하는 길을 모르는 것

7 매일이는 어떻게 고민을 해결하게 되는지 쓰시오.

• ( )에서 벗어나 구름이와 행복한 시간을 보낸다.

8 이 만화 영화의 뒷이야기를 상상해 쓰는 방법으로 알맞지 않은 것은 어느 것입니까? ( )

① 새로운 인물을 등장시킬 수도 있다.
② 반드시 등장인물이 성공하는 내용으로 끝을 맺어야 한다.
③ 이어질 이야기가 원래의 내용과 자연스럽게 어울리도록 한다.
④ 이어질 이야기를 대표할 만한 새로운 제목을 지어 볼 수도 있다.
⑤ 중심인물들의 고민이 어떻게 해결되는지 살펴보면서 이어질 이야기를 상상한다.

국어 활동

9 다음 줄거리를 읽고 느낀 점을 알맞게 말한 친구를 쓰시오.

임금님이 자고 일어났더니 귀가 커져 있었다. 그래서 임금님은 의관을 만드는 노인에게 귀를 감출 수 있는 큰 왕관을 만들게 했다. ➡ 노인은 임금님의 귀가 길어졌다는 것을 말하지 못하고 끙끙 앓다가 병이 들고, 죽기 전에 아무도 없는 대나무 숲에 가서 "임금님 귀는 당나귀 귀."라고 말했다. ➡ 대나무 숲에서 "임금님 귀는 당나귀 귀."라는 소리가 들리자 임금님은 대나무를 모두 베어 버렸다. ➡ 임금님은 큰 귀를 백성의 소리에 귀를 기울이는 어진 임금이 되라는 뜻으로 받아들였다.

민채: 임금님의 귀가 길어졌다는 것을 여기저기 떠벌리고 다닌 노인은 나쁜 사람이야.
정우: 임금님이 큰 귀를 어진 임금이 되라는 뜻으로 받아들이는 모습을 보고 훌륭하다고 생각했어.

( )

10 만화 영화를 감상하고 이어질 내용을 역할극으로 만들 때 어떻게 연기를 해야 하는지 쓰시오.

( )

서술형 평가

1. 이어질 장면을 생각해요

4학년 반 점수

이름 /30점

정답과 해설 ● 43쪽

1 다음 대화에서 두 사람은 만화 영화에 나오는 아빠 물고기를 각각 어떻게 생각하는지 쓰시오. [6점]

한꺼번에 너무 많이 물으시는데요? 꼭 「니모를 찾아서」에 나오는 아빠 물고기 같아요.
아버지
딸
지난번에 같이 본 만화 영화 「니모를 찾아서」에 나오는 아빠 물고기처럼 너를 무척 사랑한다는 말이지?
사랑하기도 하지만 걱정이 많다는 뜻이에요.

2 영화 「우리들」의 광고지를 보고 어떤 내용이 펼쳐질지 상상해 쓰시오. [6점]

지아 ▶
◀ 선
우리들

3 만화 영화 「오늘이」에서 다음 장면을 보고 느낀 점을 쓰시오. [6점]

▲ 이무기는 갈라진 얼음 사이로 떨어지는 오늘이를 구해 마침내 용이 되고, 용이 불을 뿜어 원천강이 빛을 되찾는다.

4 만화 영화 「오늘이」의 이어질 이야기를 상상해 보고 누구를 중심인물로 하고 싶은지, 중심인물에게 어떤 일이 생길지 쓰시오. [6점]

5 태윤이가 쓴 「오늘이」의 이어질 내용으로 역할극을 꾸밀 때 필요한 역할은 무엇인지 쓰시오. [6점]

> 나는 태윤이가 쓴 내용으로 역할극을 했으면 좋겠어. 야아가 시름시름 앓다가 죽자 오늘이는 깊은 슬픔에 빠졌지. 오늘이에게 웃음을 찾아 주고자 용이 된 이무기가 오늘이를 등에 태우고 여행을 떠난다는 내용이 마음에 들어.

1. 이어질 장면을 생각해요

4학년 반	점수
이름	/30점

정답과 해설 ● 43쪽

관련 성취 기준	재미나 감동을 느끼며 작품을 즐겨 감상하는 태도를 지닌다.
평가 목표	만화 영화를 감상할 수 있다.

1~2 일이 일어난 차례를 생각하며 「오늘이」의 각 장면을 살펴봅시다.

1 ❶~❾의 각 장면을 보고 「오늘이」의 내용을 간추려 써 보시오. [20점]

2 「오늘이」의 등장인물 가운데에서 누구와 관련된 장면이 인상 깊은지 그 까닭과 함께 쓰시오. [10점]

(1) 등장인물	
(2) 인상 깊은 장면	
(3) 인상 깊은 까닭	

단원 평가 1회

2. 마음을 전하는 글을 써요

4학년 반 이름 점수

1~2 글을 읽고, 물음에 답하시오.

> 우리 반 친구들에게
> 친구들아, 안녕?
> 나 태웅이야. 오늘 운동회에서 있었던 일을 생각하면 아직도 가슴이 두근거려. 그때 그 고마운 마음을 직접 말로 전하고 싶었지만 쑥스러워서 이렇게 편지를 쓰게 되었어.
> 운동회 날이 되면 나는 기쁘면서도 두려웠어. 달리기 경기를 하는 게 늘 걱정이 되었거든. ㉠달리기를 할 때면 나는 어디론가 숨고 싶었어. 잔뜩 긴장해서 달리다가 오늘도 그만 넘어지고 말았지.

1 어떤 마음을 전하고 있는 편지인지 쓰시오.

( )

2 ㉠에 드러난 태웅이의 마음은 무엇입니까? ( )

① 고마운 마음 ② 미안한 마음
③ 즐거운 마음 ④ 부끄러운 마음
⑤ 자랑스러운 마음

3~4 글을 읽고, 물음에 답하시오.

> 존경하는 김하영 선생님께
> 선생님, 안녕하세요? 저는 전지우입니다. 그동안 잘 지내셨습니까? 선생님께 고마운 마음을 전하려고 이렇게 글을 쓰게 되었습니다.
> 지난 체험학습에서 도자기를 만들 때였습니다. 저는 진흙 반죽을 물레 위에 놓고 그릇 모양을 만들려고 했습니다. 그런데 생각처럼 잘되지 않았습니다. 만들고 나니 상상했던 모양과 너무 달라서 당황스러웠습니다.
> 제가 속상해서 어찌할 바를 모를 때 선생님께서 오셨습니다. 그리고 어떻게 모양을 내는지 시범을 보여 주셨습니다.

3 지우가 편지를 쓴 까닭은 무엇인지 쓰시오.

( )

4 이 글에 대한 설명으로 알맞지 않은 것은 어느 것입니까? ( )

① 마음을 전하고 있다.
② 선생님께 쓴 글이다.
③ 편지 형식으로 썼다.
④ 체험학습 때 있었던 일을 썼다.
⑤ 읽는 사람이 정해져 있지 않다.

국어 활동

5 다음 글에서 글쓴이의 마음을 느낄 수 있는 표현을 한 가지 찾아 쓰시오.

> 우리 딸들의 깔깔대는 웃음소리를 들을 때마다 엄마는 힘이 솟고 행복감을 느낀단다. 엄마에게 너희는 세상 무엇과도 바꿀 수 없는 소중한 보물이야. 엄마는 너희가 건강하고 훌륭하게 자랄 수 있도록 도울게. 언제나 사랑한다.

( )

6~7 글을 읽고, 물음에 답하시오.

> 사랑하는 아들 필립
> 어머니의 편지를 받아 보았다. 네가 넘어져 팔을 다쳤다는 소식이 들어 있어 매우 걱정되는구나. 팔이 낫거들랑 내게 바로 알려라. 한 학년 올라가게 된 것을 축하한다. 아버지는 무척 기쁘구나. 나는 이곳에 편안히 잘 있다. 미국 국회 의원들이 동양에 온다고 해 홍콩으로 왔다만 그들이 이곳에 들르지 않아 만나지는 못했단다. 나는 곧 상하이로 돌아갈 거란다.

6 누구에게 쓴 편지인지 쓰시오.

• 안창호 선생이 (　　　　　　)에게 쓴 편지이다.

7 이 편지에서 전하고 있는 마음은 무엇인지 두 가지를 고르시오. (　　,　　)

① 다친 일을 걱정하는 마음
② 홍콩에 도착해서 신기한 마음
③ 한 학년 올라간 일을 축하하는 마음
④ 미국 국회 의원을 만나 안심하는 마음
⑤ 팔이 다 나은 것을 알리지 않아 서운한 마음

8 다음 그림과 같은 상황에서 친구 ㉠이 전해야 할 마음은 무엇입니까? (　　)

네가 싫어하는
별명을 부르며
놀려서 미안해.
㉠

① 미안한 마음　② 그리운 마음
③ 긴장하는 마음　④ 축하하는 마음
⑤ 위로하는 마음

논술형

9 주변 사람들에게 마음을 전하고 싶은 일을 떠올려 쓰시오.

10 다음은 재환이가 아파트 승강기 안에 붙인 편지입니다. 이 편지를 읽은 이웃 사람들의 마음은 어떠했을지 쓰시오.

> 안녕하세요? 저는 12층에 이사 온 열한 살 이재환입니다.
> 새로 만난 이웃들에게 인사를 드리고 싶어 편지를 씁니다. 저희 가족은 엄마, 아빠, 귀여운 동생 그리고 저, 이렇게 넷입니다. 저희는 아직 이사 온 지 얼마 되지 않아 다니는 길도, 사람들도 낯설기만 합니다. 그래도 저는 나무도 많고 놀이터가 있는 이곳이 마음에 듭니다. 앞으로 여러분과 좋은 이웃이 되고 싶습니다.
> 이재환 올림

(　　　　　　)

4학년 반	점수
이름	

1~2 글을 읽고, 물음에 답하시오.

잔뜩 긴장해서 달리다가 오늘도 그만 넘어지고 말았지. 그런데 그때 너희가 달리다가 돌아와서 나를 일으켜 주었지. 내 손을 꼭 잡은 너희의 따뜻한 마음이 느껴져서 눈물이 날 것 같았어. ㉠힘껏 달리고 싶었을 텐데 나 때문에 참았을 것 같아서 미안한 마음이 들어.

고마워, 친구들아!

㉡같이 달려 주고 응원해 준 너희의 따뜻한 마음 잊지 않을게.

20○○년 9월 12일

태웅이가

1 ㉠과 ㉡에 드러난 태웅이의 마음에 알맞게 선으로 이으시오.

(1) ㉠ • • ① 고마운 마음

(2) ㉡ • • ② 미안한 마음

논술형

2 태웅이가 쓴 편지를 받은 친구들이 태웅이에게 어떤 말로 마음을 전할지 쓰시오.

____

____

3 다음 글에서 글쓴이가 마음을 전하려고 사용한 표현은 무엇인지 쓰시오.

그날 만든 그릇은 지금도 제 책상 위에 놓여 있습니다. 이 그릇을 보면 친절하게 가르쳐 주시던 선생님 모습이 생각납니다.

선생님, 제 마음에 드는 그릇을 만들도록 도와주셔서 고맙습니다. 안녕히 계세요.

( )

4~5 글을 읽고, 물음에 답하시오.

내 아들 필립아. 키가 크고 몸이 커지는 만큼 스스로 좋은 사람이 되려고 힘써야 한단다. 네가 어리고 몸이 작았을 때보다 더욱더 힘써야 하지. 스스로 좋은 사람이 되려고 노력하는 네 모습을 내 눈으로 직접 보고 싶구나. 너는 워낙 남을 속이지 않는 진실한 사람이라 좋은 사람이 되기도 쉬울 거란다.

좋은 사람이 되려면 진실하고 깨끗해야 해. 또 좋은 친구를 가려 사귀어야 한단다. 그게 좋은 사람이 되는 첫 번째 조건이지.

4 이 글에서 전하고 있는 마음은 무엇인지 쓰시오.

( )

5 좋은 사람이 되려면 어떻게 해야 한다고 했는지 두 가지를 고르시오. (,)

① 책을 많이 읽어야 한다.
② 진실하고 깨끗해야 한다.
③ 남에게 속지 않아야 한다.
④ 키가 크고 몸이 커져야 한다.
⑤ 좋은 친구를 가려 사귀어야 한다.

6 마음을 전하는 글을 쓰는 방법으로 알맞지 않은 것은 어느 것입니까? ( )

① 글에서 전하려는 마음을 생각한다.
② 마음을 전하고 싶은 일을 떠올린다.
③ 읽는 사람의 마음이 어떠할지 짐작한다.
④ 마음을 잘 나타낼 수 있는 표현을 사용한다.
⑤ 항상 직접 손으로 쓴 편지로 마음을 전한다.

국어 활동

7 다음 편지를 쓴 목적으로 알맞은 것에 ○표를 하시오.

> 상대에게 좋은 인상을 주려면 넓은 지식과 올바른 태도 못지않게 옷차림과 말투, 행동에도 신경 써야 한단다. 때로는 외모를 단정히 하는 것도 필요해.
> 그리고 친해지고 싶다면 혼자서 모든 이야기를 하려고 하지 마. 대화는 서로 주고받는 거야. 혼자만 말하는 것은 연설이란다.

(1) 연설을 잘하는 방법을 알려 주려고 ( )
(2) 상대에게 좋은 인상을 주는 방법을 알려 주려고 ( )

8 다음 상황에서 친구 ㉠이 전해야 할 마음은 무엇입니까? ( )

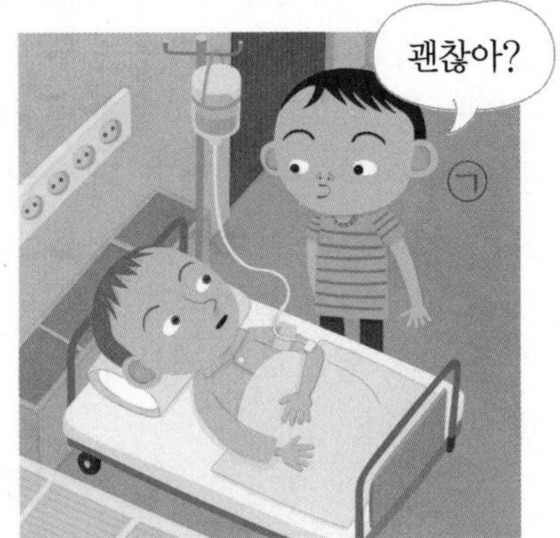

① 무서운 마음 ② 당황한 마음
③ 대견한 마음 ④ 부러운 마음
⑤ 위로하는 마음

9~10 글을 읽고, 물음에 답하시오.

> 재환이가 사는 아파트 승강기 안에 편지를 붙였답니다.
>
> 안녕하세요? 저는 12층에 이사 온 열한 살 이재환입니다.
> 새로 만난 이웃들에게 인사를 드리고 싶어 편지를 씁니다. 저희 가족은 엄마, 아빠, 귀여운 동생 그리고 저, 이렇게 넷입니다. 저희는 아직 이사 온 지 얼마 되지 않아 다니는 길도, 사람들도 낯설기만 합니다. 그래도 저는 나무도 많고 놀이터가 있는 이곳이 마음에 듭니다. 앞으로 여러분과 좋은 이웃이 되고 싶습니다.
> 이재환 올림

9 재환이가 승강기 안에 편지를 붙인 까닭은 무엇인지 쓰시오.

( )

10 재환이의 편지를 본 이웃 사람들이 다음과 같이 쪽지를 남겼다면, 이웃 사람들의 마음은 어떠했겠습니까? ( )

> • 이사 온 거 축하합니다. 앞으로도 자주 소통하는 이웃이 됩시다.
> • 친하게 지내요. 전 7층에 살아요. 집 앞 공원에서 같이 운동해요.
> • 환영해요! 이렇게 먼저 인사해 줘서 고마워요. 참 예쁜 마음씨네요.

① 귀찮다고 생각했을 것이다.
② 아무 관심이 없었을 것이다.
③ 훈훈한 마음이 들었을 것이다.
④ 편지를 보고 화가 났을 것이다.
⑤ 왜 편지를 썼는지 궁금했을 것이다.

서술형 평가

2. 마음을 전하는 글을 써요

4학년 반 점수

이름 /30점

정답과 해설 ● 45쪽

1 **다음 상황에서 ㉠에 들어갈 알맞은 마음을 드러내는 표현을 쓰시오.** [6점]

내 글의 좋은 점도 말해 주면 좋았을 텐데.
㉠

2~3 **글을 읽고, 물음에 답하시오.**

선생님, 안녕하세요? 저는 전지우입니다. 그동안 잘 지내셨습니까? 선생님께 고마운 마음을 전하려고 이렇게 글을 쓰게 되었습니다.

지난 체험학습에서 도자기를 만들 때였습니다. 저는 진흙 반죽을 물레 위에 놓고 그릇 모양을 만들려고 했습니다. 그런데 생각처럼 잘되지 않았습니다. 만들고 나니 상상했던 모양과 너무 달라서 당황스러웠습니다. / 제가 속상해서 어찌할 바를 모를 때 선생님께서 오셨습니다. 그리고 어떻게 모양을 내는지 시범을 보여 주셨습니다. 저는 선생님을 따라서 다시 해 보았습니다.

2 **누가 누구에게 어떤 마음을 전하고 있는지 쓰시오.** [6점]

3 **제자를 생각하는 선생님의 마음이 느껴지는 모습은 무엇인지 쓰시오.** [6점]

4 **글쓴이가 좋은 사람이 되기 위해 힘쓰기를 당부하는 마음을 전하기 위해서 어떤 표현을 사용했는지 쓰시오.** [6점]

더욱 부지런해져라. 어려운 일도 열심히 견디거라. 책은 부지런히 보고 있니? 아무 책이나 읽지 말고, 좋은 책을 골라 꾸준히 읽어라. 좋은 책을 가려 보는 것이 좋은 사람이 되는 두 번째 조건이란다. 좋은 친구를 사귀고 좋은 책을 읽는 일을 멈추지 말아라.

5 **아파트 승강기 안에 붙어 있는 다음 편지를 보고 재환이에게 마음을 담은 쪽지를 쓰시오.** [6점]

안녕하세요? 저는 12층에 이사 온 열한 살 이재환입니다.

새로 만난 이웃들에게 인사를 드리고 싶어 편지를 씁니다. 저희 가족은 엄마, 아빠, 귀여운 동생 그리고 저, 이렇게 넷입니다. 저희는 아직 이사 온 지 얼마 되지 않아 다니는 길도, 사람들도 낯설기만 합니다. 그래도 저는 나무도 많고 놀이터가 있는 이곳이 마음에 듭니다. 앞으로 여러분과 좋은 이웃이 되고 싶습니다.

이재환 올림

4학년 반 이름 점수 /30점

정답과 해설 ● 45쪽

관련 성취 기준	읽는 이를 고려하며 자신의 마음을 표현하는 글을 쓴다.
평가 목표	마음을 전하는 글을 쓸 수 있다.

1~3 아들을 향한 아버지의 마음을 생각하며 글을 읽어 봅시다.

㉮ 내 아들 필립아. 키가 크고 몸이 커지는 만큼 스스로 좋은 사람이 되려고 힘써야 한단다. 네가 어리고 몸이 작았을 때보다 더욱더 힘써야 하지. 스스로 좋은 사람이 되려고 노력하는 네 모습을 내 눈으로 직접 보고 싶구나.

㉯ 좋은 친구를 가려 사귀어야 한단다. 그게 좋은 사람이 되는 첫 번째 조건이지. 더욱 부지런해져라. 어려운 일도 열심히 견디거라. 책은 부지런히 보고 있니? 아무 책이나 읽지 말고, 좋은 책을 골라 꾸준히 읽어라. 좋은 책을 가려 보는 것이 좋은 사람이 되는 두 번째 조건이란다.

㉰ 즐거운 마음으로 내 말을 따라 주겠지? 너를 믿는다.

1920년 8월 3일 홍콩에서 / 아버지가

1 빈칸에 들어갈 말을 보기 에서 각각 골라 쓰시오. [10점]

보기

축하　　제안하는 글　　편지　　당부　　위로

이 글은 아버지가 아들에게 쓴 (1) ______(이)다. 아들에게 좋은 사람이 되기 위해 힘쓰기를 (2) ______하는 아버지의 마음이 잘 드러나 있다.

(1) (　　　　　　)　　(2) (　　　　　　)

2 아버지가 아들에게 좋은 사람이 되기 위해 어떻게 해야 한다고 했는지 두 가지 쓰시오. [10점]

• ______________________

• ______________________

3 이 편지를 받은 아들의 마음을 생각해 보고 아버지께 전할 마음을 글로 쓰시오. [10점]

4학년 반 점수
이름

1~2 글을 읽고, 물음에 답하시오.

윗마을 양반: 바우야, 쇠고기 한 근만 줘라.
박 노인: (건성으로 대답하며) 알겠습니다.
해설: 이번에는 아랫마을 양반이 고기를 주문했다.
아랫마을 양반: (깍듯이 부탁하는 말투로) 박 서방, 쇠고기 한 근만 주게.
박 노인: (웃으면서 대답하며) 아이고, 네, 조금만 기다리시지요.
해설: 박 노인은 젊은 양반들에게 각각 고기를 주는데 둘의 크기가 한눈에 봐도 다르게 보였다. 윗마을 양반이 가만히 보니 자기가 받은 고기보다 아랫마을 양반이 받은 고기가 더 좋아 보이고 양도 훨씬 많아 보였다.

1 젊은 양반들은 박 노인을 각각 무엇이라고 불렀는지 찾아 선으로 이으시오.

(1) 윗마을 양반 • • ① 박 서방

(2) 아랫마을 양반 • • ② 바우

2 박 노인이 젊은 양반들에게 준 고기의 양이 다른 까닭은 무엇이겠습니까? ( )

① 윗마을 양반은 잘 아는 사이여서
② 아랫마을 양반이 돈을 더 많이 내서
③ 아랫마을 양반은 자주 오는 손님이어서
④ 윗마을 양반이 고기를 적게 달라고 해서
⑤ 아랫마을 양반이 자신을 더 존중해 주어서

3~4 그림을 보고, 물음에 답하시오.

아버지, 내가
수저를 놓을게요.
아버지, 제가
물을 가져올게요.

3 이 그림의 남자아이와 여자아이 가운데 누가 대화 예절에 알맞은 말을 했는지 쓰시오.

( )

서술형

4 3번 문제에서 답한 아이가 대화 예절에 알맞은 말을 했다고 생각한 까닭은 무엇인지 쓰시오.

국어 활동

5 다른 사람에게 말할 때 지켜야 할 예절로 알맞은 것을 두 가지 고르시오. (,)

① 고운 말, 바른 말을 쓴다.
② 시간, 장소에 맞게 말한다.
③ 상대를 바라보지 않고 말한다.
④ 항상 커다란 목소리로 말한다.
⑤ 말하는 사람의 기분을 고려하며 말한다.

6~7 글을 읽고, 물음에 답하시오.

> 사회자: 친구들과 사이좋게 지내려면 실천해야 할 일이 무엇인지 발표해 주십시오. 박태영 친구가 의견을 발표해 주십시오.
>
> 박태영: 제 의견은 "듣기 싫은 별명으로 부르지 말자."입니다. 기분이 나빠지면 서로 사이좋게 지내기가 어려워지기 때문입니다.
>
> 사회자: 좋은 의견입니다. 다른 의견이 더 있습니까? 이희정 친구가 의견을 발표해 주십시오.
>
> 이희정: 저는 고운 말을…….
>
> 강찬우: (끼어들며) 잠깐만. "심한 장난을 하지 말자."가 좋겠습니다. 왜냐하면 장난이 심해져서 싸우는 경우가 많기 때문입니다.

6 이 학급 회의에서 예절에 어긋나게 말한 친구는 누구인지 쓰시오.

( )

7 6번 문제에서 답한 친구가 회의할 때 지켜야 할 예절은 무엇입니까? ( )

① 높임말을 사용한다.
② 의견에 알맞은 까닭을 든다.
③ 적극적으로 회의에 참여한다.
④ 주제에서 벗어난 말을 하지 않는다.
⑤ 다른 사람이 발표할 때 끼어들지 않는다.

8~9 대화를 보고, 물음에 답하시오.

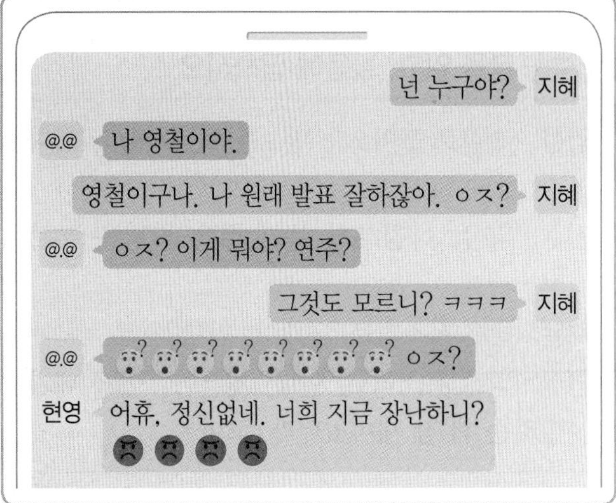

8 이 온라인 대화에서 영철이가 'ㅇㅈ'을 이해하지 못한 까닭은 무엇인지 쓰시오.

( )

9 이와 같이 온라인 대화를 할 때 줄임 말을 지나치게 쓰면 일어날 일이 아닌 것을 찾아 기호를 쓰시오.

> ㉠ 대화가 잘 안될 수 있다.
> ㉡ 항상 새로운 말의 뜻을 배워야 한다.
> ㉢ 무슨 뜻인지 몰라서 오해가 생길 수 있다.
> ㉣ 대화를 하는 상대에게 예절을 잘 지킬 수 있다.

( )

10 대화할 때 지켜야 할 예절과 관련 있는 표어를 만들어 쓰시오.

( )

4학년 반 점수

이름

1~2 글을 읽고, 물음에 답하시오.

영철: (교실로 들어오는 민수를 보며) 어이, 키다리! 왔냐?
민수: 뭐야, 아침부터 듣기 싫은 별명을 부르고…….
채은: (밝은 목소리로) 민수야, 안녕?
민수: (밝은 목소리로) 안녕, 채은아? 어제 네가 빌려준 책 참 재미있더라. 고마워.

1 다음 친구들의 인사말에 민수의 기분은 어떠했는지 알맞게 선으로 이으시오.

(1) 영철 • • ① 기분이 좋다.

(2) 채은 • • ② 기분이 나쁘다.

2 영철이의 인사말에 민수가 다음과 같이 대답했다면 영철이는 어떻게 답했을지 쓰시오.

민수: 나는 그 별명 싫은데, 내 이름으로 불러 줄래?

(   )

3~4 글을 읽고, 물음에 답하시오.

(효과음) 딩동딩동 / (효과음) 문 열리는 소리
신유 어머니: (밝은 목소리로) 안녕? 어서 와라. 신유 친구들이구나. 반갑다.
〈현관〉
지혜: (성급하게) 안녕하세요? 그런데 신유는 어디 갔나요? 어? 신유야, 생일 축하해!
원우: 야! 신유야, 생일 축하해! 하하하.
(효과음) 삐리리링

3 신유 친구들이 예절을 잘 지키지 않은 부분은 무엇입니까? (   )

① 친구에게 알은척을 하지 않았다.
② 신유 어머니께 질문을 너무 많이 했다.
③ 신유 어머니께 높임말을 사용하지 않았다.
④ 신유 어머니께 인사를 제대로 하지 않았다.
⑤ 신유에게 생일을 축하하는 말을 하지 않았다.

4 이 대화에서 신유 친구들이 예절을 잘 지키려면 어떻게 해야 하는지 쓰시오.

(   )

5 다음 상황의 역할극에서 사슴이 잘못한 점은 무엇입니까? (   )

① 토끼에게 거친 말을 사용했다.
② 토끼를 바라보지 않고 말을 했다.
③ 토끼의 말에 대답을 하지 않았다.
④ 토끼가 말하는 도중에 끼어들었다.
⑤ 토끼의 말을 듣지 않고 딴짓을 했다.

국어 활동

6 **다음에서 남자아이가 예절에 맞게 말한 것은 어느 것입니까?** ( )

① 어머니가 이것을 가져다드리래.
② 어머니가 이것을 가져다주라고 했어요.
③ 어머니께서 이것을 가져다주라고 하셨어요.
④ 어머니가 이것을 가져다드리라고 하셨어요.
⑤ 어머니께서 이것을 가져다드리라고 하셨어요.

7 **다음 학급 회의에서 경희와 희정이가 잘못한 점은 무엇인지 두 가지를 고르시오.** (,)

> 이희정: 네, 제 의견은 "고운 말을 사용하자."입니다. 친구들이 나쁜 말을 주고받으면 사이가 안 좋아지는 것을 자주 봤기 때문입니다.
> 고경희: (비아냥거리며) 쳇, 친할 때 그런 말로 장난치는 것도 모르나?
> 이희정: (짜증 내며) 너는 그래서 날마다 친구들과 다투냐?

① 발표를 하지 않았다.
② 높임말을 사용하지 않았다.
③ 혼자서 너무 오래 말을 했다.
④ 말할 기회를 얻지 않고 말했다.
⑤ 사실이 아닌 것을 사실처럼 말했다.

8 **온라인 대화를 할 때 주의할 점입니다. 빈칸에 공통으로 들어갈 알맞은 말을 쓰시오.**

> 얼굴을 직접 확인할 수 없는 온라인 대화 상황에서 자신을 나타내는 ( )은/는 또 다른 내 이름이라고 할 수 있습니다. 적절한 ( )을/를 사용하고 반갑게 인사하는 것이 온라인 대화 예절을 지키는 태도의 시작입니다.

( )

9 **예절을 지키며 온라인 대화를 하는 방법으로 알맞지 않은 것은 어느 것입니까?** ( )

① 바른 말을 사용한다.
② 상대를 존중하고 예의를 지킨다.
③ 재미를 위해 그림말을 되도록 많이 사용한다.
④ 얼굴이 보이지 않는다고 해서 함부로 말하지 않는다.
⑤ 상대가 보이지 않더라도 대화 전에 인사를 하고 끝날 때에도 인사한다.

논술형

10 **대화할 때 지켜야 할 예절을 알아본 내용을 써 보시오.**

____

____

4학년 반 점수
이름 /30점

정답과 해설 ● 47쪽

1 민수처럼 친구가 자신이 듣기 싫어하는 별명으로 자신을 불렀다면 어떻게 대답했을지 쓰시오. [5점]

> 영철: (교실로 들어오는 민수를 보며) 어이, 키다리! 왔냐?
> 민수: 뭐야, 아침부터 듣기 싫은 별명을 부르고…….

2 오른쪽 그림에서 여자아이가 잘못하고 있는 점은 무엇인지 쓰시오. [5점]

정지
아주머니,
수고하셨어요.

3 다음에서 신유 친구들이 대화 예절을 잘 지키지 않은 부분은 무엇인지 쓰시오. [5점]

> 신유 어머니: (따뜻한 목소리로) 이렇게 신유의 생일을 축하하러 우리 집에 와 줘서 고맙구나. 손 씻고 식탁에 앉으렴.
> 원우, 지혜, 현영: 야, 맛있겠다!
> 원우: 내가 닭 다리 먹어야지!

4 다음 ㉠을 예의 바른 말로 고쳐 쓰시오. [5점]

저요! 저요!
제가 할게요.
다른 친구도
발표해야지.
…….
㉠내 마음이야.
저요! 저요!
▲ 토끼
▲ 사자

5 다음 학급 회의에서 찬민이가 지켜야 할 예절은 무엇인지 쓰시오. [5점]

> 김찬민: (자신 없게) 고운 말? 뭐였지? 아무튼 그 의견보다는 '이름 부르지 않기'로 정하면 좋겠습니다. 왜냐하면 우리 반 모두가 싫어할 것 같기 때문입니다.
> 사회자: "고운 말을 사용하자."는 의견이 있었고, 이름이 아니라 "듣기 싫은 별명으로 부르지 말자."라는 의견이 있었습니다.

6 다음 온라인 대화에서 나타난 문제는 무엇인지 쓰시오. [5점]

점심시간에
한 말이 무슨
뜻이야?
그거 아무것도
아니야. 신경
쓰지 마. 안녕.
△△님이 나갔습니다.
갑자기 대화방에서
나가면 어떡해! 난 아직
할 이야기가 남았는데.

4학년 반 | 점수
이름 | /30점

정답과 해설 ● 47쪽

관련 성취 기준	예의를 지키며 듣고 말하는 태도를 지닌다.
평가 목표	대화 예절을 지키며 대화할 수 있다.

1 **오른쪽 그림과 같은 상황에서 여자아이가 해야 할 말을 써 봅시다.** [10점]

(　　　　　　　　　　　　　　　　)

2 **다음 대화에서 신유 친구들이 예절을 잘 지키지 않은 부분과 올바른 대화 예절을 써 봅시다.** [10점]

원우: 신유야, 이제 네 방으로 가서 놀자. / 신유: 여기야.
원우: 신유야, 여기는 책이 정말 많구나.
현영: (귓속말로) 신유는 이 많은 책을 다 봤나 봐.
지혜: (귓속말로) 정말 많다. 그래서 공부를 잘하나 봐.

(1) 예절을 잘 지키지 않은 부분	(2) 올바른 대화 예절

3 **다음과 같은 상황에서 예절을 잘 지키지 않은 부분을 쓰고, 빨간색 부분의 말을 예의 바른 말로 고쳐 써 봅시다.** [10점]

내 생각에는…….
이게 더 좋은 의견이야!

내 말 아직 안 끝났는데…….
내 말부터 들어 봐.

(1) 예절을 잘 지키지 않은 부분	(2) 예의 바른 말

4학년 반 | 점수
이름

1 이야기를 읽어 본 경험을 말할 때 말할 내용으로 알맞지 않은 것을 찾아 ×표를 하시오.

(1) 이야기 제목 ( )
(2) 나오는 인물 ( )
(3) 인상 깊은 장면 ( )
(4) 장면에 대한 친구의 생각 ( )

2~4 글을 읽고, 물음에 답하시오.

> 어느 날 아침, 사라는 버스 앞쪽 자리가 얼마나 좋은 곳인지 알아보기로 마음먹었습니다. 사라는 자리에서 일어나 좁은 통로로 걸어 나갔습니다. 별다른 것도 없어 보였습니다. 창문은 똑같이 지저분했고, 버스의 시끄러운 소리도 똑같았습니다. 앞쪽 자리가 뭐가 그리 대단하다는 것일까요?
>
> 한 백인 아주머니께서 물으셨습니다.
>
> "왜 그리 두리번거리니, 꼬마야?"
>
> "뭐 특별한 게 있는지 알아보고 싶어서요."
>
> 아주머니께서 말씀하셨습니다.
>
> "네 자리로 돌아가는 게 좋겠구나."
>
> 모두가 사라를 쳐다보았습니다.
>
> 사라는 계속 나아갔습니다. 앞쪽 끝까지 가서 운전사 옆자리에 앉았습니다. 사라는 운전사가 기어를 바꾸고 두 손으로 커다란 핸들을 돌리는 것을 지켜보았습니다. 운전사가 성난 얼굴로 사라를 쏘아보았습니다.
>
> "꼬마 아가씨, 뒤로 가서 앉아라. 너도 알다시피 늘 그래 왔잖니?"
>
> 사라는 그대로 앉은 채 마음속으로 말했습니다.
>
> '뒷자리로 돌아갈 아무런 이유가 없어!'

2 어디에서 일어난 일인지 쓰시오.

( )

3 사라는 뒷자리로 가라는 사람들의 말에 어떻게 행동하였습니까? ( )

① 버스에서 내렸다.
② 바로 뒷자리로 갔다.
③ 운전사의 말을 따랐다.
④ 사람들에게 큰 소리로 따졌다.
⑤ 그대로 앞자리에 앉아 있었다.

4 이 이야기로 보아 사라의 성격은 어떠합니까? ( )

① 용감하다.
② 겁이 많다.
③ 예의가 없다.
④ 화를 잘 낸다.
⑤ 변덕이 심하다.

국어 활동

5 다음 이야기의 배경과 사건에 알맞은 말을 빈칸에 쓰시오.

> 흰옷을 입은 사람이 많이 모여 있는 것으로 보아 장례식이 벌어지고 있는 것 같았습니다. 내가 내려앉은 곳은 그곳의 나무 울타리 밑이었습니다. 속으로 이제 꼼짝없이 썩어서 거름이나 되어야겠다고 생각하고 눈을 꼭 감았습니다. 그런데 그때 딸그락거리는 소리가 들렸습니다.
>
> "누구야?"
>
> 나는 퉁명스럽게 소리쳤습니다. 딸그락거리는 것은 바로 놋쇠로 만든 주발이 바람에 스쳐 나는 소리였습니다.

(1) 배경	( ) 울타리 밑
(2) 사건	'나'는 ( )을/를 만남.

6~7 글을 읽고, 물음에 답하시오.

가 윤아 손등에 있던 공기 알이 와르르 떨어져 두 개는 책상 밑으로, 한 개는 우진이 다리 밑으로, 나머지 한 개는 사물함 밑으로 굴러 들어갔어요.

나 윤아와 나는 교실 바닥에 엎드려 사물함 밑을 들여다봤지만, 사물함 밑은 너무 깜깜해서 아무것도 보이지 않았어요.

"손을 넣어 볼까?"

㉠"싫어. 그러다가 벌레라도 손에 닿으면 어떡해?"

나는 윤아 입에서 '벌레'라는 말이 나오자마자 사물함 밑으로 반쯤 넣었던 손을 얼른 뺐어요.

윤아와 나는 서로 울상이 되어 마주 보았어요.

"이걸로 꺼내 보자."

우진이는 어디서 가져왔는지 기다란 자를 들고 나타났어요. 그러고는 바닥에 납작 엎드려 자로 사물함 밑을 더듬거렸어요.

6 ㉠에서 짐작할 수 있는 윤아의 성격을 두 가지 고르시오. (,)

① 깔끔하다.
② 털털하다.
③ 샘이 많다.
④ 장난스럽다.
⑤ 조심성이 많다.

7 자를 들고 와 사물함 밑을 찾는 행동으로 보아 우진이의 성격은 어떠할지 쓰시오.

( )

8~9 글을 읽고, 물음에 답하시오.

가 우봉이는 시장 골목으로 들어갔어요. 할아버지는 구경하느라 느릿느릿 걸으며 가다 서다를 반복했어요. 우봉이는 할아버지보다 앞서가며 눈을 굴렸어요. 두부 가게가 어디 있나 하고요.

'어, 주은이잖아!' / 주은이가 채소 가게 안에서 젓가락질 연습을 하고 있었어요. 나무젓가락으로 강낭콩을 들었다 놓았다 하고 있었어요. 주은이 옆에는 한 아줌마가 있었는데 생김새가 좀 남달랐어요. 얼굴도 가무잡잡했어요.

나 "카오리아오는 이렇게 손으로 먹는 거야. 우리 고향에선 다 그래."

다 아줌마가 조몰락조몰락하던 것을 입에 쏙 넣었어요. 밥 덩어리 비슷했어요.

'웩! 저걸 먹다니!'

우봉이는 속이 메스꺼웠어요.

8 이 이야기에 나타난 내용으로 알맞지 않은 것은 어느 것입니까? ( )

① 일이 일어난 곳은 시장이다.
② 우봉, 주은, 주은이의 어머니가 나온다.
③ 주은이의 어머니는 다른 나라 사람이다.
④ 우봉이는 카오리아오를 먹고 싶어 한다.
⑤ 우봉이는 다른 문화에 대해 편견이 있다.

서술형

9 우봉이에게 일어난 일을 정리하여 쓰시오.

______

______

10 인물의 성격을 바꾸어 이야기를 새로 꾸미려고 할 때, 알맞지 않은 것에 ×표를 하시오.

(1) 이야기를 자연스럽게 꾸며 쓴다. ( )
(2) 인물, 사건, 배경이 서로 어울리게 바꿔야 한다. ( )
(3) 새로 꾸민 이야기 제목은 원래 이야기 제목과 반드시 같아야 한다. ( )

단원 평가 2회

4. 이야기 속 세상

4학년 반 점수
이름

1 자신이 읽은 이야기에서 인상 깊은 장면을 떠올려 쓰시오.

(   )

2~3 글을 읽고, 물음에 답하시오.

> 그날 밤, 어머니께서는 사라의 방으로 들어와 사라를 안아 주셨습니다.
> "사라야, 엄마는 너한테 화나지 않았어. 너는 세상의 어떤 백인 아이 못지않게 착한 아이란다. 너는 특별한 아이야."
> 사라는 몹시 혼란스러웠습니다.
> "그런데 왜 저는 버스 앞자리에 타면 안 되나요?"
> "법이 그렇기 때문이야. 법이라고 다 좋은 것은 아니지만 말이다."
> 사라가 어머니의 피곤한 눈을 올려다보며 물었습니다.
> "법은 절대 바뀌지 않나요?"
> 어머니께서 부드럽게 대답하셨습니다.
> "언젠가는 바뀌겠지."

2 이 이야기에서 공간적 배경을 알 수 있는 말은 어느 것입니까? (   )

① 법
② 그날 밤
③ 사라의 방
④ 백인 아이
⑤ 피곤한 눈

3 이 이야기에서 일어난 일을 정리하여 쓸 때 빈칸에 알맞은 말을 각각 쓰시오.

• (   )은/는 법은 언젠가는 바뀐다며 (   )을/를 위로했다.

4~5 글을 읽고, 물음에 답하시오.

> 장난꾸러기 창훈이가 다른 아이들이랑 장난치며 뛰다가 윤아와 부딪친 거죠. 그 바람에 윤아 손등에 있던 공기 알이 와르르 떨어져 두 개는 책상 밑으로, 한 개는 우진이 다리 밑으로, 나머지 한 개는 사물함 밑으로 굴러 들어갔어요.
> "김창훈! 너 때문에 죽었잖아!"
> "김창훈! 너 때문에 내 공기 알이 사물함 밑으로 들어갔잖아!"
> 윤아는 공기 알을 못 잡은 게 억울해서, 나는 사물함 밑으로 굴러 들어간 내 공기 알이 걱정돼서 소리쳤어요. 우리 목소리에 놀랐는지 창훈이는 온몸을 움찔하더라고요. 그것도 잠시뿐, 창훈이는 미안하다는 소리 대신 혀만 쏙 내밀고는 휙 도망가 버리는 거 있죠.

4 공기 알이 사물함 밑으로 굴러 들어간 까닭은 무엇입니까? (   )

① '내'가 몰래 공기 알을 숨겨서
② 윤아가 너무 세게 공기 알을 잡아서
③ 우진이가 장난으로 공기 알을 던져서
④ 창훈이가 장난치며 뛰다가 윤아와 부딪쳐서
⑤ 서로 공기놀이를 먼저 하려다가 공기 알을 놓쳐서

5 창훈이의 성격은 어떠한지 두 가지를 고르시오. (,   )

① 깔끔하다.
② 장난스럽다.
③ 다정다감하다.
④ 배려심이 없다.
⑤ 조심성이 많다.

6~8 글을 읽고, 물음에 답하시오.

> "궁금한 게 있는데요, 손으로 밥을 조몰락조몰락해서 먹는 건 나쁜 거죠? 그런 사람 야만인이죠? 원시인이죠?"
> 우봉이가 묻자 아빠가 말씀하셨어요.
> "왜? 아는 사람 중에 그런 사람이라도 있어?"
> "아, 아니요. 그냥 어디서 봤는데, 우리나라 사람은 아니에요."
> "손으로 밥 먹는 사람들도 있긴 있지. 인도라는 나라 알지? 그 나라에도 그냥 맨손으로 밥을 먹는 사람들이 있어."
> "정말요? 인도는 내가 좋아하는 카레의 나라인데. 그런 나라에 야만인이 많다니."
> 뜻밖이어서 우봉이는 고개를 갸우뚱했어요. 그걸 보고 할아버지가 말씀하셨어요.
> "손으로 먹는 걸 두고 나쁘다고, 또 야만인이라고 해서는 안 되는겨. 그게 그 나라 풍습이고 문화인겨. 할아버지가 된장찌개 좋아하는데, 외국 사람이 냄새나는 된장 먹는다고 나를 야만인이라고 부르면 기분 나쁠겨. 할아버지 말 알아듣겠능겨?"

6 이 이야기에서 인물들은 무엇에 대해 이야기하고 있습니까? ( )

① 우리나라 음식
② 우리나라 풍습
③ 골고루 음식 먹는 것
④ 손으로 음식 먹는 것
⑤ 젓가락을 사용하면 좋은 점

7 할아버지는 6번 문제 답에 대해 어떻게 생각하십니까? ( )

① 나쁜 행동이다.
② 그 나라 풍습일 뿐이다.
③ 원시인이 하는 행동이다.
④ 야만인이 하는 행동이다.
⑤ 이해할 수 없는 행동이다.

8 이 이야기의 내용으로 보아 우봉이의 성격은 어떠한지 쓰시오.

( )

4 단원

국어 활동

9 다음 이야기에서 영란이에게 있었던 일을 차례대로 정리할 때, 빈칸에 들어갈 내용은 어느 것입니까? ( )

> ㉮ 영란이는 슬쩍 교문 앞을 보았다. 얼핏 담모퉁이에 빛바랜 우산을 삐뚜름하게 쓰고 서 있는 아버지가 보였다. 영란이 아버지는 비를 흠씬 맞으면서도 영란이를 찾기 위해 닭처럼 목을 길게 빼고 두리번거렸다.
> ㉯ 오늘같이 아이들이 많은 곳에서 아버지와 함께 고물 자전거를 타고 집으로 가긴 정말 싫었다. 영란이는 아버지가 서 있는 정문이 아닌 뒷문으로 얼른 발길을 옮겼다.

> 아버지께서 비를 맞으며 영란이를 데리러 학교에 오셨다.
> ⬇
> ( )

① 아침에 영란이가 우산을 챙겼다.
② 영란이가 아버지를 반갑게 맞았다.
③ 아버지와 영란이가 함께 자전거를 탔다.
④ 영란이가 아버지 몰래 혼자 집으로 돌아왔다.
⑤ 아버지와 영란이가 우산을 함께 쓰고 걸었다.

논술형

10 인물의 성격을 바꾸어 이야기를 새로 꾸미려고 합니다. 꾸며 쓸 이야기를 떠올려 인물의 성격을 어떻게 바꾸고 싶은지 쓰시오.

서술형 평가 4. 이야기 속 세상

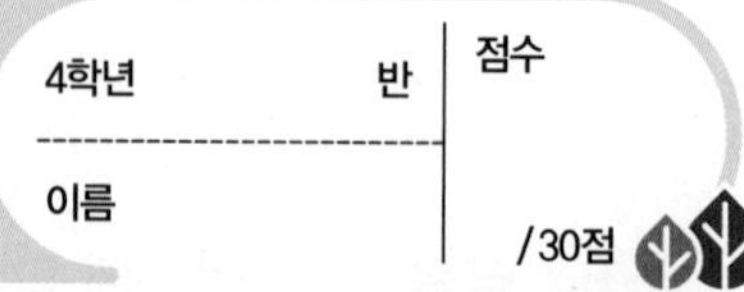

정답과 해설 ● 49쪽

1~2 글을 읽고, 물음에 답하시오.

㉮ 그날은 어떤 흑인도 버스를 타지 않았습니다. 그다음 날도 마찬가지였습니다. 버스 회사는 당황했습니다. 시장도 어쩔 줄 몰라 했습니다. 그리하여 사람들은 마침내 법을 바꾸었습니다.

운전사가 문을 열어 주며 말했습니다.

"타시죠, 꼬마 아가씨." / 사라는 자리에 앉기 전에 뒤돌아서 어머니를 쳐다보았습니다.

㉯ "아니에요, 어머니. 이 자리는 바로 어머니의 자리예요! 앞으로 어머니께서 계속 앉으실 수 있어요." / 어머니께서 활짝 웃으셨습니다. 사라와 어머니는 함께 자리에 앉았습니다.

1 **버스 회사가 당황한 까닭을 쓰시오.** [6점]

2 **이 이야기에서 일어난 일을 정리하여 쓰시오.** [6점]

3 **다음 이야기에서 창훈이의 성격을 짐작하여 쓰시오.** [6점]

"사과 안 하면 선생님한테 다 이를 거야."

일이 이쯤 되자 창훈이는 슬슬 웃기기 작전을 쓰기 시작했어요. 보일 듯 말 듯한 작은 새우 눈으로 눈웃음을 살살 지으며, 콧구멍을 벌름거리고 입을 펭귄처럼 쭉 내밀고는, "우진아, 한 번만 봐줘잉. 난 선생님이 제일 무서웡." 하고 콧소리를 내며 말하는 거지요.

4~5 글을 읽고, 물음에 답하시오.

㉮ 교탁 위에는 스티커가 가득 든 유리병과 상품권이 든 파란 봉투가 놓여 있었어요.

"젓가락왕을 가리는 거니까 아이들이 잘 봐야겠지? 그래서 옮겼어."

선생님 말씀을 듣고 우봉이는 앞으로 나가 앉았어요. 주은이도 자기 책상을 찾아가 앉았어요.

㉯ 우봉이가 콩을 세 개 옮겼을 때, 귓바퀴에 저번처럼 감기는 말이 있었어요.

'더 좋은 것은 따로 있는디. 그냥 달인만 되는 거. 동무들 이길 생각일랑 말고.'

우봉이는 무시하듯 콩을 더 빨리 집어 옮겼어요. 그러자 할아버지 말씀이 귓바퀴에 더 칭칭 감겼어요. 그뿐만이 아니었어요. 주은이 일기도 눈앞에서 아른거리기 시작했어요. 상품권을 타서 젓가락과 머리핀을 사고 싶다던.

'아, 싫은데. 져 주기 싫은데…….'

우봉이는 젓가락질을 하면서 다른 손으로 옆통수를 벅벅 긁었어요.

4 **우봉이의 사려 깊고 인정 많은 성격으로 인해 일어난 일은 무엇인지 쓰시오.** [6점]

5 **4번 문제의 답으로 보아 젓가락왕을 가리는 대회 결과가 어떠할지 생각하여 쓰시오.** [6점]

4. 이야기 속 세상

4학년 반	점수
이름	/30점

정답과 해설 ● 49쪽

관련 성취 기준	인물, 사건, 배경에 주목하며 작품을 이해한다.
평가 목표	인물의 성격을 짐작하며 이야기를 읽을 수 있다.

1~3 인물, 사건, 배경을 생각하며 이야기를 읽어 봅시다.

교실에 들어서니 나 말고도 다섯 명의 친구가 있었어요. 그중에는 윤아도 있었어요. 윤아와 나는 선생님이 오기 전까지 공기놀이를 하기로 했어요.

한참을 신나게 놀고 있는데 뒷문이 드르륵 열렸어요. 우진이예요.

"너희 뭐 해? 또 공기놀이하는구나."

우진이가 생글생글 웃으며 우리끼리 노는 데 참견했어요. 내가 놀고 있으면 우진이가 꼭 구경하러 오더라고요. 어쩌면 우진이도 나랑 짝이 되고 싶은지도 모르겠어요.

"우아, 윤아 공기 되게 잘한다!"

아이참, 정말 이상해요. 조금 전까지만 해도 윤아보다 내가 훨씬 더 잘했는데, 우진이가 나타나자마자 자꾸만 실수하는 거예요. 우진이 칭찬을 듣고 헤벌쭉 웃는 윤아가 참 얄미웠어요.

"나 공기놀이 그만할래."

나는 공기 알들을 주섬주섬 챙기며 일어섰어요. 공기 알 주인도 나고, 공기놀이도 내가 훨씬 더 잘하는데 윤아만 기분이 좋은 것 같아 심통이 난 거죠, 뭐.

그런데 그때 우진이가 내 옷자락을 잡으며 말렸어요.

"승연아, 우리 셋이 공기놀이하자. 나도 공기놀이할 줄 알거든."

"어? 그, 그래."

우진이가 커다란 눈을 끔뻑이며 부탁하는데 어떻게 안 들어줄 수 있겠어요?

1 **이 이야기의 인물, 배경, 사건을 써 봅시다.** [10점]

(1) 인물	
(2) 배경	
(3) 사건	

2 **'내'가 한 말과 행동을 통해 짐작할 수 있는 성격을 써 봅시다.** [10점]

(   )

3 **'내'가 적극적인 성격이라면 어떤 사건이 일어났을지 상상하여 쓰시오.** [10점]

단원 평가 1회 5. 의견이 드러나게 글을 써요

4학년 반 점수
이름

1 다음 문장을 문장의 짜임에 맞게 선으로 이으시오.

늙은 농부의 세 아들은 게을렀습니다.

(1) 누가 • • ① 게을렀습니다.

(2) 어떠하다 • • ② 늙은 농부의 세 아들은

2 문장의 짜임을 생각하며 짧은 글을 쓸 때, ㉠과 ㉡에 들어갈 내용이 알맞게 짝 지어진 것은 무엇입니까? (   )

① ㉠: 부지런합니다.
　㉡: 예지는
② ㉠: 내 친구입니다.
　㉡: 친절한 예지는
③ ㉠: 열심히 공부를 합니다.
　㉡: 친절한 예지는
④ ㉠: 다정합니다.
　㉡: 과학자를 꿈꾸는 예지는
⑤ ㉠: 친구들을 잘 도와줍니다.
　㉡: 열심히 공부를 하는 예지는

3~4 글을 읽고, 물음에 답하시오.

> ㉮ 옛날 어느 마을에 목화 장수 네 사람이 살았다. 그들은 싼 목화가 있으면 함께 사서 큰 광 속에 보관해 두었다가 값이 오르면 팔았다. 그런데 그 광에는 쥐가 많아 목화를 어지럽히기도 하고 오줌을 싸기도 했다. 목화 장수들은 궁리 끝에 광에 고양이를 기르기로 하고 똑같이 돈을 내어 고양이를 샀다.
>
> ㉯ 어느 날, 고양이가 다리 하나를 다쳤다. 그 다리를 맡은 목화 장수는 고양이 다리에 산초기름을 발라 주었다. 그런데 마침 추운 겨울철이라, 아궁이 곁에서 불을 쬐던 고양이의 다리에 불이 붙고 말았다. 고양이는 얼른 시원한 광 속으로 도망을 쳐서 목화 더미 위에서 굴렀다. 순식간에 목화 더미에 불이 번져 광 속의 목화가 몽땅 타 버리고 말았다.
>
> 목화 장수 네 명은 뜻하지 않게 큰 손해를 보게 되었다. 그러자 고양이의 성한 다리를 맡았던 목화 장수 세 명이 투덜투덜 불평을 늘어놓았다.

3 목화 장수 네 사람이 고양이를 산 까닭은 무엇입니까? (   )

① 고양이가 목화를 좋아해서
② 광에 사는 쥐를 쫓아내려고
③ 광에 도둑이 드는 것을 막으려고
④ 목화 장수 모두 고양이를 좋아해서
⑤ 장사할 때 고양이를 데리고 다니려고

4 이야기의 흐름을 생각하며 다음과 같이 정리했습니다. 각 문장을 두 부분으로 나눌 때 밑줄 그은 부분은 '누가 + 어찌하다'에서 어느 부분에 해당합니까?

<u>목화 장수들이</u> 고양이를 샀다.

⬇

<u>목화 장수들은</u> 고양이 때문에 큰 손해를 입어 투덜거렸다.

(   )

국어 활동

5 다음에서 설명하는 속담을 보기 에서 찾아 문장의 짜임에 맞게 쓰시오.

보기
- 바늘 도둑이 소도둑 된다.
- 발 없는 말이 천 리 간다.
- 빈 수레가 요란하다.

실속 없는 사람이 겉으로 더 떠들어 댐을 비유적으로 이르는 말이다.

(1) 무엇이	(2) 어떠하다

6~7 글을 읽고, 물음에 답하시오.

저는 댐을 건설하는 것에 반대합니다. 우리 상수리에 댐을 건설하면 숲에 사는 동물들이 살 곳을 잃고, 우리는 만강의 물고기들을 다시는 볼 수 없게 될 것입니다. 그리고 마을 어른들께서는 평생 살아온 고향을 떠나야 한다고 말씀하십니다. 우리 마을에 댐을 건설하기로 한 계획을 취소해 주시기를 부탁합니다.

20○○년 10월 ○○일 / 김효은 올림

6 이 글에서 알 수 있는 효은이의 의견에 맞게 빈칸에 알맞은 말을 쓰시오.

- 상수리에 댐을 건설하는 것에
( )

7 효은이가 6번 문제의 정답과 같은 의견을 낸 까닭을 두 가지 고르시오. (,)

① 비가 오면 홍수가 날 수 있기 때문에
② 상수리에 사람들이 많이 오기 때문에
③ 숲에 사는 동물들이 살 곳을 잃기 때문에
④ 만강의 물고기들을 다시는 볼 수 없기 때문에
⑤ 마을 어른들께서 평생 고향을 떠나시지 못하기 때문에

8~9 글을 읽고, 물음에 답하시오.

㉮ 우리 상수리에 댐을 건설하면 숲에 사는 동물들이 살 곳을 잃고, 우리는 만강의 물고기들을 다시는 볼 수 없게 될 것입니다. 그리고 마을 어른들께서는 평생 살아온 고향을 떠나야 한다고 말씀하십니다.

㉯ 여름철에 폭우로 생기는 문제를 막을 수 있습니다. 비가 내리는 대로 내버려 두면, 강 하류에서는 강물이 넘쳐서 논밭이 빗물에 잠기기도 합니다.

그리고 집과 길이 부서지고 심지어 사람이 목숨까지 잃을 만큼 위험합니다. 하지만 댐을 건설하면 홍수로 인한 이런 피해를 막을 수 있습니다.

8 글 ㉮와 ㉯는 댐 건설에 대한 의견이 다릅니다. 다음 의견은 어느 글의 글쓴이가 제시한 의견인지 기호를 쓰시오.

상수리에 댐을 건설해야 합니다.

글 ( )

9 의견을 제시하는 글을 쓰는 방법 중 글 ㉮, ㉯와 관련 있는 것은 무엇인지 ○표를 하시오.

(1) 자신의 의견을 제시한다. ( )
(2) 문제 상황을 자세히 쓴다. ( )
(3) 의견을 뒷받침하는 까닭을 쓴다. ( )

논술형

10 '건강'을 주제로 학급 신문을 만들려고 합니다. 학급 신문에 제시할 자신의 의견과 의견을 뒷받침하는 까닭을 쓰시오.

4학년 반 점수

이름

1 다음 문장의 짜임을 바르게 이해하지 못한 친구는 누구인지 쓰시오.

> 아버지께서 밭에 묻어 두신 보물은 주렁주렁 열린 포도송이였습니다.

> 세연: 이 문장은 '무엇이+무엇이다'의 두 부분으로 나눌 수 있어.
> 윤재: 이 문장은 '아버지께서'와 '밭에 묻어 두신 보물은 주렁주렁 열린 포도송이였습니다.'로 나눌 수 있어.

( )

2 문장의 짜임을 알면 좋은 점으로 알맞지 않은 것은 무엇입니까? ( )

① 어려운 낱말이 있는 긴 문장도 빠르게 쓸 수 있다.
② 문장의 앞뒤 연결이 자연스러운지 생각하며 글을 쓸 수 있다.
③ 문장이 길더라도 두 부분으로 끊어 읽으면 쉽게 이해할 수 있다.
④ 앞부분과 뒷부분이 자연스럽게 연결되는 좋은 문장을 쓸 수 있다.
⑤ 문장의 뒷부분을 살피면서 앞부분을 보면 어색한 문장을 자연스럽게 고칠 수 있다.

3 다음 문장을 '누가 + 어찌하다'로 나누어 쓰시오.

> 목화 장수들은 사포에게 판결을 부탁했다.

(1) 누가	(2) 어찌하다

4~6 글을 읽고, 물음에 답하시오.

> "이번 불은 순전히 고양이의 아픈 다리를 맡았던 저 사람 때문이야. 하필이면 불이 잘 붙는 산초기름을 발라 줄 게 뭐야?"
> "맞아, 그러니 목홧값을 그 사람에게 물어 달라고 하자." / 세 사람은 고양이의 아픈 다리를 맡았던 사람에게 목홧값을 물어내라고 했다. 억울한 그 목화 장수는 절대 목홧값을 물어 줄 수 없다며 큰 싸움을 벌였다.
> "불이 붙은 고양이가 광으로 도망칠 때는 성한 세 다리로 도망쳤잖아? 그러니까 광에 불이 난 것은 순전히 너희가 맡은 세 다리 때문이야."
> 아무리 싸워도 해결이 나지 않자, 네 사람은 고을 사포를 찾아가 판결을 해 달라고 부탁했다.

4 다음과 같은 의견을 낸 사람은 누구입니까?

> 광에 불이 난 것은 순전히 너희가 맡은 세 다리 때문이야.

( )

5 세 사람이 고양이의 아픈 다리를 맡았던 사람에게 목홧값을 물어내라고 한 까닭은 무엇입니까? ( )

① 고양이의 주인이기 때문에
② 광에 고양이를 두었기 때문에
③ 손해를 가장 적게 봤기 때문에
④ 고양이의 다리를 다치게 했기 때문에
⑤ 고양이에게 산초기름을 발라 주었기 때문에

논술형

6 목화 장수들의 의견을 비교해 본 후, 내가 사또라면 어떤 판결을 내렸을지 쓰시오.

7~8 글을 읽고, 물음에 답하시오.

아름다운 상수리가 댐 건설로 겪게 될 어려움을 잘 압니다. 하지만 상수리 주변에 사는 주민들이 홍수로 겪는 정신적·물질적 피해는 해마다 늘어나고 있습니다.

만강에 댐을 건설하면 여름철에 폭우로 생기는 문제를 막을 수 있습니다. 비가 내리는 대로 내버려 두면, 강 하류에서는 강물이 넘쳐서 논밭이 빗물에 잠기기도 합니다.

그리고 집과 길이 부서지고 심지어 사람이 목숨까지 잃을 만큼 위험합니다. 하지만 댐을 건설하면 홍수로 인한 이런 피해를 막을 수 있습니다.

상수리에 댐을 건설해야 합니다. 우리는 상수리 마을 주민들에게 피해가 가지 않도록 주민들이 이사하는 데 모든 지원을 아끼지 않을 것입니다. 댐 건설에는 상수리 마을 주민들의 협조가 필요합니다.

7 이 글의 글쓴이는 어떤 의견을 제시하였습니까?

( )

8 글쓴이의 의견을 뒷받침하는 까닭으로 알맞은 것은 무엇입니까? ( )

① 상수리는 아름다운 마을이기 때문이다.
② 댐 건설은 우리 지역만의 문제이기 때문이다.
③ 여름철 폭우로 생기는 문제를 막을 수 있기 때문이다.
④ 주민들이 이사하는 데 지원을 아끼지 않을 것이기 때문이다.
⑤ 상수리 마을 주민에게 전혀 피해가 가지 않을 것이기 때문이다.

국어 활동

9 다음 글의 내용으로 의견을 제시하는 글을 쓰려고 합니다. 주의할 점으로 알맞지 않은 것은 무엇입니까? ( )

우리는 지금부터 다문화 사회를 준비하는 마음가짐을 가져야 해요. 노르웨이가 그랬듯이 관용의 자세로 다른 문화와 민족을 받아들이고 화합하는 법을 배워야겠지요. 그렇다면 어떻게 관용의 마음을 보여 줄 수 있을까요?

① 의견을 분명하게 제시한다.
② 의견을 뒷받침할 내용을 드러낸다.
③ 읽는 사람이 정해지지 않았으므로 예의를 갖출 필요는 없다.
④ 왜 이런 의견을 전하고 싶은지 알 수 있도록 문제 상황을 제시한다.
⑤ '누가/무엇이'와 '무엇이다/어찌하다/어떠하다'의 연결이 자연스러운 문장을 쓴다.

10 학급 신문에 '환경'을 주제로 의견을 제시하는 글을 쓰려고 합니다. 다음 의견에 알맞은 까닭은 무엇입니까? ( )

일회용품을 쓰지 말자.

① 낭비하는 전기가 많기 때문이다.
② 몸과 마음이 건강해지기 때문이다.
③ 복도에서 뛰면 위험하기 때문이다.
④ 책은 우리가 궁금한 것을 알려 주기 때문이다.
⑤ 무심코 버리는 일회용품이 지구를 병들게 하기 때문이다.

서술형 평가

5. 의견이 드러나게 글을 써요

4학년 반 점수

이름 /30점

정답과 해설 ● 51쪽

1~3 글을 읽고, 물음에 답하시오.

㉮ 옛날 어느 마을에 목화 장수 네 사람이 살았다. 그들은 싼 목화가 있으면 함께 사서 큰 광 속에 보관해 두었다가 값이 오르면 팔았다. 그런데 그 광에는 쥐가 많아 목화를 어지럽히기도 하고 오줌을 싸기도 했다. 목화 장수들은 궁리 끝에 광에 고양이를 기르기로 하고 똑같이 돈을 내어 고양이를 샀다.

㉯ 어느 날, 고양이가 다리 하나를 다쳤다. 그 다리를 맡은 목화 장수는 고양이 다리에 산초기름을 발라 주었다. 그런데 마침 추운 겨울철이라, 아궁이 곁에서 불을 쬐던 고양이의 다리에 불이 붙고 말았다. 고양이는 얼른 시원한 광 속으로 도망을 쳐서 목화 더미 위에서 굴렀다. 순식간에 목화 더미에 불이 번져 광 속의 목화가 몽땅 타 버리고 말았다.

㉰ 세 사람은 고양이의 아픈 다리를 맡았던 사람에게 목홧값을 물어내라고 했다. 억울한 그 목화 장수는 절대 목홧값을 물어 줄 수 없다며 큰 싸움을 벌였다.

1 목화 장수 네 사람이 서로 다투고 있는 까닭은 무엇인지 쓰시오. [5점]

2 글 ㉮의 내용을 다음 문장의 짜임에 맞게 한 문장으로 쓰시오. [5점]

누가+어찌하다

3 목홧값을 누가 물어야 하는지에 대한 자신의 의견과 의견에 대한 까닭을 쓰시오. [5점]

4~6 그림을 보고, 물음에 답하시오.

4 그림 ㉮와 ㉯의 상황 중 한 가지를 선택하여 기호를 쓰고, 선택한 상황에는 어떤 문제가 있는지 쓰시오. [5점]

5 4번 문제의 문제 상황을 해결하기 위해서 어떤 의견을 제시하고 싶은지 쓰시오. [5점]

6 5번 문제와 같은 의견을 제시한 까닭은 무엇인지 쓰시오. [5점]

4학년 반 이름 점수 /30점

정답과 해설 ● 51쪽

관련 성취 기준	관심 있는 주제에 대해 자신의 의견이 드러나게 글을 쓴다.
평가 목표	자신의 의견을 제시하는 글을 쓸 수 있다.

1~2 글쓴이의 의견을 생각하며 다음 글을 읽어 봅시다.

㉮ 저는 댐을 건설하는 것에 반대합니다. 우리 상수리에 댐을 건설하면 숲에 사는 동물들이 살 곳을 잃고, 우리는 만강의 물고기들을 다시는 볼 수 없게 될 것입니다. 그리고 마을 어른들께서는 평생 살아온 고향을 떠나야 한다고 말씀하십니다. 우리 마을에 댐을 건설하기로 한 계획을 취소해 주시기를 부탁합니다.

㉯ 아름다운 상수리가 댐 건설로 겪게 될 어려움을 잘 압니다. 하지만 상수리 주변에 사는 주민들이 홍수로 겪는 정신적·물질적 피해는 해마다 늘어나고 있습니다.

만강에 댐을 건설하면 여름철에 폭우로 생기는 문제를 막을 수 있습니다. 비가 내리는 대로 내버려 두면, 강 하류에서는 강물이 넘쳐서 논밭이 빗물에 잠기기도 합니다.

그리고 집과 길이 부서지고 심지어 사람이 목숨까지 잃을 만큼 위험합니다. 하지만 댐을 건설하면 홍수로 인한 이런 피해를 막을 수 있습니다.

1 글 ㉮와 ㉯에서 글쓴이의 의견은 무엇인지 각각 써 봅시다. [10점]

(1) 글 ㉮	(2) 글 ㉯

2 댐 건설에 대한 자신의 의견을 정하여 의견을 제시하는 글을 써 봅시다. [20점]

1 다음 대화에서 친구들이 전기문을 통해 알고 싶은 것을 두 가지 고르시오. (　　,　　)

정원아, 여기서 뭐 해?
책에서 본 인물이 남달리 한 일을 알고 싶어서 그 인물의 전기문을 찾고 있어.
마침 나도 전기문에 나오는 인물이 살았던 시대는 지금과 어떻게 달랐는지 궁금했는데, 같이 전기문이 있는 '역사' 책꽂이로 가 보자.
1
2

① 인물이 태어난 장소
② 인물이 남달리 한 일
③ 인물이 남긴 유명한 말
④ 인물의 어린 시절 습관
⑤ 인물이 살았던 시대의 모습

2 본받고 싶은 인물을 소개할 때 어떤 내용을 말하면 좋을지 한 가지만 쓰시오.

(　　　　　　　　　　　　)

3~4 글을 읽고, 물음에 답하시오.

"사또, 부탁드릴 일이 있어 왔습니다. 저는 본디 양민의 딸이었습니다. 그런데 어린 나이에 부모를 여의고 친척 집에 맡겨졌다가 어쩔 수 없이 기생이 되었습니다. 사또께서는 제 억울한 사정을 헤아리시어 저를 양민의 신분으로 되돌려 주시기 바랍니다."

김만덕은 눈물을 흘리며 제주 목사에게 간절히 말하였다. 제주 목사는 김만덕의 말이 사실인지 관리를 불러 조사하게 하였다. 그리고 김만덕의 억울한 사정이 밝혀지자 명을 내렸다.

"만덕의 이름을 기안에서 지우고 양민의 신분으로 되돌려 주어라."

김만덕은 뛸 듯이 기뻤다. 이제 자유의 몸이 되어 새로운 인생을 살게 된 것이다.

3 김만덕이 살았던 시대 상황으로 알맞지 않은 것은 무엇입니까? (　　)

① 양민의 딸은 양민이었다.
② 기생은 자유롭지 못했다.
③ 신분 차별이 있던 시대였다.
④ 누구나 양반이 될 수 있었다.
⑤ 마음대로 신분을 바꿀 수 없었다.

4 이와 같은 글의 특성이 아닌 것은 무엇입니까? (　　)

① 인물이 한 일을 알 수 있다.
② 인물의 가치관을 알 수 있다.
③ 당시의 시대 상황을 알 수 있다.
④ 인물이 살아온 과정을 알 수 있다.
⑤ 인물에게 바라는 점을 알 수 있다.

국어 활동

5 다음 글을 읽고, 유희춘의 업적은 무엇인지 쓰시오.

㉮ 유희춘은 명종 대에 간신배들에 맞서 바른 뜻을 굽히지 않다가 정적들의 모함으로 제주도에 유배를 가 있었습니다. 선조는 왕이 되자마자 유희춘을 한양으로 불러들이고 관직을 내주었습니다.

㉯ 선조는 유희춘에게 하고 싶은 일이 있는지 물었습니다. 긴 유배 생활로 퀭한 유희춘의 얼굴에 한 줄기 빛이 들었습니다.

"그동안 많은 책 속에서 여러 오류를 발견하였습니다. 소신에게 시간을 주신다면 그 책을 바로잡아 새로 편찬하고 싶습니다."

이후 유희춘은 선조의 전폭적인 지원 아래 이미 편찬된 책들의 오류를 바로잡고 새로이 찍어 냈습니다.

(　　　　　　　　　　　　)

6~7 글을 읽고, 물음에 답하시오.

정조는 정약용에게 책을 보내며 좋은 방법을 생각해 보라고 했어요.

"수원에 새로이 성을 지으려 하네. 성을 짓는 데 드는 돈을 줄이면서 백성의 수고도 덜 수 있는 방법을 찾아보게."

정약용은 정조가 보내 준 책들을 꼼꼼히 읽으며 고민에 빠졌어요. 정약용이 생각하기에 성을 쌓을 때 가장 큰 문제는 돌을 옮기는 일이었어요. 힘을 덜 들이고 크고 무거운 돌을 옮길 방법을 찾던 정약용은 서른한 살 되던 해, 마침내 거중기를 만들었어요. 도르래의 원리를 이용해 작은 힘으로도 무거운 물건을 들 수 있도록 만든 기계였지요.

거중기 덕분에 백성은 성을 짓는 일에 자주 나오지 않아도 되어 마음 편히 농사를 지을 수 있었어요. 나라에서도 성을 짓는 데 드는 비용을 크게 줄일 수 있었어요. 정약용 덕분에 나라 살림도 아끼고 백성의 수고도 덜게 된 거예요.

6 정약용은 거중기를 만들어 백성에게 어떤 도움을 주었습니까? ( )

① 농사를 짓지 않아도 되었다.
② 성을 짓는 일에 시간이 오래 걸렸다.
③ 힘들이지 않고 농사를 지을 수 있었다.
④ 성을 짓는 데 돈을 쓰지 않아도 되었다.
⑤ 성을 짓는 일에 자주 나가지 않아도 되었다.

7 전기문의 특성을 살려 이 글의 내용을 요약할 때, 빈칸에 들어갈 알맞은 말을 쓰시오.

인물이 한 일	거중기를 발명했다.
짐작할 수 있는 인물의 가치관	

8~9 글을 읽고, 물음에 답하시오.

퍼킨스 학교에 머무는 동안 헬렌은 시각·청각·언어 장애를 지닌 노르웨이의 한 소녀가 입으로 말하는 법을 배웠다는 소식을 들었습니다. ㉠이 소식을 듣자 헬렌은 너무나 기뻤으며, 자신도 이것을 배우게 해 달라고 선생님을 졸랐습니다. 말하기를 배우는 것이 너무 힘들었지만 헬렌은 포기하지 않았습니다. 뜻대로 말이 되지 않아 어려움을 많이 겪었지만 자신도 마침내 말을 할 수 있을 것이라는 희망을 버리지 않고 끊임없이 노력했습니다. 새에게도 말을 걸고 장난감과 개에게도 말을 했습니다.

8 ㉠ '이 소식'의 내용은 무엇인지 빈칸에 알맞은 말을 쓰시오.

• 시각·청각·언어 장애를 가진 소녀가 ( )을/를 배웠다는 소식

논술형

9 이 글의 내용을 통해 헬렌에게서 본받을 점은 무엇인지 쓰시오.

10 다음과 같은 어려움을 겪고, 그 어려움을 이겨 내려고 노력한 인물은 누구인지 쓰시오.

어려움	1919년 3월 10일, 일본은 만세 운동을 하는 사람들에게 총칼을 휘두르고, 강제로 학교 문을 닫게 함.
어려움을 이겨 내려는 노력	고향에 돌아와서 태극기를 만들고, 아우내 장터에 모인 사람들과 독립 만세를 외침.

( )

6 단원

단원 평가 2회 6. 본받고 싶은 인물을 찾아봐요

4학년 반 점수
이름

1 다음은 어떤 인물에 대한 설명입니까?

> 한자가 너무 어려워 많은 백성이 글로 자신의 생각을 표현하지 못하는 것을 안타깝게 여겨 여러 학자와 함께 훈민정음을 만들었다.

( )

2 다음 대화를 통해 알 수 있는 것이 아닌 것은 무엇입니까? ( )

> 남자아이: 주시경 선생님은 어떤 일을 하셨기에 본받고 싶다는 거니?
> 여자아이: 백 년 전만 해도 글을 읽지 못하는 사람들이 대부분이었는데, 주시경 선생님의 노력 덕분에 지금은 우리글을 쉽게 배울 수 있는 거래.
> 남자아이: 주시경 선생님은 왜 그런 노력을 하셨을까?
> 여자아이: 우리나라가 외세의 침략을 받지 않고 잘 살려면 우리글을 모두가 알아야 한다고 생각하셨고, 그래서 누구나 쉽게 배울 수 있도록 문법을 연구하셨대.

① 주시경 선생님이 한 일
② 주시경 선생님이 좋아하는 책
③ 주시경 선생님이 살았던 시대 상황
④ 주시경 선생님을 본받고 싶은 까닭
⑤ 주시경 선생님이 중요하게 생각한 일

3~4 글을 읽고, 물음에 답하시오.

> 가 "제가 전 재산을 들여 육지에서 사들인 곡식입니다. 굶주린 사람들에게 나누어 주십시오."
> 제주 목사는 김만덕의 말을 듣고 깜짝 놀랐다.
> '양반도 아닌 상인이 피땀 흘려 모은 재산을 제주도 사람들을 구하겠다고 모두 내놓다니 정말 어진 사람이구나.'
> 나 제주 목사는 곡식을 풀어 굶주린 사람들에게 나누어 주었다. 그리하여 제주도 사람들은 목숨을 건질 수 있었다.

3 이 글을 읽고 친구들과 이야기를 나눈 내용으로 알맞지 않은 것은 무엇입니까? ( )

① 굶주린 사람들을 도와준 김만덕을 본받고 싶어.
② 제주도 사람들을 구하기 위해 김만덕이 한 일을 알 수 있었어.
③ 양반, 상인과 같은 말에서 신분 차별이 있었던 시대 상황이 드러나.
④ 비록 김만덕이 실제 있었던 인물은 아니지만 본받을 점이 많은 사람이야.
⑤ 내가 김만덕이 처했던 상황이었으면 어땠을까 생각해 보니, 김만덕이 정말 대단하게 느껴졌어.

4 다음은 이 글에서 알 수 있는 김만덕의 가치관을 정리한 것입니다. 빈칸에 들어갈 알맞은 말을 쓰시오.

> 김만덕이 전 재산을 들여 산 곡식으로 굶어 죽을 위기에 처한 사람들을 도운 행동에서 ( )을/를 중요하게 생각한다는 것을 알 수 있습니다.

( )

5 전기문을 읽고 인물의 가치관을 짐작하는 방법으로 알맞지 않은 것의 기호를 쓰시오.

> ㉠ 인물이 한 일의 까닭을 찾아본다.
> ㉡ 인물이 살았던 곳에 찾아가 본다.
> ㉢ 인물의 생각이 드러난 곳을 찾아본다.

( )

6 다음 글에서 정약용이 『목민심서』를 펴낸 것에서 알 수 있는 정약용의 가치관은 무엇입니까? ( )

정약용은 암행어사로 일하는 동안 지방 관리가 어떤 마음을 가져야 하는지에 대해 깊이 생각했어요. 임금이 아무리 나라를 잘 다스려도 지방 관리가 나쁜 짓을 일삼으면 백성은 어렵게 살 수밖에 없다는 것을 알게 되었거든요. 어릴 때 아버지 옆에서 보았던 백성의 어려운 삶도 머릿속을 떠나지 않았어요. 정약용은 쉰일곱 살이 되던 1818년, 이런 생각들을 자세히 담은 『목민심서』라는 책을 펴냈어요.

① 백성과 가까이 지내야 한다.
② 임금이 나라를 잘 다스려야 한다.
③ 어릴 때의 경험을 잘 살려야 한다.
④ 백성이 편히 살도록 도와주어야 한다.
⑤ 지방 관리들의 일을 덜어 주어야 한다.

국어 활동

7 보기 의 내용을 참고하여 초희(허난설헌)의 업적이 무엇인지 쓰시오.

보기

그들은 허난설헌의 시를 "세상을 뛰어넘어 인간 세상에 있는 것 같지가 않다."라고 칭찬하며 조선에 이렇게 뛰어난 시인이 있다는 사실에 감탄했지요.

"저는 성현들의 넓고 깊은 학문과 지혜를 배우고 싶고, 시도 짓고 싶습니다."
초희는 떨리는 음성으로 또박또박 말하려고 애썼다.
"시를 짓고 싶다고?"
"제 마음엔 항상 어지러운 눈발들이 있습니다. 흔들리는 배도 있습니다. 그것들이 붓을 따라 종이에 담기는 게 좋습니다. 시를 쓰면서 살고 싶습니다."

( )

8~9 글을 읽고, 물음에 답하시오.

열 살이 된 헬렌은 퍼킨스학교에 있는 동안 자신처럼 장애를 지닌 어린이를 돕는 일에 나섰습니다. 펜실베이니아주에 살고 있는 토미를 퍼킨스학교에 데려와 교육받을 수 있도록 모금을 하기로 한 것입니다. 다섯 살의 토미는 헬렌처럼 보지도 듣지도 말하지도 못하는 아이였습니다. 토미는 부모님도 안 계시고 가난한 아이여서 학교에 갈 수 없었습니다. 헬렌은 토미가 퍼킨스학교에 다닐 수 있도록 도와 달라는 글을 여러 사람과 신문사에 보냈습니다.

8 헬렌이 토미를 돕기 위해 한 일은 무엇입니까? ( )

① 토미의 친척을 찾아 주었다.
② 토미를 위로하는 편지를 보냈다.
③ 토미에게 말하는 법을 가르쳤다.
④ 토미를 직접 퍼킨스학교로 데려왔다.
⑤ 토미를 도와 달라는 글을 여러 사람과 신문사에 보냈다.

9 이 글을 읽고 헬렌에게서 본받을 점을 이야기한 친구는 누구입니까?

지효: 퍼킨스학교에서 어떤 공부를 했을지 궁금해.
영주: 펜실베이니아주에 사는 토미를 퍼킨스학교에 데려오고 싶어 했어.
유미: 자신도 장애 때문에 힘든 상황인데도 다른 어려운 사람을 도우려 한 점을 본받고 싶어.

( )

논술형

10 미래의 자기 모습을 상상하여 그렇게 생각한 까닭을 함께 쓰시오.

6 단원

6. 본받고 싶은 인물을 찾아봐요

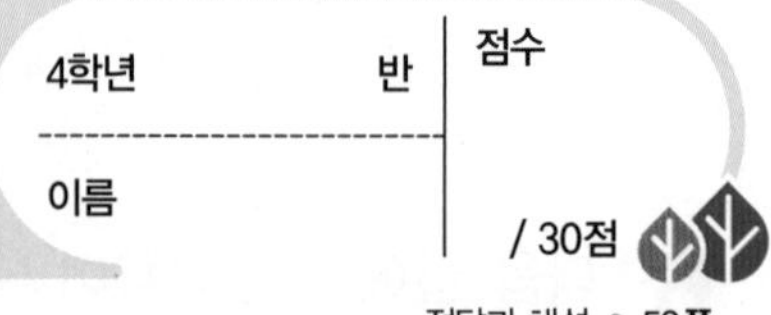

정답과 해설 ● 53쪽

1~2 글을 읽고, 물음에 답하시오.

> 정약용은 1762년 지금의 경기도 남양주에 있는 마재에서 태어났어요. 지방 관리였던 아버지 덕분에 정약용은 어릴 때부터 백성의 삶을 가까이서 지켜볼 수 있었어요.
>
> 백성은 이른 아침부터 해가 떨어질 때까지 한시도 쉬지 않고 일했지요. 그런데도 백성은 늘 배불리 먹지 못했어요. 세금을 내지 못해 남의 집 머슴살이를 하는 사람도 많았어요. 어린 정약용의 눈에 그것은 참 이상한 일이었어요.
>
> 열다섯 살 때, 아버지를 따라 한양으로 간 정약용은 많은 사람을 만나 학문을 배우고 익혔어요. 훗날 정약용에게 큰 영향을 준 이익의 책을 처음 본 것도 이즈음이었지요. 그때까지 정약용은 사람이 바르게 사는 도리를 따지는 성리학을 주로 공부했어요. 그런데 이익이 사물에 폭넓게 관심을 두고 해박한 지식을 쌓은 것을 보면서 정약용의 생각도 조금씩 달라졌어요. 백성이 잘 사는 데 도움이 되는 실학에 관심을 갖게 된 거예요.

1 정약용이 살았던 시대의 백성은 어떠했는지 쓰시오. [6점]

2 정약용이 살아온 과정을 정리해서 쓰시오. [6점]

1762년	(1)
⬇	
열다섯 살 때	(2)

3 다음 글을 읽고, 헬렌에게서 본받을 점이 무엇인지 쓰시오. [6점]

> 열 살이 된 헬렌은 퍼킨스학교에 있는 동안 자신처럼 장애를 지닌 어린이를 돕는 일에 나섰습니다. 펜실베이니아주에 살고 있는 토미를 퍼킨스학교에 데려와 교육받을 수 있도록 모금을 하기로 한 것입니다. 다섯 살의 토미는 헬렌처럼 보지도 듣지도 말하지도 못하는 아이였습니다. 토미는 부모님도 안 계시고 가난한 아이여서 학교에 갈 수 없었습니다. 헬렌은 토미가 퍼킨스학교에 다닐 수 있도록 도와 달라는 글을 여러 사람과 신문사에 보냈습니다. 헬렌도 이 모금에 참여하기 위해 사치스러운 물건을 사지 않고 돈을 보탰습니다. 다행히 많은 성금이 모여 토미는 아무 걱정 없이 학교에 다닐 수 있게 되었습니다. 헬렌은 매우 기뻤습니다. 남을 도우면 이렇게 큰 기쁨을 누릴 수 있다는 깨달음을 얻었습니다.

4 보기 처럼 20년 뒤에 자신이 어떤 시대 상황에 살고 있을지 상상해 쓰시오. [6점]

> **보기**
> 교통수단이 발달해 자동차가 하늘을 난다.

5 4번 문제에서 답한 것처럼 변화된 미래에서 자신이 하고 싶은 일을 상상해 쓰시오. [6점]

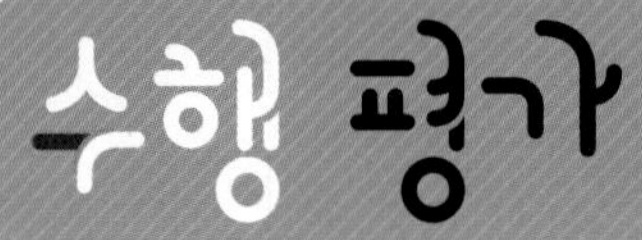

6. 본받고 싶은 인물을 찾아봐요

4학년 반 점수

이름 / 30점

정답과 해설 ● 53쪽

관련 성취 기준	글에서 낱말의 의미나 생략된 내용을 짐작한다.
평가 목표	전기문의 특성을 생각하며 읽을 수 있다.

1~3 인물이 살아온 과정을 생각하며 다음 글을 읽어 봅시다.

그즈음 정조는 수원에 성을 크게 쌓을 계획을 세우고 있었어요. 정조는 정약용에게 책을 보내며 좋은 방법을 생각해 보라고 했어요.

"수원에 새로이 성을 지으려 하네. 성을 짓는 데 드는 돈을 줄이면서 백성의 수고도 덜 수 있는 방법을 찾아보게."

정약용은 정조가 보내 준 책들을 꼼꼼히 읽으며 고민에 빠졌어요. 정약용이 생각하기에 성을 쌓을 때 가장 큰 문제는 돌을 옮기는 일이었어요. 힘을 덜 들이고 크고 무거운 돌을 옮길 방법을 찾던 정약용은 서른한 살 되던 해, 마침내 거중기를 만들었어요. 도르래의 원리를 이용해 작은 힘으로도 무거운 물건을 들 수 있도록 만든 기계였지요.

거중기 덕분에 백성은 성을 짓는 일에 자주 나오지 않아도 되어 마음 편히 농사를 지을 수 있었어요. 나라에서도 성을 짓는 데 드는 비용을 크게 줄일 수 있었어요. 정약용 덕분에 나라 살림도 아끼고 백성의 수고도 덜게 된 거예요.

1 이 글을 읽고 알 수 있는 시대 상황을 써 봅시다. [10점]

2 정약용이 한 일을 찾아 써 봅시다. [10점]

3 정약용이 한 일을 통해 짐작할 수 있는 정약용의 가치관과 본받을 점을 각각 써 봅시다. [10점]

(1) 가치관	(2) 본받을 점

단원 평가 1회 7. 독서 감상문을 써요

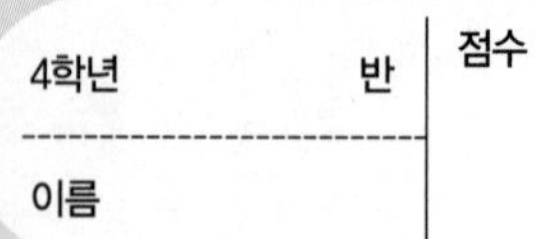

1 다음은 책에 대해 한 문장으로 말한 것입니다. 빈칸에 들어갈 책으로 어울리는 것을 떠올려 쓰시오.

> 『(　　　　　　　　　　)』은/는 거짓말을 했을 때 생각나는 책이다.

2~3 글을 읽고, 물음에 답하시오.

> 가 ㉠학교 도서관에서 책을 고르다가 『세시 풍속』이라는 책을 읽었습니다.
> 나 동짓날이 그냥 팥죽을 먹는 날인 줄 알았는데 생각보다 재미있는 이야기가 얽혀 있었습니다. ㉡옛날 사람들은 병을 옮기는 나쁜 귀신이 팥을 싫어한다고 믿었답니다. 그래서 동지에 팥으로 죽을 만들어 귀신이 못 오게 집 앞에 뿌렸답니다.
> 다 『세시 풍속』을 읽고 나니 조상의 지혜를 더 잘 알 수 있었습니다. ㉢계절의 변화 하나하나에 의미를 부여하고 삶을 즐겁게 보내려는 마음을 듬뿍 느꼈습니다.

2 ㉠~㉢은 독서 감상문에 들어가는 내용 중 무엇에 해당하는지 각각 기호를 쓰시오.

(1) 책을 읽은 동기	
(2) 책 내용	
(3) 책을 읽고 생각하거나 느낀 점	

3 이 글과 같은 독서 감상문에 제목을 붙이는 방법을 잘못 이야기한 친구는 누구인지 쓰시오.

> 소진: 책 제목이 드러나지 않도록 지어야 해.
> 지환: 책을 읽고 생각한 점이 잘 드러나게 제목을 붙일 수도 있어.
> 은성: 독서 감상문의 형식이 돋보이는 제목을 붙이는 것도 좋을 것 같아.

(　　　　　　　　　　)

4 독서 감상문을 쓰는 과정에 맞게 보기 의 기호를 바르게 나열한 것은 무엇입니까? (　　　)

> 보기
> ㉠ 책 내용을 떠올린다.
> ㉡ 인상 깊은 까닭을 생각해 본다.
> ㉢ 독서 감상문을 쓸 책을 고른다.
> ㉣ 인상 깊은 장면이나 내용을 정한다.
> ㉤ 독서 감상문에 알맞은 제목을 붙인다.
> ㉥ 책에 대한 생각이나 느낌을 정리한다.

① ㉠ - ㉢ - ㉡ - ㉣ - ㉥ - ㉤
② ㉠ - ㉤ - ㉡ - ㉥ - ㉢ - ㉣
③ ㉢ - ㉠ - ㉣ - ㉡ - ㉥ - ㉤
④ ㉢ - ㉤ - ㉠ - ㉣ - ㉡ - ㉥
⑤ ㉤ - ㉢ - ㉠ - ㉣ - ㉡ - ㉥

국어 활동

5 글 가와 나 중 보기 에 해당하는 부분의 기호를 쓰시오.

> 보기
> 책 내용과 관련해 자신을 되돌아보는 내용을 썼어요.

> 가 이 책의 주인공인 하은이는 꿈이 많은 아이이다. 가수, 우주 비행사, 요리사와 같이 날마다 꿈이 바뀐다. 하지만 하은이는 꿈의 다이어리를 받고 난 뒤, 꿈을 이루려면 노력해야 한다는 사실을 깨닫게 된다.
> 나 나는 사실 내 꿈이 무엇인지 모른다. 예전에는 과학자였지만 지금은 연예인이 되고 싶기도 하다. 하은이처럼 내 꿈은 계속 바뀌고 나는 한 번도 꿈에 대해 진지하게 생각한 적이 없다.

글 (　　　　　　　　　)

6~7 글을 읽고, 물음에 답하시오.

㉮ 어머니는 내게 가방을 넘겨준 다음 내가 가야 할 산길의 이슬을 털어 내기 시작했다. 어머니의 일 바지 자락이 이내 아침 이슬에 흥건히 젖었다. 어머니는 발로 이슬을 털고, 지겟작대기로 이슬을 털었다.

그런다고 뒤따라가는 아들 교복 바지가 안 젖는 것도 아니었다. 신작로까지 십오 분이면 넘을 산길을 삼십 분도 더 걸려 넘었다. 어머니의 옷도, 그 뒤를 따라간 내 옷도 흠뻑 젖었다. 어머니는 고무신을 신고 나는 검은색 운동화를 신었다. 걸음을 옮길 때마다 물에 빠졌다가 나온 것처럼 시커먼 땟국물이 찔꺽찔꺽 발목으로 올라왔다.

㉯ "자, 이제 이걸 신어라."

거기서 어머니는 품속에 넣어 온 새 양말과 새 신발을 내게 갈아 신겼다. 학교 가기 싫어하는 아들을 위해 아주 마음먹고 준비해 온 것 같았다.

"앞으로는 매일 털어 주마. 그러니 이 길로 곧장 학교로 가. 중간에 다른 데로 새지 말고."

그 자리에서 울지는 않았지만, 왠지 눈물이 날 것 같았다.

"아니, 내일부터 나오지 마. 나 혼자 갈 테니까."

6 어머니께서 새 양말과 새 신발을 품속에 넣어 오신 까닭은 무엇이겠습니까? ( )

① 아들의 양말과 신발이 낡아서
② 아들이 학교 준비물로 가져가야 해서
③ 아들이 양말과 신발을 안 신고 있어서
④ 아들에게 젖지 않은 새 양말과 새 신발을 신기고 싶어서
⑤ 아들이 새 양말과 새 신발을 사 줘야 학교에 가겠다고 해서

서술형

7 이 글에서 감동받은 부분을 쓰시오.

____

____

8 독서 감상문을 쓸 책을 정하는 방법으로 알맞지 않은 것은 무엇입니까? ( )

① 좋은 교훈을 얻은 책을 고른다.
② 새롭게 안 내용이 많은 책을 고른다.
③ 관심 있는 내용이 있는 책을 고른다.
④ 앞으로 읽고 싶지 않은 마음이 드는 책을 고른다.
⑤ 책 속 인물의 생각이 내 생각과 비슷한 책을 고른다.

9~10 글을 읽고, 물음에 답하시오.

물은 자꾸만 불어났어. 투발루는 안절부절못하더니 나무 위로 올라갔지.

"야옹 야옹 이야옹."

그러고는 야자나무 위에서 몸을 웅크리고 마구 울었어.

"그러게 수영을 배우면 좋잖아."

로자가 나무 위에서 떨고 있는 투발루를 안고 내려왔어.

"아빠, 바닷물이 왜 자꾸 불어나요?"

로자가 파란 바다를 보며 나직이 물었어.

"지구가 더워져서 빙하가 녹아내리고 있거든. 그래서 바닷물이 불어나는 거야."

9 바닷물이 자꾸만 불어나는 까닭은 무엇인지 쓰시오.

( )

10 이 글을 읽고 로자에게 하고 싶은 말이 있다면 어떤 형식으로 생각이나 느낌을 표현하는 것이 좋겠습니까? ( )

① 시 ② 편지
③ 만화 ④ 일기
⑤ 그림

4학년 반 점수

이름

논술형

1 보기 를 참고하여 재미있게 읽은 책에 대한 생각이나 느낌을 쓰시오.

보기

『갈매기의 꿈』에서 조나단이 포기하지 않고 계속 노력한 끝에 결국 진정한 자유를 얻는 장면이 가장 인상 깊었어.

2 독서 감상문을 쓰면 좋은 점으로 알맞지 않은 것은 무엇입니까? ( )

① 읽은 책 내용을 다시 한번 생각할 수 있다.
② 책 내용을 잊어버리지 않고 모두 기억할 수 있다.
③ 감명 깊게 읽은 부분이나 인상 깊은 장면을 기억할 수 있다.
④ 글을 읽고 느낀 재미나 감동을 다른 사람과 함께 나눌 수 있다.
⑤ 책을 읽은 동기와 책 내용, 읽고 난 뒤의 생각이나 느낌을 정리할 수 있다.

3 다음 독서 감상문에서 알 수 있는 내용을 세 가지 고르시오. (, ,)

㉮ 학교 도서관에서 책을 고르다가 『세시 풍속』이라는 책을 읽었습니다.
㉯ 책은 계절의 차례대로 봄, 여름, 가을, 겨울의 세시 풍속을 소개했습니다. 지금 계절이 겨울이므로 겨울 부분부터 읽어 보았습니다. 겨울의 세시 풍속 가운데에서 인상 깊었던 것은 동지의 풍속입니다.

① 책 제목 ② 책 두께
③ 책을 쓴 사람 ④ 책을 읽은 동기
⑤ 책에서 인상 깊었던 부분

4 ㉠~㉤ 중 독서 감상문을 쓰는 방법으로 알맞지 않은 것의 기호를 쓰시오.

독서 감상문을 쓸 책을 정할 때	• ㉠읽으면서 여러 가지 생각을 한 책을 고른다. • ㉡새롭게 안 내용이 많은 책을 고른다.
책 내용을 정리할 때	• 인상 깊은 부분을 떠올린다. • ㉢생각이나 느낌을 나타낼 수 있는 부분을 간략하게 쓴다.
생각이나 느낌을 쓸 때	• 새롭게 알거나 생각한 점, 책을 읽고 느낀 점을 쓴다. • ㉣생각이나 느낌에 대한 까닭은 쓰지 않아도 된다.
독서 감상문을 고쳐 쓸 때	• ㉤제목이 잘 어울리는지 확인한다. • 생각이나 느낌이 책 내용과 잘 어울리는지 확인한다.

( )

5 다음 대화에서 친구들이 무엇에 대하여 이야기하고 있는지 빈칸에 알맞은 말을 쓰시오.

민지: 질문이나 생각이 많이 생기는 내용을 읽을 때 감동을 느꼈던 것 같아.
혜미: 기쁨이나 슬픔과 같은 감정을 강하게 느낀 부분에서 감동을 느낄 수 있었어.
주호: 내 경험이나 생각이 글 내용과 비슷해 공감할 수 있는 부분에서 감동을 느꼈던 것 같아.

• 글에서 ( )받은 부분을 찾는 방법

6~7 글을 읽고, 물음에 답하시오.

> 그러다 신작로로 가는 산길에 이르러 어머니가 다시 내게 가방을 내주었다.
> "자, 여기서부터는 네가 가방을 들어라."
> 나는 어머니가 내가 학교에 가기 싫어하니 중간에 학교로 가지 않고 다른 길로 샐까 봐 신작로까지 데려다주는 것으로 생각했다.
> ㉠"너는 뒤따라오너라."
> 거기에서부터는 이슬받이였다. 사람 하나 겨우 다닐 좁은 산길 양옆으로 풀잎이 우거져 길 한가운데로 늘어져 있었다. 아침이면 풀잎마다 이슬방울이 조롱조롱 매달려 있었다. 어머니는 내게 가방을 넘겨준 다음 내가 가야 할 산길의 이슬을 털어 내기 시작했다. 어머니의 일 바지 자락이 이내 아침 이슬에 흥건히 젖었다. 어머니는 발로 이슬을 털고, 지겟작대기로 이슬을 털었다.
> 그런다고 뒤따라가는 아들 교복 바지가 안 젖는 것도 아니었다. 신작로까지 십오 분이면 넘을 산길을 삼십 분도 더 걸려 넘었다. 어머니의 옷도, 그 뒤를 따라간 내 옷도 흠뻑 젖었다.

6 어머니께서 '나'에게 ㉠과 같이 말씀하신 까닭은 무엇입니까? ( )

① '내'가 처음 가 보는 길이어서
② '내'가 어머니보다 걸음이 느려서
③ '내'가 좁은 산길을 걷는 것을 무서워해서
④ '내'가 다른 길로 새지 못하게 하기 위해서
⑤ '나'보다 앞서가면서 이슬을 털어 주기 위해서

7 이 글에서 감동받은 부분을 알맞게 찾아 이야기한 친구는 누구인지 쓰시오.

> 소현: 나는 어머니께서 아들보다 앞장서서 이슬받이를 걸어갈 때 감동을 느꼈어.
> 태환: 나도 이슬이 잔뜩 맺힌 좁은 길을 지나가다가 옷이 흠뻑 젖은 기억이 있어.

( )

8 친구들의 독서 감상문을 읽고 잘된 점이나 고칠 점을 이야기할 때 살펴볼 내용이 아닌 것의 기호를 쓰시오.

> ㉠ 내용에 알맞은 제목을 붙였는가?
> ㉡ 책 내용을 정확하게 옮겨 썼는가?
> ㉢ 내용을 잘 전할 수 있는 형식으로 썼는가?

( )

국어 활동

9 다음 글을 읽고 알 수 있는 내용으로 알맞지 않은 것은 무엇입니까? ( )

> 잠자리가 좋아하는 먹이는 모기, 파리, 각다귀, 하루살이, 벌 같은 곤충이야.
> 자기보다 작은 잠자리를 잡아먹기도 해.
> 뾰족한 가시가 난 다리로 붙잡으면, 절대 놓치지 않지.
> 붙잡은 먹이는 튼튼한 턱으로 물어뜯어 먹어 치워.
> 잠자리가 하루에 잡아먹는 곤충이 500마리는 될 거야.
> 잠자리들이 모기 떼를 쫓아 하늘을 나는 걸 본 적 있니?
> 한곳에 멈춰서 날고, 아래로 뚝 떨어지고, 위로 솟구치고,
> 갑자기 방향을 바꾸고, 뒤로도 날아.

① 잠자리가 사는 장소
② 잠자리가 좋아하는 먹이
③ 잠자리가 하루에 먹는 양
④ 잠자리가 먹이를 먹는 방법
⑤ 잠자리가 하늘을 나는 모습

10 지수가 책을 읽고 생각이나 느낌을 표현할 때 어떤 형식을 사용하면 좋을지 쓰시오.

> 지수: 나는 책을 읽고 느낀 감동을 간단한 말로 표현하고 싶어.

( )

4학년 반	점수
이름	/ 30점

정답과 해설 ● 55쪽

1 친구들과 책 제목 알아맞히기 놀이를 하려고 합니다. 자신이 읽은 책 가운데 한 권을 골라 친구들에게 설명할 내용을 간단하게 쓰시오. [6점]

(1) 책 제목	
(2) 책에 대한 설명	

2 1번 문제에서 고른 책에 대해 보기 와 같이 한 문장으로 쓰시오. [6점]

보기

『피노키오』는 거짓말을 했을 때 생각나는 책이다.

3 다음 독서 감상문에 알맞은 제목을 붙이고, 그렇게 제목을 붙인 까닭을 쓰시오. [6점]

학교 도서관에서 책을 고르다가 『세시 풍속』이라는 책을 읽었습니다. 이 책은 우리 조상이 농사일로 고된 일상 속에서 빼먹지 않고 지켜 오던 일 년의 세시 풍속을 담은 책입니다. 세시 풍속은 옛날에만 있었던 것인 줄 알았는데 오늘날 우리 삶에도 많이 남아 있어서 신기했습니다.

책은 계절의 차례대로 봄, 여름, 가을, 겨울의 세시 풍속을 소개했습니다. 지금 계절이 겨울이므로 겨울 부분부터 읽어 보았습니다. 겨울의 세시 풍속 가운데에서 인상 깊었던 것은 동지의 풍속입니다.

(1) 제목	
(2) 그렇게 붙인 까닭	

4 다음 글에서 감동받은 부분에 밑줄을 긋고, 감동받은 까닭을 쓰시오. [6점]

어머니는 내게 가방을 넘겨준 다음 내가 가야 할 산길의 이슬을 털어 내기 시작했다. 어머니의 일 바지 자락이 이내 아침 이슬에 흥건히 젖었다. 어머니는 발로 이슬을 털고, 지겟작대기로 이슬을 털었다.

그런다고 뒤따라가는 아들 교복 바지가 안 젖는 것도 아니었다. 신작로까지 십오 분이면 넘을 산길을 삼십 분도 더 걸려 넘었다. 어머니의 옷도, 그 뒤를 따라간 내 옷도 흠뻑 젖었다. 어머니는 고무신을 신고 나는 검은색 운동화를 신었다. 걸음을 옮길 때마다 물에 빠졌다가 나온 것처럼 시커먼 땟국물이 찔꺽찔꺽 발목으로 올라왔다. 그렇게 어머니와 아들이 무릎에서 발끝까지 옷을 흠뻑 적신 다음에야 신작로에 닿았다.

"자, 이제 이걸 신어라."

거기서 어머니는 품속에 넣어 온 새 양말과 새 신발을 내게 갈아 신겼다. 학교 가기 싫어하는 아들을 위해 아주 마음먹고 준비해 온 것 같았다.

"앞으로는 매일 털어 주마. 그러니 이 길로 곧장 학교로 가. 중간에 다른 데로 새지 말고."

그 자리에서 울지는 않았지만, 왠지 눈물이 날 것 같았다.

5 독서 감상문을 쓰고 싶은 책을 골라 책 제목과 그 책을 고른 까닭을 쓰시오. [6점]

(1) 책 제목	
(2) 책을 고른 까닭	

7. 독서 감상문을 써요

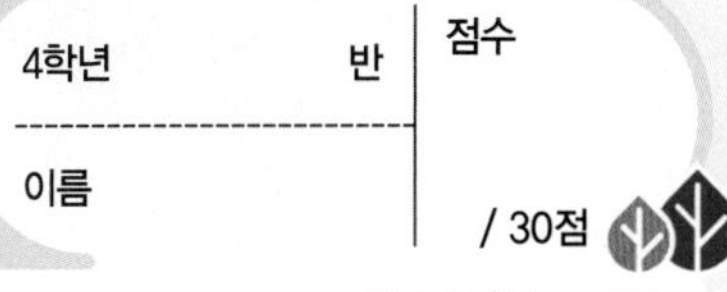

정답과 해설 ● 55쪽

관련 성취 기준	쓰기에 자신감을 갖고 자신의 글을 적극적으로 나누는 태도를 지닌다.
평가 목표	글을 읽고 감동받은 부분에 대한 생각이나 느낌을 쓸 수 있다.

1~3 감동을 주는 부분을 찾으며 글을 읽어 봅시다.

거기에서부터는 이슬받이였다. 사람 하나 겨우 다닐 좁은 산길 양옆으로 풀잎이 우거져 길 한가운데로 늘어져 있었다. 아침이면 풀잎마다 이슬방울이 조롱조롱 매달려 있었다. 어머니는 내게 가방을 넘겨준 다음 내가 가야 할 산길의 이슬을 털어 내기 시작했다. 어머니의 일 바지 자락이 이내 아침 이슬에 흥건히 젖었다. 어머니는 발로 이슬을 털고, 지겟작대기로 이슬을 털었다.

그런다고 뒤따라가는 아들 교복 바지가 안 젖는 것도 아니었다. 신작로까지 십오 분이면 넘을 산길을 삼십 분도 더 걸려 넘었다. 어머니의 옷도, 그 뒤를 따라간 내 옷도 흠뻑 젖었다. 어머니는 고무신을 신고 나는 검은색 운동화를 신었다. 걸음을 옮길 때마다 물에 빠졌다가 나온 것처럼 시커먼 땟국물이 찔꺽찔꺽 발목으로 올라왔다. 그렇게 어머니와 아들이 무릎에서 발끝까지 옷을 흠뻑 적신 다음에야 신작로에 닿았다.

"자, 이제 이걸 신어라."

㉠<u>거기서 어머니는 품속에 넣어 온 새 양말과 새 신발을 내게 갈아 신겼다.</u> 학교 가기 싫어하는 아들을 위해 아주 마음먹고 준비해 온 것 같았다.

"앞으로는 매일 털어 주마. 그러니 이 길로 곧장 학교로 가. 중간에 다른 데로 새지 말고."

그 자리에서 울지는 않았지만, 왠지 눈물이 날 것 같았다.

1 어머니께서 아들보다 앞장서서 이슬받이를 걸어간 까닭을 쓰시오. [10점]

2 ㉠에서 아들의 마음이 어떠했을지 짐작해 쓰시오. [10점]

3 이 글을 읽고 감동받은 부분에 대한 생각이나 느낌이 잘 드러나게 글을 쓰시오. [10점]

단원 평가 1회 8. 생각하며 읽어요

4학년 반 점수
이름

1~2 글을 읽고, 물음에 답하시오.

햇볕이 내리쬐는 무척 더운 날이었어요. 아버지와 아이가 당나귀를 끌고 시장에 가고 있었어요. 아버지와 아이는 땀을 뻘뻘 흘렸어요. 그 모습을 본 농부가 비웃으며 말했어요.

"쯧쯧, 당나귀를 타고 가면 될 걸 저렇게 미련해서야……."

농부의 말을 듣고 보니 정말 그렇지 않겠어요?

'맞아, 당나귀는 원래 짐을 싣거나 사람을 태우는 동물이잖아.'

아버지는 당장 아이를 당나귀에 태웠어요.

그렇게 한참을 가는데 한 노인이 호통을 쳤어요.

"아버지는 걷게 하고 자기는 편하게 당나귀를 타고 가다니. 요즘 아이들이란 저렇게 버릇이 없단 말이지!"

노인의 말을 듣고 보니 정말 그렇지 않겠어요?

아이는 얼른 당나귀에서 내리고 아버지를 태웠어요.

1 다른 사람의 의견을 들은 아버지와 아이는 어떻게 행동했습니까? ( )

① 다른 사람의 의견을 무시했다.
② 다른 사람의 의견을 따를지 말지 고민했다.
③ 다른 사람에게 의견에 대한 까닭을 물어보았다.
④ 다른 사람의 의견이 적절한지 판단하여 행동했다.
⑤ 다른 사람의 의견이 적절한지 판단하지 않고 그대로 따랐다.

논술형

2 아버지와 아이의 행동이 적절하다고 생각하는지 그 까닭과 함께 쓰시오.

______

______

3~4 글을 읽고, 물음에 답하시오.

바람직한 독서 방법은 도서관의 편의 시설을 늘리는 것입니다. 휴게실을 많이 만들면 편안히 쉴 수 있습니다. 체육관이 생기면 운동을 자주 할 수 있습니다. 컴퓨터를 많이 설치하면 인터넷을 쉽게 이용할 수 있습니다.

3 이 글은 '바람직한 독서 방법'을 주제로 쓴 글입니다. 글쓴이의 의견은 무엇인지 쓰시오.

( )

4 글쓴이의 의견에 대해 바르게 이야기하지 못한 친구는 누구인지 쓰시오.

수연: 글쓴이의 의견은 '바람직한 독서 방법'과는 관련이 없어.
재영: 책을 읽는 방법이나 태도와 관련된 내용으로 의견을 썼어야 했어.
향숙: 도서관의 편의 시설보다는 문화 시설을 늘리자는 의견이었으면 좋았을 것 같아.

( )

5 글쓴이의 의견이 적절한지 평가하는 방법에 맞게 빈칸에 알맞은 낱말을 보기 에서 골라 쓰시오.

보기
의견 주제 문제 사실

(1) 글쓴이의 의견이 ( )과/와 관련 있는지 살펴본다.
(2) 글쓴이의 ( )과/와 뒷받침 내용이 관련 있는지 따져본다.
(3) 뒷받침 내용이 ( )(이)고, 믿을 만한지 확인한다.
(4) 글쓴이의 의견을 따랐을 때 ( )이/가 생기지 않는지 살펴본다.

6~7 글을 읽고, 물음에 답하시오.

> [   ] 문화재를 직접 관람하면 옛 조상이 살았던 때를 생생하게 느낄 수 있습니다. 저는 가족과 함께 고인돌 유적지를 보러 갔습니다. 거대한 고인돌이 생생하게 기억에 남았습니다. 누리집에서 고인돌에 대한 정보를 찾아보았고, 학교 도서관에서 고인돌에 대한 책을 빌려 읽기도 했습니다.
>
> 또 문화재를 개방해야만 문화재 훼손을 막을 수 있습니다. 20○○년 7월 ○○일 신문 기사를 보니 고궁 가운데 한 곳인 ○○궁에 곰팡이가 번식했다는 내용이 있었습니다. 장마인데 문을 닫고만 있어서 바람이 통하지 않아 곰팡이가 궁궐 안으로 퍼진 것입니다. 사람들이 드나들면서 바람이 통하게 하면 이와 같은 문제는 해결될 것입니다.
>
> 문화재를 개방하면 자신이 체험한 문화재를 보호하려고 노력하는 사람이 늘어날 것입니다. 어디에 있는지도 모르는 유물이 아니라 우리 곁에 있는 문화재가 되어야 합니다. 우리가 함께 가꾸고 보존해 나간다고 생각한 뒤에 힘을 모으면 '살아 있는' 문화재가 될 것입니다.

6 빈칸에 들어갈 글쓴이의 의견은 무엇인지 쓰시오.

(   )

7 글쓴이의 의견이 적절하지 않다고 평가하였다면 그 까닭으로 알맞은 것은 무엇입니까? (   )

① 문화재는 우리가 알고 가꾸어 나가야 한다.
② 문화재는 관람객이 직접 체험해야 더 가치 있다.
③ 문화재를 직접 보면 보호하려는 마음이 생길 수 있다.
④ 많은 사람이 문화재를 관람하다 보면 어쩔 수 없이 훼손되기 마련이다.
⑤ 관람객에게 문화재의 중요성과 보호 방법을 알려 주면 문화재 훼손을 막을 수 있다.

국어 활동

8 다음 글에서 글쓴이의 의견은 무엇입니까? (   )

> 사람들은 숲에서 생활에 필요한 여러 가지 물건을 얻습니다. 이로 말미암아 숲이 파괴되고 생물들의 보금자리가 사라집니다. 우리는 이런 숲을 보호하고 생물들의 보금자리를 지켜 주어야 합니다. 그렇게 하려면 어떻게 해야 할까요?
>
> 첫째, 자원의 낭비를 막아야 합니다. 우리가 물건을 아껴 쓰고, 버리는 물건을 재활용하면 숲이 파괴되는 것을 줄일 수 있습니다.
>
> 둘째, 나무를 베어 낸 숲은 다시 가꾸어야 합니다. 한번 파괴된 숲은 저절로 복원되는 데 오랜 시간이 걸리지만, 사람들이 노력하면 조금 더 빨리 새로운 숲을 만들 수 있습니다.

① 숲을 관광지로 개발해야 한다.
② 숲의 나무를 많이 베어 내야 한다.
③ 파괴된 숲이 저절로 복원되도록 기다려 주어야 한다.
④ 숲을 보호하고 생물들의 보금자리를 지켜 주어야 한다.
⑤ 숲에서 생활에 필요한 여러 가지 물건을 얻어야 한다.

9 편식과 관련한 자신의 의견과 뒷받침 내용을 쓰시오.

(1) 의견	
(2) 뒷받침 내용	

10 다음 중 '즐겁고 행복한 학교 만들기'와 관련 없는 의견은 무엇입니까? (   )

① 친구의 별명을 부르지 않기
② 하루에 한 가지씩 친구 칭찬하기
③ 친구들 사이에 비속어 쓰지 않기
④ 놀러 가기 전에 부모님 허락 받기
⑤ 친구들이 모두 함께 교실 청소하기

8 단원

단원 평가 2회

8. 생각하며 읽어요

4학년 반 점수

이름

1~2 글을 읽고, 물음에 답하시오.

아버지와 아이를 태운 당나귀는 힘에 부친 듯 비틀비틀 걸음을 옮겼어요. / 시장에 거의 다다랐을 때, 그 모습을 본 청년이 말했어요.

"불쌍한 당나귀! 이 더운 날 두 명이나 태우고 가느라 힘이 다 빠졌네. 나라면 당나귀를 메고 갈 텐데."

청년의 말을 듣고 보니 그런 것 같았어요.

'그래, 이대로 가다가는 시장에 가기도 전에 당나귀가 지쳐 쓰러져 버릴 거야.'

둘은 당나귀에서 내렸어요. 그러고 나서 아버지는 당나귀의 앞발을, 아이는 뒷발을 각각 어깨에 올렸지요.

이제 외나무다리 하나만 건너면 시장이에요.

"으히힝." / 그때 당나귀가 버둥거리는 바람에 두 사람은 그만 당나귀를 놓치고 말았답니다. 강에 빠진 당나귀는 물살에 떠내려가고 말았어요.

1 아버지와 아이가 청년의 의견을 받아들인 까닭은 무엇입니까? ( )

① 청년이 지혜로워 보여서
② 청년이 당나귀를 살 거라서
③ 당나귀를 타는 것보다 메는 것이 쉬워서
④ 당나귀는 원래 사람이 메고 다니는 짐승이라서
⑤ 시장에 가기 전에 당나귀가 지쳐 쓰러져 버릴 수 있어서

2 아버지와 아이가 당나귀를 잃은 까닭을 바르게 이해한 친구는 누구인지 쓰시오.

윤재: 다른 사람의 의견을 듣지 않고 자기 의견만 고집했기 때문이야.
세미: 다른 사람의 의견이 적절한지 판단하지도 않고 그대로 따랐기 때문이야.

( )

3~5 글을 읽고, 물음에 답하시오.

민서: 바람직한 독서 방법은 여러 분야의 책을 읽는 것입니다. 여러 분야의 책을 읽으면 배경지식이 풍부해집니다. 풍부한 배경지식은 학교 공부를 하는 데 도움을 줍니다. 한 분야의 책만 읽으면 시력이 나빠집니다. 제가 여러 분야의 책을 읽었을 때는 시력이 좋아졌는데 한 분야의 책만 읽었을 때는 시력이 나빠졌습니다.

준우: 바람직한 독서 방법은 자신이 좋아하는 책만 읽는 것입니다. 좋아하는 분야의 책을 읽으면 흥미를 느끼며 즐겁게 읽을 수 있습니다. 그 분야에 깊이 있는 지식을 쌓을 수 있습니다. 자신이 좋아하는 분야이기 때문에 책 내용을 더 쉽게 이해할 수 있습니다.

3 '바람직한 독서 방법'에 대한 민서와 준우의 의견을 찾아 선으로 이으시오.

(1) 민서 • • ① 자신이 좋아하는 책만 읽는다.

(2) 준우 • • ② 여러 분야의 책을 읽는다.

4 다음은 민서와 준우 중 누구의 의견에 대한 평가인지 쓰시오.

좋아하는 책이 없을 경우에는 책을 읽지 않아야 한다고 생각할 수 있다.

( )

5 민서의 의견에 대한 뒷받침 내용 중 믿을 만한 내용이 아니라 판단되는 것은 무엇인지 쓰시오.

( )

6~7 글을 읽고, 물음에 답하시오.

> 문화재를 개방해야 합니다. 문화재를 직접 관람하면 옛 조상이 살았던 때를 생생하게 느낄 수 있습니다. 저는 가족과 함께 고인돌 유적지를 보러 갔습니다. 거대한 고인돌이 생생하게 기억에 남았습니다. 누리집에서 고인돌에 대한 정보를 찾아보았고, 학교 도서관에서 고인돌에 대한 책을 빌려 읽기도 했습니다.
> 또 문화재를 개방해야만 문화재 훼손을 막을 수 있습니다. 20○○년 7월 ○○일 신문 기사를 보니 고궁 가운데 한 곳인 ○○궁에 곰팡이가 번식했다는 내용이 있었습니다. 장마인데 문을 닫고만 있어서 바람이 통하지 않아 곰팡이가 궁궐 안으로 퍼진 것입니다. 사람들이 드나들면서 바람이 통하게 하면 이와 같은 문제는 해결될 것입니다.

6 다음 내용은 글쓴이의 의견에 대해 어떻게 생각한 것인지 알맞은 말에 ○표를 하시오.

> 문화재는 예전에 살았던 사람들의 모습이 담긴 것이기 때문에 관람객이 직접 체험해야 더 가치 있다.

• 글쓴이의 의견은
(적절하다 , 적절하지 않다).

서술형

7 이와 같은 글에서 글쓴이의 의견을 평가할 때 살펴봐야 할 것을 한 가지만 쓰시오.

____

____

8 의견을 뒷받침할 수 있는 내용을 찾는 방법으로 알맞지 않은 것의 기호를 쓰시오.

> ㉠ 전문가에게 물어본다.
> ㉡ 관련 있는 책을 읽는다.
> ㉢ 친한 친구에게 물어본다.
> ㉣ 믿을 만한 누리집을 찾아본다.

( )

국어 활동

9 다른 사람과 함께 살기 위해 해야 할 일로 알맞지 않은 것은 무엇입니까? ( )

> 우리는 여러 사람과 함께 살고 있기 때문에 다른 사람의 자유를 위해서 자신의 자유를 조금 제한하고 상대방을 존중해야 합니다. 이것을 깨닫게 된다면 우리는 자기 마음대로 하고 싶은 충동을 스스로 참고 절제할 것입니다. 이때 우리는 자율적으로 행동하는 사람이 되며 그때에야 비로소 사회 속에서 참된 자유를 누릴 수 있게 됩니다.

① 상대방을 존중하는 일
② 자신의 자유를 마음껏 누리는 일
③ 자신의 자유를 조금 제한하는 일
④ 마음대로 하고 싶은 충동을 참는 일
⑤ 다른 사람의 자유를 침해하지 않는 일

10 모둠별로 의견이 드러나는 글을 써서 학급 누리집 게시판에 올릴 때 주의할 점이 아닌 것은 어느 것입니까? ( )

① 모둠 구성원이 모두 다른 의견을 쓴다.
② 맞춤법이나 띄어쓰기에 주의하며 쓴다.
③ 뒷받침하는 내용의 출처를 확실히 밝힌다.
④ 책에서 읽은 내용 등을 근거로 들어서 쓴다.
⑤ 주제에 맞게 모둠의 의견이 잘 드러나도록 쓴다.

8 단원

4학년 반 점수
이름 / 30점

정답과 해설 ● 57쪽

1 의견이 적절한지 판단해야 하는 까닭을 한 가지 쓰시오. [6점]

2 글쓴이의 의견을 뒷받침하는 내용 ㉠, ㉡이 믿을 만한지 평가해 보시오. [6점]

바람직한 독서 방법은 여러 분야의 책을 읽는 것입니다. ㉠여러 분야의 책을 읽으면 배경지식이 풍부해집니다. 풍부한 배경지식은 학교 공부를 하는 데 도움을 줍니다. ㉡한 분야의 책만 읽으면 시력이 나빠집니다. 제가 여러 분야의 책을 읽었을 때는 시력이 좋아졌는데 한 분야의 책만 읽었을 때는 시력이 나빠졌습니다.

	믿을 만한가?	그렇게 생각한 까닭
(1) ㉠	예 , 아니요	
(2) ㉡	예 , 아니요	

3 다음 글쓴이의 의견을 따르면 어떤 문제가 생길 수 있는지 쓰시오. [6점]

바람직한 독서 방법은 자신이 좋아하는 책만 읽는 것입니다. 좋아하는 분야의 책을 읽으면 흥미를 느끼며 즐겁게 읽을 수 있습니다. 그 분야에 깊이 있는 지식을 쌓을 수 있습니다. 자신이 좋아하는 분야이기 때문에 책 내용을 더 쉽게 이해할 수 있습니다. 따라서 저는 이보다 더 바람직한 독서 방법은 없다고 생각합니다.

4 다음 글쓴이의 의견이 적절하지 않다고 평가하였다면 그렇게 생각한 까닭은 무엇일지 빈칸에 쓰시오. [6점]

문화재를 개방해야 합니다. 문화재를 직접 관람하면 옛 조상이 살았던 때를 생생하게 느낄 수 있습니다. 저는 가족과 함께 고인돌 유적지를 보러 갔습니다. 거대한 고인돌이 생생하게 기억에 남았습니다. 누리집에서 고인돌에 대한 정보를 찾아보았고, 학교 도서관에서 고인돌에 대한 책을 빌려 읽기도 했습니다.

또 문화재를 개방해야만 문화재 훼손을 막을 수 있습니다. 20○○년 7월 ○○일 신문 기사를 보니 고궁 가운데 한 곳인 ○○궁에 곰팡이가 번식했다는 내용이 있었습니다. 장마인데 문을 닫고만 있어서 바람이 통하지 않아 곰팡이가 궁궐 안으로 퍼진 것입니다. 사람들이 드나들면서 바람이 통하게 하면 이와 같은 문제는 해결될 것입니다.

적절한가요?	적절하다 , (적절하지 않다)
왜 그렇게 생각하나요?	

5 즐겁고 행복한 학교 만들기에 가장 적절한 의견은 무엇이라고 생각하는지 그 까닭과 함께 쓰시오. [6점]

(1) 의견	
(2) 그렇게 생각한 까닭	

4학년 반 | 점수
이름 | / 30점

정답과 해설 • 57쪽

관련 성취 기준	관심 있는 주제에 대해 자신의 의견이 드러나게 글을 쓴다.
평가 목표	글을 읽고 글쓴이의 의견을 평가할 수 있다.

1~3 글쓴이의 의견이 적절한지 생각하며 글을 읽어 봅시다.

문화재를 개방해야 합니다. 문화재를 직접 관람하면 옛 조상이 살았던 때를 생생하게 느낄 수 있습니다. 저는 가족과 함께 고인돌 유적지를 보러 갔습니다. 거대한 고인돌이 생생하게 기억에 남았습니다. 누리집에서 고인돌에 대한 정보를 찾아보았고, 학교 도서관에서 고인돌에 대한 책을 빌려 읽기도 했습니다.

또 문화재를 개방해야만 문화재 훼손을 막을 수 있습니다. 20○○년 7월 ○○일 신문 기사를 보니 고궁 가운데 한 곳인 ○○궁에 곰팡이가 번식했다는 내용이 있었습니다. 장마인데 문을 닫고만 있어서 바람이 통하지 않아 곰팡이가 궁궐 안으로 퍼진 것입니다. 사람들이 드나들면서 바람이 통하게 하면 이와 같은 문제는 해결될 것입니다.

문화재를 개방하면 자신이 체험한 문화재를 보호하려고 노력하는 사람이 늘어날 것입니다. 어디에 있는지도 모르는 유물이 아니라 우리 곁에 있는 문화재가 되어야 합니다. 우리가 함께 가꾸고 보존해 나간다고 생각한 뒤에 힘을 모으면 '살아 있는' 문화재가 될 것입니다.

1 글쓴이의 의견과 뒷받침 내용을 정리하여 쓰시오. [10점]

(1) 의견	
(2) 뒷받침 내용	

2 글쓴이의 의견이 적절한지 평가하고 그렇게 생각한 까닭을 쓰시오. [10점]

3 문화재 보호 방법에 대한 자신의 의견이 드러나게 글을 쓰시오. [10점]

단원 평가 1회

9. 감동을 나누며 읽어요

4학년 반 점수

이름

1~2 시를 읽고, 물음에 답하시오.

> 내 스케치북에는 비행기가 날아.
>
> 필통에도
> 지우개에도
> 비행기가 날아.
>
> 조종석에는 언제나
> 내가 앉아 있어.
>
> 조수석에는 엄마도 앉고
> 동생도 앉고 / 송이도 앉아.
> 오늘은 우리 집 개가 앉았어.
>
> 난 비행기가 좋아.
> 비행기를 구경하는 것도
> 비행기를 그리는 것도
> 비행기를 생각하는 것도.

1 이 시를 읽고 떠오르는 장면으로 알맞지 않은 것은 무엇입니까? ( )

① 말하는 이가 비행기 책을 사는 장면
② 말하는 이가 비행기를 구경하는 장면
③ 말하는 이가 비행기 조종석에 앉아 있는 장면
④ 말하는 이가 스케치북에 비행기를 그리는 장면
⑤ 말하는 이가 비행기를 상상하며 웃음 짓는 장면

논술형

2 시에서 말하는 이와 비슷한 자신의 경험을 쓰시오.

____

____

3~4 시를 읽고, 물음에 답하시오.

> 지하 주차장으로
> 차 가지러 내려간 아빠
> 한참 만에 / 차 몰고 나와 한다는 말이
>
> 내려가고 내려가고 또 내려갔는데 글쎄, 계속 지하로 계단이 있는 거야! 그러다 아이쿠, 발을 헛디뎠는데 아아아…… 이상한 나라의 앨리스처럼 깊은 동굴 속으로 끝없이 떨어지지 않겠니?

3 어디에서 일어난 일입니까? ( )

① 도서관 ② 영화관 ③ 동굴 속
④ 지하 주차장 ⑤ 동화 속 나라

4 이 시에 대한 느낌을 떠올리는 방법으로 알맞지 않은 것은 무엇입니까? ( )

① 같은 제목의 시를 더 찾아본다.
② 시의 장면을 떠올리면서 읽는다.
③ 시에 나오는 인물이 되어 역할놀이를 해 본다.
④ 시에 나오는 인물과 자신의 경험을 비교해 본다.
⑤ 시에 나오는 인물에게 묻고 싶은 물음을 만들어 본다.

국어 활동

5 다음 시를 읽고 떠오르는 장면을 알맞게 말한 친구는 누구인지 쓰시오.

> 한 발 차기 / 두 발 차기
> 신이 난 제기.
>
> 한껏 부푼 / 골목엔 / 터질 듯한 아우성.

혜인: 골목에서 아이들이 신나게 제기를 차는 모습이 떠올라.
재영: 골목에서 같이 놀 친구를 기다리는 아이의 모습이 떠올라.

( )

6 다음 장면에서 일어난 일에 대한 자신의 생각을 바르게 말한 것을 찾아 ○표를 하시오.

▲ 소풍날, 동숙이는 선생님 도시락에만 김밥을 담고 자신은 쑥개떡을 먹는다. 그것을 본 순자가 김밥을 나눠 먹자고 한다.

(1) 동숙이는 김밥을 준 친구가 고맙게 느껴질 것 같다. ( )
(2) 동숙이는 달걀이 든 김밥을 자랑하는 친구가 얄미웠을 것 같다. ( )
(3) 동숙이는 쑥개떡을 먹고 싶어 하는 친구가 안쓰러웠을 것 같다. ( )

7~9 글을 읽고, 물음에 답하시오.

㉮ 멸치 대왕이 망둥 할멈에게 꿈 이야기를 해 주자 망둥 할멈은 벌떡 일어나 절을 하면서 "대왕마마, 용이 될 꿈입니다."라고 말했어. 그러면서 하늘을 오르락내리락 구름 속을 왔다가 갔다가 하는 것은 용이 되어서 하늘을 날아다니는 것이고, 흰 눈이 내리면서 추웠다가 더웠다가 하는 것은 용이 되어 날씨를 마음대로 다스리게 되는 것이라고 풀이해 주었어. 망둥 할멈의 꿈풀이에 멸치 대왕은 기분이 좋아 덩실덩실 춤을 추었지.
하지만 넓적 가자미는 멸치 대왕한테 용이 되는 꿈이 아니라 큰 변을 당하게 될, 아주 나쁜 꿈이라고 말했어.
㉯ 넓적 가자미의 꿈풀이를 듣던 멸치 대왕은 화가 나 얼굴이 점점 붉어졌지.

7 망둥 할멈과 넓적 가자미의 꿈풀이를 찾아 선으로 이으시오.

(1) 망둥 할멈 •   • ㉠ 큰 변을 당할 나쁜 꿈이다.

(2) 넓적 가자미 •   • ㉡ 용이 될 꿈이다.

8 멸치 대왕이 망둥 할멈의 꿈풀이를 듣고 했을 말로 알맞은 것은 무엇입니까? ( )

① "망둥 할멈의 꿈풀이는 이제 믿을 수가 없어."
② "나는 용이 되고 싶은 마음이 없는데 어쩌지?"
③ "뭐라고? 감히 그런 꿈풀이를 하다니. 괘씸하다!"
④ "오, 아주 훌륭한 꿈풀이로다. 하하하, 아주 마음에 든다."
⑤ "망둥 할멈이 나한테 잘 보이고 싶어서 거짓말을 하고 있군."

9 넓적 가자미의 꿈풀이를 들은 멸치 대왕의 모습을 표현하는 방법으로 알맞지 않은 것은 무엇입니까? ( )

① 몸을 부들부들 떤다.
② 큰 목소리로 소리를 친다.
③ 눈을 크게 뜨고 노려본다.
④ 화를 참지 못해 씩씩거린다.
⑤ 침착한 표정으로 고개를 끄덕인다.

10 '시를 골라 그림과 함께 꾸미기' 활동을 하는 방법으로 알맞지 않은 것을 골라 기호를 쓰시오.

㉠ 시를 옮겨 쓴다.
㉡ 마음에 드는 시를 고른다.
㉢ 시의 내용과 어울리게 그림을 그린다.
㉣ 생각이나 느낌이 드러나지 않게 꾸민다.

( )

단원 평가 2회 9. 감동을 나누며 읽어요

4학년 반 점수
이름

1~3 시를 읽고, 물음에 답하시오.

조종석에는 언제나
내가 앉아 있어.

조수석에는 엄마도 앉고
동생도 앉고 / 송이도 앉아.
오늘은 우리 집 개가 앉았어.

난 비행기가 좋아.
비행기를 구경하는 것도
비행기를 그리는 것도
비행기를 생각하는 것도.

㉠커서 뭐가 되고 싶으냐고 묻지 마.
내 마음에는 비행기가 날아.

1 상상 속에서 말하는 이는 무엇을 하고 있는지 쓰시오.

( )

서술형

2 말하는 이가 ㉠과 같이 말한 까닭은 무엇일지 쓰시오.

3 이 시의 내용과 관련한 경험을 떠올려 알맞게 말한 친구는 누구입니까? ( )

① 내 생일은 겨울이야.
② 나는 내일 방 청소를 하기로 했어.
③ 마음속에 비행기가 날면 어지러울 것 같아.
④ 커서 뭐가 되고 싶은지는 천천히 생각해도 되지 않을까?
⑤ 조립을 완성하지 못 했던 장난감이 학교에 와서도 계속 생각났던 때가 떠올라.

4~5 시를 읽고, 물음에 답하시오.

지하 주차장으로 / 차 가지러 내려간 아빠
한참 만에 / 차 몰고 나와 한다는 말이

내려가고 내려가고 또 내려갔는데 글쎄, 계속 지하로 계단이 있는 거야! 그러다 아이쿠, 발을 헛디뎠는데 아아아…… 이상한 나라의 앨리스처럼 깊은 동굴 속으로 끝없이 떨어지지 않겠니? 정신을 차려 보니까 호빗이 사는 마을이었어. 호박처럼 생긴 집들이 미로처럼 뒤엉켜 있는데 갑자기 흰머리 간달프가 나타나 말하더구나. 이 새 자동차가 네 자동차냐? 내가 말했지. 아닙니다, 제 자동차는 10년 다 된 고물 자동차입니다. 오호, 정직한 사람이구나. 이 새 자동차를…….

에이, 아빠!
차 어디에 세워 놨는지 몰라서 그랬죠?
차 찾느라 / 온 지하 주차장 헤매고 다닌 거
다 알아요. / 피이!

4 아빠께서 한참 만에 차를 몰고 나오신 까닭은 무엇입니까? ( )

① 아이를 놀래 주고 싶어서
② 지하 주차장에서 사고가 나서
③ 호빗이 사는 마을에 다녀오느라
④ 차를 어디에 세워 놨는지 잊어버려서
⑤ 고물 자동차를 새 자동차로 바꾸느라

5 이 시를 읽고 떠올린 느낌을 알맞게 말한 것을 모두 찾아 ○표를 하시오.

(1) 나도 어제 이상한 나라의 앨리스 책을 읽었는데 재미있더라. ( )
(2) 아이에게 실수를 들키고 싶지 않은 아빠의 속마음이 느껴졌어. ( )
(3) 아빠께서 빨리 나오시기를 기다리는 아이의 마음이 느껴졌어. 나도 비슷한 경험이 있거든. ( )

6 다음 장면을 보고 생각을 바르게 말한 것을 찾아 기호를 쓰시오.

▲ 소풍에 달걀이 들어간 김밥을 싸가고 싶은 동숙이는 선생님께서 도시락을 싸 오라고 했다고 어머니께 말씀드린다. 아버지는 병원비로 모아 둔 돈을 동숙이에게 주면서 달걀을 사 오라고 하시고, 동숙이는 달걀을 사고 집에 오면서 신난 마음에 뛰다가 달걀을 깨뜨린다.

㉠ 맛있는 김밥을 먹은 동숙이가 부러웠어.
㉡ 동숙이는 차라리 달걀이 깨져 잘되었다고 생각했을 것 같아.
㉢ 달걀이 들어간 김밥을 먹지 못하게 되어 동숙이는 무척 서운할 것 같아.

(　　　　　　　　)

7~8 글을 읽고, 물음에 답하시오.

넓적 가자미의 꿈풀이를 듣던 멸치 대왕은 화가 나 얼굴이 점점 붉어졌지. 꿈풀이를 다 듣고 난 뒤 멸치 대왕은 너무나도 화가 나 넓적 가자미의 빰을 때렸는데 어찌나 세게 때렸던지 넓적 가자미의 눈이 한쪽으로 찍 몰려가 붙어 버리고 말았던 거야. 그 모양을 보고 있던 꼴뚜기는 자기도 빰을 맞을까 봐 겁이 나서 자기의 눈을 떼어서 엉덩이에 찰싹 붙여 버렸고, 망둥 할멈은 너무 놀라 눈이 툭 튀어나와 버렸지. 메기는 기가 막혀 너무 크게 웃다가 입이 쫙 찢어져 버렸고, 병어는 자기도 입이 찢어질까 봐 입을 꽉 움켜쥐고 웃다가 그만 입이 뾰족해지고 말았어.

7 꼴뚜기의 눈이 엉덩이에 있는 까닭은 무엇입니까? (　　)

① 멸치 대왕에게 빰을 맞아서
② 너무 놀라 눈이 떨어져 나가서
③ 자기의 눈을 떼어 엉덩이에 붙여서
④ 메기를 따라 눈을 엉덩이에 붙여서
⑤ 눈이 엉덩이에 있는 것이 더 잘 보여서

8 다음은 이 글에 나오는 인물 중 누구와 관련된 특성입니까? (　　)

화를 참지 못한다.

① 병어 ② 꼴뚜기 ③ 망둥 할멈
④ 멸치 대왕 ⑤ 넓적 가자미

국어 활동

9 세호는 인상 깊은 장면에 대해 다음과 같이 말하였습니다. 세호가 인상 깊게 느낀 장면은 ㉮와 ㉯ 중 어느 것인지 기호를 쓰시오.

㉮ "조금만, 조금만 더!" 하는 아줌마들의 쉰 목소리 사이로 아저씨들도 '끙차' 젖 먹던 힘까지 쥐어짰다는데요, 창피하고, 아프고, 춥고, 떨리는 거기서,
"으앙! 으아앙!" / 엄마가 드디어 울음을 터트렸다지 뭐예요!
㉯ 신바람이 난 외할아버지가 한 손을 척 들어 올리고는 노래 한 자락 하시는데요,
"쾌지나 칭칭 나네! 오늘 만난 벗님네야 쾌지나 칭칭 나네! 고맙고 고맙습니다."
외할아버지가 쾌지나 칭칭 쾌지나 칭칭 노래를 시작하자, 유랑 극단 사람들이 장구와 꽹과리를 치기 시작했어요.

세호: 사람들이 남의 일도 자기 일처럼 기뻐하며 함께 축하하는 모습이 보기 좋아서 인상 깊었어.

(　　　　　　　　)

10 '시를 써서 그림과 함께 꾸미기' 활동을 하는 방법으로 알맞지 않은 것은 무엇입니까? (　　)

① 생각이나 느낌을 시로 표현한다.
② 장면과 느낌을 생생하게 표현한다.
③ 친구들이 재미있어 하는 장면을 그린다.
④ 시로 표현할 생각이나 느낌을 떠올린다.
⑤ 자신이 쓴 시의 장면에 어울리는 그림을 그린다.

서술형 평가

9. 감동을 나누며 읽어요

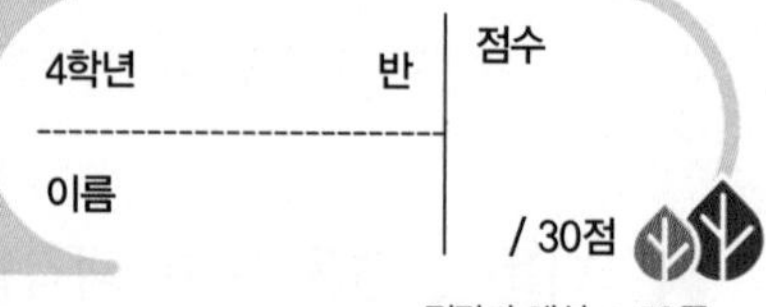

정답과 해설 ● 59쪽

1 다음 시에서 떠오르는 장면을 쓰시오. [6점]

> 내 스케치북에는 비행기가 날아.
>
> 필통에도
> 지우개에도
> 비행기가 날아.
>
> 조종석에는 언제나
> 내가 앉아 있어.
>
> 조수석에는 엄마도 앉고
> 동생도 앉고
> 송이도 앉아.
> 오늘은 우리 집 개가 앉았어.

2 다음 시 속 인물과 면담하며 느낌을 떠올리려고 합니다. 누구에게 어떤 질문을 할지 쓰시오. [6점]

> 갑자기 흰머리 간달프가 나타나 말하더구나. 이 새 자동차가 네 자동차냐? 내가 말했지. 아닙니다, 제 자동차는 10년 다 된 고물 자동차입니다. 오호, 정직한 사람이구나. 이 새 자동차를…….
>
> 에이, 아빠!
> 차 어디에 세워 놨는지 몰라서 그랬죠?
> 차 찾느라
> 온 지하 주차장 헤매고 다닌 거
> 다 알아요. / 피이!

3 다음 장면에서 동숙이의 행동을 보고 자신의 생각을 쓰시오. [6점]

> **장면** 어머니는 비싼 달걀이 들어간 김밥을 싸 달라며 투정을 부리는 동숙이를 혼내며 쑥개떡을 해 주겠다고 하신다.

4~5 글을 읽고, 물음에 답하시오.

> **가** 꿈속에서 멸치 대왕이 하늘을 오르락내리락, 구름 속을 왔다 갔다, 그러다가 갑자기 흰 눈이 펄펄 내리더니 추웠다가 더웠다가 하는 거야. 멸치 대왕은 무슨 꿈인지 몹시 궁금했어. 그래서 멸치 대왕은 넓적 가자미한테 꿈풀이를 잘한다는 망둥 할멈을 데려오라고 했지.
> **나** 넓적 가자미는 망둥 할멈을 데리고 또다시 하루, 이틀, 사흘, 나흘 그렁저렁 여러 날이 걸려 동쪽 바다로 돌아왔단다. 멸치 대왕은 먹을 것을 잔뜩 준비하고, 꼴뚜기, 메기, 병어 정승 들을 불렀지. 그리고 망둥 할멈을 반갑게 맞아들였어.
> 하지만 ㉠넓적 가자미한테는 알은척도 하지 않고 먹을 것도 주지 않자 넓적 가자미는 잔뜩 화가 나서 토라져 버렸어.

4 멸치 대왕이 망둥 할멈을 데려오라고 한 까닭은 무엇인지 쓰시오. [6점]

5 ㉠의 상황에서 넓적 가자미가 할 수 있는 말을 쓰시오. [6점]

4학년 반	점수
이름	/ 30점

정답과 해설 ● 59쪽

관련 성취 기준	작품을 듣거나 읽거나 보고 떠오른 느낌과 생각을 다양하게 표현한다.
평가 목표	시를 읽고 느낌을 표현할 수 있다.

1~3 경험을 떠올리며 시를 읽어 봅시다.

지하 주차장으로 / 차 가지러 내려간 아빠
한참 만에 / 차 몰고 나와 한다는 말이

내려가고 내려가고 또 내려갔는데 글쎄, 계속 지하로 계단이 있는 거야! 그러다 아이쿠, 발을 헛디뎠는데 아아아…… 이상한 나라의 앨리스처럼 깊은 동굴 속으로 끝없이 떨어지지 않겠니? 정신을 차려 보니까 호빗이 사는 마을이었어. 호박처럼 생긴 집들이 미로처럼 뒤엉켜 있는데 갑자기 흰머리 간달프가 나타나 말하더구나. 이 새 자동차가 네 자동차냐? 내가 말했지. 아닙니다, 제 자동차는 10년 다 된 고물 자동차입니다. 오호, 정직한 사람이구나. 이 새 자동차를…….

에이, 아빠! / 차 어디에 세워 놨는지 몰라서 그랬죠? / 차 찾느라
온 지하 주차장 헤매고 다닌 거 / 다 알아요. / 피이!

1 시에서 아빠가 한 일은 무엇인지 쓰시오. [5점]

2 시를 읽고 생각하거나 느낀 점을 쓰시오. [10점]

3 시에서 일어난 일과 비슷한 경험을 떠올려 시로 표현해 보시오. [15점]

중간 평가

1. 이어질 장면을 생각해요 ~ 4. 이야기 속 세상

4학년 반 점수
이름

1~2 그림을 보고, 물음에 답하시오.

한꺼번에 너무 많이 물으시는데요? 꼭 「니모를 찾아서」에 나오는 아빠 물고기 같아요.
사랑하기도 하지만 걱정이 많다는 뜻이에요.
아버지
딸
지난번에 같이 본 만화 영화 「니모를 찾아서」에 나오는 아빠 물고기처럼 너를 무척 사랑한다는 말이지?
그래, 알았다. 즐겁게 놀고 너무 늦지 않게 들어오면 좋겠구나. 아빠도 이제 걱정을 덜 하도록 노력하마.

1. 이어질 장면을 생각해요

1 두 사람이 무엇에 대해 이야기를 나누고 있는지 쓰시오.

• (   )에 나오는 아빠 물고기를 떠올리며 이야기를 나누고 있다.

1. 이어질 장면을 생각해요

2 두 사람 가운데 아빠 물고기에 대해 다음 생각을 갖고 있는 사람은 누구인지 쓰시오.

니모를 많이 걱정한다.

(   )

1. 이어질 장면을 생각해요

3 영화를 감상하는 방법을 바르게 말한 것에 모두 ○표를 하시오.

(1) 영화를 보고 느낀 점은 자신만 알고 있는 것이 좋아. (   )

(2) 기억에 남는 대사나 인상 깊은 장면을 생각해 봐야지. (   )

(3) 제목, 광고지, 예고편 따위를 보고 내용을 미리 상상해 볼 수 있어. (   )

4~5 표의 내용을 보고, 물음에 답하시오.

등장인물	고민	사건과 해결
오늘이	원천강으로 가야 하는데 가는 길을 모른다.	매일이, 연꽃나무, 구름이, 이무기를 만나 원천강으로 가게 된다.
연꽃나무	꽃봉오리를 많이 가지고 있는데, 이상하게도 하나만 꽃이 핀 까닭을 알고 싶다.	연꽃이 꺾어지자마자 송이송이 다른 꽃들이 피기 시작했다.

1. 이어질 장면을 생각해요

4 오늘이의 고민은 무엇입니까? (   )

① 이무기가 길을 막는 것
② 꽃봉오리가 많이 있는 것
③ 꽃이 왜 피는지 알 수 없는 것
④ 원천강으로 가는 길을 모르는 것
⑤ 매일이와 연꽃나무를 만나지 못한 것

1. 이어질 장면을 생각해요

5 연꽃나무는 어떻게 해서 고민이 해결되었는지 쓰시오.

(   )

2. 마음을 전하는 글을 써요

6 다음 편지에서 글쓴이가 전하려는 마음은 무엇입니까? (   )

그날 만든 그릇은 지금도 제 책상 위에 놓여 있습니다. 이 그릇을 보면 친절하게 가르쳐 주시던 선생님 모습이 생각납니다.
선생님, 제 마음에 드는 그릇을 만들도록 도와주셔서 고맙습니다. 안녕히 계세요.

① 고마운 마음 ② 죄송한 마음
③ 서운한 마음 ④ 속상한 마음
⑤ 자랑스러운 마음

7~9 **글을 읽고, 물음에 답하시오.**

> ㉮ 사랑하는 아들 필립
> 어머니의 편지를 받아 보았다. 네가 넘어져 팔을 다쳤다는 소식이 들어 있어 매우 걱정되는구나. 팔이 낫거들랑 내게 바로 알려라. 한 학년 올라가게 된 것을 축하한다.
> ㉯ 즐거운 마음으로 내 말을 따라 주겠지? 너를 믿는다.
> 1920년 8월 3일 홍콩에서
> 아버지가

2. 마음을 전하는 글을 써요

7 **어떤 형식의 글인지 쓰시오.**

( )

2. 마음을 전하는 글을 써요

8 **아들이 한 학년 올라간 일에 대해 글쓴이의 어떤 마음이 나타나 있는지 쓰시오.**

( )

2. 마음을 전하는 글을 써요

9 **글쓴이가 마음을 전하기 위해 사용한 표현을 두 가지 고르시오.** (,)

① 알려라 ② 내 말을
③ 축하한다 ④ 받아 보았다
⑤ 걱정되는구나

2. 마음을 전하는 글을 써요

10 **다음 그림에서 친구 ㉠이 전해야 할 마음은 무엇입니까?** ( )

네가 우리 학년 달리기 대회에서 상을 받았다고 들었어.
㉠

① 미안한 마음 ② 그리운 마음
③ 속상한 마음 ④ 축하하는 마음
⑤ 위로하는 마음

11~12 **글을 읽고, 물음에 답하시오.**

> 신유 어머니: (따뜻한 목소리로) 이렇게 신유의 생일을 축하하러 우리 집에 와 줘서 고맙구나. 손 씻고 식탁에 앉으렴.
> 원우, 지혜, 현영: 야, 맛있겠다!
> 원우: 내가 닭 다리 먹어야지!

3. 바르고 공손하게

11 **신유 친구들이 잘못한 점은 무엇입니까?** ( )

① 음식을 가려 먹었다.
② 좋아하는 음식이 없다고 불평하였다.
③ 친구와 나눠 먹지 않고 혼자만 먹었다.
④ 신유에게 생일 선물을 주지 않고 먹었다.
⑤ 음식을 준비해 주셔서 고맙다는 말을 하지 않았다.

서술형 3. 바르고 공손하게

12 **이 상황에서 신유 친구들이 예절을 잘 지키려면 어떻게 해야 하는지 쓰시오.**

____

____

국어 활동 3. 바르고 공손하게

13 **오른쪽 그림과 같은 상황에서 공에 맞은 아이가 예절에 맞게 말한 것은 어느 것입니까?** ( )

미안해. 다리는 괜찮아?

① 너무 아프잖아!
② 제대로 좀 보란 말이야.
③ 너라면 괜찮을 것 같니?
④ 무슨 애가 이렇게 조심성이 없니?
⑤ 괜찮아. 다음에는 더 조심하면 좋겠어.

14~15 대화를 보고, 물음에 답하시오.

현영 지혜야, 내일 발표 자료 준비 잘해! ^^
@.@ 발표 잘할 거야.
넌 누구야? 지혜
@.@ 나 영철이야.
영철이구나. 나 원래 발표 잘하잖아. ㅇㅈ? 지혜
@.@ ㅇㅈ? 이게 뭐야? 연주?

3. 바르고 공손하게

14 지혜가 영철이를 못 알아본 까닭은 무엇입니까? ( )

① 영철이가 현영이인 척해서
② 대화명이 영어로 되어 있어서
③ 영철이와 별로 친하지 않아서
④ 영철이가 주제와 관련없는 말을 해서
⑤ 대화명을 이름이 아닌 다른 것을 써서

3. 바르고 공손하게

15 지혜와 같이 온라인 대화를 할 때 줄임 말을 지나치게 쓰면 어떤 일이 일어날지 한 가지만 쓰시오.

( )

16~17 글을 읽고, 물음에 답하시오.

아침마다 사라는 어머니와 함께 버스를 탔습니다. 언제나 백인들이 앉는 자리와 구분된 뒷자리에 앉았습니다. 고개를 돌려 자기를 쳐다보는 백인 아이들에게 사라는 얼굴을 찡그렸습니다. 백인 아이들도 얼굴을 찡그리며 웃어 댔습니다.

4. 이야기 속 세상

16 이 이야기의 내용으로 알 수 있는 것은 무엇입니까? ( )

① 사라는 백인 아이이다.
② 사라는 버스 타는 것을 좋아한다.
③ 사라는 아버지와 함께 버스를 탄다.
④ 사라는 백인 아이들과 사이가 좋다.
⑤ 버스 앞자리는 백인들이 앉는 자리이다.

4. 이야기 속 세상

17 이 이야기에서 인물에 해당하는 것은 무엇입니까? ( )

① 아침 ② 버스 ③ 사라
④ 뒷자리 ⑤ 언제나

18~20 글을 읽고, 물음에 답하시오.

㉮ 장난꾸러기 창훈이가 다른 아이들이랑 장난치며 뛰다가 윤아와 부딪친 거죠.

㉯ 윤아는 공기 알을 못 잡은 게 억울해서, 나는 사물함 밑으로 굴러 들어간 내 공기 알이 걱정돼서 소리쳤어요. 우리 목소리에 놀랐는지 창훈이는 온몸을 움찔하더라고요. 그것도 잠시뿐, 창훈이는 미안하다는 소리 대신 혀만 쏙 내밀고는 휙 도망가 버리는 거 있죠.

윤아와 나는 교실 바닥에 엎드려 사물함 밑을 들여다봤지만, 사물함 밑은 너무 깜깜해서 아무것도 보이지 않았어요.

"손을 넣어 볼까?"

"싫어. 그러다가 벌레라도 손에 닿으면 어떡해?"

나는 윤아 입에서 '벌레'라는 말이 나오자마자 사물함 밑으로 반쯤 넣었던 손을 얼른 뺐어요.

4. 이야기 속 세상

18 창훈이의 성격을 짐작하여 쓰시오.

( )

서술형 4. 이야기 속 세상

19 이 이야기에서 윤아의 깔끔한 성격을 짐작할 수 있는 부분을 쓰시오.

4. 이야기 속 세상

20 '나'의 성격은 어떠합니까? ( )

① 소심하다. ② 샘이 많다.
③ 고집이 세다. ④ 다정다감하다.
⑤ 참을성이 많다.

1~2 글을 읽고, 물음에 답하시오.

> 그러자 ㉠고양이의 성한 다리를 맡았던 목화 장수 세 명이 투덜투덜 불평을 늘어놓았다.
> "이번 불은 순전히 고양이의 아픈 다리를 맡았던 저 사람 때문이야. 하필이면 불이 잘 붙는 산초기름을 발라 줄 게 뭐야?"
> "맞아, 그러니 목홧값을 그 사람에게 물어 달라고 하자."

5. 의견이 드러나게 글을 써요

1 ㉠의 의견은 무엇입니까? (　　)

① 고양이는 귀여운 동물이다.
② 고양이를 키워서는 안 된다.
③ 산초기름은 불이 잘 붙는다.
④ 불이 난 것은 모두의 책임이다.
⑤ 목홧값은 고양이의 아픈 다리를 맡았던 사람이 물어야 한다.

5. 의견이 드러나게 글을 써요

2 목화 장수 세 명이 1번 문제의 답과 같은 의견을 낸 까닭은 무엇인지 쓰시오.

(　　　　　　　　　　　　　　　　)

국어 활동　5. 의견이 드러나게 글을 써요

3 다음 문장을 보기 처럼 문장의 짜임에 맞게 ◯와 ▭로 표시하시오.

보기: (사과는) [맛있다.]	기차는 빠르다.

4~5 글을 읽고, 물음에 답하시오.

> 하지만 저는 댐을 건설하는 것에 반대합니다. 우리 상수리에 댐을 건설하면 숲에 사는 동물들이 살 곳을 잃고, 우리는 만강의 물고기들을 다시는 볼 수 없게 될 것입니다. 그리고 마을 어른들께서는 평생 살아온 고향을 떠나야 한다고 말씀하십니다. 우리 마을에 댐을 건설하기로 한 계획을 취소해 주시기를 부탁합니다.

5. 의견이 드러나게 글을 써요

4 글쓴이의 의견은 무엇인지 쓰시오.

(　　　　　　　　　　　　　　　　)

5. 의견이 드러나게 글을 써요

5 글쓴이가 자신의 의견을 뒷받침하는 까닭으로 든 것이 아닌 것에 ×표를 하시오.

(1) 숲에 사는 동물들이 살 곳을 잃게 된다. (　　)
(2) 만강의 물고기들을 더 이상 볼 수 없게 된다. (　　)
(3) 마을 어른들은 더 좋은 곳으로 이사를 갈 수 없게 된다. (　　)

6~7 글을 읽고, 물음에 답하시오.

> 김만덕은 전 재산을 들여 육지에서 곡식을 사 오게 하였다. 그 곡식은 총 오백여 석이었다.
> "제가 전 재산을 들여 육지에서 사들인 곡식입니다. 굶주린 사람들에게 나누어 주십시오."
> 제주 목사는 김만덕의 말을 듣고 깜짝 놀랐다.
> '양반도 아닌 상인이 피땀 흘려 모은 재산을 제주도 사람들을 구하겠다고 모두 내놓다니 정말 어진 사람이구나.'
> 관청 마당에는 곡식이 산더미같이 쌓여 있었다. 제주 목사는 곡식을 풀어 굶주린 사람들에게 나누어 주었다.

서술형　6. 본받고 싶은 인물을 찾아봐요

6 김만덕이 한 일은 무엇인지 쓰시오.

6. 본받고 싶은 인물을 찾아봐요

7 이 글에서 알 수 있는 김만덕의 가치관은 무엇입니까? (　　)

① 나눔을 가치 있게 생각한다.
② 정직을 중요하게 생각한다.
③ 부자가 되는 것이 중요하다.
④ 부지런한 것을 중요하게 여긴다.
⑤ 성공하는 삶을 목표로 하고 있다.

중간 기말 평가

8~10 글을 읽고, 물음에 답하시오.

> 정약용은 암행어사로 일하는 동안 지방 관리가 어떤 마음을 가져야 하는지에 대해 깊이 생각했어요. 임금이 아무리 나라를 잘 다스려도 지방 관리가 나쁜 짓을 일삼으면 백성은 어렵게 살 수밖에 없다는 것을 알게 되었거든요. 어릴 때 아버지 옆에서 보았던 백성의 어려운 삶도 머릿속을 떠나지 않았어요. 정약용은 쉰일곱 살이 되던 1818년, 이런 생각들을 자세히 담은 『목민심서』라는 책을 펴냈어요.

6. 본받고 싶은 인물을 찾아봐요

8 정약용이 쉰일곱 살에 펴낸 책 이름은 무엇인지 쓰시오.

( )

6. 본받고 싶은 인물을 찾아봐요

9 정약용이 8번 문제에서 답한 책을 펴낸 까닭은 무엇인지 두 가지 고르시오. (,)

① 큰 돈을 벌기 위해서
② 임금님의 명을 받아서
③ 지방 관리가 되기 위해서
④ 지방 관리가 어떤 마음을 가져야 하는지 말하고 싶어서
⑤ 어릴 때 보았던 백성의 어려운 삶이 머릿속을 떠나지 않아서

논술형 6. 본받고 싶은 인물을 찾아봐요

10 정약용의 가치관을 쓰시오.

____

____

11~12 글을 읽고, 물음에 답하시오.

> ㉠학교 도서관에서 책을 고르다가 『세시 풍속』이라는 책을 읽었습니다. 이 책은 우리 조상이 농사일로 고된 일상 속에서 빼먹지 않고 지켜 오던 일 년의 세시 풍속을 담은 책입니다. 세시 풍속은 옛날에만 있었던 것인 줄 알았는데 오늘날 우리 삶에도 많이 남아 있어서 신기했습니다.

7. 독서 감상문을 써요

11 이 독서 감상문은 어떤 책을 읽고 쓴 글인지 책 제목을 쓰시오.

( )

7. 독서 감상문을 써요

12 ㉠에서 알 수 있는 것은 무엇입니까? ( )

① 책 내용
② 책 두께
③ 책을 읽은 시간
④ 책을 읽은 동기
⑤ 책을 읽고 생각하거나 느낀 점

7. 독서 감상문을 써요

13 독서 감상문을 쓰는 과정에 맞게 차례대로 기호를 쓰시오.

> ㉠ 책 내용을 떠올린다.
> ㉡ 독서 감상문을 쓸 책을 고른다.
> ㉢ 책에 대한 생각이나 느낌을 정리한다.
> ㉣ 독서 감상문에 알맞은 제목을 붙인다.
> ㉤ 인상 깊은 장면이나 내용을 정하고 그 까닭을 생각해 본다.

( )→( )→( )→( )→( )

7. 독서 감상문을 써요

14 독서 감상문을 쓸 책으로 적절하지 않은 것은 어느 것입니까? ( )

① 제목이 긴 책
② 좋은 교훈을 얻은 책
③ 새롭게 안 내용이 많은 책
④ 남에게 알리고 싶은 생각이 들었던 책
⑤ 책 속 인물의 생각이 내 생각과 비슷한 책

15~16 글을 읽고, 물음에 답하시오.

바람직한 독서 방법은 자신이 좋아하는 책만 읽는 것입니다. 좋아하는 분야의 책을 읽으면 흥미를 느끼며 즐겁게 읽을 수 있습니다. 그 분야에 깊이 있는 지식을 쌓을 수 있습니다. 자신이 좋아하는 분야이기 때문에 책 내용을 더 쉽게 이해할 수 있습니다.

8. 생각하며 읽어요

15 글쓴이의 의견은 무엇인지 쓰시오.

( )

8. 생각하며 읽어요

16 이 의견을 따랐을 때 생길 수 있는 문제를 두 가지 고르시오. (,)

① 책 읽기를 싫어하게 된다.
② 한 분야의 책만 읽게 된다.
③ 책 내용을 이해하기 어려워진다.
④ 한 분야에 깊이 있는 지식을 쌓기 어렵다.
⑤ 한 가지 문제만 생각하게 되어 다양한 사고를 할 수 없게 된다.

17~18 글을 읽고, 물음에 답하시오.

문화재를 개방해야 합니다. 문화재를 직접 관람하면 옛 조상이 살았던 때를 생생하게 느낄 수 있습니다. 저는 가족과 함께 고인돌 유적지를 보러 갔습니다. 거대한 고인돌이 생생하게 기억에 남았습니다. 누리집에서 고인돌에 대한 정보를 찾아보았고, 학교 도서관에서 고인돌에 대한 책을 빌려 읽기도 했습니다.

또 문화재를 개방해야만 문화재 훼손을 막을 수 있습니다. 20○○년 7월 ○○일 신문 기사를 보니 고궁 가운데 한 곳인 ○○궁에 곰팡이가 번식했다는 내용이 있었습니다. 장마인데 문을 닫고만 있어서 바람이 통하지 않아 곰팡이가 궁궐 안으로 퍼진 것입니다. 사람들이 드나들면서 바람이 통하게 하면 이와 같은 문제는 해결될 것입니다.

8. 생각하며 읽어요

17 글쓴이의 의견은 무엇인지 쓰시오,

( )

8. 생각하며 읽어요

18 다음은 글쓴이의 의견에 대해 어떻게 평가한 것인지 ○표를 하시오.

많은 사람이 문화재를 관람하다 보면 어쩔 수 없이 훼손되기 마련이다. 한번 망가진 문화재는 돌이킬 수 없다.

• 글쓴이의 의견은
(적절하다 , 적절하지 않다).

19~20 글을 읽고, 물음에 답하시오.

하지만 넓적 가자미는 멸치 대왕한테 용이 되는 꿈이 아니라 큰 변을 당하게 될, 아주 나쁜 꿈이라고 말했어. 그러면서 하늘을 오르락내리락한다는 것은 낚싯대에 걸린 것이고, 구름은 모락모락 숯불 연기이고, 또 흰 눈은 소금이고, 추웠다가 더웠다가 한다는 것은 잘 익으라고 뒤집었다 엎었다 하는 것이라고 멸치 대왕의 꿈을 풀이했어.

넓적 가자미의 꿈풀이를 듣던 멸치 대왕은 화가 나 얼굴이 점점 붉어졌지.

9. 감동을 나누며 읽어요

19 넓적 가자미의 꿈풀이를 들은 멸치 대왕의 말로 알맞은 것에 ○표 하시오.

(1) "하하하, 아주 마음에 든다." ( )
(2) "오, 아주 훌륭한 꿈풀이로다." ( )
(3) "감히 그런 꿈풀이를 하다니. 괘씸하다!" ( )

9. 감동을 나누며 읽어요

20 19번 문제에서 답한 멸치 대왕의 말을 다른 사람에게 들려줄 때 실감 나게 표현한 친구는 누구입니까?

예원: 덩실덩실 춤을 추며 웃으며 말한다.
지효: 화난 표정으로 큰 목소리로 말한다.

( )

중간 기말 평가

1. 이어질 장면을 생각해요 ~
9. 감동을 나누며 읽어요

4학년 반 점수

이름

1~2 장면을 보고, 물음에 답하시오.

▲ 오늘이는 원천강으로 돌아가는 길에 행복을 찾겠다며 책만 읽는 매일이를 만난다.

1. 이어질 장면을 생각해요

1 매일이가 책만 읽는 까닭은 무엇입니까? ( )

① 행복을 찾으려고
② 원천강으로 돌아가려고
③ 원천강의 비밀을 풀려고
④ 오늘이와 친구가 되고 싶어서
⑤ 오늘이가 책을 읽으라고 시켜서

1. 이어질 장면을 생각해요

2 이 장면을 보고 어떤 생각이 들었는지 쓰시오.
( )

2. 마음을 전하는 글을 써요

3 다음 빈칸에 들어갈 마음을 드러내는 말로 알맞지 않은 것은 무엇입니까? ( )

내 글의 좋은
점도 말해 주면
좋았을 텐데.

① 그랬구나. 어쩌지?
② 많이 서운했겠구나.
③ 네 글에는 좋은 점이 없어.
④ 미안해. 그 생각을 못 했어.
⑤ 내가 깜빡했어. 많이 속상했겠다.

2. 마음을 전하는 글을 써요

4 다음 상황에서 전해야 할 마음을 쓰시오.

( )

5~6 대화를 보고, 물음에 답하시오.

알나리깔나리.
너 그만해!
거북
㉠
뭐? 너
혼나 볼래?
…….

3. 바르고 공손하게

5 이 상황의 역할극에서 거북이 잘못한 점은 무엇입니까? ( )

① 거친 말을 했다.
② 대화 도중에 끼어들었다.
③ 주제와 상관없는 말을 했다.
④ 묻는 말에 대답을 하지 않았다.
⑤ 말끝을 흐리며 자신 없게 말했다.

서술형

3. 바르고 공손하게

6 ㉠의 말을 예의 바른 말로 고쳐 쓰시오.

____

____

국어 활동

3. 바르고 공손하게

7 다른 사람의 말을 들을 때 지켜야 할 예절로 알맞은 것은 어느 것입니까? ( )

① 첫 부분만 주의 깊게 듣는다.
② 책을 읽으며 이야기를 듣는다.
③ 아무 반응을 하지 않고 듣는다.
④ 관심이 없는 이야기이면 듣지 않는다.
⑤ 다른 사람이 하는 말을 끝까지 듣는다.

8~9 글을 읽고, 물음에 답하시오.

> 우봉이는 고개를 갸우뚱했어요. 그걸 보고 할아버지가 말씀하셨어요.
> "손으로 먹는 걸 두고 나쁘다고, 또 야만인이라고 해서는 안 되는겨. 그게 그 나라 풍습이고 문화인겨. 할아버지가 된장찌개 좋아하는데, 외국 사람이 냄새나는 된장 먹는다고 나를 야만인이라고 부르면 기분 나쁠겨. 할아버지 말 알아듣겠능겨?"
> "그래도 맨손으로 밥을 조몰락거리는 건 더러워요. 병 걸릴 것 같아요."

4. 이야기 속 세상

8 할아버지의 성격은 어떠합니까? ( )

① 융통성이 없다.
② 편견을 가지고 있다.
③ 개방적이고 남을 이해한다.
④ 자신과 다른 점은 인정하지 않는다.
⑤ 우리의 문화만 훌륭하다고 생각한다.

4. 이야기 속 세상

9 우봉이는 손으로 음식 먹는 것을 어떻게 생각하였습니까?

( )

국어 활동 5. 의견이 드러나게 글을 써요

10 다음 속담을 문장의 짜임에 맞게 나누어 쓰시오.

> 발 없는 말이 천 리 간다.

(1) 무엇이	(2) 어찌하다

11~12 글을 읽고, 물음에 답하시오.

> 만강에 댐을 건설하면 여름철에 폭우로 생기는 문제를 막을 수 있습니다. 비가 내리는 대로 내버려 두면, 강 하류에서는 강물이 넘쳐서 논밭이 빗물에 잠기기도 합니다.
> 그리고 집과 길이 부서지고 심지어 사람이 목숨까지 잃을 만큼 위험합니다. 하지만 댐을 건설하면 홍수로 인한 이런 피해를 막을 수 있습니다.

5. 의견이 드러나게 글을 써요

11 글쓴이의 의견은 무엇인지 빈칸에 알맞은 말을 쓰시오.

• ( )을/를 건설해야 한다.

5. 의견이 드러나게 글을 써요

12 글쓴이가 의견에 대한 까닭으로 든 것은 무엇입니까? ( )

① 홍수 피해가 심해진다.
② 논과 밭에 물을 대기 편해진다.
③ 가뭄으로 고생하지 않을 수 있다.
④ 집과 길을 새롭게 단장할 수 있다.
⑤ 여름철에 폭우로 생기는 문제를 막을 수 있다.

13~14 글을 읽고, 물음에 답하시오.

> 퍼킨스학교에 머무는 동안 헬렌은 시각·청각·언어 장애를 지닌 노르웨이의 한 소녀가 입으로 말하는 법을 배웠다는 소식을 들었습니다. 이 소식을 듣자 헬렌은 너무나 기뻤으며, 자신도 이것을 배우게 해 달라고 선생님을 졸랐습니다. 말하기를 배우는 것이 너무 힘들었지만 헬렌은 포기하지 않았습니다. 뜻대로 말이 되지 않아 어려움을 많이 겪었지만 자신도 마침내 말을 할 수 있을 것이라는 희망을 버리지 않고 끊임없이 노력했습니다.

6. 본받고 싶은 인물을 찾아봐요

13 헬렌이 배우고 싶어 한 것을 쓰시오.

( )

6. 본받고 싶은 인물을 찾아봐요

14 이 글에서 알 수 있는, 헬렌에게서 본받을 점은 무엇입니까? ( )

① 즐겁게 생활한 점
② 예의 바르게 행동한 점
③ 학교에 열심히 다닌 점
④ 친구들과 잘 어울린 점
⑤ 쉽게 포기하지 않고 끊임없이 노력한 점

중간 기말 평가

15~17 글을 읽고, 물음에 답하시오.

가 어머니는 내게 가방을 넘겨준 다음 내가 가야 할 산길의 이슬을 털어 내기 시작했다. 어머니의 일 바지 자락이 이내 아침 이슬에 흥건히 젖었다. 어머니는 발로 이슬을 털고, 지겟작대기로 이슬을 털었다.

그런다고 뒤따라가는 아들 교복 바지가 안 젖는 것도 아니었다. 신작로까지 십오 분이면 넘을 산길을 삼십 분도 더 걸려 넘었다. 어머니의 옷도, 그 뒤를 따라간 내 옷도 흠뻑 젖었다.

나 그렇게 어머니와 아들이 무릎에서 발끝까지 옷을 흠뻑 적신 다음에야 신작로에 닿았다.

"자, 이제 이걸 신어라."

거기서 어머니는 품속에 넣어 온 새 양말과 새 신발을 내게 갈아 신겼다. 학교 가기 싫어하는 아들을 위해 마음먹고 준비해 온 것 같았다.

7. 독서 감상문을 써요

15 학교 가기 싫어하는 '나'를 위해 어머니께서 하신 일은 무엇입니까? (　　)

① 산길의 돌을 치워 주셨다.
② 산길의 풀을 베어 주셨다.
③ 산길의 이슬을 털어 주셨다.
④ 학교까지 가방을 들어 주셨다.
⑤ 교복 바지를 새로 맞춰 주셨다.

7. 독서 감상문을 써요

16 어머니의 품속에 있었던 것은 무엇인지 쓰시오.

(　　　　　　　　　　　　)

논술형　7. 독서 감상문을 써요

17 이 글에서 감동받은 부분과 그 까닭을 쓰시오.

____

____

____

18~19 글을 읽고, 물음에 답하시오.

"아버지는 걷게 하고 자기는 편하게 당나귀를 타고 가다니. 요즘 아이들이란 저렇게 버릇이 없단 말이지!"

노인의 말을 듣고 보니 정말 그렇지 않겠어요? 아이는 얼른 당나귀에서 내리고 아버지를 태웠어요. 또 그렇게 한참을 가는데 이번에는 한 아낙이 깜짝 놀라며 혀를 찼어요.

"세상에! 이렇게 더운 날 어린아이는 걷게 하고 자기만 편하게 당나귀를 타고 가다니. 저런 사람이 아비라고 할 수 있나, 원! 나라면 아이도 함께 태울 텐데."

아낙의 말을 듣고 보니 정말 그런 것도 같았어요. 아버지는 아이도 당나귀에 태웠어요.

8. 생각하며 읽어요

18 아낙의 의견은 무엇입니까? (　　)

① 당나귀를 메고 가야 한다.
② 당나귀에 타지 말아야 한다.
③ 아버지가 당나귀를 타야 한다.
④ 아이 혼자 당나귀를 타야 한다.
⑤ 둘 다 당나귀를 타고 가야 한다.

8. 생각하며 읽어요

19 아버지와 아이는 다른 사람들의 의견을 듣고 어떻게 행동했는지 빈칸에 알맞은 말을 쓰시오.

• 다른 사람이 말할 때마다 그것이 적절한지 그렇지 않은지 (　　　　　　)하지 않고 그대로 따랐다.

9. 감동을 나누며 읽어요

20 시를 읽고 떠오른 생각이나 느낌을 어떤 방법으로 표현하고 싶은지 생각하여 한 가지 쓰시오.

(　　　　　　　　　　　　)

한·끝·시·리·즈 교과서 학습부터 평가 대비까지 한 권으로 끝! 국어 공부의 진리입니다.

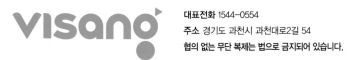

대표전화 1544-0554
주소 경기도 과천시 과천대로2길 54